U0115201

經學研究叢書‧臺灣高等經學研討論集叢刊

第十二屆中國經學
國際學術研討會論文選集

李威熊　主編
陳逢源　編輯

本次論文選集出版，由香港浸會大學中國傳統文化研究中心贊助經費出版，謹此致謝。

李序

　　《四庫全書・經部總序》云：「經稟聖裁，垂型萬世。」揭示經的內涵與價值，經典為傳統文化核心，既是邦國立教之基，也是人倫軌範所在，做為人生學問的基礎，歷久彌新，是現代學術接續傳統不可或缺的一環，也是文化教育最重要學科。民國八十二年王熙元教授倡議，力邀各界人士共同籌辦「中國經學研究會」，經由賴明德教授推動籌備工作，於民國八十五年十二月獲內政部同意，隔年賴明德教授出任第一屆「中國經學研究會理事長」，以整合經學教育工作，開拓經學研究新視野，促進學術交流為宗旨，迄今二十餘年，定期舉辦學術研究會議，提供國內外學術同道分享心得，成為臺灣經學研究最重要交流平台。

　　為落實本會服務宗旨，由政治大學中國文學學系、中國經學研究會、中央研究院中國文哲研究所、香港浸會大學中國傳統文化研究中心、臺灣古籍保護學會，以及中華民國孔孟學會於民國一一〇年十一月二十、二十一日，共同主辦「第十二屆中國經學國際學術研討會」，由於新冠肺炎疫情影響，原先預計五月份召開之會議延至十一月舉辦，為使與會學者安心，本次會議採全面視訊方式進行。雖然疫情乃熾，但學人熱情參與，各單位積極協助，二日會議安排，共計發表二十八篇論文，含主持人、討論人、特約討論人共五十八位學者參與。第一天由政治大學中文系主任張堂錡教授介紹與歡迎下揭開研討會序幕，來自兩岸三地以及日本、韓國的學者透過視訊盛情參與交流，遠道而來有西北大學中國思想文化研究所李友廣教授、東北師範大學古籍整理研究所李德山教授、香港浸會大學中國傳統文化研究中心陳亦伶教授，以及香港浸會大學中國語言文學系系主任盧鳴東教授。又日本九州大學人文科學研究院藤井倫明教授，與韓國成均館大學東亞學術院漢文學科首席研究員李昑昊教授等海外師長，也藉由連線方式和與會者分享經學領域研究心得。

本次研討會共計一百五十位海內外會眾上線，透過視訊方式共襄盛舉，論文發表與討論過程互動熱烈。

第一場會議由我主持，發表篇章論及江戶時期古學派《春秋》學，另有黃奭《爾雅古義》輯佚方法探論，嚴靈峰先生經學成就探究，針對不同身分經學家在研究方法以及學術成就進行整理。第二場會議由中央研究院蔣秋華教授主持，發表主題包含出土文獻中的政道、刑罰，以及簡帛文獻與經學研究之間的聯繫，並涉及韓非子中有關孔子思想的法家化，以及考察文獻中有關箕子文化東傳的紀錄。第三場會議由國立臺灣師範大學國文學系系主任賴貴三教授主持，本場次發表人對於儒家典籍中《周易》進行不同角度分析，如孔子《易》學研究，以及明代馬里的《易》學師承和治《易》特色討論，另涉及《周禮》的民本思想，與程頤「深求有得」讀書方法與《論語解》創造性詮釋，以及清代陳澧《初學編》在中國教育史上的經學教育意義。

第四場會議為本年度研討會特別籌劃之「兩岸三地學報期刊學術平台分享論壇」。本論壇由國立政治大學楊明璋教授主持，與談人分別為《人文中國學報》主編盧鳴東教授、《政大中文學報》主編涂艷秋教授、《中國文哲研究集刊》蔣秋華教授、《孔孟學報》主編趙中偉教授、《經學文獻研究集刊》主編虞萬里教授，主持人和主講人皆有豐富學術刊物編輯經驗，透過兩岸三地學報主編對其組織、收稿、刊登情況說明，分析學報期刊在學圈定位與影響力，討論目前執行操作情形與困難等問題，並共同分享目前數位化、國際化與資料庫徵引率推動進程，期待透過本次論壇建立學報、期刊之間互相支持與合作機制，提供學術交流更多元的平台。

第五場會議由中央大學中文系蔡信發教授主持，論文包括從韓國朝鮮時代化解謀逆冤屈之舉，以《尚書·金縢》顯示忠誠，討論其化用特色。有關《公羊傳》、《穀梁傳》對秩序之講求，比較其思想觀念之異同。另針對朱熹弟子輔廣《詩童子問》中對詩人情性觀察，建構出「言外之意」的詮釋內容。以及明代蔡清《四書蒙引》相關探討，呈現蔡清從政教而及於心性事理之反省。本場次論文發表，乃是藉由經學文獻為核心，分析不同學風的經學詮釋，建構學術史發展脈絡的多元觀察。

第六場會議由國立臺灣師範大學國文學系金培懿教授主持，集合韓國、日本、香港、臺灣學者於一堂，由多元漢學研究視角進行對話。包括有關朝鮮朱子學派經世學的新面貌，梳理其儒學發展第一期以三經為主軸，第二期以四書為中心，第三期則藉由《四書章句集注》為核心而完成。日本學者討論牟宗三先生對朱子《孟子》詮釋之得失，探討朱子《孟子》詮釋及其心性論之內涵。香港學者由空間的私密性理論，連結到居處對實踐功夫的幫助，分析朝鮮時代嶺南家訓中的讀書空間。臺灣學者由朝鮮正祖的《詩經》研究為核心，透過數位化的人文研究視野，考察其治《詩》特色。本場次會議藉由域外漢學專家精彩的分析，透過跨文化交流互動，激盪出多元思維與成果。

第七場會議由國立政治大學中文系董金裕教授主持，透過陳淳有關幼童蒙學著作的探析，探討理學與經學的交融。對於南宋段昌武《詩義指南》為宋代科舉用書，分析背後展現的時代意義以及文獻價值。李紱《朱子晚年全論》在清初心學家視域下，展現出朱陸異同的反省，試圖於朱子學風氣下為陸、王尋找合適定位。又以《授經圖》、《傳經表》為主題之研究，嘗試由圖像、譜牒、世系的新視野分析材料，對於傳統文獻予以新的研究方法與詮釋角度。

第八場會議由國立政治大學中文系陳逢源教授主持，論文發表人藉由《春秋》中對於「文姜」一事的記載，不同經學家詮釋差異，梳理黃仲炎、黃震與呂大圭解《春秋》方法的特色。亦有發表人使用數位研究方法，如巨量文本、精準判斷，以及傳統之二重證據法等，設定《論語》「仲尼」為關鍵詞，蒐檢資料，列表分析「仲尼」於典籍流傳過程中之整體現象。另有探討南宋衛湜《禮記集說》在明朝傳播流衍及其實際影響情況，有助於衛湜《集說》傳播流衍、學術地位與影響更深入的瞭解。至於有關陳澔《禮記集說》研究，則是針對其學術立場與方法框架進行探討，總結《禮記集說》禮教知識特徵，釐清陳澔如何鎔鑄己意與漢唐古注。

各場論文反映近年來學者關注的問題，以及經學研究成果，而延續過往對於青年學者的支持，本次特別邀請兩岸三地學報主編進行對話，主要因為目前學術評比壓力日甚，研究成果發表的重要性日增，兩岸三地各有不同的

投稿原則，但對於年輕學者而言，可以嘗試了解不同規定，選擇跨境投稿，增加學術傳播，促進學術交流。其次，臺師大金培懿教授、韓國成均館李玲昊教授共同推動「儒家經典的跨域傳釋」計畫，考察韓國、日本等不同國家所藏儒家漢籍材料，用意在於開展學術視野，韓國、日本、香港、臺灣學者展現跨域傳習成果，對於青年學者而言，也提供研讀新領域，開拓學術新方向，得見東亞儒學圈更為多元的存在。經學既是傳統國學核心，其實也是東亞儒家文化圈的共同文本，經典「垂型萬世」也就有最佳的實例。

兩天會議，成果豐碩，雖是線上會議，但得以完成學術研討工作，來自於政大中文系古育安教授率領團隊協力完成。事實上，會議從籌備之初，由祕書長陳逢源教授、田富美教授負責規畫事宜，金培懿教授協助不同國家學人聯絡工作，確保達到國際會議功能，兩岸三地學報主編無私分享，許多學人鼎力支持，配合線上操作原則，全程在線，熱烈參與。而為求學術成果廣為周知，學人論文精益求精，本會以一年修改為期，選錄其中二十篇論文，出版「第十二屆中國經學國際學術研討會論文選集」，以饗同好，香港浸會大學中國語言文學系盧鳴東主任慨然支持，惠允承擔相關出版費用，厚情高誼，有助於學林多矣。

本次會議得以成功，論文選集順利出版，來自於同道的協助與幫忙，其實也代表大家有共同的期盼，以及學術研究的熱情，本會一定秉持過往精神，服務學人，持續推動經學研究工作。

第十二屆中國經學研究會理事長　李威熊　敬上

二〇二二年十二月三十一日

目次

論江戶時期古學派《春秋》學與相關論題：伊藤仁齋、伊藤東涯與荻生徂徠

宋惠如

金門大學華語文學系

一 日本《春秋》《左傳》學的發展、轉向與問題的提出

　　日本奈良朝制定「大寶學令」（701），模倣唐代經學政策，以《五經正義》為標的，推尊《左傳》為解釋《春秋》主要經典，往後，《左傳》一直為日本學者研究《春秋》學的主要根據。當時學者關注《左傳》，亦取其思想義理運用於王朝舉政的思考上，至德川幕府時期推崇程朱學，對《左傳》的研究仍不乏其人。上野賢知（1884-？）標舉伊藤仁齋（1627-1705）及其子東涯（1670-1736）的《春秋》說，據其〈左傳研究著述年表〉所錄，在伊藤仁齋之前可見的《左傳》研究包括兩方面：一為根據服虔《解誼》、杜預《集解》講論、習傳，一為釋讀《左傳》傳解兩種類型；即使胡安國《春秋傳》傳入後，學者或有訓點《胡傳》[1]，基本上都是對中國《左傳》權威注解的依循，非遵杜預《春秋》學，則守胡安國《春秋》學。

　　直到伊藤氏作《春秋經傳通解》，在對朱子學的反動思潮下，舉「古學」旗幟。伊藤仁藤批判朱子學，重構經典古義，其方法論與古義思維為荻生徂

---

[1] 上野賢知：《日本左伝研究著述年表——並分類目錄》，《東洋文化研究所紀要》第一輯（東京都：東洋文化研究所，昭和32年〔1989年〕），頁3-7。

徠所繼承，荻生徂徠進一步由宋學尋索「聖人之道」轉向就「先王之道」追述孔子之學。從伊藤仁齋到荻生徂徠，講論的核心由朱子聖人之道至孔子之道，再由孔子之道至先王之道，主要典籍由《四書》擴至六經。荻生徂徠之後，太宰春台、服部南郭，與再往後的龜井南冥承其古文辭學治學理念，續有開展，後者並實際著作《春秋》《左傳》經注，其子龜井昭陽著作《左傳纘考》，為竹添光鴻《左傳會箋》大量採用，稱許其經注最為詳備[2]，顯見這一脈絡下《左傳》學影響甚深。另一方面，截然不同於古學派追崇先王之道，而志在紹述孔子之業的治學理念，為江戶中後期大阪懷德堂學脈下，中井履軒的《春秋》《左傳》學，有其與古學諸家適成相對的經學觀、經學史觀，對於江戶後期的學者，或有著更甚於古學派《左傳》學的影響。[3]

《春秋》具有二種身份，不僅在五經中被視為孔子手做的唯一經典，且具有來自先王之道的周代遺文，其特質如錢穆先生指出，自載具先王之道的王官學角度論《春秋》，以其仿官書製作而具有官書的形式與內涵，以其私家角度言則為孔子個人新興家學的開山[4]；是以《春秋》具有先王之道與孔子之學交界的特殊性質與內涵。中國學者一般視孔子有承於先王之道，視之為集大成者，承先與啟後，兩不相悖；即使三傳各有不同詮釋角度，如《公羊》學者多以孔子為新制創造者，《左傳》學者以孔子承於周道，亦有新創，但是無論何種觀點，先王之道與孔子之業不致於成為相對選項。日本江戶學者則不然，不僅對此多有關注，他們在先王之道與孔子之學的論述上，或如古文辭學派強調先王之道，或如朱子學派著重孔子之學主在《論》

---

2 竹添光鴻《左氏會箋‧自序》謂：「近儒之注《左氏》者，予所涉獵，在皇朝則中井履軒、增島氏固，太田氏元貞，古賀氏煜，龜井氏昱，安井氏衡，海保氏元備，皆有定說，而龜井氏最為詳備。」（氏撰：《左氏會箋》，成都：巴蜀書社，2008年，頁4。）

3 內藤湖南指出：「帆足萬里《左傳》著作深受中井履軒的影響，東條一堂《左傳標識》注釋形式亦與中井履軒《左傳雕題》同一型態，安井息軒《左傳輯釋》於《左傳雕題》又多引述。」（氏撰：〈履軒學問の影響〉，《先哲の學問》，東京市：筑摩書房，1987年，頁443。）

4 錢穆：《孔子與春秋》，收入《兩漢經學今古文評議》，《錢賓四先生全集》（臺北：聯經出版事業公司，1994-1998年），8，頁279。

《孟》，似為相對的選項，那麼有趣的是，他們如何看待這部具有雙重性質的《春秋》，及其與孔子的關連？

龜井氏與中井履軒的《春秋》《左傳》研究，在研究意識、治經觀與解經方法上，為日本經學研究奠定重要基礎。前者據傳解經，專信《左傳》，以嚴格的取先秦六經作為解釋《左傳》《春秋》的方法意識，對照中國研究，與章太炎中、晚期專據《左傳》，信杜非漢的研究意識與方法，相當一致。然而章太炎未及作新注，具有確切的研究意識與方法，卻無成果，二百餘年前龜井昭陽《左傳纘考》的撰作，具體實現章氏方法論下的《春秋》《左傳》注釋，貢獻卓偉。然而龜井氏頗具嚴格條理的方法與意識，並未成為當代研究《春秋》《左傳》的主聲量。江戶中後期，中井履軒依朱子《春秋》所建構的經學觀，展現在一、在孔子與《春秋》這一課題下，對《春秋》真實性的懷疑，二、對今傳世《春秋》與三傳的質疑，三、將孔子之業歸於儒家，依《論語》《孟子》釋孔子學等截然不同的經學觀上[5]，相對於古文辭學派對先王之道的強調，兩派形成在一、抉擇先王之道與孔子之道的價值優先意識上，二、以六經為先王之道與孔子之學的展現，或以《論》《孟》為孔子之學的擇取上，呈現不同的經學研究意識、方法，甚至於涉及經學流變的經學史觀。面對中井履軒影響甚深的《春秋》學觀，若欲徹底掌握較接近中國傳統經學思維的龜井氏《春秋》《左傳》學，及其後續研究發展，不能不了解其前沿經學觀與研治方法淵源，為以伊藤仁齋、荻生徂徠為首的古學派。古學派學者探求聖人之道與孔子之學的視角轉向富有人倫日用的六經，是以其經學觀之究竟如何？實有深究之必要。此前於伊藤父子與荻生徂徠的研究，多探查其《論》《孟》之儒學思維，對其六經研究著實不多，《春秋》的研究鮮少。本文透過探查伊藤仁齋父子與荻生徂徠論先王之道、六經、孔子與《春秋》等議題，由此窺見其經學觀與方法論，當為研究日本中國學不可或缺之一環。

5　請參考筆者：〈論中井履軒孔子《春秋》亡佚說與《左傳逢原》經解〉。《清華學報》52，頁507-550。

二　古義學派：伊藤仁齋與伊藤東涯

伊藤仁齋先奉朱子之學，壯年始疑其學，後排除漢以後注釋，直接自孔孟原典求取聖人之道，創古義學派。井上哲次郎認為仁齋追本溯源，考證經書，突破傳統認知，持一家之見，是仁齋樹立古學論說的根本所在，同時仁齋以孔子為儒學先師，把《論語》視為孔子學問的代表，乃「最上至極宇宙第一書」，與《孟子》並稱為本經，即學說理論的根據和基礎。[6]當仁齋重省《四書》於孔學的價值時，隨之將五經典籍重新帶入儒學研究者的視野中，而使得考究五經成為問學治理的重要選項。[7]仁齋對孔子推崇甚盛，然而對先王之道的理解如何？或可透過仁齋對孔子如何承繼先王之道，亦即《春秋》的說明如何，能有更清楚的開展與論證。

上野賢知所記《春秋》經傳古義學派學者著作，就筆者可搜確實可見的藏書，有國立國會圖書館古典籍資料室所藏伊藤仁齋《春秋經傳通解》，研究者有三宅正彥〈伊藤仁斎の経書批判——「三書古義」から「春秋経伝通

6　陳凌弘：〈井上哲次郎論伊藤仁齋在江戶儒學史上的地位〉，《東亞漢學研究》2018年特別號，頁371-381。井上哲次郎：《日本古學派之哲學》論仁齋的經書評論，引其說而歸《詩》《書》《易》《春秋》為正經，三禮三傳為雜經，《論》《孟》為本經之說。（東京：富山房，明治35年〔1902〕，頁191-192）

7　關於伊藤仁齋五經的研究，今人研究有張文朝：〈《論語古義》中所見伊藤仁齋之《詩經》觀〉（《清華中文學報》15，2016年6月，頁5-48。），說明其就《詩經》整體及《詩》教、學《詩》、《詩》效等的觀點，《詩經》觀如何面對平王東遷、依先王之盛之跡而載錄的《詩》亡於何時之說，值得進一步比對觀察。陳威瑨：〈伊藤仁齋、東涯父子對《太極圖說》的批判〉（《清華學報》第46卷第3期〔2016年9月〕，頁495-523。）指出堀川學派建立的這種以「動」之日用為核心的「孔孟——《周易》一致性」系統，〈伊藤東涯《周易經翼通解》的政治意義〉（《中國學術年刊》第38期秋季號〔2016年9月〕，頁1-27。）尤其提到仁齋、東涯以「王道文教」抵抗武國世風，論述幕藩體制下，儒學王道的君臣論述的現實衝突與影響。此外日人研究有武內義雄〈仁齋先生之經學〉，日本諸學振興委員會研究報告第二編、昭和一七年。日本文化二二、昭和一八年，待赴日查找）。

解」〉、土田健次郎〈伊藤仁齋の《春秋》觀〉[8]。然今因故僅得由線上資料庫，暫窺〈仁齋古義堂文錄書誌〉錄其《春秋經傳通解》云：

> 著有《春秋》之略注六卷，卷頭論例六條，其間詮註例有云『此書專據《左氏》為說，而取其切經義者各附於經文之下，合為之解，名曰《經傳通解》』，由日記可見，最早於天和三年七、八月應門弟子中島恕元之請，講解《春秋通解》。初稿成於天和三年。收錄於《古學先生別集》二、三卷。

收錄有三個版本：

（一）《春秋經傳通解》改修本，寫大六卷一冊。
>　墨附百九十丁（中島浮山書），與《中庸發揮》第三本、《論語古義》誠修校本等同為天和時期之著作。卷五末書頁具東涯書，朱、青、附箋有仁齋補註，附箋為其晚年書作。〔……〕[9]

（二）《春秋經傳通解》（卷之一）觀德亭本，寫大一冊，缺。
>　墨附二十五丁完結，觀德亭藏用紙，末有東所書「此書癸未未復月一校多誤字　東所」。癸未為寶曆十三年（1763）。

（三）《春秋經傳通解》臨泉筆本，寫半六卷三冊。
>　伊藤弘剛書，第一冊目末「文政二年（1819）己卯秋七月十八日創業同八月五日畢實齋伊藤弘剛錄原本藏于宗家」，「校畢」（朱），二冊目末「己卯八月念一日初同月二十五日終業」，「校畢」（朱），三冊目末「文政三年（1820）庚辰三月晦日謄寫畢」，「校畢」（朱）。弘剛為東所之子。

由〈書錄〉所示仁齋至東涯、東所、弘剛，至文政年間，伊藤家仍關注此書之傳抄謄寫，並校讀，可見對此著作之重視。

8　前文見於《古學と國學〈特集〉》，《季刊日本思想史》8（1978年8月），頁22-43。後文收入《大倉山論集》47，2001年3月。近年因疫情之故，未能赴日取得二文。

9　筆者案：東京大學人文社會系研究科文學部圖書室藏有此本。

據伊藤東涯撰〈先府君古學先生行狀〉指出：

> 其於《春秋》也，以為直書其事，美惡自見。甚斥《公羊》、《穀梁》穿
> 鑿之說，專據《左氏》為說。嘗作《經傳通解》，節《左氏》文，繫之
> 于經，以明其意，其書未成。先儒甚重獲麟之說，諸說紛紜，先生以
> 為此《公》《穀》二家之脫簡而然，本非大義所繫，《左氏》所記，獲
> 麟之後，尚有二年《經》，蓋孔子終身續書以至四月之前，游夏之徒
> 欲見其為夫子之所成，為記四月己丑一句也。故哀公一篇亦作解。[10]

簡要說明仁齋基本立場，首先以《春秋》書寫主要為直書其事，其善惡的解
讀可據事自見。這個立場也是朱子理解《春秋》的基本態度，若就仁齋早期
治學始於朱子學，其《春秋》學觀頗有受之於朱子者，其治經脈絡由此可得
知一、二，如對獲麟說不甚措意等，與朱子意有所同。但是他不同於朱子對
於三傳的態度，展現在「專據《左傳》」這個立論上。他透過記述其事的
《左傳》，結合經文，說明經意，為仁齋論《春秋》的基點，同時這也是古
學派頗為一致的詮釋立場。尤其在續經問題上，不同於《公》《穀》經文止
於哀公十四年獲麟，《左傳》載錄《春秋》經文至十六年記有「夏，四月，
己丑，孔丘卒。」歷來為人所質疑，仁齋全然採信《左傳》所書，以四月前
為孔子所書，四月所書則為弟子所記，不僅專據、而且專信《左傳》。

　　此外，仁齋在《語孟字義》論「春秋」有二條，論《春秋》之名與制作
之由，大抵承孟子說。其謂：

> 蓋史官之筆雖襲用周公之舊法，然不能無詭於聖人，故夫子削其違于
> 義者，而筆其合于義者，故曰：「其義丘竊取之矣」，其取之云者：我
> 取之於彼之辭，非夫子親為之褒貶也。蓋當時世樸事簡，無載籍之行
> 于世，善惡淑慝，皆與時其沒無著于後世，故亂臣賊子肆其欲而莫

---

10 伊藤東涯：〈先府君古學先生行狀〉，《古學先生文集》（京兆：奎文館，享保2年〔1717
　　年〕）卷首，頁8-9。

顯，於是，夫子就《魯春秋》筆削之，以為百世不刊之典，故亂臣賊子懼。[11]

進一步解釋孔子承自具周公之法的《魯春秋》，而有所筆削，非自為褒貶；其見傾向「述而不作」之意，並以孔子有變於前的筆法，具有彰顯善惡之效。仁齋認為「知《春秋》者莫若孟子，而《左氏》獨與孟子之意相合。故讀《春秋》當以《孟子》語為正，而以《左氏》說參之。」對《左傳》的看重，尤為仁齋與朱子主張的分歧點。[12]

仁齋主要認為：

蓋夫子以亂臣賊子接踵於當世，莫之能禁而作之也，是《春秋》之大義也。其記日月爵付者，固書法之所在，然謂之《春秋》大義則不可。蓋聖人之脩經也，在於禁亂臣賊子之欲，而使人觀其善惡之跡，故《左氏》之著傳，亦備載其事之本末而使人審覈其善惡之質，此《左氏》之所以知聖人之意而與孟子之意相合也。後人惟知解義理之為傳註而不知記事實之為傳註，《左氏》之意荒矣。[13]

所謂「使亂臣賊子懼」是使人觀知善惡，以禁亂臣賊子之欲；使之懼是結果，透過觀知前人善惡之事、跡，使人具備判別善惡之質的根據。因此，仁齋特別肯定《左傳》記事本末的價值，更由此結合孟子之論與《左傳》載史文的傳經方式，一反前人多肯定傳解義理為解釋《春秋》之義的主要方式。

然則何以仁齋尤重《春秋》《左傳》的史文性質與內涵？他曾表示：

予平生專用力於治經，……《詩》《書》《春秋》皆古聖人之史，故稱經史。苟不讀史書，則雖略得通曉道理，然其智局促寡陋，反欠意思

---

11 伊藤仁齋：《語孟字義》，《日本倫理彙編》（育成會出版，1901-1903年）5，頁61-62。

12 朱子解釋《春秋》主張：「此是聖人據魯史以書其事，『使人自觀之』，以為鑒戒爾。只是被孔子寫取在此，人見者自有所畏懼耳。」（朱傑人、嚴佐之、劉永翔主編：《朱子語類》，《朱子全書》〔上海：上海古籍出版社，2010年〕，冊17，頁2832-2834。）

13 伊藤仁齋：《語孟字義》，頁62。

> 條暢。……經載道者也，史以道裁之者也。故非知道者則無盡史之用
> 也。[14]

一則提出六經為古聖人之史，一則主張若未能佐以史文之覽，讀經便僅得通
曉道理，反落為侷促寡陋之況，肯定經典的史學特質與內涵。

　　仁齋正視六經為古聖人之史的主張，雖未及深論，然亦早於章學誠
（1738-1801）百年，特有其卓見。尤其，他解釋孟子〈離婁〉之論，自周
史採詩的制度來看《春秋》之作：

> 跡，車轍馬跡也。周制每十二年巡狩，命大使陳其詩，以察民風，為
> 行政之參考。春秋時所賦詩，多東遷以後之詩也，然天子巡狩、采詩
> 之事則已矣，故謂「詩亡」。朱《注》謂〈黍離〉以降云云，非也。[15]

從文獻材料的官守之失，平實的解釋《詩》亡之因，認為孟子只是陳述事實
而已，別無他義。他認為所謂「王者之跡」，為先王遺澤，當其世「其美刺
好惡，率用直道，……所以為厚也，人亦據以傳之。」[16]至魯史官舉周公之
禮經，以著善惡之跡，是以仁齋認為《詩》與《春秋》實相表裏。仁齋以
《詩》解《春秋》，一則在方法上，他認為當以經解經，具體而言，即是回
到《春秋》述作所延續的傳統中去談《春秋》，不僅就時代的背景共時性去
談，也從周制傳統歷時性的角度談《春秋》的書作，其次乃就《春秋》書作
為先王之道的傳接者的角度討論，與《春秋》為孔子著作是以有其價值的角
度來談，大為不同；前者更注重《春秋》在內容上所承載的先王之道之跡。
仁齋主張：

> 古者無編年之史，國有大事則史官具其本末，以為一篇之書，若典、
> 謨、誓、誥之類是也。其具時日，以著善惡之跡，蓋肇於隱公之時，

14　伊藤仁齋：《童子問》，《日本倫理彙編》5，頁156。

15　伊藤仁齋：《孟子古義》（文泉堂，1720年），卷4，頁41正文欄上註文。

16　伊藤仁齋：《孟子古義》，卷4，頁41。

故曰「《春秋》作」。[17]

（《春秋》所載事齊桓晉文征伐會盟之事，其文則史官所記也，然而于他史異者，褒貶予奪在因孔子裁定。）……史，史官也。言《春秋》據當時之事實，而出於史官之所筆，本非有艱澀難明之事。……「竊取」，謙辭言「春秋」之義有合於聖人之意，故夫子取之，以列之于經。今《左氏》所傳《春秋》是也。[18]

仁齋從歷史脈絡與書寫體例看《春秋》的生發，認為中國古代即有史官載具事件本末，有如《尚書》典謨誓誥之體，然而至隱公時，方具時日之記，而為《春秋》有變於前的特殊書記方式，改為編年之體。這一點與後來章學誠的看法一致，章氏主張《春秋》體、法，亦有承自《尚書》者，具體指出：

《春秋》之事，則齊桓、晉文，而宰孔之命齊侯，王子虎之命晉侯，皆訓誥之文也，而《左氏》附傳以翼經。夫子不與〈文侯之命〉同著於編，則《書》入《春秋》之明證也。[19]

《左傳》採周天子使宰孔與王子虎頒命於齊侯、晉侯等訓誥之文，用以解釋《春秋》。若上古曾區分記言、記事之體，孔子整理六經時，應將此命誥之文，與《尚書》中〈文侯之命〉同列，但是這些史體卻出現在《左傳》史文中；命誥之文入列於《春秋》經傳，或為《尚書》之體入於《春秋》之證。[20]仁齋與章學誠同樣的將《春秋》《左傳》視為一體，共同呈現東周經史體例流變之狀，說明《春秋》具載的歷史及其史學性質。其次，他解釋「其文則史」，以史為史官之意，孔子以史官載記魯《春秋》頗有聖人之意，聖人當指先王，是以孔子取之以為教誡之用，仁齋採杜預〈春秋序〉說法，認為：

---

17 伊藤仁齋：《孟子古義》，卷4，頁41。

18 伊藤仁齋：《孟子古義》，卷4，頁42。

19 章學誠：〈書教〉中，《章學誠遺書》（北京：文物出版社，1985年），頁3。

20 請參考筆者：〈章學誠「《書》亡而後《春秋》作」論析〉，《第四屆國際《尚書》學學術研討會論文集》（揚州：廣陵書社，2017年），頁773-808。

> 蓋《春秋》之書，其發凡起例皆周公之舊法，而夫子以前，既為魯國
> 之一經，暨乎夫子取之，而永為萬世不刊之典。[21]

對於《魯春秋》之文富有周公之法，孔子取之益以褒貶予奪，以成萬世之
法，換言之，萬世之法的基礎又在於具載周文的《魯春秋》。

《春秋》雖然與《詩》《書》同樣載有先王之道，然而仁齋認為《詩》
《書》和《春秋》傳述先人之道的性質和取徑不同：

> 蓋人情盡乎《詩》，政事盡乎《書》，事變盡乎《易》，世變盡乎《春
> 秋》。不讀《詩》則不能立教；不讀《書》，則不能以善政；不讀《易》，
> 則無以識事變；不讀《春秋》，則不無以馭世變，此其大義也。[22]

經書各有其載負的義理特質。相對於《春秋》諸多失德、失禮義之記，他認
為孔子多闡《詩》《書》之教，在於其「盡皆君臣之道，究人倫之極。……
尤平易近情也，使人易從易行，達乎萬世而無弊者」，特別是二書「其意
平，而無詭異邪僻之行」[23]，仁齋目光如灼的關注著《春秋》具載當代世變
的特質。

仁齋認為不僅戰國時孟子所言流行楊墨之徒為邪說，上世亦有邪說，即
非堯舜之道的神農黃帝之道，後為孔子所黜，且以為古代宓犧之學，不全同
於堯舜之道。那麼他們何以為邪說？他指出「大凡離於人倫，遠於日用，無
益乎天下國家之治焉者，皆謂之邪說，皆謂之暴行。」[24]相對於此，堯舜之
道所構架的王道社會，為仁齋所欽慕：

> 惟堯舜之君在位焉，則天下一家，道德一而風俗同。君君臣臣，父父
> 子子，夫夫婦婦，兄兄弟弟，忠信和睦之風隆，詭行異論之徒熄。蕩

---

21 伊藤仁齋：《孟子古義》，頁42。
22 伊藤仁齋：《語孟字義》，頁63。
23 伊藤仁齋：《語孟字義》，頁63。
24 伊藤仁齋：〈論堯舜既沒邪說暴行又作〉，《古學先生文集》（京兆：奎文館，享保2年
　〔1717年〕）卷2，頁21。

蕩平平，無偏無黨，家自齊，國自治，而天下自平矣。虛無恬澹之
說，自無所興，無為自化之教自無所倡，是為中庸之至，是為王道之
極。[25]

其說同時指出，春秋以來盛行無為自化之說的根本原因在於王道不行，使人
民生命艱難，無以安頓，於是人心有跳脫人倫日用的期待和需求，是以當王
道得以流行，則所謂的「邪說」便置於無用武之地。

仁齋認為，先王之道尤為孔子所承繼，是以推崇孔子：

赫赫皇天，篤生孔子，旁觀古今，歷選群聖，祖述其當祖述，憲章其
當憲章，雖三皇三帝之書，猶在所黜焉，而獨斷自唐虞以下，祖述而
憲章之，而後天下萬世，君臣父子夫婦兄弟朋友之倫明，而無所迷
惑。邪說暴行猶烏莠之於嘉穀，自不得與正道相混焉，則孔子之德之
學之大，其為如何哉！[26]

高度推崇孔子在於一、辟邪說，二、祖述憲章先王之道，三、先王之道在唐
虞以下，四、明萬世人倫為正道。同時，仁齋認為先王之道具體展現在六
經，孔子承之，使萬世明人倫而無所惑。

《詩》《書》平易，得以自正面推舉人倫日用，掌握其實質內容，然而
《春秋》成於世變之中，有賴於孔子筆削，其展現方式與意義又不同於前。
因此，仁齋在〈春秋制作辨〉反對孔子獲麟絕筆說，他認為面對江河日下的
春秋衰亂：

夫子懼，作《春秋》，欲以明一王之法，而立萬世之典。嘗曰：「鳳鳥
不至，河不出圖，吾已矣夫。」繇由觀之，夫子不竢西狩之獲，而既自
識大道之不復行于世，安能悠悠到七十一歲，無所制作，而竢於獲
麟，始作《春秋》。……《春秋》之義，在於名分，而不在於麟，在

---

25 伊藤仁齋：〈論堯舜既沒邪說暴行又作〉，《古學先生文集》卷2，頁19。
26 伊藤仁齋：〈論堯舜既沒邪說暴行又作〉，《古學先生文集》卷2，頁21、22。

> 夫子之意，而不在麟之獲與否。[27]

作《春秋》在積極的明一王之法，立萬世之典，而《春秋》大義又在名分上
展現，因此獲麟與孔子個人感歎不甚相關。何況祥異之事，仁齋認為「聖人
存而不議」[28]，仍強調使亂臣賊子懼的效應。《春秋》使亂臣賊子懼，乃在
透過明一王之法，立萬世之典，仁齋是以謂：

> 昔者孔子成《春秋》而亂臣賊子懼，蓋謂《春秋》成而後君臣父子夫
> 婦昆弟朋友之倫明，故亂臣賊子，自知其無所逃罪，故懼焉，非謂讀
> 《春秋》書，而亂臣賊子乃懼，是亦學《春秋》者所當識也。[29]

因《春秋》述明人倫，能使亂臣賊子懼，而不是讀《春秋》、知其書方得懼
之。

仁齋強調，《春秋》以明人倫的方式達到使亂臣賊子懼的效用，而明人倫
的途徑不在論議，而在明事，此尤為其解讀《春秋》的基本視角。他指出：

> 夫道德盛則議論卑，道德衰則議論高，議論愈高則離乎道德，愈益遠
> 矣。故議論之高，衰世之極也。……故孟子曰「君子反經而已矣。經
> 正，則庶民興；庶民興，斯無邪慝矣。」故遏邪說之術，修言道德為
> 上策，以倫理攻之，為中策，辨理之有無寂惑為下策。……得其上策
> 者，孔孟以後，未之或聞也。[30]

認為：一、議論高則德愈衰，二、遏邪說的方法在修言道德，不在議論言
勝。在仁齋看來，論理既不為上策，《春秋》簡煉文字，即展現其意不在論
理，而著重在彰著人倫的「名分」予奪上。因此就其解經意識來看，擅長言
理的《公》《穀》便未能入仁齋之眼，而崇尚推善當代仁人君子德行與懿

---

27 伊藤仁齋：〈春秋制作說〉，《古學先生文集》3，頁6-7。
28 伊藤仁齋：〈春秋制作說〉，《古學先生文集》3，頁8。
29 伊藤仁齋：〈春秋制作說〉，《古學先生文集》3，頁22、23。
30 伊藤仁齋：〈春秋制作說〉，《古學先生文集》3，頁22、23。

言，細述與究明當代人倫、君臣、日用的《左傳》，可由此取得理解。

再者，仁齋有兩篇評論《春秋》載事的文章：〈論春秋鄭伯克段〉、〈論齊侯使弟年來聘〉，具體說明他對兩事件的看法，以及解讀《春秋》《左傳》的方式。首先，他認為《春秋》為王法，應對極其正當、合理：

> 《春秋》，王法之權衡也，劑量的確，尺度明審，不爽錙銖，不失抄忽，詞至簡嚴，理極明白。蓋其操之也公，故其處之也平，其居之也寬，故其應之也當。仁義以為本，忠厚以出之，禮義以行之，謹嚴以成之，重者不為之過重，輕者不為之過輕，其意蓋欲洗濯夫亂世之濁，而輓回乎治古之盛。[31]

高度推崇《春秋》的行法精密，言不爽失，孔子意欲透過《春秋》力挽狂瀾，重回古代盛治。在方法上，仁齋指出：

> 《書》曰：「刑期（于）無刑，民協于中。」此夫子之意也，而後之說《春秋》者以為隻字單語寓褒貶，日月名爵為之予奪，殆以聖人忠厚經世之典還為法吏刻深苛密之風，不亦謬乎。夫聖之經，周遍詳密，雖褒貶予奪自存於屬辭比事之間，而其意全在反三代之德，而初非有意於褒貶予奪之也。[32]

認為《春秋》書法巧妙，不當關注其褒貶予奪的懲治情事，如同解《易》不在求吉凶悔吝，讀《春秋》當聚焦在返三代之德的記述中。仁齋之說，結合他對孟子的講述，頗能成理，雖有足以令亂臣賊子懼的效用，但是解讀《春秋》的要旨仍在關注人倫日用的先王之道，展現忠厚經世之範，方能為當世所仿效。

由仁齋對挽回先王之道的強調，可推其關注《左傳》解釋《春秋》的先王之道的內涵，當勝於孟子懲戒治亂之效。在這樣的視角下，仁齋於《春

---

31 伊藤仁齋：〈論春秋鄭伯克段〉，《古學先生文集》2，頁14。

32 同前註。

秋》有其獨特的詮釋方式：

> 《春秋》之為經，有正意，有餘意，而兩者之中又有四義，曰：賓
> 主，曰輕重，曰必誅，曰垂戒。其正意者，夫子之意，而餘意，則自
> 存於輕者也。若鄭伯之失教，與段之亂倫，在叔段則為正意，在鄭伯
> 則為餘意。若以賓主論之，則鄭伯為主，叔段為賓，以輕重論之，則
> 叔段為重，鄭伯為輕，而叔段之罪，則《春秋》必誅，而鄭伯之過，
> 則《春秋》垂戒也。[33]

以鄭伯克段為例，仁齋認為當中有多重的詮釋角度，有所謂的「正意」，即
為孔子之意，如以王法治教的嚴格與高標準來，叔段為孔子所指正者，為情
節之重，為必誅者；相對於叔段之亂倫，鄭伯失教，為情節之輕者，為垂戒
者，為此事件中的「餘意」，為記述此事時隨之自存於事件之意，不為孔子
意欲嚴格指正者。他的判斷建立在於罪情的輕重：

> 且無兄之弟，與失教之兄，其罪孰重？輕若不致誅於無兄之弟，而特
> 加罪於失教之兄，則吾知非惟舉法失輕重，實啟後世濫刑之途，此豈
> 聖人之書乎哉？[34]

認為段之叛國罪重，鄭伯失教之罪輕，而主張《左傳》多批評鄭伯不完全
正確：

> 《左氏》謂之鄭□，死非也。吾意莊公昏弱無斷之人耳，未必殘忍果
> 殺之人。……《左氏》之論亦刻矣哉，而治《左氏》者，皆以謂《春
> 秋》之義「微顯闡幽」，何哉？蓋《春秋》據事直書，其義自見，若
> 所謂「微顯闡幽」者，自後人目之，非聖人之意也。[35]

---

33 伊藤仁齋：〈論春秋鄭伯克段〉，《古學先生文集》2，頁14。

34 伊藤仁齋：〈論春秋鄭伯克段〉，《古學先生文集》2，頁15。

35 伊藤仁齋：〈論春秋鄭伯克段〉，《古學先生文集》2，頁16。

由此觀之，仁齋在方法上雖有意識的據《左傳》解經，卻不是據《左傳》之義解經，而是據其載事解經，是以他強調《春秋》據事直書，後人據事便得以自見其義的釋經方式。這一方式，其實也是朱子解《春秋》的途徑。仁齋不同於朱子者，在於對《春秋》經文的全然信任。[36]

此外，仁齋強調《春秋》之作渾然天成，須知其書有作而無作意，他認為解讀《春秋》當依此原則而不必字字穿鑿、事事牽合。其謂：

> 昔者孔子之作《春秋》也，於災異不言事應，而事應具存。後世史臣之著〈五行志〉也，遇一災異，必載事應，吾以此知《春秋》之所以為《春秋》，而亦覺諸儒之傳《春秋》者，則似史臣之著〈五行志〉也。而《春秋》所書，非惟災異為然，至於凡列國之會盟戰伐，諸侯之即位薨卒，內外之送女、逆女，卿大夫之交聘使節，一經之體，莫不皆然。……嗚呼！聖筆之妙，猶化工之肖物，化工無心造物，而物莫不具；聖筆無意載理，而理莫不備焉。[37]

認為記事本身即備眾理，眾理並非孔子刻意所指。仁齋對《春秋》記事的本質有一哲理性的掌握，常以《易》之成書為喻，又言「猶《易》之排布奇偶，發揮剛柔，而吉凶悔吝自具，於卦爻之間也。故以吉凶悔吝求《易》者，《易》之末也；以褒貶予奪求《春秋》，《春秋》之末也。」[38]他思考解讀《春秋》之法，應當：

> 夫不可以詞述者，非不可見之，顯然焉爾，粲然焉爾。不可以言傳者，非不可知之，昭然焉爾，晰然焉爾。故明者非見其難見之謂，而能見其易見之謂也。知者非知其難知之謂，而能知其易知之謂也；易見易知者，至理之所存也。

---

36 朱子則謂：「《春秋》書『季子來歸』，恐只是因舊史之文書之，如此寬看尚可。若謂《春秋》謹嚴，便沒理會。」（朱傑人、嚴佐之、劉永翔主編：《朱子語類》，《朱子全書》冊17，頁2854。）並不以為《春秋》用字謹嚴周密。

37 伊藤仁齋：〈論齊侯使弟年來聘〉，《古學先生文集》2，頁16。

38 伊藤仁齋：〈論春秋鄭伯克段〉，《古學先生文集》2，頁14。

後世一字褒貶說、書法凡例說，概在仁齋否定之列。他主張能知者不在於言傳，而且易見易知的方式，才為至理存在之所。但是仁齋並不完全反對書法之說，如其接受三傳釋「克段」，即謂「其曰克者，見段之強驚儁傑，於鄭若二君也。」[39] 換言之，何者為字字穿鑿？何者為可接受的書法解釋，仁齋並不能指明其基準。

這種未能指明，當由仁齋詮釋《論語》、先王之道的基本方法與見解取得理解。晚年他仍強調聖人之學當平易近人，是如子安宣邦指出，孔子之所以賢於堯舜者，在於其《論語》以易知易行行萬世之道[40]，那麼詮釋六經亦當以此為準，就其易見易知者理會之。因此仁齋論《春秋》，在詮釋上主張跳脫深文周納，反對究極字詞而來的褒貶予奪。他追溯《春秋》《左傳》內容與形式淵源，肯定其中多有承於先王之道者；他將先王之道定於唐虞之後，人倫日用為其內涵，史官所載先王之道，由《魯春秋》順承之，孔子《春秋》繼之且益以世變之義，《左傳》就事以明義；由此歷史脈絡解釋《春秋》《左傳》，自有其義理氣度。

從日本《春秋》研究史來看，仁齋專據《左氏》與孟子之說相表裏，然仔細觀之，此專據傳文之法在形式上與龜井氏似有所同，但是後者卻是在批判孟子的基礎上開展其學。同時由仁齋實際經解可明，其專據《左傳》為據其史文，對於書法凡例的接受是有限的，是以其內涵、方式與龜井氏專信《左傳》解釋的根本起點不同，所闡發的經傳義理亦不相同。雖然如此，江戶時期經學專據《左傳》的治學方法，事實上可溯及古義學，往後乃為古學一脈研經之重要觀念與方法。

仁齋長子伊藤東涯（1670-1736）亦精通經學，著有《經史博論》、《經學文衡》、《古今學變》，又作有《辨疑錄‧群經億》，有其用心於經學者。據伊藤善韶指出，東涯曾作《春秋胡傳辨疑》，然為早年之漫筆，故不敢傳於

---

39 伊藤仁齋：〈論春秋鄭伯克段〉，《古學先生文集》2，頁15。

40 子安宣邦著、陳瑋芬譯：〈伊藤仁齋古義學與激進主義〉，《臺灣東亞文明研究學刊》第1卷第1期（2004年6月），頁143。

世[41]，後亦未有專著面世。年三十九歲作《辨疑錄》，講述其六經與孔子、《春秋》學意見，至四十一歲完成《經史博論》（寶永七年，1711年），其論《春秋》，有其進於仁齋的說明與開展。

東涯經學論述基本上承父仁齋之見，推崇先王之道，通過孔子祖述、憲章，可明其至高價值。他並講述先王之道與六經的關聯：

> 唐虞之時，治尚簡樸，教法之方，未若周之詳且悉，專以奉天道，恤庶民，舉賢才為務，而戒百官授眾職，則必曰欽哉。<u>其所以化民成俗，甄陶天下之人者，以禮樂為先務</u>，故命伯夷典三禮，夔典樂，其戒敕之，為特詳焉。方是時也，治與道一，政與德行，上之所以治之，乃其所以教之也，上躬其德，以立於天下之上，而天下之民，親以傚之，傳諸後世，而後世之人，莫之能違。<u>此六籍之所以權輿，而學之所由興也，此唐虞之道也</u>。其天下號令之敷於天下者，莫□而非仁義之極，而未聞有以仁智為教也。[42]

據〈舜典〉，堯舜之道的具體內容在禮樂，以化民作為治理天下之方，此時治與道合一，天子為政，與德合一，親身示範，以為人民效法的根據與具體對象。東涯認為，不必言稱仁義智，禮樂施行之化，即為先王之道的具體與實質。此先王治世之真實，為六經之始。然而世變無常，東涯認為「周衰接乎戰國，禮樂廢墜」，「先王之道掃地」，治道固有變於此，而學亦隨之變於漢初：

> 而先王之遺文，徒供之博士掌故之業，世之儒者私傳授以專其門，則治之與道歧為二塗，……古者因事設教之方，遂為在已一定之物，於是乎古之學始變矣。[43]

---

41 伊藤善韶：《古義堂遺書總目敘釋》（古義堂藏板京兆文泉堂刊本，安永3年〔1774年〕），頁20。

42 伊藤東涯：《古今學變》（西京：川勝德次郎，慶應義塾大學藏本）卷上，頁5。

43 伊藤東涯：〈古今學變序〉，《古今學變》，頁2。

其論治道合分之論，頗類於章學誠官師合一、政教合一之論。章氏以六藝為政教典訓，為古代教、習之固然，如其謂：「夫六藝者，聖人即器而存道；……不知古人於六藝，被服如衣食，人人習之為固然。」[44]上古治世習服六藝為其日常固然，而後世政教分離亦為一不得已之必然，指出「則亦道器合一，而官師治教，未嘗分歧為二之至理也。其後治學既分，不能合一，天也。」[45]章氏意在指出六藝為載道之器，然後世學術分化，致使「儒家者流，守其六籍，以謂是特載道之書耳。」[46]同時也不同意其離器論道，「彼舍天下事物、人倫日用，而守六籍以言道」，認為如此「則固不可與言夫道矣。」同樣的，東涯以歷史脈絡提出類似的看法，認為古學變於漢：「自斯而後，為章句訓詁之學，為詞章記聞之學，聖人之道晦旨不明，千有餘年。」[47]然而此尚去古未遠，東涯更批評宋明性理之學在方法上，「不肯上下二千餘年間，通覽源流之所自，直以今日之學為唐虞三代之學，而不知其離沿革，不可復一事，斷一言，辨矣。」[48]特別重視歷史因革與沿承，透過經史復古之學重新掌握先王之道的方法論。

　　東周政道一變，《詩》亡而後《春秋》作，東涯解釋這一段「學」的變化：

> 時魯之史官，編年紀載，傳諸國事，名之曰「春秋」。自是之後，雖復非無《詩》，而其興亡與「春秋」相先後，故曰「《詩》亡而後『春秋』作」，此言不修「春秋」耳。[49]

他認為孟子此處所言為「魯春秋」，和當時晉《乘》楚《杌》的各國史記，記述善惡，性質是一樣的。他對於各國史記的評價並不高，內容如當時史官

44　章學誠：〈原道〉下，《章學誠遺書》，頁12。

45　章學誠：〈原道〉上，《章學誠遺書》，頁10。

46　章學誠：〈原道〉上，《章學誠遺書》，頁10。

47　伊藤東涯：〈古今學變序〉，《古今學變》，頁1-3。

48　伊藤東涯：〈古今學變序〉，《古今學變》，頁3。

49　伊藤東涯：《古今學變》，頁28。

南董之類，不能與「非皋、夔、稷、棄之謨」比倫。東涯認為：

> 顧其為書，具記當時之事，以遺後世，亦足以為觀者之監戒。……蓋
> 夫子因魯史舊文，筆其可筆，削其可削，名例以明，是非以正，續書
> 不已，以傳後世，使為惡者，有所畏諱，而不敢肆其志，則儼然為一
> 經，以與《詩》《書》匹。[50]

經孔子筆削後的魯史，方得以為經。然而史記與孔子《春秋》具體差異何
在？孔子透過同樣的一套記述善惡的書法，包括名例，以正是非，何以能使
惡者有所畏？既是「續書」，孔子之書有何異於從前之處？東涯雖未能細
說，但是根據孟子之語，肯定孔子《春秋》。他不認為孔子作《十翼》，但主
張《春秋》為孔子的直接著作，指出：「較諸《春秋》之道名分，其事為
重，而孟子願學夫子，而未有一語及之者，至成《春秋》則崇重其功，敘為
一治，其所輕重可知矣。」[51]推崇《春秋》具有轉載先王之道的價值。

東涯於《經史博論》〈書論〉進一步說明《春秋》和《尚書》的性質同
樣為史，但是記述的內容不同；後者的時代仍在聖王之治，「君臣聖明，禮
樂盛行」，而前者已然亂離，是以「故《春秋》之所記，善寡而惡多，《尚
書》之所載，有善而無惡。」[52]提到《春秋》記述善惡，其時代歷史使然，
使其載事不符禮者為多。然東涯論《春秋》載事「善寡」、應是與《尚書》
比較而來，因為《左傳》雖有諸多「非禮」的評述，亦有許多記述「禮也」
的記述。東涯以為《尚書》之記善，乃「所以為萬世之法程」者，這是他看
經典之所以為常典的角度，由此關涉到他解讀《春秋》的認知與方法。接著
在〈春秋論〉，東涯主要討論詮釋《春秋》兩個方法，一則批評褒貶說，一
則論《春秋》直書之理，皆從伊藤仁齋之意而有所發揮。

褒貶說的優點，在於有相對明確的判準，後人釋讀《春秋》，可以根據

---

50 伊藤東涯：《古今學變》，頁28。
51 伊藤東涯：《古今學變》，頁26。
52 伊藤東涯：〈書論〉，《經史博論》（京都：林權兵衛，元文2年〔1737年〕）卷1，頁6-
　7。下引同。

簡煉文辭，尋索據說是孔子微言的事理大義，然而尋索的過程又必須仰賴三傳，包括《左傳》的事、《公》《穀》的義，後者尤被後世推為主要的解經途徑。然而東涯認為，問題就出在載義明確的解釋方法與結果，認為「褒貶之說作，而《春秋》之旨鑿；《春秋》之旨鑿，而聖人之意隱。」[53]後世結合亂臣賊子懼與褒貶之說，反而使得《春秋》真意不顯，不能合理的掌握《春秋》真正效用。

後世一般認為當時天子無權，是以亂臣賊子不能伏法受誅，於是孔子代行天子之事，透過《春秋》褒貶其人，致使亂臣賊子有所懼。東涯指出這不切實際，乃為臆想之辭。平理而論，亂臣賊子既位高權重，即意謂著未能有抑遏其勢的君權，是以其所懼何人？何況《春秋》記錄二百四十二年事，當亂臣賊子已亡，其事即成陳跡，那麼褒貶勸懲施用於何處？誰又是其中領受者？東涯認為即使是後人見之，「如秦人視越人之肥瘠，不暇加欣戚乎其間。」實際上並不發生勸懲作用，然則《春秋》「既不及遏既死之姦，亦不能懲方來之亂，夫子用心殆近于迂。」[54]如何由此褒貶說辭達到抑遏亂臣賊子之效？他更質疑褒貶說，又在於褒貶說曲折，常不能達成一致的評價，示義的判準相當複雜，或說具名者貴之，貴者不見得具名，或有十數年前後不相通的說法，又有「美惡不嫌同辭」「知權者始可與語矣」的權變之法。東涯如同仁齋，對聖人示法於後世，有一基本假定：「夫聖人之言竭其兩端，無所掩藏」，若《春秋》之示意，「隱微其義」、「多端其辭」，究竟是示意於何者？更何況，若示意於當世與後世亂臣賊子，那麼：

> 彼亂臣賊子之暴，閔不畏死，父誅於前，而子繼於後，有如讀聖人之書而索其意義，則固不待讀《春秋》而惡不為矣。[55]

若亂臣賊子能經由繁複又示意不明的褒貶說達到不為惡的效用，那麼不必讀《春秋》，亦能有其效，所以東涯認為褒貶說實無用於使亂臣賊子懼。

---

53 伊藤東涯：《經史博論》卷2，頁8。
54 伊藤東涯：《經史博論》卷2，頁8、9。
55 伊藤東涯：《經史博論》卷2，頁9。

　　東涯之說，甚有其見，他問了二個重要問題，誰在讀《春秋》？又能對誰產生作用？他認為褒貶說實際上不存在令當世、來世亂臣賊子為之懼的效用，然則沒有褒貶說，那麼《春秋》之效如何產生？東涯曾作〈孔孟言治不同論〉，以孟子世苛徵暴斂天下，民無所措手足，當務之急在求民於水火，而不能及禮樂。[56]相對的，他認為孔子之世：

> 蓋王跡之未熄，人皆忠厚其是非美惡之跡，載之街童里婦之口而不諱。及其衰也，善有所畏而不揚，惡有所諱而不議，則毀譽始亂真矣。[57]

人尚淳厚，是以善善惡惡，無所諱言。相對於此，衰世不僅善惡不顯，甚至於善「畏而不揚」，於惡「諱而不議」，東涯認為人之善譽怒毀的真性因而錯亂，形成「善者以怠，惡者以肆，亂賊行而莫之遏也。」世人於是不敢稱善，有畏於惡，長久以往，「則天下貿亂，三綱淪、九法斁，其害慘於夷狄猛獸矣。」換言之，孔子之世仍有禮樂之遺，是以孔子言先王之道，復禮論樂仍有其效，問題在正名，是以《春秋》因時制宜，揚善而不諱惡，如實呈現所毀與所譽之真。

　　因此，東涯自人之常情、歷史發展考究《春秋》之意，認為：

> 譽則喜，毀則怒，人之恆情也，然常流於為惡，而憚於為善者，何也？毀譽之亂真，而善或不顯，惡未必彰也。若夫惡者幸逃於誅，而醜跡必錄；善者雖不幸得罰，而令名不朽，則自非喪心病狂之人，豈其不敢於為善，而憚於為惡也哉。[58]

當孔子之世，人情未變，是以透過顯善彰惡，正名之說令為惡者被載錄，為善者名不朽，以為復禮教樂和之實的可能。東涯之說至少符合《左傳》記述，如宣公二年趙盾弒其君，衛甯殖有悔於逐獻公，謂「吾得罪於君，悔而

---

56 伊藤東涯：《經史博論》卷3，頁22-23。

57 伊藤東涯：《經史博論》卷2，頁10。

58 伊藤東涯：《經史博論》卷2，頁10。

無及也。名藏在諸侯之策。」[59]為襄公二十年事，孔子出生前二年，至襄公二十五崔杼弒其君，孔子亦稱述載趙盾事之史官，「董狐，古之良史也，書法不隱。」[60]表現史官書法不諱惡的正名之筆。

襄公之後，至昭公、定公、哀公，為孔子生存年代，此前書法不隱，此間孔子亦承此直書不諱之書法，因此東涯認為直書其事是《春秋》有承於史官書法最根本且最具價值的特質。孔子懼於善不能勸、惡不能懲的後果，是以因魯史記載禮樂與征伐之事：

> 某也，滅國；某也，弒君；某也，僭禮；某也，殺大夫。淑慝邪正，粲著史策，雖不軒輊予奪于日月名字爵位卒葬之間，而據事直書，自無所棄，始其緒于今日，而託其責於無窮，豈止記二百四十四年而已。此孔子成《春秋》而亂臣賊子之所以懼也。[61]

就史策昭著良巂以為善善惡惡之據，孔子《春秋》據事直書是其根本方法，同時也是延續周史書法不隱的傳統，未因職官失守而失傳。當東周離亂仍有所承，展現時政變化，史官仍能不改其法，孔子《春秋》繼其後，成為最好的示範，當史策彰著善惡之傳統不變，亂臣賊子便有所懼。再者，雖然後世史策不見得能如南董與孔子之筆，或者也有文飾非過、無以導善懲惡的史官書策，但也由其無所不至的修飾之舉，可知人心確實有所懼；東涯認為，此有所懼，「孔子之作《春秋》實為此耳」。[62]至於據書直書的方法，由《左傳》所顯，是以東涯肯定《左傳》「不釋其義而詳其目，不比《公》《穀》諸家之險怪傅會也。」[63]

在去世前二年，東涯編錄《經學文衡》，時六十四歲。當中收錄呂大圭

---

59 《十三經注疏》委員會整理：《春秋左傳正義》（北京：北京大學出版社，2000年），頁1109。

60 《十三經注疏》委員會整理：《春秋左傳正義》，頁688。

61 伊藤東涯：〈春秋論〉，《經史博論》卷2，頁10。

62 伊藤東涯：〈春秋論〉，《經史博論》卷2，頁11。

63 伊藤東涯：〈春秋論〉，《經史博論》卷2。

《春秋五論》加以評點。呂氏《春秋》學基本上承朱子說而有修正，其中論二主張據事直書、論三反褒貶名爵，論四論觀世變以知《春秋》的見解，為東涯所繼承。就此可以說東涯《春秋》學觀有來自其父仁齋之經學立論，又受容於呂大圭的《春秋》論者。其中有所不同者，呂氏論一人心之懼為《春秋》之作之故，東涯亦多有討論，然呂氏立論點在由人心之懼的內在端點上論，指出「當乎人心者，彼亂臣賊子聞之，固將不懼於身而懼於心，不懼於明而懼於暗，不懼於刀鋸斧鉞而懼於倏然自省之頃，不懼於人欲浸滛日滋之際，而懼於天理一髮未亡之時。」[64]東涯則從外在的歷史脈絡，發揮《春秋》作於人心之懼，尤其在於顯善發惡，以不諱惡為使亂臣賊子懼的主張，而異於呂氏以天理人欲論人心之懼的論述。此外，呂氏《春秋論》論五主要論三傳，與朱子主張《左傳》主事、《公》《穀》主義，然皆不能恰當詮釋《春秋》的觀點一致，東涯則自《左傳》據事直書作為解釋《春秋》的基底，對《左傳》傳經有著較多的肯定。

總上論，東涯主張使亂臣賊子懼者，不在孔子代行天子之事褒貶善惡，而在孔子採行史官之筆昭彰實事。然而當東涯強調《春秋》記載實事的史學效用，其後果即如劉知幾從史學角度批評《春秋》而推崇《左傳》，使孔子《春秋》的價值下儕史策嗎？又何以為不刊之典？孟子如何推其為天子之事？東涯釐清《春秋》所記為禮樂征伐，是為天子之事，蓋因孔子言「天下有道，則禮樂征伐自天子出；天下無道，則禮樂征伐自諸侯出。」[65]而不是作《春秋》乃「天子之職」，因此他更看重孟子之謂「其事則齊桓晉文，其文則史」的《春秋》價值。然而，東涯無法積極的反駁《春秋》與馬《史》班《書》等同的有力論述，僅回以《春秋》若為見諸行事之深切著明之典，那麼「其他言說皆為空言，則《魯論》二十篇亦可束高閣矣。」[66]迴避了這個問題，恐怕也顯示他對孔子之學的主要關注仍在《論語》。仁齋自述經學

---

64 伊藤東涯輯註：〈春秋五論〉，《鼎鋟經學文衡》（京兆：奎文館，享保19年〔1734年〕）下，頁3。

65 程樹德：《論語集釋》（北京：中華書局，1990年），頁1141。

66 伊藤東涯：〈春秋論〉，《經史博論》，頁11。

為其最用功處，東涯亦增益其見，然而他們以《論》《孟》為據，作為解釋《春秋》、乃至於他經的方法與立場，相當明確。他們受容自朱子及其後學的《春秋》學觀點，伊藤仁齋較之更強調《春秋》述載先王之道，以人倫日用為其主要內容與關懷，伊藤東涯則發揮《春秋》昭著善惡使亂臣賊子懼的史筆功效，二者有異於前的自歷史發展論《春秋》並關注其歷史質素。他們治經理念雖主以六經為先王之道之所在，仍猶以《論語》乃宇宙第一書，同時將之作為論述六經的基準，因此在實質上，如子安宣邦指出，荻生徂徠以先王之道和六經詮釋古學，以抗衡伊藤仁齋以孔子之道和《論語》的觀點，真正以六經為學術思想與文化第一序者，為荻生徂徠之學。[67]

三　古文辭學派：荻生徂徠

荻生徂徠在伊藤仁齋之後，以其古文辭學方法與見識發揚古學，將古學貞定於以六經為主要內涵的先王之道中，較之伊藤氏更加關注六經的內涵與做為先王之道的效用。他認為伊藤氏以《孟子》解《論語》，「以今文視古文，猶之程朱學耳，加之公然歧先王孔子之道而二之，黜六經而獨取《論語》」。[68]荻生徂徠雖然關注六經，然多為理論上的興發，論述六經有其關乎通於先王之道的立場，於六經內容上的說解仍相當有限。

此外，子安宣邦從更大的角度，深入分析徂徠以先王禮樂之教與言語的教義體系相對應；徂徠主張身體的學習優於語言的學習，禮樂則是可經由身體習得的人類身外物，事物的教誨是一種尋求超越語言、由身體深處的熟習來理解的外在性教義，而異於自內在性的仁義表述孔子之學[69]，說明徂徠學異於宋學、仁齋學，以及經學研究的部分特質。進入對六經的論述，徂徠同

---

67 子安宣邦著、陳瑋芬譯：〈伊藤仁齋古義學與激進主義〉，頁136。

68 荻生徂徠著，宇惠子迪〔宇佐美灊水〕考注，本田黼文補校，宇德章明校：《辨道考注》，（江戶：野田七兵衛，寬政12年，1800年），頁5。

69 子安宣邦著、陳瑋芬譯：〈先王之道禮樂焉爾──關於徂徠的禮樂論〉，《中國文哲研究通訊》第14卷第4期，2004年12月，頁57。

樣從歷史的視角指出，六經實則殘缺，漢儒雖去古未遠，漢世易為郡縣，以刑法代禮樂之際，對於先王之道的展現亦大有不同，其謂：

> 而郡縣之治，凡百制度不與古同，而先王之道不可用，故亦僅用於緣飾吏術云爾，豈能法先王哉！祇漢法尚疎闊，吏多得便宜從事，為近古也。隋修宇文周之律，唐宋明皆因之，申韓之法，至是始臻其極。夫復讎者，先王之道也，律無之可以已，此後世吏治經術所以歧為二途者。[70]

後世不同於先王之道者，在於吏治與經術分途，若以復讎觀為例，其具親親之義的上古思維，必定不能見容於後世法治吏政，是以具有經術僅用於緣飾吏政，徒有其貌，法先王之美，不能再得。徂徠與伊藤氏皆自歷史脈絡尋索上古先王之道的展現與實際，他們一致趨向六經皆史的思維，關注到上古政教合一，為後世治世的理想時，當政制不可復現，那麼後世可得於先王之道者為何？

透過古文辭學研究法，徂徠致力於建構從六經復現先王治世理想的理論與途徑。《徂徠集》收有〈六經會業引〉，展現早期對六經的思考。徂徠於其中指出：

> 三代以往滔滔者曷已，聖人脩六經，而往者猶不往。三代以還滔滔者曷窮，愈變愈出繁乎雜也。雖然，六經之道，苞括乎無遺。故觀古於六經者，聖人得不亡；觀六經於今者，聖人可復生。[71]

雖然三代治世往而不返，然透過六經，可以無遺的使聖人「不亡」，甚至「復生」。懷著這樣的思考與信念，荻生徂徠認為能成為王佐之才的真儒，才能欣賞並繼承這樣的六經之先王之道，並且透過「誦其《詩》，讀其

---

70 荻生徂徠：〈對西肥水秀才問〉，《徂徠先生學則‧附錄》（氏撰，平義質[三浦竹溪]、滕元啟[伊藤南昌]校，江戶：嵩山房，享保12年〔1727年〕，頁17。）

71 荻生徂徠：〈六經會業引〉，《徂徠集》（文海堂，明治三年庚午孟秋濯版，1870年）卷18。下引同。

《書》，宛乎生其世，而見揖讓禮樂之盛」，相對的，若以六經為陳物故舊，無法取之應世者，「豈王佐才哉！」表現出他對先王之道由孔子彰著於六經，後世經由六經取得先王之道，得以應用於世，將六經視為後世治世的思想資源，其方法至少初步建立在誦讀《詩》《書》的基礎上。

透過六經可無遺的呈顯先王之道的理論，徂徠認為後世學術知識與文化亦源出於六經：

> 傳六經者，《左》、《穀》、《公羊》、毛、韓、孔、鄭及宋諸君子不啻
> 也。《詩》則有若騷、賦、樂府、清商、相合，漢、魏、六朝、三唐
> 諸什；《書》、《春秋》則有若二十一史、《通鑑》諸編；《易》則有若
> 《素問》《運氣》《太玄》《洞極》諸占；禮樂，則有若漢儀、唐典、
> 杜、馬諸《通》是皆可以為傳註已。夫然後六經之道苞括乎無遺者，
> 足驗諸今日，而不以王佐望於諸君者，是侮聖人而欺學者也，吾豈
> 敢。[72]

經學、文學、史學、醫占、制度典儀之學，皆源於六經。換言之，荻生徂徠自六經之學散衍為天下之學，而此流佈的學術文化作為君王行政治要的參佐；其重視知識學問，以學業養成具有各面向的應世之能，正為王佐之要。龜井昭陽《蘐文絮談》曾摘要徂徠《學則》論聖人之道在養，學者亦養而生，禮樂亡於申韓之興之論，並摘列伊東藍田（1734-1809）標註：「淑世是非、淑慝之辨起乎申韓之道行於天下，而先王之治所無也。」[73]指出申韓刑法賞善罰惡之法興，辨別善惡是非成為必要，那麼以養為法，禮樂為其內容的聖人之道便告消亡。由此可見者有二點，荻生徂徠對於六經衍為後世諸子百家、六藝之學，成為教化與養士的根本資具，後為制度行政之才的真實政治關懷，有著特別的關注。是以，不同於伊藤仁齋將先王之道的內涵置於人倫日用，而偏向對「人倫」正德的關注，荻生徂徠或者更關注「日用」具體

---

72 荻生徂徠：〈六經會業引〉，《徂徠集》卷18。
73 龜井昭陽：《蘐文絮談》（慶應義塾大學藏本）卷下，冊3，頁26、27。

利用、厚生的應用之道。[74] 其次，相對於申韓法家因論賞行罰，而有是是非非、以別奸宄的要求，是以主張先王之道的展現在成善，並不在辨是非與舉惡的論域上。由此對善的推舉，可以見得荻生徂徠雖推崇六經，實際上多褒舉「四術」，其謂：

> 先王四術，《詩》《書》禮樂，是三代所以造士也，孔氏所傳是已，然其所以為教者，經各殊焉。[75]

認為能得之於先王之道的教習者，尤在禮樂《詩》《書》，對於《易》《春秋》的作用有不同的理解。《春秋》一般被視為是褒貶善惡之典，又被孟子推為「使亂臣賊子懼」的懲惡之書，與徂徠對先王之道是為成善與養士的關注層面，有很大的不同。因此，徂徠談《春秋》《左傳》鮮少論及孟子評論《春秋》的觀點，此為原因之一。同時這也是來自於他古文辭學方法論的基本立場與要求，如同他反對伊藤仁齋以《孟子》解《論語》，皆為以今文祖述古文時的不能貼近與不能相應。然而，徂徠於六經之學研究，因其發揮不多，是以其經學究竟如何，僅能就其有限的經典與相關的經史論述明其方法與概略。再者，雖然上野賢知記有荻生徂徠著作《左傳古義》，然今未見藏本，今僅能從其《經子史要覽》及相關經學論述，略見一、二。

由早期著作〈左史會業引〉，可見徂徠《春秋》《左傳》學的基本立場：

> 六經皆史也，是言也，知言哉。故能為古文辭者，皆稱述六藝，而六經無以古文辭稱也，是寧以史為辱六經乎？而獨不以儒辱聖人也，是亦何別焉。[76]

同樣從六經皆史，史的視角作為六經、《春秋》《左傳》的立論基線。徂徠有

---

74 這層關注引起後人批評徂徠學對於功利實效的特別關注，而不甚欣賞其重實效一層，反批評其重功利一層。請參考子安宣邦：〈荻生徂徠〉（氏撰：《江戶思想史講義》，北京：生活・讀書・新知三聯書店，2017年），頁144-146。

75 荻生徂徠等：《辨道考注》，頁42-43。

76 荻生徂徠：〈左傳會業引〉，《徂徠集》卷18。下引同。

意識的在時人多以儒學稱述六經之外，別出以史稱述六經一途，而以古文辭稱述六經的方式，是史的角度。此一路向的說明，徂徠於《經子史要覽》論《春秋》時有更為深入的表述。他主張回到上古國家載事記要的語境，當時國家之事以朝聘為大體，又有遣卿為大聘、遣大夫為小聘之分，而朝聘的進行，在春秋之時舉行其節，故國史命名為《春秋》，徂徠認為，是如《漢書‧藝文志》所謂「藉朝聘以正禮樂。」徂徠認為，古代諸侯各有《春秋》，如《國語》所載申叔之語，今日《春秋》即孔子修造世代流傳的《魯春秋》。[77]在《春秋》的體例與書作上，他指出：

> 《禮記》：「屬辭比事，《春秋》教也。」屬辭為連綴文辭，朝聘之時，妥善書寫辭令。辭令為今世所謂措辭；比事為面臨決策時，引用先例進行處理之事。此事套用至六經中，國政之善惡、天地之災變、君臣行事之得失、國家之治亂皆明確記下之實錄，故判斷大疑、訂立大謀時，可為借鏡。[78]

《春秋》所載朝聘之事，當中關鍵要項有二，語言往來措辭的辭令，與辭令的內容，即沿引經驗或歷史判例的比事。徂徠認為，由此照看六經內容，相關國政議題者皆可成為典律，可為後世斷疑、立謀之借鑑。徂徠論《春秋》與六經，關注六經所沿承的歷史現實，並由此歷史現實而總結、可為具體政治施措之判斷根據，包括消極的斷疑決事，以及積極的規畫謀略，高度推崇六經的真實與可實踐性，聚焦在六經富含人倫日用極具人間性的價值。

至於後世如何解讀《春秋》？徂徠尤其不同意胡安國以《傳》注為妄，自生經解的做法，他主張：「唯熟讀《左氏傳》，應熟思兩百四十二年事實。」[79]在《經子史要覽》，徂徠亦作有〈左傳〉一篇，說明他的觀點。他認為《春秋》所載不僅記載本國施政善惡、君臣得失、天地災變，亦載他國

77　荻生徂徠：〈春秋〉，《經子史要覽》（今中寬司、奈良本辰也編：《荻生徂徠全集》2，東京都：河出書房新社，1978年），頁345。

78　荻生徂徠：〈春秋〉，《經子史要覽》，頁345。

79　荻生徂徠：〈春秋〉，《經子史要覽》，頁345-346。

之事，以達事變，對於國家政治、國際天下局勢得以有廣闊的掌握而了無疑義，此為學習《春秋》的益處。在形式上來看，《春秋》實為國家「日記」，孔子習作其譜，左氏則將當中事實記錄於傳中。徂徠雖不同意《公》《穀》二傳解經說義，但仍認為應結合三傳，比對其事，以見其實。同時他認為杜預《注》雖多有謬誤，但也肯定其多掌握古旨，可參照孔穎達《疏》以為索解。他視《左傳》為史學，認為其有自成一家的文法，認為「唯有此人火眼金睛，才能見其法，只要看到文法，便自然地能分別、明瞭其旨。」[80]此外，徂徠也主張《左傳》為魯國左史之作，並非左丘明所作。《論語》中的左丘明，明顯為孔子前輩，以左丘為姓，明為名。他認為後世唐儒以至於明儒的眾多說法，皆為不得古義的臆說。

　　徂徠之論平實而不脫前人之見，主要仍是看重《左傳》呈現歷史事實的價值，而不談其解經效用。是以，他將《左傳》置於〈史要覽〉的史部類中，與《國語》、《史》、《漢》同部類。同時也可見得，徂徠嚴格的將經學限於六經與孔子之學，區隔《論語》與《孟子》而將之歸為經學、子學。其次，他認同《左傳》佐助解釋《春秋》的史學效用，強調需要根據《左傳》與《公》《穀》對照而建立的歷史事實上，掌握《傳》注的效用與價值；尤其是《左傳》所載實事為多，徂徠認為其價值在二傳之上。徂徠對《左傳》的肯定雖不脫朱子重實事的路向，但是他完全反對後人妄臆經解，試圖徹底將解讀《春秋》的底據設定在實事的掌握與理解上，此一設定亦相當符合其據以實事實語建構古語語境的古文辭學方法與理念，嚴格與徹底的解離掛搭在《春秋》經解上的未據實事、未有一致根據的各種詮釋。然而如此以史實為底據，不理會解經凡例或解經語的後果，相對的也將《春秋》的性質置於史的內涵上來談，是以徂徠終究是認為「《春秋》為《左傳》的目錄，如溫公《通鑑》有朱子作《綱目》」[81]，對於《春秋》作為孔子承先王之道的具體展現為何，未能進一步說明時，《春秋》即是史籍，失去其之所以為經的

---

80 荻生徂徠：〈左傳〉，《經子史要覽》，頁360-361。

81 荻生徂徠：〈左傳〉，《經子史要覽》，頁361。

性質與價值。此外，從學術史角度來看，徂徠對《春秋》的理解是從對前人之說的反對而來，他與朱子、仁齋立場一致的反對褒貶說，有謂：

> 如宋儒以一字褒貶為要，論說《春秋》，則君卿大夫士言過半皆有罪之人，亦淪為可笑之事。故宋儒對六經之解，皆為謬妄。仁齋等人亦是。即使除去宋儒，因打擊六經並棄之不用，可謂孔門的大罪人。[82]

卻又認為宋儒、仁齋對於六經，以至於《春秋》作為先王之道、孔子之學的價值與內涵，未能掌握。徂徠於當中解經與建構不足，是以其古文辭學方法與理念在《春秋》上的實踐與具體經解，仍有待來者。

仁齋重視《春秋》世變中堅守先王之道而具載其道的價值，徂徠肯定《春秋》具有高度現實的人間價值，徂徠對《春秋》的推崇似愈發具體，然而徂徠對《春秋》《左傳》的說明與理解，是在建構其總體經學理論與架構上的言說，是以無法深入其學。雖然如此，徂徠對《春秋》體例與內容來源的論述，仍有超出仁齋與東涯的認識；他正視六經的價值，從六經皆史的角度論《春秋》，不是自《論語》或《孟子》解《春秋》，此為其大有別於朱子學脈絡下的《春秋》詮釋觀，以及不同於此前江戶學者多以《孟子》視角解說《春秋》內涵的展現。尤其是在有限的先秦文獻資源下，仍有意識的堅持不以今語解古語，同樣展現在他對《春秋》學的見解與解讀上，乃為真正邁向古文辭學方法的示範與轉折。

四　結論

伊藤仁齋與荻生徂徠皆曾出入朱子學堂奧，對於聖人之道內涵與追求方式的重新思考，使他們治學有不同於前人的轉向。他們既以「古學」之「古」為標榜，自然意謂著他們較之前人特別意識且關注著古今時變，以歷史視角審視聖人之道，而將之歸於先王、孔子之道。對於歷史上曾實際作用

---

82 荻生徂徠：〈春秋〉，《經子史要覽》，頁346。

於人間社會，所形成禮樂淳美的聖王之治，尤其資藉於六經，一則肯定先王理想政治為可徵實得據的歷史事實，二則可據其制度文明以應用於世。古學開展之初，雖然伊藤仁齋與荻生徂徠解讀先王之道、六經的內涵或方法不一致，但在不同層面上展現了他們藉六經之典以徵據實事實理的一致追求。

仁齋主張先王之道在六經，以《論》《孟》本經，六經為正經，《論》《孟》作為本經為解六經／正經的根據；因為《論語》平易親切，是以仁齋認為《春秋》直書其事，亦平實易見。他批評後世褒貶之說使孔子經典艱澀難辨，不符聖人之意，並溯及《春秋》體例創發之源，進而肯定《魯春秋》具載先王之道之事，孔子《春秋》繼之並益以世變之義，《左傳》就事以明義；自此歷史脈絡解釋《春秋》《左傳》，較荻生徂徠更為嚴格的拒斥《公》《穀》二傳而主張專據《左傳》。他亦就《孟子》之意解《春秋》，透過《春秋》明人倫而使亂臣賊子懼，說明《春秋》效用。以《孟子》之意釋《春秋》，此一進路東涯有更為深刻的發揮。東涯指出使亂臣賊子懼者，不在孔子代行天子之事褒貶善惡，而在孔子採行史官之筆昭彰實事，釐清《春秋》所記為禮樂征伐，是為天子之事，而不是作《春秋》乃「天子之職」，因此他更看重孟子之謂「其事則齊桓晉文，其文則史」的《春秋》價值。伊藤父子依孟子之意解《春秋》，所重雖不同，皆有精采闡述；他們共同關注上古政治結合經術，類於章學誠官師合一之說，在此制度下所形成的六經，深具人倫日用的經史內涵，並推崇孔子《春秋》於世變中傳載先王之道的高度價值。

對於仁齋父子以六經皆史說釋六經與先王之道，以及《春秋》歷史質素的重視，荻生徂徠有所承，亦自有其見。與仁齋關注《春秋》世變之特質不同，荻生徂徠對《春秋》《左傳》的說明與理解，實置於他所致力於自六經復現先王治世理想的架構下，或者也可視為，對於仁齋主張讀《春秋》當聚焦在返三代之德的記述中，徂徠有進一步的繼承與實踐。他聚焦在先王之道的成善與養士，是以更重視平治時的《詩》《書》禮樂四術之治，亦即後世如何仿習先王治道的具體實踐層面。尤其不同於，或說有進於伊藤父子者，徂徠論《春秋》學很少論及孟子說，主要來自於他建構的古文辭學方法論的基本立場與要求，不接受今文祖述古文的語境差失。然而也因為他致力於理

論與方法的建構，對於《春秋》《左傳》的肯定與闡釋實不如仁齋父子深刻，
徂徠兼採三傳事實的調和之說，不如仁齋父子專據《左傳》之堅定。

　　仁齋專據《左傳》的立場，與徂徠斷拒孟子說的《春秋》解釋視角，亦
為龜井氏所承；龜井南冥著作《左傳考義》與龜井昭陽《左傳纘考》解經皆
堅守這二個立場。或可以說，仁齋父子與徂徠主導的古學派於先王之道、六
經、孔子與《春秋》，以及《左傳》論述，雖有錯落，最終匯會一致的解經
架構與視角，具體展現在龜井氏《春秋》《左傳》學的經解上。

嚴靈峰經學成就初探

黃忠天

清華大學中文系、高雄師範大學經學研究所

一　前言

　　嚴靈峰（1904-1999）名明傑，字靈峰，以字行，晚號無求備齋主人。世居福建省侯官縣（今福建省福州市區與閩侯縣一部分），後遷福建省連江縣黃岐鎮。嚴家五代行醫，父嚴道銓宅心仁厚，樂善好施，深受鄉里敬重。靈峰五歲入學，未能有較正軌的學習，惟努力上進，自學有成。一九二〇年以優異成績考入福建省立第一師範學校。時受五四愛國風潮鼓舞，激昂慷慨，漸露頭角。後轉入福建大學，由於表現優異，被吸收為中共青年團團員，一九二五年任中共福州團委書記。一九二六年經推薦赴俄國莫斯科東方大學，致力於哲學、政治、經濟學之學習。期間與兩岸政軍名人如蔣經國、鄧小平，楊尚昆，聶榮臻均為同窗好友。一九二八年因遭誣陷，學校宣佈靈峰等二十三位學生至西伯利亞工作（勞改）。冬，偷渡返國。旋任上海藝術大學教職，講授哲學、政治、經濟等學，課餘並從事譯著工作。

　　一九三二年任陳獨秀為首的托派臨時中央委員會委員，接掌宣傳部長。一九三三年十一月參加福建事變，任中華共和國人民革命政府情報處處長。一九三四年一月被俘，在蔣經國的力保下，遂脫離托派組織，加入國民政府軍事委員會調查統計局（簡稱軍統局或軍統），從事情報工作。一九四六年擔任國民政府福州市市長。一九四九年赴臺灣，先後擔任臺灣駐日代表、國家安全局辦公廳主任、駐港澳代表。同時擔任輔仁大學哲學研究所講座教授，兼任臺灣大學哲學研究所教授。一九九〇年赴大陸講學，擔任中國東方國際易學研究院名譽院長。

靈峰先生研究中西哲學垂五十年，尤醉心《老》《莊》《易》三玄之學。其著作除早年翻譯出版俄文版《辯證法的唯物論》、《經濟學的基本概念》、《歷史唯物論入門》、《近代西方經濟學家及其理論》等書外，另有自著與輯錄專著五十三種，編輯各種集成十三種，內容涵蓋經濟學、哲學、經學、諸子學等等。著作六十餘部，兩千餘萬字，除庋藏於臺灣各公私立圖書館外，亦分藏北京國家圖書館及美、英等國立圖書館，堪稱民國時期著述最為豐富之學者。

綜觀靈峰先生，少之時慷慨愛國，斯欲拯濟時艱。及其壯也，宵旰憂勤，戮力公務。迨至後半生，尤其在一九七〇年因罹腦溢血，展開與病魔長達八年的搏鬥，最後不僅以堅強的毅力，逐漸康復，並在半身不遂情況下，專心於學術研究，先後完成《莊子選註》、《老子達解》等十種著述，計三百五十萬言。同時亦輯印《無求備齋老子集成續編》、《列子》、《莊子》、《易經》等等集成及書目，共三千五百餘卷。觀其平生主要著述與輯錄工作，大多在病中完成，可謂前無古人，後無古來者。其潛心傳統經典的整理與著述，對固有文化的保存與闡揚，可謂厥功至偉。一九九九年靈峰先生逝於臺北，享壽九十七歲，多采多姿，極富傳奇的一生，從此畫下句點。[1]雖然靈峰先生學術成就，主要在諸子學的論述與輯錄，惟其經學相關著述，亦頗為豐富，而其編纂的經學叢書，如《易經集成》、《論語集成》等等，更提供研究者頗多助益，對於臺灣經學的研究，貢獻良多，不容忽視。因此，謹就個人所見，略抒一二，以表彰一代學人的經學成就，至於靈峰先生在其他領域的成就，則或有待來茲者。

---

[1] 有關嚴靈峰先生生平，主要生參考王治平主編：〈中外名人傳〉（52），收錄於《中外雜誌》頁82-84。〈嚴靈峰先生事略〉收錄於《國史館館刊》復刊第27期，頁219-221。〈經子叢書（無求備齋選集）自序〉，收錄於嚴靈峰《經子叢書》第1冊，（臺北：中華叢書編審委員會，1983年），頁1。〈雜文、自述〉，收錄於嚴靈峰《經子叢書》第10冊，頁627-659。

二 研究經學歷程

　　靈峰自幼生長於福建連江縣北茭半島黃岐鄉，地處偏僻落後的漁村，居民僅千戶，大多靠海為生。識字者鳳毛麟角。嚴家數世業醫，為村內少數知識分子。靈峰四歲（1907年）始由村中私塾學究啟蒙，惟背誦《四書》、《五經》，暨《千家詩》、《聲律啟蒙》、《小學集註》、《幼學瓊林》、《古文析義》之類，未能有較正軌的學習，直至一九一五年（12歲）方插班進入北茭國民小學，正式入學。

　　一九一七年（14歲）免試保送福建水產學校。靈峰先生雖自云：「少好諸子之書，學無師承。稍長，步武乾、嘉宿儒之餘緒，始涉獵訓詁、校勘、考證之業……比及壯歲，略闚西方經濟、哲學之門徑」（《經子叢書・自序》）。不過，他在水產學校就學時，國文課由晚清秀才陳韶講授《荀子》，歷史課由黃理（號癡蘭）講授先秦兩漢史實，並私下親授《史記》，此二書對於靈峰文學素養與思想的啟迪甚多。雖然，後來水產學校因故停辦，造成中途輟學。然而，十餘年的半自學生涯，加上後來在福建省第一師範（五年制，預科一年本科四年）的學習，奠定其日後堅實的治學根柢。

　　一九四〇年為靈峰先生一生學術的重要分水嶺。前此，因在俄國莫斯科東方大學求學，頗受西方歷史唯物論的影響，因而關懷中國經濟與社會問題。曾撰有《中國經濟問題研究》、《經濟學的基本概念》、並譯有《辯證法唯物論》、《近代西方經濟學》等著作。唯自一九四〇年以後，在胡適《中國哲學史批判》一書的啟發下，開始關注中國傳統學術，尤其是經學與子學兩大領域。藉由早年研習西人研究方法，「治考據、義理於一爐。藉考據以辨情實，由訓詁以通義理，復從義理、文例以明其得失。肆力以治章句。不囿古今之異同，不立漢宋之門戶」（《經子叢書・自序》）。從靈峰生平著述，吾人確實可見其不囿古今，不拘漢宋，融貫東西的治學觀點，故每能有其獨特的學術洞見。

三 經學學術成就

正如靈峰先生自言其「學無師承」、「未能有較正軌的學習」，其經學乃至於子學的學術成就，主要奠基在幼年村塾的經典誦讀，再加上天資聰穎，勤奮好學，有以致之。雖然整體而言，靈峰一生對諸子學著墨較多，惟其對經學除了叢書的編纂外，亦有頗多研究上的著述，但主要仍側重在《周易》與《四書》兩部分。

在經學領域的研究上，靈峰先生約在不惑之年，即已展開，其中以對於《周易》作系統的研究和寫作為最早，惟後來因為抗戰和種種因素，而有所耽擱。他在一九四四年完成《老子章句新編》後，接著在一九四五年十月，終於完成平生第一本經學著作——《易學新論》。此後因兵馬倥傯，忙於公務，便暫無暇於學術。迨至一九四九年自大陸播遷來台之後，除了諸子學另有著述外，經學方面，也重新開始研究工作，先後完成《易簡原理與辯證法》（1952年）、《論語章句新編》（又稱《論語講義》1962年）、《讀論語札記》（1964年）、《馬王堆帛書易經初步研究》（1980年）、《大學章句新編》（1984年）等書，並著手一系列的叢書編纂，如《論語集成》（1966年）、《孟子十書》（1969年）、《易經集成》（1976年）、《經子叢書》（1983年）、《馬王堆帛書易經斠理》（1994年）等書。綜觀靈峰一生編纂圖書無數，可謂著作等身。以下分別從易學與四書學，論述其經學學術的成就。

（一）易學成就

靈峰先生對易學的研究，始於一九四五年十月於重慶所撰寫的《易學新論》。迄於一九九四年於台北天母無求備齋寓所撰寫的《馬王堆帛書易經斠理》，可謂五十餘年來，對易經的研究，未從間斷。[2] 其易學成就主要可分為兩部分：其一是靈峰對易學議題的研究論述，其中又以校勘與義理為主，少

---

2 參見嚴靈峰：《馬王堆帛書易經斠理・自序》（臺北：文史哲出版社，1994年），頁1。

涉卜筮象數之學。其一是對歷代易學名家及其重要論著的編纂，內容可謂包
羅萬象，並廣蒐善本，衷為曠世易學巨帙。茲分別略述如下：

1 易學研究的撰述

（1）《易學新論》

　　《易學新論》收錄了一九四五年靈峰先生於抗戰時期陪都重慶所撰述的
十三篇單篇論文。初由福州左海學術研究社出版（1947年3月）。一九六九年
七月交付臺北正中書局重新出版。此書內容主要就《周易》各個層面，如象
爻辭產生時代、經傳文字結構、卜筮方法、用九與用六、象傳內容、說卦文
體與篇數等等，展開論述。研究上，較偏重於考校工作，主要是將《周易》
全書當作原始資料，加以整理、分析和鑑別。在考證方面，多採古史辨派
《易》學研究成果，並參考了當代其他學者的研究，並頗費心血，收集不少
資料。例如：他比較了《周易》卦爻辭，並援引《詩》、《書》、卜辭等古文
獻，藉以研討《周易》卦爻辭產生的時代與社會背景。又如：他從卜筮的方
法與吉凶悔吝的意義，懷疑蒙卦卦辭「初筮告，再三瀆，瀆則不告」，其中
兩「告」字均係「吉」字的形近而訛。靈峰云：

> 《商書‧咸有一德》說：「德惟一，動罔不吉；德二、三，動罔不
> 凶。」疑「初筮告」與「瀆則不告」兩個「告」字，均係「吉」字的
> 形近而訛。意思是說：初筮已吉，不必疑惑又再筮之，遂致瀆而不
> 吉，即二、三其德，未有不凶的。[3]

雖然靈峰先生在此援引了《偽古文尚書‧咸有一德》的說法來論證，但純就
占筮一事，「其德惟一」的要求，其推論的確合於理則。當然靈峰在此段文
字前，仍引有李鏡池《周易筮辭考》、《禮記‧曲禮》及俞樾等諸多文獻，來
佐證其說，茲以文長，不一一列舉。惟從後來《帛書周易》蒙卦卦辭，
「告」字即作「吉」，不得不佩服《易學新論》這些觀點，早在帛書出土三

3　嚴靈峰：《易學新論》（臺北：正中書局，1971年），頁124。

十五年之前,即已提出,足見作者在《周易》古本研究的洞見。整體而言,《易學新論》一書的研究成果,確實有不少的新論,頗具參考價值。

(2)《易簡原理與辯證法》

《易簡原理與辯證法》為靈峰先生於一九五二年所完成的一部專講義理的《易》學論著,與其先前所撰的《易學新論》著重於考證,旨趣各異。此書於一九五二年由臺北正中書局出版,內容包含三部分:其一〈易簡原理與辯證法〉,其二〈黑格爾以前辯證法之史的發展〉,其三〈論辯證法的三個基本規律〉。第一篇是藉由《周易》談中國式的辯證法,並與西方辯證法相互比較。第二篇主要在提供西方辯證法思想發展史的梗概。第三篇為論辯證法的三個基本規律,即質量互變的規律、對立的相互滲透的規律、否定之否定的規律。在論述中,靈峰亦嘗試以中國古代哲學如《周易》、《老子》、《莊子》等書來說明黑格爾的三種辯證規律。從中可見其對中西哲學的博通。此書亦另見於《無求備齋易論》(《無求備齋易經集成》195冊)與《經子叢書》第五冊。

(3)《馬王堆帛書易經初步研究》

一九七三年湖南長沙馬王堆漢墓出土的《帛書易經》,可謂人間瑰寶;為中、外《易》學研究專家所重視。靈峰先生在閱讀「文物」月刊第九號(1974年9月),署名「曉函」,以及張政烺、周世榮諸人所撰「長沙馬王堆帛書易經」相關論文後,亦開始展開有關帛書的研究。除於一九七六年五月完成《馬王堆帛書老子試探》外,並於一九八〇年,陸續發表與《周易》相關的文章,並出版《馬王堆帛書易經初步研究》。書中針對張政烺、于豪亮諸人的研究,提出其評介與批判,可謂開臺灣學術界研究馬王堆帛書出土文物之先驅。此書共收錄十篇論文,惟有關帛書者,主要在前三篇,分別為〈馬王堆帛書易經內容概述〉、〈帛書易經斷片的卦爻辭試釋〉、〈帛書卦爻辭校熹平石經殘字與周易本義〉,其後數篇則主要藉由《帛書易經》與傳世文獻,對《周易》經傳錯簡與譌文的校訂,蓋為王國維二重證據研究法的實踐典範。

尤其上述有關馬王堆帛書之研究，均在其罹患腦溢血養病期間及康復後幾年，陸續完成，其追求新知，並勤於治學的精神，誠可作為學者之典範。

（4）《馬王堆帛書易經斠理》

本書為靈峰先生繼一九八○年所出版《馬王堆帛書易經初步研究》後，又一部針對馬王堆《帛書周易》的研究。由於先前所撰《馬王堆帛書易經初步研究》之時，馬王堆帛書甫問世未久，所得資料亦多為間接取材。經過二十餘年學者陸續的研究與出版，靈峰遂在前人的基礎上，再作深入的探討。並對先前所撰，加以補充或訂正。全書收錄相關文章二十四篇，除其中兩篇〈吳澄論繫辭傳校補〉、〈熊朋來改定雜卦錯簡〉，蓋援之以供佐證靈峰相關論述外，餘二十二篇均為其分別就帛書《周易》或相關議題的討論。如第七篇〈說卦傳錯簡與補正〉，靈峰依孔穎達《周易正義》：「說卦者，陳說八卦之德業變化及法象所為」，認為〈說卦傳〉應限於解說「八純卦」，故凡不涉及「八純卦」者，如「昔者聖人之作《易》也」、「故易六畫而成卦」之類文字，均疑非〈說卦傳〉應有的文字，蓋為〈繫辭傳〉的錯簡。並對〈說卦傳〉中傳注的羼混，予以改正。[4] 除此之外，本書對〈序卦傳〉非孔子所作及其成書年代的考訂、〈乾卦文言〉的補正、〈帛書繫辭傳〉中〈文言傳〉錯簡的訂正、〈帛書繫辭傳〉校補、〈雜卦〉本文的校訂等等，均提出其合理的推測，頗有乾嘉考據精神與古史辨派易學之餘風。此書為靈峰先生在九十一歲高齡所完成，並為他生前出版的最後一本著作，其治學精神，於斯可見。

2　易學著作的編纂

（1）《無求備齋易經集成》

《無求備齋易經集成》收錄現存中國歷代與《易經》有關的各種著述，以及近代名家《易》說。全書卷帙共收書三百六十二種，一千六百一十四卷，三百十九家，編為一百九十五冊。內容分為正文、傳注、通說、札記、

4　嚴靈峰：《馬王堆帛書易經斠理》（臺北：文史哲出版社，1994年），頁47-62。

答問、章義、圖說、略例、占筮、雜著、緯書、校勘、輯佚、彙考、論辯十五類。涵蓋義理、象數、遺佚、新說等等，舉凡歷代重要易家著作，自魏晉王弼、韓康伯，以迄民國杭辛齋、于省吾諸人，大抵均收入其中。叢書於版本的蒐羅，每多求善本，其中宋刊六種、元刊三種、明、清各本，亦盡量選用原版，大多數皆為無求備齋主人所自藏。叢書所景印諸書，除原刊本外，輯佚與緯書尤為完備。蓋可謂備此一部，足供研究《易》學之參考，受用不盡，堪稱台灣易學叢書出版的創舉。

（二）四書學成就

自明清以來，四書向為中國傳統知識分子的基礎之學。靈峰先生四書根柢，奠基於幼年村中私塾的記誦。其在四書方面發為著述，則主要從一九六二年（59歲），在香港珠海大學中文系授課，因講授相關課程所展開的研究。其著成可分為撰述與纂輯兩部分。茲略述如下：

1 四書研究的撰述

（1）《論語章句新編》

《論語章句新編》為靈峰先生於香港珠海大學中文系的授課講義，故亦名《論語講義》。本書蓋依《論語》各章內容加以分類重編，共分勸學、立身、孝悌等等二十篇，末附「殘篇」一篇，乃作者認為其不屬《論語》原書，或為古逸《尚書》、《禮記》殘篇斷簡，誤收入《論語》者。其內容於所分類各篇下，選錄與其主題相關的《論語》，少則數則，多則十數則不等，加以編排。每則《論語》並詳加「註釋」，並附有「參考資料提示」，以供讀者查考相關資料作延伸的閱讀。

本書以日本正平刊本何晏《論語集解》為底本，並參考皇侃《論語義疏》及朱熹《論語集註》諸書，纂註而成。其註釋大致雜採漢、晉以來各家勝義，不立漢宋門戶，擇善而從，間亦有其個人的體悟新意。對於《論語》

中可能的錯簡、異文，或據前賢成說，或依個人己意，輒有所更定。如第二篇「立身」所選錄《論語·子罕》：子在川上曰：「水哉！水哉！逝者如斯夫！不舍晝夜。」靈峰於註釋項下析論：

> 「水哉！水哉！」此四字原闕。按：《孟子·離婁篇》：徐子曰：「仲尼亟稱於水，曰：『水哉！水哉！』何取於水也？」孟子曰：「原泉混混，不舍晝夜。」疑徐子、孟子之言，均出於此。徐子明言「水哉水哉」，乃仲尼之語。《論語》此文脫佚久矣。考《論語》孔子之言，多用疊句，如：「禮云禮云」、「樂云樂云」、「歸與歸與」……則此處當有「水哉水哉」四字。因據《孟子》並文例補。[5]

由上述例證可知，靈峰先生《論語章句新編》一書，不墨守成規舊說，蓋有其個人的定見。若非其博聞強記，飽覽群書，恐亦無以致之。又如第二十篇「傳授」所選錄《論語·子張》：子貢曰：「紂之不善也，不如是之甚也！是以君子惡居下流，天下之惡皆歸焉。」靈峰於「下流」一辭，註云：

> 按：《老子》第八章：「上善若水。水善利萬物而不爭，處眾人之所惡，故幾於道。」則「下流」之義，孔、老殊途。原二家之說，一主陰柔，一主陽剛，從茲分道揚鑣，而儒、道相黜矣！[6]

靈峰先生平生尤好子學，於《老子》深究有得，並多所著述，故每能會通比較儒道異同，並發為新論。足見其《論語章句新編》，非僅止於鈔錄舊註，雜引群書而已。靈峰對於經典的解讀，往往具有問題意識，對於研究者而言，頗能帶來啟發性。

（2）《讀論語札記》

本書為靈峰先生閱讀正平本《論語集解》所撰述的札記。收錄於《無求

---

5 嚴靈峰：《論語章句新編》（臺北：水牛出版社，1968年），頁15。
6 嚴靈峰：《論語章句新編》（臺北：水牛出版社，1968年），頁398-399。

備齋論語集成》第26函。全書共錄有〈衛靈公〉:「吾猶及史之闕文也」等58
則札記。分別從訓詁的角度,對《論語》文句,或《論語集解》所引歷代註
家的解說,展開新意、糾謬、證成、辨證等等工夫。如於〈子路〉:「不可以
作巫醫」條下,靈峰云:

> 《周禮·春官》:「筮人掌三易,以辨九筮之名,……一曰:巫更,二
> 曰巫咸……九曰巫環,以辨吉凶。」鄭玄注:「此九『巫』,讀皆當為
> 『筮』,字之誤也。」鄭說是也。《禮記·緇衣篇》:「子曰:南人有言
> 曰:人而無恆,不可以為卜筮。」古之遺言與?龜筮猶不能知,而況
> 人乎?《金樓子·立言篇》引《論語》,亦作:「不可卜筮。」是
> 「巫」當作「筮」為是。又《周禮·春官》賈公彥引《世本·作
> 篇》:「巫咸作筮」,是作「巫」亦通。[7]

靈峰援引《金樓子》、《周禮·春官》鄭玄注、賈公彥疏等等,說明「巫醫」
當作:「筮醫」,誠別具洞見,可另備一說。

又如於〈為政〉:「攻乎異端,斯害也已矣」條下,靈峰以經解經,援引
《論語》、《周易·繫辭》、《中庸》鄭玄注、賈公彥疏等,說明「也已」當作
句末助詞。並引《論語》「躬自厚而薄責於人」、「攻其惡,無攻人之惡」、
《中庸》「正己而不求諸人則無怨」、「萬物並育而不相害,道並行而不相悖」
諸語,說明《論語》「攻乎異端,斯害也已矣」,乃「不為已甚」之意。[8]凡
此,均可略見靈峰先生博聞強記與論證功夫。

(3)《大學章句新編》

《大學章句新編》為靈峰先生繼《老子》、《楊子》、《列子》、《莊子》、
《論語》、《墨子》等書的「章句新編」,完成其生平最後一部經典的新編。

---

7 嚴靈峰:《讀論語札記》(臺北:藝文印書館《無求備齋論語集成26函,1966年),葉2-
   葉3。
8 由於嚴氏論證篇幅較長,此處但約取其意,其內容可詳見嚴靈峰:《讀論語札記》(臺
   北:藝文印書館《無求備齋論語集成26函,1966年),葉6-葉8。

本書以其個人對《大學》思想體系的理解，大肆刪補移動經文，並改定錯簡、衍文。如靈峰先生以《大學》經文有「古之欲明明德於天下者，先治其國，欲治其國者，先齊其家，欲齊其家者，先脩其身」，認為《大學》綱領旨趣，應是脩身、齊家、治國、平天下四者，遂疑《大學》首章必有脫誤。因此《大學章句新編》於首章「大學之道，在明明德，<u>在親親</u>，在親民，在止於至善。」增補「在親親」三字，以全其「齊家」綱領。

又於所分類的綱領條目下，除了《大學》經文外，又摘取《中庸》相關經文綴合之。其改編《大學》動機，正如於該書自序所言：「編者所為，志在提供研究中國古籍的新方法，竭其一得之愚誠罷了。至於是非毀譽，且待數百年之後。」[9]靈峰先生對《大學》章句的新編，可謂踵繼宋代程朱以來，對《大學》的疑經改經之風，企圖透過「新編」，來建構他心目中的《大學》思想體系。

（4）其他

除了上述兩本專著外，靈峰先生另有四書學相關期刊論文，臚列如下：

A. 〈《論語》成書年代及其傳授考略〉原發表於《中華雜誌》2卷2、3期（1966年），今收錄於《無求備齋學術論集550-560》（1969年）

B. 〈《論語》裏幾處衍文的測議之商榷〉原發表於香港《民主評論》11卷19期（1960年）。今收錄於《無求備齋學術論集550-560》（1969年）

C. 〈《孟子》萬章篇一段錯簡的改正〉原發表於《孔孟月刊》7卷5期（1969年1月）

D. 〈《大學》作者及成書年代的蠡測〉，收錄於《大學章句新編》附錄7（1984年9月）。

E. 〈《大學》與大學之道〉，收錄於《大學章句新編》附錄8（1984年9月）。

9　嚴靈峰：《大學章句新編》（臺北：帕米爾書店，1984年），頁15。

2 四書著作的編纂

（1）《無求備齋論語集成》

《論語集成》編纂於一九六六年十月，由臺北藝文印書館景印出版。此時正值大陸文化大革命（1966-1976）如火如荼展開之際，靈峰先生有鑒於此，乃計《老子集成》之後，續編此書。正如其序中所言：「冀孔學宏揚於世界，扶將傾之頹波，書生報國，如是而已。」此叢書收錄古今作者一百六十六家，九百七十二卷（三〇八冊），舉凡古今《論語》名著網羅無遺。所輯書共分：石本以漢唐石經殘碑為主，寫本以敦煌殘卷為主，刻本以宋元明清刊本為主，鈔本以精鈔善本為主。內容兼有：白話、篆書、注疏、札記、考異、音義、話解、輯佚、索引、源流、著者略歷，無不具備。

（2）《無求備齋孟子十書》

《無求備齋孟子十書》為嚴靈峰先生繼《論語集成》之後所編纂，並於一九六九年三月，由臺北藝文印書館景印行世。這部書囊括了自宋以來關於《孟子》研究的主要學說和論著叢書主要景印宋明清三朝善本。此書不以「集成」定名，乃因歷代有關《孟子》的著述，不及《論語》之多，故祗擇其白文、注疏、箋證、音義及札記之內容與版本俱佳者十種，題曰《孟子十書》。叢書所收雖僅十種，惟已足供讀者對孟子學說作基本的研究，所以堪稱為《孟子》全書。

四 結語

靈峰先生一生學術，雖以諸子學的著墨為多。惟其經學的成就，亦斐然可觀。靈峰《易》學的論述專著而言：計有《易學新論》、《易簡原理與辯證法》、《馬王堆帛書易經初步研究》、《馬王堆帛書易經斠理》四種。四書學論述專著而言：計有《論語章句新編》、《讀論語札記》、《大學章句新編》三種。就其經學論述專著篇帙與數量而言，民國以來的學者，已罕見其儔，遑

論其更措力於叢書的編纂，而後者更成為靈峰先生在經學上最主要的貢獻與影響力。其編纂的經學著作，計有《論語集成》、《孟子十書》、《易經集成》叢書3種，其中《易經集成》所收書三百六十餘種，精裝一百九十五冊，可堪稱歷代易學專門叢書收書之最[10]。

　　雖然上述三種叢書，著重原典文獻的保存、版本的選用、分類的安排等等，不同於靈峰先生個人的著述，較無法展現其在經學上的獨到見解。惟正如清代納蘭成德、徐乾學《通志堂經解》、阮元《皇清經解》、《十三經註疏》等編纂工作，雖未能呈現編纂者個人經學功力，惟對於經學文獻的保存，厥功至偉，遠遠超過其個人經學的研究成果與價值。以此類彼，其實亦適用於靈峰先生身上。

　　靈峰先生所編的各類叢書，頗注重善本的選取，以《易經集成》而言，其書籍版本的取得，除了以無求備齋主人——靈峰先生個人藏書為基石外，亦取諸國家圖書館、故宮善本圖書等等機構藏書，對於善本文獻的保存與流傳，殊為可貴，並提供了後人在經學研究的許多助益。

　　靈峰先生以福建省連江縣一偏鄉漁村子弟，在學無師承之下，憑藉其天資與努力，展現其無比的學術能量，發為著述與編纂之偉業，造福後人，功不唐捐。雖然其辭世多年，惟哲人日已遠，典型在夙昔，其人其學，高山仰止，誠令人緬懷敬佩。

10　《四庫全書·經部·易類》所收易學書籍凡159部。

附錄一　嚴靈峰經學著作目錄

一　專著

1.《易學新論》　　嚴靈峰撰

作者手稿本　1945年10月

福州　左海學術研究社　1947年3月

臺北市　正中書局　197頁　1969年7月

《經子叢著》　第五冊　頁1-197　臺北市　中華叢書編審委員會　1983年5月

  1.〈論周易中之哲學原理和方法〉　頁1-15

  2.〈彖爻辭產生的時代和社會發展的階段〉　頁16-45

  3.〈周易經傳之文字的結構和錯簡〉　頁46-82

  4.〈易之稱「周」及其與孔子的關係〉　頁83-89

  5.〈河圖八卦與重卦〉　頁90-108

  6.〈卜筮的方法和吉凶悔吝及「貞」、「用」的意義〉　頁109-122

  7.〈用九與用六〉　頁123-137

  8.〈繇辭與卦辭〉　頁138-151

  9.〈彖傳及其內容〉　頁152-160

  10.〈小象與大象〉　頁161-184

  11.〈說卦的文體和篇數〉　頁185-187

  12.〈中國古代的製作與姓氏〉　頁188-197

2.《易簡原理與辯證法》　　嚴靈峰撰

臺北市　正中書局　1952年4月

《經子叢著》第5冊　頁1-130　臺北市　中華叢書編審委員會　1983年5月

《無求備齋易經集成》第195冊　《無求備齋易論》　頁1-32

《無求備齋》（香港：九龍）1冊　1963年6月

3.《無求備齋論語集成》　148種　308冊
　　臺北市　藝文印書館　1966年

4.《論語章句新編》（一名《論語講義》）　　嚴靈峰撰
　　《學宗》第5卷第2期　頁12-26　1964年6月
　　臺北市　水牛出版社　465頁　1968年9月
　　臺北市　水牛出版社　1冊　1981年9月
　　臺北市　中華叢書編審委員會　608頁　1983年
　　《經子叢著》第3冊（臺北市：中華叢書編審委員會）頁1-465　1983年5月

5.《讀論語札記》　　嚴靈峰撰
　　《學宗》第5卷第2期　頁12-26　1964年6月
　　《無求備齋論語集成》（臺北市：藝文印書館）　1966年
　　《經子叢著》第4冊（臺北市：中華叢書編審委員會）　頁1-53　1983年5月

6.《無求備齋孟子十書》　　嚴靈峰撰
　　臺北市　藝文印書館　42冊　1969年

7.《無求備齋易經集成》　　嚴靈峰撰
　　臺北市　成文出版社　220冊　1976年

8.《無求備齋易論》　　嚴靈峰撰

9.《無求備齋易經集成》195冊　臺北市　成文出版社　1976年

10.《馬王堆帛書易經初步研究》　　嚴靈峰撰
　　臺北市　成文出版社　　1980年7月

11.《大學章句新編》　　嚴靈峰撰
　　臺北市　帕米爾書店　1984年9月

12.《馬王堆帛書易經斠理》　　嚴靈峰撰
　　臺北市　文史哲出版社　　1994年7月

13.《經子叢著》嚴靈峰撰　臺北市：中華叢書編審委員會10冊1983年

二 論文

1.〈論周易中之哲學原理和方法〉　　嚴靈峰撰

《中華雜誌》第2卷第11期　頁27-30　1964年11月

《無求備齋學術論集》　頁566-580　臺北市　臺灣中華書局　1969年6月

2.〈周易經傳之文字的結構和錯簡〉　　嚴靈峰撰

《學宗》第6卷第1、2期　13頁　1965年3、6月

3.〈論河圖八卦與重卦〉　　嚴靈峰撰

《學宗》第7卷第1期　頁14-20　1966年3月

4.〈易經「小象」成立的年代及其內容〉　　嚴靈峰撰

《哲學年刊》第4期　頁36-61　1967年6月

《哲學論文集》第一輯　頁348-365　北京　北京師範大學出版社　1987年9月

5.〈「無求備齋易經集成」自序〉　　嚴靈峰撰

《哲學與文化》第3卷第2期　頁43-44　1976年2月

《中華文化復興月刊》第9卷第3期　頁89-90　1976年3月

《中華國學》第4期　頁33-34　1977年4月

6.〈易之原理〉　　嚴靈峰撰

《中華易學》第1卷第2期　頁7-10　1980年4月

7.〈「馬王堆帛書易經初步研究」自序〉　　嚴靈峰撰

《東方雜誌》復刊第14卷第2期　頁10-11　1980年8月

8.〈馬王堆漢墓帛書易經內容概述〉　　嚴靈峰撰

《無求備齋學術新著》　頁167-172　臺北市　臺灣商務印書館　1987年2月

9.〈馬王堆帛書易經的出土對校勘學的重大意義〉　　嚴靈峰撰

《無求備齋學術新著》　頁162-166　臺北市　臺灣商務印書館　1987年2月

10.〈馬王堆帛書易經六十四卦的重卦和卦序問題〉　　嚴靈峰撰

《東方雜誌》第18卷第8期　頁12-20　1985年2月

《東方雜誌》第18卷第9期　頁12-21　1985年3月

《無求備齋學術新著》　頁173-225　臺北市　臺灣商務印書館　1987年2月

11.〈易經小象成立的時代及其內容〉　　嚴靈峰撰

《周易研究論文集》第一輯（北京：北京師範大學出版社）　頁348-365
1987年9月

12.〈易經和道家中的「相反相成」原理〉　　嚴靈峰撰

（上）《東方雜誌》復刊第21卷第8期　頁13-17　1988年2月

（下）《東方雜誌》復刊第21卷第9期　頁24-28　1988年3月

《國際孔學會議論文集》（臺北市：國際孔學會議大會秘書處）　頁
1069-1095　1988年6月

13.〈馬王堆帛書易經中孔子贊易和「說卦」〉　　嚴靈峰撰

《大陸雜誌》第89卷第1期　頁1-3　1994年7月

14.〈有關帛書易傳的幾個問題〉　　嚴靈峰撰

《國際易學研究》（北京：北京師範大學出版社）第1輯　頁46-54　1995
年1月

15.〈馬王堆帛書繫辭殘本全文的剖析〉　　嚴靈峰撰

《中國哲學史》1994年第1期（總第6期）　頁3-19　1994年2月

16.〈關於六藝的解釋〉　　嚴靈峰撰

《天文臺》（香港）　1969年3月20日

17.〈「論語裡幾處衍文的測議」之商榷〉　　嚴靈峰撰

《民主評論》第11卷第19期　頁21-23　1960年10月

《無求備齋學術論集》（臺北市：臺灣中華書局）　頁550-560　1969年5月

18.〈論語成書年代及其傳授考略〉　　嚴靈峰撰

《中華雜誌》第2卷第2、3期　計7頁　1964年2-3月

《無求備齋論語集成》臺北市　藝文印書館　1966年

《無求備齋學術論集》（臺北市：臺灣中華書局）　頁521-549　1969年6月

《經子叢著》第三冊（臺北市：中華叢書編審委員會）　1983年5月

19.〈「無求備齋論語集成」序〉　　嚴靈峰撰

《人生》第31卷第8期　頁26　1966年12月

20.〈「論語集成」後記〉　　嚴靈峰撰

《新天地》第5卷第10期　頁16　1966年12月

21.〈孟子萬章篇一段錯簡的改正〉　　嚴靈峰撰

《孔孟月刊》第7卷第5期　頁18-19　1969年1月

《無求備齋學術新著》（臺北市：臺灣商務印書館）　頁261-265　1987年2月

22.〈「大學」與「大學之道」〉　　嚴靈峰撰

《東方雜誌》復刊第18卷第2、3期　計14頁　1984年8、9月

《哲學論集》第19期　頁1-32　1985年7月

《中國哲學史研究》1986年第2期　頁15-30　1986年4月

《無求備齋學術新著》（臺北市：台灣商務印書館）　頁226-260　1987年2月

23.〈「大學章句新編」自序〉　　嚴靈峰撰

《中華文化復興月刊》18卷2期　頁51-53　1985年9月

《大成》第135期　頁9-10　1985年2月

《新書月刊》第18期　頁69-71　1985年3月

24.〈「大學」與「大學之道」〉　　嚴靈峰著

《哲學論集》第19期　頁1-32　1985年7月

附錄二　嚴靈峰先生生活照片

圖一　嚴靈峰攝於臺北陽明山中山樓　圖二　一九六〇年嚴靈峰（左）與蔣
經國（左二）攝於橫貫公路大禹嶺

圖三　一九五七年嚴靈峰（左）與蔣經國（中）於阿里山合影。

附錄三　嚴靈峰先生著作影本

從反省「經學史學化」開展
現代經學研究芻議

范麗梅

中央研究院中國文哲研究所

一 「經學史學化」議題的提出

眾所周知,「經學」是中國傳統學術的核心。然而此一核心於民國初年進入現代學術,歷經反傳統、新文化、古史辨、國故整理等學術運動,卻面臨著全盤瓦解與逐漸消亡的命運,「經學史學化」可說是對此時期最概括性的一種表述。唯「經學」的「史學化」固不自民國初年開始,早在有清一代的發展,無論是歷經漢宋學之爭、今古文之爭,還是提倡迴向周孔原典、通經明道之理、實學經世之用、實證考據之法等等,基本上都離不開「史學化」的大趨勢。[1]對此,學者曾經從各種不同的面向予以程度不等的指明,當中不乏以此為公認或常識的觀點。例如余英時在略述錢穆由文學而理學、經學、子學、考證學,最終史學的治學歸宿時,曾經指出「清代經學專尚考證,所謂從古訓以明義理,以孔、孟還之孔、孟,其實即是經學的史學化。」[2]此外,在比較中西方史學的異同時,亦曾說「到清代,經學都史學化了。」[3]又如葛兆光在評價梁啟超將清代學術視為中國的文藝復興時,指

---

1 嚴格而言,「經學」的「史學化」,可以再前溯至清代以前,是經學發展歷史上屢次發生的現象。唯這些現象多屬個案,不比清代此一時期之激烈與普遍,間中涉及比較複雜的「經史關係」等議題,需另文詳論。

2 詳余英時:〈錢穆與新儒家〉,《猶記風吹水上鱗:錢穆與現代中國學術》(臺北:三民書局,1991年),頁35。

3 見劉夢溪:《切問而近思——劉夢溪學術訪談錄》(香港:三聯書店,2016年),頁57。

出此以文藝復興作背景的歷史脈絡中,某些考據學的成果,就「被當作瓦解經典神聖性的工作」,而「整個考據學被當成是對儒家經學的歷史學衝擊」。[4] 再如林慶彰在說明顧頡剛與錢玄同的學術論辨與相互影響時,曾指出二人認為「所有的經書都與孔子無關,書中並無微言大義,而是有待整理的史料而已」,而「在他們觀點的影響下,經學史學化,也影響了經學往後的發展」。[5] 此外,在述及「民國時期」乃是中國遭遇空前巨變的時段,也曾指出「原本居獨佔地位的經學逐漸史學化」。[6]

相對於此,當然也有學者從學術發展的宏觀視角予以分析與說明,例如艾爾曼(Benjamin A. Elman)以「學術思潮(Intellectual currents)」作為清代歷史研究的重點時,即指出知識階層對帝國正統學術的批判早在十八世紀已經達到高潮,當時儒家經典受到全面的懷疑,並經由「史學化(historicization)」,變成尋常的史學研究對象和材料,此乃知識階層思想變化最顯著的標志。此外,又舉章學誠「六經皆史」的建樹就在於使經典研究歷史化(historicize classical studies),使經學史學化(historicized classical studies),明確地把六經變成史學研究的對象,將經典置於史學範圍去考察、研究。[7] 又如劉巍從「經今古文問題研究」的視角,指出這一方面最為典型地反映了「經學史學化」的趨勢。具體而言,可以從三個方面來看,包括民國學人對康有為《新學偽經考》的運用處理;民國學人討論經學今古文問題的目的以

4　詳葛兆光:〈清代學術史與思想史的再認識〉,《中國典籍與文化》2012年第1期,頁11。

5　詳林慶彰:〈顧頡剛與錢玄同〉,《中國文哲研究集刊》第17期(2000年),頁426。

6　詳林慶彰:〈民國時期幾位被遺忘的經學家〉,《政大中文學報》第21期(2014年),頁15。

7　詳艾爾曼著,趙剛譯:《從理學到樸學——中華帝國晚期思想與社會變化面面觀》(南京:江蘇人民出版社,1997年),頁1、52。又艾爾曼著,趙剛譯:《經學、政治和宗族——中華帝國晚期常州今文學派研究》(南京:江蘇人民出版社,1998年),頁158。Benjamin A. Elman, *From philosophy to philology: intellectual and social aspects of change in late imperial China* (Cambridge, Mass.: Council on East Asian Studies, Harvard University, 1984), pp.xix-xx,73.Benjamin A. Elman,*Classicism, politics, and kinship: the Ch'ang-chou school of new text Confucianism in late imperial China* (Berkeley: University of California Press, 1990), p.227.

及該問題在民國史學中的地位；民國學人的「經學」觀，尤其是指出「經學」觀的改變關聯到整個意義系統的深刻轉換。[8]再如陳壁生從「民族國家構建」的視角，指出晚清以來的經學在因應建立一個完整的「中國」概念所需的系統化思想的要求下，力求整合成一個同條共貫的價值體系，一方面是今文學的「以六經之抽象價值為國家構建的理論源頭」以致「為了回歸孔子而推翻古文經典，開啟民國『古史辨』的先聲」；另一方面是古文學的「夷經為史」以「建構成為新的『國家歷史』的源頭」，通過「對六經的歷史化解讀」作為「國家構建的『國本』」，以致「導夫民國以經學為史料之先路」。[9]再如王應憲從「大學經學教育」的視角，指出經學在廢除科舉終結其制度層面的作用、原本自立的知識體系被分解後，大部分的內容就被新興的中文、歷史、哲學等現代學科所吸收。當時將儒家經典的知識整理納入文史哲等現代學科體系，促成了經學步入史學化、哲學化、文學化的進程。尤其顧頡剛、錢玄同、張西堂為代表的疑古學者抉發章學誠「六經皆史」說以及晚清今文家思想，在新史學建設中倡言把經書還原為史料，更促使經學研究呈現出史學化的趨向。[10]

除此之外，對於「史學化」後的「經學」研究，學者亦或肯認其中猶有可以發展的價值與方向，唯基本仍限制在對於「史學」的研究上。例如李學勤以為經學占據中心位置的時代早已過去，清代學者已提出「六經皆史」，但完全「夷經為史」也非正確，研究中國傳統學術文化，必須歷史地看待經和經學，開展「經學史」的研究。[11]又如路新生指出經學雖已壽終正寢，然而

8 詳劉巍：〈《劉向歆父子年譜》的學術背景與初始反響——兼論錢穆與疑古學派的關係以及民國史學與晚清經今古文學之爭的關係〉，臺灣大學中國文學系編：《紀念錢穆先生逝世十週年國際學術研討會論文集》（臺北：臺灣大學中國文學系，2001年），頁135-143。
9 詳陳壁生：〈導言：「後經學時代」的經學〉，《經學的瓦解》（上海：華東師範大學出版社，2014年），頁5-8。
10 詳王應憲：〈民國時期大學經學教育檢視〉，《中國學術年刊》第35期（秋季號）（2013年9月），頁110、112、113、125。
11 詳李學勤：〈序〉，王弼注，孔穎達疏：《周易正義》（臺北：臺灣古籍出版有限公司，2001年），頁3-4。

其治學理念和方法卻被新學科尤其是史學所吸收，直接融入史學『近代化』的歷史洪流並發揮巨大的學術影響力，一方面是今文經學對近現代「史觀派」的重要影響，另一方面是古文經學對近現代「史料派」的潛制作用。[12]綜上所述，「經學」由傳統學術進入現代學術，主要呈現出「史學化」的發展趨勢，殆無疑義。

二　雙重因素與雙重效應的反省

宏觀來看，此一主要的發展趨勢，對於經學自身的發展而言，有其發生最為重要的雙重因素，也在其發展過程中產生重大的雙重效應。雙重因素與雙重效應互為因果，雙重的因素即是雙重的效應。具體而言，一方面是主體信仰與主流價值的喪失，導致整體學術與文化的發展進退失據。另一方面則是研究方法自覺意識的抬頭，發展出所謂具有「科學」精神的考證學方法。兩個方面相互影響，促成了「經學」進入現代發展「史學化」的局面。凡此種種，其實皆可以上溯至清代學術，以取得更加詳贍的理解。

對於清代學術的發生，以及其與宋明理學的淵源關係，無論學者所持的觀點是「理學反動說」，或是「每轉益進說」，還是「內在理路說」，[13]其實都無可否認清代學術，抑或是宋明理學，是在各自當下的時代思想洪流中，一方面面臨著經學接受來自印度或西方不同文明洗禮的衝擊，另一方面其自身無法延續其主體信仰與主流價值，因此欲解決此一共同問題而產生的。套用余英時的話，此一共同問題即是「儒家原始經典中的『道』及其相關的主

---

12 詳路新生：〈「古」、「今」之變與經、史消長：晚清一種文化現象的透視〉，《經學的蛻變與史學的「轉軌」》（上海：上海古籍出版社，2006年），頁130。路新生：〈今文經學與晚清民初的史學「轉型」〉，《經學的蛻變與史學的「轉軌」》（上海：上海古籍出版社，2006年），頁156。

13 有關三說的梳理，詳參丘為君：〈清代思想史「研究典範」的形成、特質與義涵〉，《戴震學的形成：知識論述在近代中國的誕生》（臺北：聯經出版事業公司，2004年），頁265-327。

要觀念究竟何所指」。[14]換句話說，對於組成「經學」最主要的內容——「經典」本身的詰問，推究其以「道」承載的主體信仰與主流價值何在，成為一切主張發軔的基礎。何謂「經學」？何謂「經典」？不同時代的經學對於經典的認訂標準皆有不同，因應其各自時代思想的需要來進行取捨組合。因此「經學」或「經典」最本質的意涵當在於代表一個整體學術與文化最核心的主體信仰與主流價值。而當此一主體信仰與主流價值難以為繼、整體學術與文化進退失據之時，回返到「經典」本身去進行詰問，當然就是一個最直接的反應。

　　「經學」的主體信仰與主流價值喪失，致使其整體的學術與文化力道不足以因應外來思想的衝擊，其實與「經典」所承載的「意義」發展直接相關。所謂「經典」的「意義」，當然主要是指經典文本內容所表達的意義。唯經典的作者、時代、流傳等等外在承載形式，其實也與文本內容的表達密不可分，因此也將成為經典意義的一部分。關於經典文本內容的意義，學者身處於經典的薰陶，通過不斷的閱讀、理解、解釋、詮釋，將潛移默化的結合自身的思想歷程，賦予經典各種不同的意義，使其隨著時代思想的不同，得到不斷的創新發展，形成具有說服力的主體信仰以及具有普遍性的主流價值。依據伽達默爾（Hans-Georg Gadamer）的剖析，作為「古典型」代表的「經典」正體現歷史存在的一種「在時間的摧毀中得以保存」的普遍特徵，正是這些保存的「經典」提供了歷史認識的可能，構成傳統學術的一般性質。此由於「經典」因為「自具意義」且「自我詮釋」而能夠「自我保存」著，其陳述的不是仍需仰賴解釋之文獻證明的過去，而是特別針對著現在來說話，以其自身克服歷史距離而「無時間性」。[15]因此可以說「經典」的

---

14 詳余英時：〈增訂本自序〉，《論戴震與章學誠——清代中期學術思想史研究》（臺北：東大圖書公司，1996年），頁2。

15 詳 Hans-Georg Gadamer, *Truth and method* (New York: The Continuum Publishing Company, 1993), pp.289-290。伽達默爾著，洪漢鼎譯：《真理與方法——哲學詮釋學的基本特徵》（臺北：時報文化出版公司，1993年），頁380-381。關於此一見解，學者多引述以討論中國經典的詮釋學問題，例如張隆溪以為此說明「經典」所包含既超越時間的局

「意義」，可以是一種完全獨立的存在，其一方面永恆無限，得以成就最根本的信仰與價值；一方面日新又新，得以順應時代的變遷。然則，一旦經典的意義不能得到創新的發展，學者必然墮入喪失據此而來的主體信仰與主流價值的困境。面對此一困境，經典創新意義的追尋將是無可迴避的第一道難題。對於清代學者而言，此一困境直接促成了研究方法自覺意識的抬頭。眾所周知，乾嘉經學實證考據的一套治學方法，正是此自覺意識的最主要代表。希望通過客觀真實證據的搜求與梳理，以尋求經典真實正確的意義，進而能夠創發出與宋明理學的主體信仰與主流價值有所區別的一套思想、學術與文化。[16]

對於這一套研究方法，余英時曾經指出此是「儒家智識主義」（Confucian Intellectualism）的興起和發展，其揭示最嚴肅的客觀認知的問題，涉及儒學所提出「義理的是非取決於經典」的主張，希望通過經典知識的客觀整理、歷史事證的真實考據，來恢復「儒學真面貌」。[17]此外，艾爾曼也指出此一經典的考據之學，反映了儒學的研究向「知識論」或「知識主義」的重要轉變，其以「實證學風」作為中心位置，有別於宋明理學抽象道德哲學的學術

限，又不斷處在歷史理解之中的一種張力與辯證關係。詳張隆溪：〈經典在闡釋學上的意義〉，黃俊傑編：《中國經典詮釋傳統（一）：通論篇》（臺北：喜瑪拉雅研究發展基金會，2002年），頁3-9。又如洪漢鼎據此指出「經典」具有可以不斷進行解釋和詮釋的濃厚內涵，得以經歷所有歷史變遷而取之不竭，因此其並非一成不變，而是日新又新，不斷贏得最新的當代的東西。詳洪漢鼎：〈關於創建中國詮釋學問題〉，楊乃喬總主編，姜哲、郭西安主編：《比較經學：中國經學詮釋傳統與西方詮釋學傳統的對話》（上海：上海人民出版社，2018年），頁15-16。

16 有關以乾嘉考據為主的清代學術研究方法的討論，此前學者已取得諸多重要的研究成果，例如可詳參蔣秋華編：《乾嘉學者的治經方法》（臺北：中央研究院中國文哲研究所籌備處，2000年）。

17 詳余英時：〈自序〉，《論戴震與章學誠——清代中期學術思想史研究》（臺北：東大圖書公司，1996年），頁5。又余英時：〈儒家智識主義的興起——從清初到戴東原〉，《論戴震與章學誠——清代中期學術思想史研究》（臺北：東大圖書公司，1996年），頁19-36。又余英時：〈從宋明儒學的發展論清代思想史——宋明儒學中智識主義的傳統〉，《論戴震與章學誠——清代中期學術思想史研究》（臺北：東大圖書公司，1996年），頁324、325、327-328。

話語。[18]的確，「智識主義」的興起、「知識論」的轉變，以強調「客觀認知」、「真實面貌」、「歷史考據」的種種精神與方法，主導著清代學術的整體發展。總覽清代學術所提出的種種主張，包括「經學即理學」、「經學即史學」、「史學即理學」、「六經皆史」、「通經明道」、「實學經世」、「實證考據」、「實事求是」、「新學偽經」、「故訓明則古經明」等等，無不以此作為底蘊。然而對於「經典」、「經學」採取如此的研究方法，其實是與「史學」側重於求真求實的最基本精神如出一轍的，其中間是真偽、虛實、主客、知行的種種爭議取捨，涓滴成一股伏流，導引著清代「經學」朝向「史學化」發展。

清代「經學」的「史學化」發展，當然在學術上取得了各種空前未有的重大成果。然而在「經典」意義的尋求上，卻存在著極具爭議的空間。因為對於經典意義的尋求來說，此一發展所講求客觀、真實、歷史的研究方法，將比較可能在有關經典的作者、年代、流傳等外在承載形式的研究中，取得具有價值的重大突破。至於經典的文本內容，其意義尋求的目標若只停留在客觀、真實、歷史的層面的話，則極有可能造成意義的創新發展，產生停滯不前的局面。當然，倘若「經典」意義的創新發展停滯，其相應的主體信仰與主流價值也很可能建立在不夠穩固的根基之上。余英時曾經指出「經典」的歷久彌新在於不同時代的讀者，甚至同一時代的不同讀者，皆有不同的啟示。這緣於經典的意義具有兩個不同的層次。第一層是文獻原意的意義（meaning），也就是訓詁考證的客觀對象，是「歷久不變」的；第二層是文獻因「時代經驗」所啟示的意義（significance），近於經學傳統中的「微言大義」，涵蘊著文獻原意和外在事物的關係，是「與時俱新」的。[19]準此，可以籠統的說，清代對於「經典」文本內容意義的尋求，所得往往還停留在第一層次的文獻原意，這一層意義「歷久不變」，只能作為客觀認知的歷史知識而已。至於第二層次的啟示意義，也就是「與時俱新」的意義，就清代

---

18 詳艾爾曼著，趙剛譯：《從理學到樸學──中華帝國晚期思想與社會變化面面觀》（南京：江蘇人民出版社，1997年），頁34、177。

19 詳余英時：〈序〉，金春峰：《周官之成書及其反映的文化與時代新考》（臺北：三民書局，1993年）。

學術而言，其實注顯然甚少，或是還未及用力。[20]因此所謂意義創新發展的
停滯，就是在這一層次上提出的。此一層次的意義因「時代經驗」啟示而產
生，正是一個時代的學術與文化中，主體信仰與主流價值建立的主要根基，
若不能隨著時代創新發展，則所建立起來的主體信仰與主流價值必然風雨飄
搖，無法發揮實質的作用。反之能夠隨著時代創新發展，就能夠真正彰顯此
一學術與文化具有永恆無限與順應時代之信仰與價值的雙重韌性。[21]

　　上述所謂第一層次文獻原意與第二層次啟示意義的區分，其實也在最大
程度上初步概括了「史學」與「經學」最本質的差異。大體而言，對於第二
層次啟示意義的偏重，正是「經學」施展其與「史學」最主要的不同之處。
「經學」之所以成立，就在於其必需從「經典」提取出第二層次與時俱新的
啟示意義，形成主體的信仰與主流的價值，以作為一個時代學術與文化存在
的根基，在面對外來不同文化的衝擊之時，也能屹立不搖。而能夠與時俱新

---

20 對於這一層次意義的關注，清代僅有少數學者能夠確實的突破藩籬，進而形成比較系
統的「義理」之學。然而總其成果的深入程度，實亦未能匯為巨流，成為當時的主體
信仰與主流價值，此由晚清以降進入民國，「經學」的終致瓦解可見一般。有關清代學
者在這一方面的成果，可參林慶彰、張壽安主編：《乾嘉學者的義理學》（臺北：中央
研究院中國文哲研究所，2003年）。又張壽安：《十八世紀禮學考證的思想活力：禮教
論爭與禮秩重省》（臺北：中央研究院近代史研究所，2001年）。張麗珠：《清代義理學
新貌》（臺北：里仁書局，1999年）。張麗珠：《清代新義理學——傳統與現代的交會》
（臺北：里仁書局，2003年）。張麗珠：《清代的義理學轉型》（臺北：里仁書局，2006
年）。張麗珠：《清代學術思想史》（臺北：五南書局，2021年）。

21 有關「文獻原意（meaning）」與「啟示意義（significance）」，也涉及有關「解說
（explanation）」與「詮釋（interpretation）」等概念的區分，必須深入到詮釋學的整體
研究脈絡中，進行更加週全的辨別與檢討，本文於此暫作區分以為解說之便。相關討
論可參學者已取得的許多成果，例如張隆溪著，馮川譯：《道與邏各斯：東西方比較的
文學闡釋學》（成都：四川人民出版社，1998年），頁227-237。梅廣：〈語言科學與經
典詮釋〉，葉國良編：《文獻及語言知識與經典詮釋的關係》（臺北：喜瑪拉雅基金會，
2003年），頁77-83。劉笑敢：《詮釋與定向——中國哲學研究方法之探究》（北京：商
務印書館，2009年），頁19-20、33-34、51-57。除此之外，此間取余英時所提出的「啟
示意義」，亦與一般在宗教學上所指稱的內涵具有極為複雜的各種關係，必須另文詳
論。

的啟示意義、能夠形成的主體信仰與主流價值，當在於符合時代所認為是良善的、高明的內涵。倘若如此，其與「史學」首先偏重於第一層次的文獻原意，推崇客觀的、真實的內涵，具有最本質性的差異。簡而言之，就最本質的目的而言，「經學」在於求善求聖；「史學」在於求真求實。因此「經學」倘若朝向「史學化」發展，必然丟失其內在的本質，致使其自身的存在也為之動搖。總的來說，清代學術對於經典所發展出一套講求客觀、真實、歷史的研究方法，已使得「經學」偏離其應有講求良善、高明、與時俱新的本質，而朝向「史學化」發展。儘管有清一代或許能夠以此建立其暫時性的主體信仰與主流價值，然而，一方面此一信仰與價值之所由出畢竟是歷史的產物，其本身不足以因應新時代不同文化的衝擊，這是其中最大的弱點；另一方面是其距離有效的與時代經驗結合，發展出良善的、高明的、與時俱進的主體信仰與主流價值，卻還有一段很長的路途等待跋涉。正如余英時所言清代學術的「知識傳統」尚沒有機會獲得充量的發展，便因外在環境的邊變而中斷了。[22]清代學術正是在此事業未竟的中途，爆發了晚清至民國一系列對於「經學」瓦解的運動。[23]

晚清的「經學」發展，毋寧是對上述清代學術發展境況，以及其講求客觀、真實、歷史的研究方法的總反映與總檢驗。晚清因外在時局影響，致使其學術以「經學史學化」所建立之暫時性的主體信仰與主流價值的弱點更加暴露，直接促使了「經學」發展中尋求「經典」之「微言大義」的呼聲日益

---

22 詳余英時：〈自序〉，《論戴震與章學誠——清代中期學術思想史研究》（臺北：東大圖書公司，1996年），頁5-6。

23 關於此一研究方法對於傳統經學發展的影響，學者早已有所領悟，例如顧頡剛以為崔述的研究，「蓋東壁著書目的雖在維護道統，而考據結果實足以毀壞道統，道統毀則理學失所憑依，故衛道者不得不起而示威。」詳顧頡剛：〈附錄：關於本書的評論〉，崔述撰著，顧頡剛編訂：《崔東壁遺書》（上海：上海古籍出版社，1983年），頁1041。又如傅斯年亦指出：「清乾嘉考據學之盛，初以為有功乎論贊六藝，其實富於破壞性。」詳傅斯年：〈「殷曆譜」序〉，《傅斯年全集（第三冊）》（臺北：聯經出版事業公司，1980年），頁220。此外，王汎森又以為：「判別經典真偽並重新釐定它們的性質，都嚴重影響到傳統的倫理道德信仰之穩定性。」詳王汎森：《古史辨運動的興起》（臺北：允晨文化公司，1987年），頁269。

高漲。上文已指出「經學」發展中對於「經典」意義的尋求必須上升到第二
層次與時俱新的啟示意義,即余英時指出近於經學傳統中的「微言大義」,
換句話說,此乃建立主體信仰與主流價值的基礎。因此在面臨主體信仰與主
流價值不足以因應新時代不同文化需求的情況下,回返到「經典」去尋求其
與時俱進的「微言大義」,是「經學」發展的必然現象。儘管在清代學術整
個發展的過程中,時有倡導尋求經典之「微言大義」的主張,然而在以客
觀、真實、歷史的研究方法為主流、「文獻原意」才是當下第一要義的氛圍
中,這樣的主張並沒有得到更多的重視,相對的,一直到晚清,此一需求才
明顯的暴露出來。並且更重要的是,這些倡導「微言大義」的主張,其所採
取的研究方法其實並沒有根本的不同。艾爾曼曾經指出考據學方法在清代學
術得到廣泛的應用,成為一種認識論工具,包括今文經學亦以考據話語做基
礎,使其公羊學理論和知識主義傳統相結合。[24]正點明了倡導「微言大義」
主張的學者其實也離不開當時主流的研究方法。因此,如何以客觀、真實、
歷史的研究方法來發掘經典中的「微言大義」,如何以尋求第一層次文獻原
意的研究方法來持續探取第二層次的啟示意義,其實是當時一個不深入自知
卻極為重要的問題,這間中還需要各種更加深刻的理論或方法論的支持,恐
怕無法一蹴而就,如同上文所說的,此乃未竟的事業。然則,晚清就因外在
時局的影響,在未能沉著應對而積累不足的情況下,偪促標榜經典的「微言
大義」,不僅無法有效的與時代經驗結合,獲得使其足以安身立命之良善、
高明、與時俱進的主體信仰與主流價值,甚至還促使當時「經典」研究成果
的弱點全然暴露,直接動搖「經學」自身存在的意義與價值。[25]

　　晚清「經學」對於「微言大義」偪促標榜的結果,反而加邊「經學史學

---

24 詳艾爾曼著,趙剛譯:《經學、政治和宗族——中華帝國晚期常州今文學派研究》(南
　京:江蘇人民出版社,1998年),頁154、156。類似的詳細討論,可參王汎森:《古史
　辨運動的興起》(臺北:允晨文化公司,1987年),頁86、100。路新生:《中國近三百
　年疑古思潮研究》(上海:上海人民出版社,2001年),頁124-127、190-192、369-
　372、441-443、482、492-493。

25 相關情況的詳細討論,還可參王汎森:《古史辨運動的興起》(臺北:允晨文化公司,
　1987年),頁132、164、180、191-192。

化」的進程。倘若說清代學術對於「經典」講求客觀、真實、歷史的研究方法，是從研究方法的自覺意識上促使「經學」趨向於「史學化」的話，那麼發展到晚清，則是從根本上推翻了「經典」的全盤意義，使「經學」所代表的主體信仰與主流價值的尋求落空，在求取良善、高明、與時俱進而不果的情況下，重新喚起講求客觀、真實的需要，更確鑿無疑的進行「史學化」。學者即多指出晚清今文經學的發生雖屬「經學」發展的問題，然而其實質結果卻在「史學」領域中發生作用，其中當然包括「經學」本身也進入「史學化」的發展結果之中。[26]可以說清初以降所面臨主體信仰與主流價值的難以為繼，猶可通過研究方法自覺意識的抬頭，發展一套方法來重新探尋與建立；到了晚清持續面對主體信仰與主流價值尚未確實建立卻又倉促行事的情況下，不僅其原有發展出來之研究方法的效益受到嚴正質疑，加速「經學史學化」的進程，使「史學化」的信念更加牢不可破，更直接促使「經學」進入民國以後的全盤瓦解。艾爾曼即曾指出「無須對重新研究先秦經典歷史和語言，竟逐步導致官方正統學說解體的結局感到意外」。[27]同樣描述了此一發展的結果。

「經學史學化」促使經學的全面瓦解，在進入民國以後，已然發展成勢不可擋的局面，其極至便是「古史辨」運動的興起，由「經學」的解構發展到「史學」、乃至於整個傳統學術的解構。王汎森指出晚清以來，既以今文經書中的史事為孔子虛構「以加乎王心」，又以古文經書中所有史事都出於劉歆偽造以佐王莽篡竊，更以諸子書是諸子偽造來達到創教改制之目的，連《說文解字》也都是「黨偽」之書，凡此種種皆宣佈上古信史全不可信，皆有重新檢討之必要，而這正是「古史辨」廣泛檢討上古信史的一個精神源

---

26 王汎森指出「康有為等人宣稱古文經是劉歆集團偽造或改竄來佐王莽之篡的，這使後來的人對諸經性質、真偽、年代的釐清有了迫切感」，正是具體可見的例子。此外，王汎森亦指出顧頡剛、周予同等人亦有類似的看法。詳王汎森：《古史辨運動的興起》（臺北：允晨文化公司，1987年），頁210-215、242。

27 詳艾爾曼著，趙剛譯：《從理學到樸學──中華帝國晚期思想與社會變化面面觀》（南京：江蘇人民出版社，1997年），頁19。

頭。[28]對於經典或古籍，施以如此廣泛的檢討，正不啻使「經學」史學化，更甚至將整個傳統學術送入歷史。與此同時，還有一連串「國故整理」、「學術分科」的舉措，在制度面上將「經學」進行全盤消解，重建現代學術。[29]其最終導致「經學」在現代學術領域內僅流於「經學史」、「經學通論」、「經典閱讀」等幾乎「史學化」視角研究的對象，其中或對傳統「經學」發展的歷史源流巨細靡遺的描述，或對傳統「經學」含括的名義、內容、性質，目的等等作出介紹，或對傳統「經典」的文本內容作最基本的「文獻原意」的閱讀，整體範圍不出「國故」的整理。這樣的發展正如上文所述，不僅無法彰顯「經學」之於傳統學術所承載不斷建立起創新主體信仰與主流價值的意義，最終也致使上述「經學史」、「經學通論」或「經典閱讀」的研究無法不斷地激起創新意義而面臨逐漸消亡殆盡的命運。

　　「經學史學化」如此的發展，當然可以視作傳統學術進入現代學術的一種學術轉型，[30]然而此一樣態的轉型，就「經學」本身的發展而言，其實付出了最慘烈的代價，亦即經學已然全盤瓦解而逐漸消亡，猶如現代學者所屢屢言及經學的退出歷史舞台、經學的壽終正寢。然而回過頭來，倘若充分認識到「經學」在傳統學問中，代表的不僅僅是那幾部經典，而是扮演了承載整體學術文化的主體信仰與主流價值之角色的話，那麼「經學」在現代學術中很可能並沒有消亡，也不能消亡。某些情況其實亦與「儒學」的發展平行。余英時曾指出「認知精神」的充分發展最終將不免有必要使「儒學」在價值

---

28 詳王汎森：《古史辨運動的興起》（臺北：允晨文化公司，1987年），頁207。

29 有關民國時期的「經學史學化」發展，亦可詳范麗梅：〈經史子脈絡下的「經學」發展省思——重讀胡適與錢穆的一個觀點〉，《中國文哲研究通訊》第29卷第4期（2019年12月），頁133-164。

30 例如艾爾曼指出「考據學就是一種話語，一種學術性譜系和意義。實證方法的形成、流行，展示了17、18世紀中國在語言使用和意義上的劇烈變化。作為思想學術事件，實證性樸學話語特點的逐步形成是基本學術觀念變化的反映。後者同時還引發了對傳統認知和理解的更重大的基本變革。從前公認的學術範式受到了致命的挑戰。」詳艾爾曼著，趙剛譯：《從理學到樸學——中華帝國晚期思想與社會變化面面觀》（南京：江蘇人民出版社，1997年），頁2。

系統方面作某些相應的調整，但這種調整決不致導向「儒學」的全面解體。相反地，現代「儒學」必須經得起嚴格的知識考驗，則其所維護的許多價值才能發揮實際的作用，而問題的關鍵實在於客觀認知的精神如何挺立。[31]亦即必須重新承接清代學術中斷未竟的事業，挺立起其發展出來的一套重要的研究方法，持之以繼「經學」發展的研究工作，那麼「現代經學」的建立正有待積極展開。

三　「新史學」階段性成果的價值

回顧「經學史學化」自民國以來的發展，除了承繼清代學術尤其是考證學發展而來的脈絡，倘若更宏觀的結合晚明西學傳入來進行鳥瞰的話，「經學史學化」亦可以說是受到種種西方引領全球現代人文科學發展潮流中，極度沖刷殘存的一部分，尤其是與「經典」研究更加密切相關，諸如語文學（Philology）、考古學（Archaeology）、詮釋學（Hermeneutics）等等的學科，更可以窺見其中深受激盪而急遽變化的發展。當然，「經學」在「史學化」的過程中，歷史學（History）的發展更是首當其衝而發揮影響力的主幹。民國以來，引領當時學術風潮的學者，都無可避免的接受各種史學理論穿插在研究的主題之中，發揮立竿見影或是潛移默化的影響，因此都可以說是「經學史學化」的幕後推手。然而，如上所述，倘若清楚認識到清代學術乃是未竟的事業而必須重新承接；充分意識到「經學」承載整體學術文化之主體信仰與主流價值的角色而不能逐漸消亡；深入理解到必須從「史學」的基礎上重建「經學」而不可丟失本能的話，那麼上述促使「經學史學化」的種種人文科學的發展成果，亦可以成為開展與建立「現代經學」的重要基礎。[32]

---

31 詳余英時：〈自序〉，《論戴震與章學誠──清代中期學術思想史研究》（臺北：東大圖書公司，1996年），頁8。

32 有關「經學」與「史學」的結構性關係，還可參范麗梅：〈經史子脈絡下的「經學」發展省思──重讀胡適與錢穆的一個觀點〉，《中國文哲研究通訊》第29卷第4期（2019年12月），頁133-164。

　　民國以來，衝擊著傳統學術發展的一個重要標志，是「新史學」的提出。所謂「新」，當然是為了與傳統的「舊」作出區隔，唯「新」的具體內涵其實亦歷經無數的變化。王汎森曾經從「義理價值」與「歷史事實」分離與否的研究視角切入探討民國的「新史學」及其批評者。此一視角揭示出晚清以來，傳統學術日漸分科，脫離「經學」而總合到「學術」的新概念之下，其轉變的主要內容，即是強調「歷史化」、「學術化」的學問研究，包括對於歷史知識或科學知識等客觀實證的探討，連帶主張去應用化、去價值化、去道德化、去心性化，包括傳統對於「經學」之「道」的研索與信仰，亦不在關懷之內，總的而言，即是強調「歷史事實」與「義理價值」必須加以分離，「真」與「善」應該分別對待，「過去」與「現在」、「未來」並不刻意結合的一種研究取向。[33]此外，施耐德（Axel Schneider）則是從「真理」與「歷史」之間的關係來分析民國以來「新史學」的形成與發展，與王汎森的研究視角大體一致。施耐德首先指出傳統史學以「史」、「論」的雙重性，以及「歷史」與「真理」的統一作為特徵，通過「寫史」的據實記述進行「論史」的善惡褒貶，而成為「史書」並也是「經書」、成就「史學」並還有「經學」。凡此促使過去的「歷史」可以實例解釋出普遍意義，闡述一種先天不可討論之「道」的宇宙道德秩序，闡明永恆的「真理」價值，並為當今提供告誡的行為指南。然而「寫史」與「論史」、「歷史」與「真理」之間，亦因為爭執孰重孰輕、產生衝突而充滿張力，表現在過去即是「古文經」與「今文經」的爭論；「漢學」與「宋學」的對立。二者之間，或強調批評的語言學方法而將經書「歷史化」並在歷史中探求「道」；或強調思辨的哲學方法而將經書「視為聖典」並在其中闡發「道」。無論何者，皆是將「歷史」與「真理」的討論十分緊密地結合在一起。相對於傳統，民國以來的學者對於西方不同世界觀或史學理論的接受，卻面臨如何將特殊的與普遍的認同統一起來，或是重新確定在世界觀和文化上的自我理解，以便建立傳

---

33 詳王汎森：〈價值與事實的分離？——民國的新史學及其批評者〉，《中國近代思想與學術的系譜（增訂版）》（上海：上海三聯書店，2018年），頁408-496。

統延續性的問題。具體而言，是在承繼傳統上面臨「歷史」與「真理」二者完全統一或完全分離這兩個極端之間的緊張關係，必須重新界定「歷史」與「真理」之間的關係性質，或是提出證明「歷史」中具有「真理」的方法步驟。並且這種緊張關係，也促使學者在政治參與上面臨其當前或未來行為必須與歷史規律取得一致，抑或是將歷史研究減化為不具功能而被剝奪政治影響力的兩難。[34]

　　王汎森與施耐德對於「新史學」的分析提出一致性的研究視角，絕對不是偶然的。事實上，此一視角所涉及「歷史」與「真理」或是「價值」之間的關係，正是延續傳統學術中「史學」與「經學」而來的核心問題。如前文所述，傳統學術進入現代學術發生的「經學史學化」，正表現在「經學」以「道」所承載之主體信仰與主流價值的喪失，而此同屬「真理」或是「價值」所討論的主要內容。同時，「經學」的「史學化」亦正是「經學」企圖回返到「史學」此一自身得以建立的基礎而發展出來的過渡階段，乃其必須立足於「史學」的基礎重建「經學」不可迴避的一部分。因此在「新史學」分析中涉及「歷史」與「真理」或是「價值」的問題，毋寧即是「史學」與「經學」關係討論的一種變相。諸如此類的討論，不僅不會隨著對於「經學」的脫離，或是「經學」的「史學化」、「學術化」發展而消失，更應該因其承載著整體學術與文化的信仰與價值的角色與地位，而需要受到日益的重視。因此這樣一致性的研究視角，對於重新承接傳統學術、開展建立現代「經學」，具有重要的參考價值。尤其施耐德在間中還涉及有關「意義」的討論，其指出傳統學術將「歷史」與「真理」統一，未於方法論上區分「主體」與「客體」，致使「主體」不能脫離既定的「道」而獨立創造「意義」，而只能重新發現或一再證明「歷史」中的「意義」以作為「真理」的內容。

---

34 詳施耐德著，關山、李貌華譯：《真理與歷史——傅斯年、陳寅恪的史學思想與民族認同》（北京：社會科學文獻出版社，2008年），頁7-9、212-214、227。施耐德在另篇亦以「Dao」與「History」亦即「道」與「歷史」的相對，探討同樣的議題。詳 Axel Schneider, "Between Dao and History: Two Chinese Historians in Search of a Modern Identity for China," *History and Theory* 35.4 (1996): 54-73.

且即便如此，仍在以「道」為準則的情況下，造成以「史料」和以「理論」兩種不同導向的發生。相對的，民國以來的學者或將「歷史」與「真理」分離，意識到方法論上「主體」與「客體」的區別，便直接面臨了通過「主觀」建構的「意義」能否與「客觀」陳述的「歷史」相聯結的緊張關係，並試圖提出各種方法論。[35]事實上，無論是將「歷史」與「真理」進行統一還是分離，都難以避免發生以「史料」或是以「理論」為導向的區別，此所以在傳統學術中既有「古文經」與「今文經」的爭論、「漢學」與「宋學」的對立，進入現代學術之後，套用余英時的說法，亦有「史料」與「史觀」的區分。[36]其中的關鍵其實是在於整體學術與文化中的「經學」之「道」並不是「既定的」，或更準確而言，「道」的角色與地位得以成立得以存在，固然是先天不可討論的，就如同現代學術中所提出普遍規範、普遍真理、主體信仰、主流價值等的角色與地位一般，然而「道」的具體內容卻絕對不是先天的、不是不可以討論的，此所以無論是在傳統，還是進入現代，都無可避免的出現上述種種爭論與對立的區分。然則，就「意義」的討論而言，「歷史」與「真理」的統一或分離、「道」的不既定而有待討論，便也促成了「文獻原意」與「啟示意義」的不同追求，表面上看，前者是強調「歷史」中「歷久不變」的原始「意義」，而後者則是強調「真理」中「與時俱新」的創新「意義」。然而亦如前文所述，「文獻原意」與「啟示意義」二者之間的關係本來就不是截然二分的，它們共同組成一個「意義」發生的連貫過程，能夠從前者的基礎上成就出後者，從歷久不變中成就出與時俱新，兼涵著原始意義與創新意義，以作為「道」的主要內涵，顯示出「真理」的價值。同理，主導著「意義」產生的「主體」與「客體」，或是「主觀」與「客觀」，二者的界限也不能截然劃開，其能夠以整體脫離既定的「道」，不僅僅是被動的重新發現或一再證明「文獻原意」，更是能在尋求「文獻原

---

35 詳施耐德著，關山、李貌華譯：《真理與歷史——傅斯年、陳寅恪的史學思想與民族認同》（北京：社會科學文獻出版社，2008年），頁212-214。

36 詳余英時：〈中國史學的現階段：反省與展望〉，《史學與傳統》（臺北：時報文化出版公司，1982年），頁2-13。

意」的基礎上創造出「啟示意義」，這間中存在的更多只是程度偏倚的拿捏取捨，以平和其中的緊張關係。[37]凡此對於「意義」討論的深入認識，亦是重啟「經學」的現代建立一個極為重要的基礎。

四 「新史學」與「經學」的緊密發展

回溯「新史學」概念最早的提出者——梁啟超，可以說此一概念首先是在晚清時期「經學」發展尋求「經典」之「微言大義」的呼聲下成形的。王汎森指出梁啟超通過進化論的重要武器，使中國「史學」開始脫離「經學」的霸權。[38]的確，唯梁啟超脫離的只是「經學」在傳統「舊」學術中的內涵，或說只是上述所謂既定的「道」的具體內容。然而卻在同一個發展脈絡下，以「新史學」為名，尋求依然與「經學」之「道」同步、在現代「新」學術發展下的「微言大義」。這一點可以通過施耐德的研究進行更加詳細的說明。施耐德以一九一九年前後概分梁啟超的史學思想，指出其從強調因果關係與普遍進化作為歷史發展原理，到關注人物之意識行為與主體之意義境界作為歷史發展動力的轉變，並在區別自然科學與人文科學的論述中，表達出歷史現象世界是獨一無二、無限、個別、受時空決定等的認知，而史學的主要任務是發現各個歷史的個性及其發展，從而獲取現今與未來可用的認識，提供行動的指南，而具有極強的政治功能。[39]施耐德的此一分析，原則上是從學術史發展的視角進行的，然而其所作前後的概分，倘若依循其脫離「經學」的舊內涵以尋求新的微言大義的此一視角來看，卻可以發現其中構成的一個完整的思考歷程。而這一點亦可以通過由施耐德所揭示，有關梁啟

---

37 類似反省亦可詳參王汎森：《古史辨運動的興起》（臺北：允晨文化公司，1987年），頁10-11、12、165、188-189。

38 詳王汎森：〈價值與事實的分離？——民國的新史學及其批評者〉，《中國近代思想與學術的系譜（增訂版）》（上海：上海三聯書店，2018年），頁460。

39 詳施耐德著，關山、李貌華譯：《真理與歷史——傅斯年、陳寅恪的史學思想與民族認同》（北京：社會科學文獻出版社，2008年），頁66-70、99-104。

超對於「意義概念」的定義得到確認。施耐德指出梁啟超將「意義概念」區
分為「歷史本身內有的意義」和「從今天的觀點出發所賦予的意義」，試圖
以「從意義上來理解」的方式，來弄清楚歷史而學以致用，並且將「人」及
其特有的文化置於史觀的中心，採取一種與此相適應可以稱之為詮釋學的方
法理想出發，關注人類的共性以及以此共性為基礎的歷史的特殊性，將哲學
的、方法論的，政治的關懷結合為一個整體，以為現今提供行動的指南。而
這種指南的功能不再是經由原理和歷史的合一以歷史的必然發展規律形式來
達成，而是經由有意識地從今天的角度作出的評價，評價的基礎則是以歸納
法和詮釋法重新構造之過去，因此是將人的意志和詮釋的方法放在首要的地
位。[40]

此間梁啟超所提出「歷史本身內有的意義」與「從今天的觀點出發所賦
予的意義」的兩項意義，相當於「史學」與「經學」所各別偏重的「文獻原
意」與「啟示意義」。提出這兩項意義的背後，其實與梁啟超一方面強調歷
史的普遍原理，另一方面又強調歷史受時空決定的獨一無二，以及既關注人
類共性，又察覺此共性上的特殊性，這種種的主張相互一致。因為所謂「歷
史本身內有的意義」相當於「文獻原意」，就如同上文所述，將能夠展現一
種符合規範而可以是相互溝通的普偏性，並在此基礎上，成就出所謂「從今
天的觀點出發所賦予的意義」相當於「啟示意義」，又能夠展現一種溢出規
範而可以是獨一無二的獨特性，這些展現正都是梁啟超所著意強調與關注察
覺的根本。因此兩項意義提出的背後，正可以看出梁啟超的前後思想，其實
是構成一個完整的思考歷程的，當然也可以看出梁啟超與傳統學術之間一脈
相承的關鍵之處。換句話說，來自於傳統學術中「史學」與「經學」所偏重
「文獻原意」與「啟示意義」兩個層次的「意義」，其實佔據著梁啟超關於
「新史學」概念的重要成分。尤其是相當於「啟示意義」之「從今天的觀點
出發所賦予的意義」，其實內含著對於「經學」傾注的巨大關懷，可以確認

---

40 詳施耐德著，關山、李貌華譯：《真理與歷史──傅斯年、陳寅恪的史學思想與民族認
  同》（北京：社會科學文獻出版社，2008年），頁104-107、119。

其出自晚清時期「經學」發展尋求「經典」之「微言大義」的呼聲。就梁啟超來說，「歷史本身內有的意義」與「從今天的觀點出發所賦予的意義」，其實與其關注到「人」的意識行為與意義境界有關，其強調人的意志對於理解過往歷史與現今未來所起的作用，而這個部分可以「從意義上來理解」的方式來獲取，是一種朝向詮釋學結果的方法。這些主張其實也與上文所述有關「文獻原意」與「啟示意義」二者的關係相符應。亦即「文獻原意」與「啟示意義」二者其實是互為根據而互為轉換，不可截然二分，必須永不停歇的追索與探尋而得的，它通過「學者」亦即「人」，不斷的扣問「經典」，相互賦予意義而實現，建立在包括經典人物、作者、讀者、詮釋者、應用者，種種人與人之間能夠擁有共同的「心志」而成就，這些都與梁啟超提出的主張一致。總的而言，依據梁啟超兩項意義的提出，以及對於「經學」傾注的關懷，可以說其「新史學」的概念正是為了從「史學」的基礎上重建「經學」而提出的，其標明「新」的「史學」，卻蘊釀著「新」的「經學」的誕生。並且也間接為「經學」研究中「經典」之「意義」的重塑，嘗試開啟一種詮釋學發展的進路，此一進路既直承傳統學術的根本精神，同時也極具面向未來的前瞻性。

然而眾所周知，梁啟超的此一嘗試，在當時引發了激烈的爭議而以失敗告終。亦即晚清時期，此一來自於「經學」尋求「經典」之「微言大義」的嘗試作法，其實很快的就遭受到強烈的抨擊。就梁啟超而言，其引發爭議的核心集中在提出學術主張的同時，往往將最終的目的設定在政治功能之上，強調史學的目的在學以致用，尤其是引領政治發展的作用。例如王國維宏觀的從政治對學術的影響之大來評論歷代的學術，最後歸結到其近三四年的情況，直指康有為、譚嗣同、梁啟超等人，聊借西洋學說枝葉之語以圖遂政治之目的，而無學術之價值，最終將導致「其學問上之事業不得不與其政治上之企圖同歸於失敗」。[41] 事實上，倘若從傳統學術的整體來看，梁啟超等人

---

41 詳王國維：〈論近年之學術界〉，干春松、孟彥弘編：《王國維學術經典集（上）》（南昌：江西人民出版社，1997年），頁96-98。

的作法乃是其中「政學合一」觀念下的合理產物。就傳統學術而言，在「史學」基礎上所建立起來的「經學」，就是一個時代所認為良善、高明的內涵，能夠與時俱新的承載整體學術文化的主體信仰與主流價值，如此也就有可能發揮其政治功能，此其長久以來保有「政學合一」作法的根據，也是梁啟超嘗試通過「新史學」的提出，寄寓「經學」的關懷，以便發揮政治功能的根據。然而，關鍵僅在於歷經晚清到民國的鉅變，時移世異下所認為良善、高明的內涵早已有所更替，原有的主體信仰與主流價值不合時宜而面臨喪失的困境，整體學術文化自身的發展已然進退失據，更遑論提供政治功能，此亦梁啟超依然保持「政學合一」的作法而遭受抨擊的緣故。換句話說，「政學合一」應該是由「學」而「政」一種水到渠成的結果，不該是由「政」而「學」揠苗助長的操作。因此，王國維提出抨擊的背後，其實是基於對傳統學術更為深刻的認識，並且理解到晚清到民國所面對真正「深邃偉大」的西洋思想，是無法「驟輸入」而與「固有之思想相化」的。[42]換句話說，時移世異下的首要任務應該是理解到「政學分離」的重要，必須先沉著的從純粹的學術研究中，充分積累以建立一切發展的根基，至於能否在政治上發揮功能、引領政治的發展，則屬於另一個層次的問題。

綜上所述，可知「新史學」其實歷經傳統到現代的過渡，梁啟超的作法與王國維的抨擊，正可以視為一個縮影，其具體內涵的關鍵性轉變，就是從「政學合一」到「政學分離」。此一轉變促使「新史學」之「新」初步被認可為與傳統之「舊」具有本質性的區別，而表現在「經學」與「史學」上，亦理所當然的產生與傳統不盡相同的內涵。在傳統學術中，「經學」原本就是在「史學」的基礎上建立起來的，二者雖然各有偏重而分化出不同的學術，但實際內容是相互流動建構的。以至於在「政學合一」提供政治功能上，也扮演著同等重要的角色。清代章學誠提出「六經皆史」，指明「經」、「史」同樣具有的「官學」性質，可以說是「經學」與「史學」仍具傳統學

---

42 詳王國維：〈論近年之學術界〉，干春松、孟彥弘編：《王國維學術經典集（上）》（南昌：江西人民出版社，1997年），頁99。

術內涵的最後身影。與此相對，「政學分離」後的「經學」與「史學」，前者依然是在後者的基礎上建立起來，其實際內容亦依然相互流動建構，而只是與提供政治功能的角色暫且分道揚鑣，卻不能因此否定其學術的層面，因此無論是「史學」還是「經學」，都應該是同步的先以純粹的學術研究為目的，成就為現代學術所認定的「新史學」乃至於「新經學」。唯經過從「政學合一」到「政學分離」的轉變以後，「經學」與「史學」各自的學術發展卻不可同日而語。「史學」以「新史學」概念的提出取得了長足的進展，反觀「經學」，則是在「新史學」概念的籠罩，以及前此失敗而引發的片面性認知下，加遽了「史學化」的發展。[43]

　　「經學」的「史學化」的發展，儼然成為「新史學」之「新」確立不移的與傳統之「舊」作出本質性區別的一部分。繼梁啟超之後，在傅斯年學術主張下歷史語言研究所的成立，便是此一區別劃時代的舉措，亦即充分展現出「經學」在尋求「經典」之「微言大義」的失敗之後，更加遽「史學化」發展的情況。王汎森曾明確指出傅斯年與梁啟超史學主張最大的不同，就在於是否將歷史研究與道德教訓、現實政治的關係切斷。[44]換句話說，此間「新史學」的區別，一方面表現在「史學」與「經學」關係的切斷，進而導致「經學」的「史學化」發展；另一方面則表現在「學術」與「政治」關係的切斷，從「政學合一」走向「政學分離」。這兩個方面的發展，在傅斯年主導下史語所的研究成果中充分顯現。關於這一點，王汎森曾舉出兩個非常具體的例子。首先是史語所及其《集刊》發表與刊登作品的原則，與當時的《史學雜誌》完全相反，相對於後者只發表與現實生活有關的作品，前者則必須絕對脫離政治。[45]其次是比較王國維的《殷周制度論》與傅斯年的《夷

---

43 有關「經學」從「政學合一」到「政學分離」發展等更詳細的討論，可參范麗梅：〈經史子脈絡下的「經學」發展省思——重讀胡適與錢穆的一個觀點〉，《中國文哲研究通訊》第29卷第4期（2019年12月），頁150-155。

44 詳王汎森：〈晚清的政治概念與「新史學」〉，《中國近代思想與學術的系譜（增訂版）》（上海：上海三聯書店，2018年），頁232。

45 詳王汎森著，王曉冰譯：《傅斯年：中國近代歷史與政治中的個體生命》（臺北：聯經出版事業公司，2013年），頁79注46。

夏東西說》，指出王國維雖然發現殷周東西二分的歷史異常現象，卻仍然持守其出於「一元」的傳統看法，並以深刻的道德關懷與經世用心進行研究，通過歷史研究宣揚傳統道德在現實上的重要。反之，傅斯年則在此發現的基礎上，尋得出土材料的佐證，以民族代興的視角提出其出於「多元」的新創觀點，此間受到反傳統思想的洗禮，而沒有強烈的道德關懷，基本將焦點放在歷史學的研究上。[46] 據此，倘若結合前述王國維對於梁啟超以政治功能為目的提出學術主張的抨擊來看，介於梁啟超與傅斯年之間的王國維，可以說是從「政學合一」到「政學分離」，又從「經學」到「經學史學化」發展的一個過渡。因為王國維對於梁啟超的抨擊，正顯示其對於「學術」與「政治」必須先分離，以及此屬於另一層次問題的主張，而與傅斯年一致。而王國維相對於傅斯年關於歷史現象所抱有傳統道德關懷與經世用心的研究，則顯示其對於與「政治」分離後的「學術」，其回歸「史學」的研究仍需要有「經學」關懷的看法，而又與梁啟超一致。因此對比梁啟超與王國維的不同作法，可以說傅斯年主導下的史語所，是以「學術」與「政治」分離，且「學術」中的「史學」亦與「經學」分離，並直接導致「經學史學化」的發展趨勢行進的，當然這正是將「歷史」與「價值」進行徹底分離的結果。

職是之故，傅斯年與史語所成立的根本精神，很大程度上就在極力貫徹「政學分離」的主張，將一切研究回歸到純粹的學術，甚至不惜將具有提供政治功能之可能的「經學」也一併摒除在外，而僅僅回歸到「史學」此一基礎之上。然則，是以「史學」偏重客觀、真實、歷史的研究，凌駕於「經學」偏重良善、高明、與時俱新的研究之上。王汎森指出傅斯年與史語所援引自然科學、提倡科學方法的客觀性、實證性、普世性，將「歷史學」定義為「不是著史」與「只是史料學」，因此反對史觀、史論，反對主觀價值、道德教訓，明顯的「不奉經書」、「走出經學家束縛」、「不靠讀經治國平天

---

46 詳王汎森：〈一個新學術觀點的形成——從王國維的〈殷周制度論〉到傅斯年的〈夷夏東西說〉〉，《中國近代思想與學術的系譜（增訂版）》（上海：上海三聯書店，2018年），頁331-346。王汎森：〈價值與事實的分離？——民國的新史學及其批評者〉，《中國近代思想與學術的系譜（增訂版）》（上海：上海三聯書店，2018年），頁458、465。

下」，是從重「人」到重「事」，將「價值」與「事實」分離的結果。[47]正明
確點出了此一發展情況。相對於此，施耐德則比王汎森更注意到「意義」的
問題，與前述梁啟超的研究一致，其同樣從學術史發展的視角進行分期，將
傅斯年的史學思想概分為三期。整體而言，這三期思想轉變的背後，其實也
可以發現始終具有的一個整體性的思考。施耐德指出傅斯年早期的思想與梁
啟超一致，都從歷史進化與因果關係出發，唯其一方面強調「歷史」中的
「真理」必須由「主體」去發現，不能僅憑客觀的史料自己顯現，但也不能
受到政治指示的影響；另一方面又要求勿強置「歷史」於絕對「價值」之下
而忽略其普遍性或特殊性，必須通過科學方法認識「歷史」的真實面貌。整
體而言，傾向於主體與客體、真理和歷史的重新統一，通過科學的實事求是
來認識「歷史」事實，而從中獲取的「真理」則是新道德的基礎以及社會的
行動指南。[48]據此可知，傅斯年早期思想其實也隱含與梁啟超一致所能達到
的功能，最大的不同僅在於與「政治」的分離。換句話說，傅斯年早期思想
其實相當程度上還是承繼傳統學術的整體關懷而來的，亦如同施耐德所言
「暗含對文化延續的肯定」，在確立「學術」與「政治」分離，以及強調以
科學方法來研究「史學」的要求下，並不否定「經學」追求真理、價值以及
其間的功能。然而傅斯年赴歐回國後，其史學思想產生了轉變，具體展現在
史語所的成立，亦即前述王汎森所指出的主要情況。施耐德亦指出除了自然
的將「在政治上應持節制態度」的要求包括在內，即同樣主張「學術」與
「政治」的分離之外，此一時期傅斯年史學思想的核心，就是將「歷史學」
定義為「不是著史」與「只是史料學」，因此面對「歷史」，必須完全排除或
盡量降低主觀因素或價值評論等任何「史觀」的影響，既不作道德或文學性

---

47 詳王汎森：〈價值與事實的分離？──民國的新史學及其批評者〉，《中國近代思想與學
　術的系譜（增訂版）》（上海：上海三聯書店，2018年），頁442、446、453、458、459、
　480、483、485。又王汎森著，王曉冰譯：《傅斯年：中國近代歷史與政治中的個體生
　命》（臺北：聯經出版事業公司，2013年），中譯本序頁 xi、100、192、194、254。
48 詳施耐德著，關山、李貌華譯：《真理與歷史──傅斯年、陳寅恪的史學思想與民族認
　同》（北京：社會科學文獻出版社，2008年），頁144-154。

的敘述，也反對歷史主義方法論的解釋或一般與特殊之間的推論，拒絕任何超越「史料」本身的研究形式，而僅回到「史料」客觀、真實的整理與考證，尤其是必須通過「考古學」理智的對待「史料」。此間關於「歷史」的「意義」方面，傅斯年更認為不論從「當時事件參與者」還是從「史學家本身」的立場來看，「意義」都是相同的，否則就是在不科學的「製造意義」。[49]這間中思想的轉變顯然易見，從強調「主體」的發現到降低「主觀」的因素；從確認「真理」的價值到排除價值的評論；從保有「史觀」到只有「史料」等等。尤其在「意義」方面，認為歷史當時與史家現在的所得「意義」都相同，否則就是在「製造意義」，無疑是將傳統學術中分屬兩個層次的「文獻原意」與「啟示意義」等同起來，進而只承認「文獻原意」而否定「啟示意義」，甚至如施耐德指出的是在「拒絕『意義』」，這些都促使了只承認「史學」而否定「經學」存在的結果。傅斯年在此顯然採取了比王國維更加激烈決絕的作法，不僅將「學術」與「政治」分離，更將「學術」中的「史學」與「經學」進行分離。唯此一思想轉變的背後其實離不開「歷史」與「真理」之間統一或分離，或從「史學」基礎上重建「經學」，甚至由「學術」而及於「政治」的可能性，這種種的整體性思考，程度不同的兩種作法，背後實具有相同的關懷。施耐德繼而指出30年代初，傅斯年在依然主張「學術」與「政治」的分離下，卻修正了以往的若干觀點，一方面承認絕對客觀不存在。但仍堅持以接近客觀的態度來認識人類最終能認識到的「真實」，以為經驗上可以證實的「真理」是可能的。另一方面又承認主觀立場在認識過程中的正面功能，每個立場在某種範圍內都受到主觀的影響。此一修正的觀點，雖然並未賦予「價值」判斷認識的價值，而將之歸屬於科學經驗外的另一領域，一種把歷史研究與歷史哲學分屬不同領域的作法，但是基本上是帶著實證主義將「歷史」與「真理」重新進行統一的。[50]則傅斯年思想的這

---

49 詳施耐德著，關山、李貌華譯：《真理與歷史——傅斯年、陳寅恪的史學思想與民族認同》（北京：社會科學文獻出版社，2008年），頁157-163。

50 詳施耐德著，關山、李貌華譯：《真理與歷史——傅斯年、陳寅恪的史學思想與民族認同》（北京：社會科學文獻出版社，2008年），頁164-176。

一次轉變，在對待「真理」或「價值」方面，更接近早期的主張。此時傅斯年的立場可以說又轉與王國維一致，王國維在當時呼籲西洋思想的無法「驟輸入」，而傅斯年亦曾指出史觀的不可「急圖」[51]，都說明二者背後始終具有相同關懷的整體性思考。甚至在理性呼籲的對立面，王國維選擇「自沉」，傅斯年則不斷與自己的主張相違背的「卷入政治」，都在相當程度上出自於相同的原因。亦即如施耐德所指出因為「歷史」與「真理」的重新結合，歷史學家在「學術」上獲得正確、真實的認識後，也必須在「政治」上擔任意識形態的領導。換句話說，正是深刻認識到必須從「史學」基礎重建「經學」，由「學術」而及於「政治」的整體性思考，這一種來自於傳統學術、寄寓「經學」的關懷促成的。

然而如同施耐德指出傅斯年與史語所主張的史學思想，還是造成了「反效果」，此可以理解為在諸如無法驟輸入，不可急圖的主張下，時移世異的更替，面臨無可避免的「歷史」與「真理」或「價值」之間的問題，需要從「史學」基礎上重建「經學」的可能卻一再延後，連帶能夠表現出整體學術文化之主體信仰與主流價值的功能也一再落空，便逐漸造成如王汎森指出的一種「意義感之失落」。進而促使「新史學」的具體內涵又再歷經一次轉變，此即錢穆在敬悼張蔭麟的同時，所提出當下中國所需要之「新史學」。[52]王汎森指出諸如錢穆的傳統史家對於前此最大的不滿，還是在於將「歷史」與「價值」進行分離這一點上，認為「歷史」不能只講授中性的「學術」而與道德倫理分開，必須豐富人民的知識，與國家民族發展相關的引導社會。具體而言，錢穆認為悠久淵深的歷史文化內蘊著民族精神，必須從「歷史材料」中覓取隨時變遷而與當代問題聯繫所需的「歷史智識」，才能使當前的衰敗與未來的復興相湊合，否則與時代脫節的歷史研究，「以活的人事換為

---

51 此即傅斯年提出：「本所同人之治史學，不以空論為學問，亦不以『史觀』為急圖，乃純就史料以探史實也。」詳傅斯年：〈《史料與史學》發刊詞〉，《傅斯年全集（第四冊）》（臺北：聯經出版事業公司，1980年），頁356。

52 詳錢穆：〈中國今日所需要之新史學與新史學家——本文敬悼故友張蔭麟先生——〉，《思想與時代：張蔭麟先生紀念號》第18期（1943年），頁7-12。

死的材料」，將毫無系統而「無意義」、也就無法「指導時代」，在「道德」上是站不住的。[53] 顯然錢穆所提出能夠從「歷史材料」中取得的「歷史智識」，就是一種能夠從「史學」基礎上重建「經學」的關懷，它包涵著在時移世異的更替下，能夠表現出整體學術文化之主體信仰與主流價值。就「意義」的關注而言，它回應了僅僅回歸到「史學」甚至「史料」研究所引起無法得出重大且連貫的「意義」而造成「意義感之失落」的問題。相對的，如同施耐德所言，確信能夠從「歷史材料」中取得「歷史智識」而獲得針對現今導向的「意義」，則能夠呈現出民族精神，足以將過去、現在和未來建立起連續性和認同，成為發展的動力。[54] 據此，亦可以充分看到錢穆承繼傳統學問的深刻認識，同樣寄寓著「經學」的關懷。

總的而言，民國以來，從梁啟超到錢穆，可以說是以「新史學」為名的傳統學術的發展，爭取到「學術」與「政治」分離、「學術」取得全然獨立與自由地位一個重要的里程碑。而在整個過程中，原本在傳統「學術」中占有核心地位的「經學」，也歷經著程度不一的「史學化」發展，尤其是在傅斯年與史語所的主張下，原本從「史學」基礎上必須重建的「經學」更確切不移的朝向「史學化」發展而丟失「經學」的本能。然而無論程度如何，此一發展的背後其實都寄寓著某種程度「經學」的關懷。並且更重要的是，歷經梁啟超到錢穆，已取得對於傳統學術的整體有更加深刻的認識，此間，儘管在「經學」極度「史學化」的發展下，傅斯年與史語所所帶動種種參與全球的現代人文科學的刺激與融合，亦扮演著重要的角色，提供傳統得以持續發展的堅實基礎。

---

53 詳王汎森：〈價值與事實的分離？——民國的新史學及其批評者〉，《中國近代思想與學術的系譜（增訂版）》（上海：上海三聯書店，2018年），頁479-480、486-489。

54 詳施耐德著，關山、李貌華譯：《真理與歷史——傅斯年、陳寅恪的史學思想與民族認同》（北京：社會科學文獻出版社，2008年），頁120-122。

五　出入語文學與詮釋學的現代經學

在強調客觀、真實、歷史的學術主張下，傅斯年與史語所標舉「歷史學」及「語文學」作為研究發展的核心任務，此通過史語所的英文命名——Institute of History and Philology，可以得知其確切內涵。相對於「歷史學」，「語文學」此一學科的強調，可以說是傅斯年與史語所帶動參與全球現代人文科學，對於傳統學術加以刺激與融合極為重要的一部分。此一「語文學」的內涵，乃是發展出西方「古代學」（Altertumswissenschaft）整體思考下的產物，通過「語文學」結合現代「考古學」的最新成果，在語言文字與非語言文字材料的客觀解讀與真實考證等研究上，試圖從古代生活的各個面向去重建過去。[55]因此「語文學」的引入，對於傳統學術的刺激，正表現在對於傳統「舊史學」進行徹底反省與結合最新的研究上，以構建出「新史學」。換句話說，「歷史學」與「語文學」並駕研究的主張，可以說是為傳統學術得以暫先回歸到「史學」此一基礎，聚焦於基礎研究以尋求參與全球、進入現代之可能的一項重要舉措。總體而言，「語文學」在當時巧妙的縮合了中國傳統學術與全球現代學術之間的延續性關係。前述傳統學術進入現代學術，其中的核心——從「史學」基礎上建立的「經學」，卻在主體信仰與主流價值喪失、研究方法自覺意識抬頭，此雙重因素與雙重效應下，不斷往「史學化」發展而丟失「經學」本能。此間，「語文學」正強而有力的接續了其中研究方法自覺意識抬頭的面向，以研究方法的最新突破來進行中國傳統與全球現代之間的縮合。具體而言，即是以「語文學」接續起清代學術中「考證學」的基本方法，先在「史學」的層面上著力，以發展其中斷未竟的事業。

「語文學」之能接續「考證學」的首要條件，就在於二者皆以「語文」

---

55 相關研究，可詳杜正勝：〈無中生有的志業——傅斯年的史學革命與史語所的創立〉，《古今論衡》第1期（1998年），頁8-9。王晴佳：〈科學史學乎？「科學古學」乎？——傅斯年「史學便是史料學」之思想淵源新探〉，《史學史研究》第4期（2007年），頁30-34。張谷銘：〈Philology與史語所：陳寅恪、傅斯年與中國的「東方學」〉，《中央研究院歷史語言研究所集刊》第87本第2分（2016年6月），頁380-383。

與「思想」的關係作為研究的核心。[56]傅斯年不只一次的指出「本來語言即是思想」、「思想受語言支配」、「以語言學的觀點解釋一箇思想史的問題」、「以語言學之立點解決哲學史之問題」，並且在涉及「經學」、「史學」、「子學／哲學」、「文學」等多個領域的研究中，即便是大多導向「史學化」的研究結果，但都強調必須從語言文字的討論入手。[57]此一研究方法的背後蘊含著一種認知——不同的學術思想與文化都是從其語言文字的特質產生出來的，因此能夠通過語言文字的考證解讀來探究不同的學術思想與文化。此正是傅斯年一方面承繼「考證學」，另一方面又借助「語文學」，二者相互刺激與融合的結果。[58]西方的「語文學」本與「哲學（philosophy）」相對應，在關於語言文字與學術思想的兩端，著重強調語言文字這一方面的重要性，既直接影響學術思想的表達，也直接賦予學術思想的內容。而清代的「考證學」同樣處理語言文字與學術思想的各種問題，尤其通過語言文字的考證來解決學術思想中的諸多問題。[59]倘若說西方的「語文學」，乃擴及於史學、

---

56 深入而言，西方「語文學」與清代「考證學」這兩種學科之間的淵源與互動關係，亦需要進一步探究。

57 詳如傅斯年：〈歷史語言研究所工作旨趣〉，《歷史語言研究所集刊（第一冊）》（北京：中華書局，1987年），頁3。傅斯年：《性命古訓辯證》，《傅斯年全集（第二冊）》（臺北：聯經出版事業公司，1980年）。傅斯年：〈戰國子家敍論〉，《傅斯年全集（第二冊）》（臺北：聯經出版事業公司，1980年）。傅斯年：〈中國古代文學史講義〉，《傅斯年全集（第一冊）》（臺北：聯經出版事業公司，1980年），頁35-41。李泉：《傅斯年學術思想評傳》（北京：北京圖書館出版社，2000年），頁160。

58 學者多已指出這一點，例如王晴佳認為傅斯年希望貫通西方語文學與清代考證學，詳 Q. Edward Wang, *Inventing China through history: the May Fourth approach to historiography* (Albany, NY: State University of New York Press, 2001), p.88. 王晴佳：〈科學史學乎？「科學古學」乎？〉，《史學史研究》第4期（2007年），頁29。又如王汎森指出傅斯年在研究方法上承繼傳統的考證學，又借助西方的語文學，詳王汎森：〈價值與事實的分離？——民國的新史學及其批評者〉，《中國近代思想與學術的系譜（增訂版）》（上海：上海三聯書店，2018年），頁442。王汎森著，王曉冰譯：《傅斯年：中國近代歷史與政治中的個體生命》（臺北：聯經出版事業公司，2013年），頁161注22。

59 當然二者由於「語言文字」的本質性差異而可能產生程度不等的各種不同的情況，此亦涉及極為廣泛且複雜之議題的討論，在此無法詳述。

哲學、文學等多個領域相關語言文字之典籍文本的考證與解讀，企圖由此探究一個文明中包括主體信仰與主流價值的學術思想文化，是一切現代人文科學研究的源頭或基本的學術形式。那麼「考證學」亦扮演同樣的角色，其於傳統學術中正作為從史學、子學、文學等多個領域建立起經學，並構成經學中的小學內容而存在，處理的亦正是相關語言文字之典籍文本的考證與解讀，探究的亦正是中國文明中以經學為代表的主體信仰與主流價值。

唯清代「考證學」處理語言文字與學術思想的關係，乃以「言」與「道」的關係進行表述。前已指出「道」乃是傳統學術中承載著主體信仰與主流價值的核心思想，其通過經典承載著從文獻原意到啟示意義兩個層次的意義，形成從「史學」基礎上建立的「經學」表現出來。倘若欲挖掘兩個層次的意義、探究傳統學術的核心思想，就必須回到「言」亦即書寫成經典的語言文字上進行各種考證與解讀。此即「言」與「道」在傳統學術中表現出語言文字與學術思想兩個面向的緊密關係，甚至「道」本身其實就是兼具「語言」與「思想」雙重意涵的概念。[60]「考證學」的基本方法，還形成一個口號：「披言以求道」──剖析「言」能夠求取「道」，正是在此認識下提出的。具有代表性的即是清代考證學巨擘戴震所提出「經之至者道也，所以明道者其詞也，所以成詞者字也。由字以通其詞，由詞以通其道，必有漸」[61]的主張，其揭示「道」作為「經學」最核心的思想，必須從「詞」與「字」等語言文字的意義入手去進行考證與解讀，才有可能貫通明瞭。[62]

---

60 張隆溪即發揮錢鐘書的觀點，指出「道」的一個字詞裡包含「思想」與「言說」的二重性。詳張隆溪著，馮川譯：《道與邏各斯：東西方比較的文學闡釋學》（成都：四川人民出版社，1998年），頁72-73。又，蔣年豐亦指出「語言不只是工具，語言乃是『道』的具體形貌」而「這種原始語言的精神在儒家的經典中到處可見」。詳蔣年豐：〈從「興」的精神現象論《春秋》經傳的解釋學基礎〉，《文本與實踐（一）：儒家思想的當代詮釋》（臺北：桂冠圖書公司，2000年），頁106。

61 詳戴震：〈與是仲明論學書〉，戴震撰，楊應芹、諸偉奇主編：《戴震全書（第陸冊）》（合肥：黃山書社，2010年），頁368。

62 相關討論亦可參余英時：《論戴震與章學誠──清代中期學術思想史研究》（臺北：東大圖書公司，1996年），頁102。張麗珠：〈戴震「由詞通道」的學術思想體系──以經驗取向的新義理學為論述主軸〉，《東海中文學報》第22期（2010年），頁165-171。楊

　　「披言以求道」作為「經學」剖析語言文字之意義以便求取學術思想之核心的基本方法，首要面對的當然是經典「意義」的問題。前已指出此一「意義」具備文獻原意與啟示意義兩個層次，分屬史學與經學不同偏向的追求。就文獻原意而言，傅斯年承繼「考證學」所引入的「語文學」，在本質上強調客觀、真實、歷史的研究方法，本身即是比較偏向於文獻原意的追求，因此能夠積極有效的為經典文獻原意的尋求提供助益。尤其此間的「語文學」乃結合「考古學」的最新成果而來，更是處處稱許其符應於「科學」的客觀解讀與真實考證，亦為經典文獻原意的尋求提供扎實的基礎。[63]整體來說，對於傳統學術從「舊史學」的反省到「新史學」的建構，都提供了參與全球、進入現代的全體性嘗試。然而就啟示意義而言，此一嘗試基本上延後了這個層次意義的追求，連帶導致原本應該從文獻原意產生出啟示意義；從史學基礎上建立起經學的發展停滯不前，換句話說，「新史學」始終無法真正建立起「新經學」，以作為傳統學術真正的核心思想、代表一個思想文化的主體信仰與主流價值，參與到全球、進入到現代。

　　唯值得關注的是，在「語文學」對傳統學術提供刺激與融合的發展歷程中，其實也不斷受到來自與「語文學」並駕發展之「詮釋學」的影響。施耐德曾經分析作為傅斯年主導下史語所的一員健將——陳寅恪的思想，認為其主張在對「歷史」做完真實考證之後，才能從「詮釋學」的視角來理解其中的「真理」，這樣的研究是包含著「詮釋學」方法論的，它充分意識到進行研究的個人和時代，其「主體」與「主觀」在解釋「歷史」的「意義」與建構「真理」的「意義」上所扮演的角色，能夠在受到「歷史」的限制中了解「民族精神」，有創造性的研究和闡明適用於「現今」和「未來」的「意義」境界和方向，並為將來提供行為指南，而不落入「意義」的危機之中。

儒賓：〈伊藤仁齋與戴震——道的復權〉，《異議的意義：近世東亞的反理學思潮》（臺北：臺灣大學出版中心，2012年），頁263-264、283。范麗梅：《言者身之文——郭店寫本關鍵字與身心思想》（臺北，臺灣大學出版中心，2017年），頁31-41。

63 相關討論亦可參王汎森著，王曉冰譯：《傅斯年：中國近代歷史與政治中的個體生命》（臺北：聯經出版事業公司，2013年），頁 ix-x、73-74、77、157-158。

換句話說，陳寅恪對於「真理」與「歷史」、「主體」與「客體」之間抱持著雙重關係，肯認進行研究的個人是不斷繼續發展之「歷史」「意義」連續性的一部分，使之能夠在理解與解釋「歷史」之「意義」的境界中，獲得內在和超驗的「真理」。[64]通過施耐德對於陳寅恪與傅斯年研究之間的對比分析，可以發現在同樣贊成傅斯年引入「語文學」強調對於「客體」進行解讀與考證的客觀、真實、歷史的研究方法中，陳寅恪則不迴避的包含著「詮釋學」研究方法中對於「主體」與「主觀」的關注。事實上，前已指出在對於傅斯年早期與晚期思想，以及梁啟超思想的研究分析中，施耐德皆已指出二者其實都關注到「主體」與「主觀」的重要性。尤其是在梁啟超的分析中，指出其亦強調作為「主體」之「人」的意識行為與意義境界而採取「詮釋學」的方法，更可以看出在「新史學」的發展過程中，來自於「語文學」與「詮釋學」兩股研究方法的力量不斷給予的刺激與融合。

事實上，「語文學」與「詮釋學」二者都與「經典」研究密切相關，尤其是圍繞在「意義」的理解上，具有許多共同或共通之處。倘若說「語文學」方法比較偏向文獻原意的追求，那麼強調「主體」與「主觀」參與的「詮釋學」方法則提醒了啟示意義追求的可能，此所以前述梁啟超涉及「詮釋學」的研究方法，很大程度上與其尋求「經典」之「微言大義」緊密相關。換句話說，在「意義」的理解上，「語文學」與「詮釋學」分別從「文獻原意」與「啟示意義」兩個不同的層次，提供了來自相對面向的研究方法。據此，由「語文學」到「詮釋學」的研究方法，也正提供由「文獻原意」產生出「啟示意義」，從「史學」基礎上建立起「經學」的可能，亦即「詮釋學」有助於解答前述「經學史學化」以及「經學」的瓦解與消亡，所提出「如何以尋求第一層次文獻原意的研究方法來延續探取第二層次的啟示意義」的問題。因為通過「語文學」所強調「客體」進行客觀、真實、歷史的方法所追求的文獻原意，儘管如何的結合「考古學」最新成果而符合「科

---

64 詳施耐德著，關山、李貌華譯：《真理與歷史——傅斯年、陳寅恪的史學思想與民族認同》（北京：社會科學文獻出版社，2008年），頁134-221。

學」的標準,其實都只能代表一個時代所傾其全力所能達至對於「客體」所取得客觀、真實、歷史的最高程度,它無可避免的取決於一個時代作為理解「客體」的「主體」所能進行的主觀表現,而「詮釋學」對於「主體」與「主觀」的強調正足以解答這個問題。亦即一個時代所取得符合客觀、真實、歷史的文獻原意,也將會是一種歷經「主觀」而符合良善、高明、與時俱新的啟示意義,此亦前述二者是一連貫過程、不能截然二分的根據。就「經典」的研究而言,這個具有「主觀」的「主體」就是包括經典的記載人物、作者、讀者、詮釋者、應用者等等的「人」,他一方面認識到必須取得客觀、真實、歷史的「文獻原意」,但另一方面也察覺此一客觀、真實、歷史的限制,肯認一切都是歷經其「主觀」下所取得良善、高明、與時俱新的「啟示意義」而已。當然,此一「啟示意義」已足以成為其所塑造的「聖人」、所樹立起承載主體信仰與主流價值的「道」,以及建立起一個時代「經學」的主要內容。此其也與前述「詮釋學」理論有關「經典」的「沒有時間性」而能與時俱新的「自我保存」、「自我解釋」的情況一致。並且此一由「人」到「聖人」的過程,放在當下這個時代,即是所謂從「新史學」建立起「新經學」的過程,能夠因此認識到從傳統學術過渡到現代,所展現在普偏性的基礎上成就出的獨特性,以凝聚起適應於當代的普遍規範與核心價值。

因此,現代「經學」的建立,必須是能夠出入「語文學」與「詮釋學」之研究成果借鑑的「經學」。至於傳統學術中的「經學」、現代學術建構的「經學」,如何與「語文學」、「詮釋學」進行更加深入而實質的對話,則是另一個更深一層次的探索。根據全球人文科學的蓬勃發展,其中「語文學」與「詮釋學」皆已取得長足的發展情況,這將會是「經學」往後發展中一個極具挑戰又別具價值的研究課題。[65]相關方面的研究,學者其實已做過程度不等的討論,例如林遠澤指出儒家以《詩》、《書》等歷史經典閱讀的詮釋學

---

[65] 有關這一方面的宏觀反省,亦可詳洪漢鼎:〈關於創建中國詮釋學問題〉,楊乃喬總主編,姜哲、郭西安主編:《比較經學:中國經學詮釋傳統與西方詮釋學傳統的對話》(上海:上海人民出版社,2018年)。郭西安:〈回到什麼語文學?——漢學、比較文學與作為功能的語文學〉,《中國比較文學》第4期(2020年),頁77-101。

活動，作為其普遍主義倫理學構想的基礎，以發揮經世濟民的道德實踐作用，是一種興起於對歷史性的人文經典加以理解的詮釋性哲學。理解此一情況，將有助於傳統儒學的詮釋學研究，尤其得以擺脫科學知識與德性實踐對立的窠臼，而產生新理解的可能性。在此認識的基礎上，相關研究不應局限於以「文本詮釋學（Texts Hermeneutic）」做為意義理解的基本模式，而應加入「行動詮釋學（Handlungs Hermeneutic）」的模式進行考慮，強調後者透過對話與溝通的人際互動模式，較前者以文本做為書寫與閱讀之媒介而停留在閱讀與觀看的主客對立模式更切近於實踐。如此從文本詮釋學到行動詮釋學的轉變，將提供對於知識與道德關係的新理解，包括意義的理解與行動的規範性得以具有內在的關連性，以及知行問題也可以擺脫實然與應然的對立性。[66]此間所提及儒學普遍主義倫理學的構想，當然應該也包括其主體信仰與主流價值的建立，凡此皆立足於經典的詮釋，此「經學」的發展具有其詮釋學導向的意義。唯林遠澤認為「文本詮釋學」並不足以達成實踐的作用，相對的，「行動詮釋學」才真正符合儒學對於經典詮釋的問題意識，並且具備產生新理解的可能性。其說誠然，倘若經典的閱讀與理解等等活動，能夠具備此一詮釋學的導向，則「經學」於現代學術的發展，當然能夠大大的拓展其適應於新時代思想、保有其作為主體信仰與主流價值之代表的可能性。而與此相關的是，採取系統性的研究方法，對於經典語詞「意義」無限創新發展進行探取，以至於一個時代整體語詞「詞義系統」的持續建構，其實都是對於「文本詮釋學」或「行動詮釋學」所面對的「經典」而作的最直接研究。換句話說，此一研究將為從「文本詮釋學」到「行動詮釋學」兩者對於知識與道德關係的探討，提供來自於「經典」的扎實根據。因為對於「經典」如此深入的探究，才能確實理解儒學的「文本詮釋學」是為其「行動詮釋學」服務的。亦即儒學「行動詮釋學」的根本內涵在於其「文本詮釋學」對於經典語詞意義無限創新發展認識的建立。反向而言，倘若缺乏「文

---

66 詳林遠澤：〈知言與知人──儒家普遍主義倫理學的行動詮釋學基礎〉，《儒家後習俗責任倫理學的理念》（臺北：聯經出版事業公司，2017年），頁101-103。

本詮釋學」所提供的基礎認識，則「行動詮釋學」所建構的許多實踐內容，也很可能容易淪為不具有根基的現代思維，僅是藉由儒學傳達的現代想法而已。

除此之外，又如 Sheldon Pollock 曾經討論如何從「語文學」的傳統中解放出來，又如何通過「語文學」將作為學者，或公民，或人類的自身解放出來，其重新定義「語文學」乃是「讓文本產生意義（making sense of texts）」的學科，通過包括文本批評、修辭學、詮釋學，以及其他分析形式的研究方法，進行「詮釋（interpretation）」來完成。而此種「閱讀（reading）」的過程將有助於培養對於真理法則、團結共識、自我批判等實踐的能力與生活的方式，而確切從中取得此一解放的關鍵意義（crucial significance）與核心價值（core values）。其中尤其提到清代考證學家在面對異文化統治極具爭議的氛圍下，迫使他們尋求「新的閱讀方法（new ways to read）」，以致能夠「讓自身的傳統產生新的意義（make new sense of their tradition）」、「昭示迄今視為經典的整個文本的虛假（demonstrating the spuriousness of whole texts hitherto regarded as classics）」而宣示「個人關注的僅是真實事理（my concern is only with what is true）」。這些都能讓我們從中理解到「社會部分體現在使用的語言與文本之中，對於語言與文本進行更好的理解，將能夠產生一個更好的社會（the social is embodied in part in language and texts, and a better understanding of both should produce a better society）」，並掌握「從而能夠理解世界的一種閱讀的方式（a way of reading, and hence of understanding the world）」。[67] 上

---

67 詳 Sheldon Pollock, "Philology and Freedom," *Philological Encounters*, Vol.1, Issue 1-4, Brill (2016): 4-19. 此另有中譯本，詳謝爾頓・波洛克著，蔣淨柳譯：〈語文學與自由〉，沈衛榮、姚霜編：《何謂語文學：現代人文科學的方法和實踐》（上海：上海古籍出版社，2021年），頁445-465。此外，還呼籲建立「世界語文學（World Philology）」，詳 Sheldon Pollock, Benjamin A. Elman and Ku-ming Kevin Chang, eds., *World Philology*, Cambridge: Harvard University Press, 2015. Sheldon Pollock, "Philology in three dimensions," *Postmedieval: A Journal of Medieval Cultural Studies*, Vol.5,4, Macmillan Publishers Ltd., 2014. Sheldon Pollock, "Future Philology? The Fate of A Soft Science in A Hard World," *Critical Inquiry* Vol.35, No. 4, The Fate of Disciplines, 2009. 後二文另有中譯本，詳謝爾

述對於「語文學」的研究，已開展出極為宏大的目標。其跨越學科、放眼世界、關注到「意義」與「價值」的研究取向，可以促使進一步的思索。亦即無論身處於過去或現在、此疆或彼界，無論身為作者或讀者、文本人物或現世人物，種種的「人」與「人」之間，皆具有相互溝通的可能，並且在此溝通中每一個自身所具有的「意義」都可以呈顯出「價值」。當然此間包涵著一種「認知」與「信念」，一方面堅信對於「客體」必需採取永不停歇的追尋與探索，以達至最高程度的「客觀」與「真實」，另一方面又體認到「主體」所無可避免具有尋求「高明」、「良善」之需要的「主觀」介入。此將致使所追尋與探索最高程度的「客觀」與「真實」，具有其不同時代的相對性與局限性，然而又正因為有此一認知，而願意開放自身豎立起永不停歇追尋與探索的信念。凡此兼顧兩端的認知與信念，將能與時俱進的涵融出兼具原始與創新的「意義」結果，這個結果又將能夠汰煉出各種普遍規範、真理法則，或是主體信仰、主流價值，以作為「經學」的主要內容，成就「現代經學」的重新建立，更成為全球現代人文科學發展不可或缺的一部分。

頓‧波洛克著，王淼譯：〈語文學的三個維度〉、馬洲洋譯：〈未來語文學？一個硬世界中的軟科學之命運〉，沈衛榮、姚霜編：《何謂語文學：現代人文科學的方法和實踐》（上海：上海古籍出版社，2021年），頁395-444。

消解與建構：《韓非子》文本中的孔子形象

李友廣

西北大學中國思想文化研究所

先秦諸子學向來是學界研究的熱點，對於諸子學派之間的關係研究更是如此。近些年來，學者們對於儒道關係、儒法關係和道法關係的研究比較集中且日益呈深入之勢。就儒法關係而言，學者們的研究成果多集中於荀子與法家的關係上面，主要包括對禮法關係和荀韓關係等方面的研究。韓東育在〈〈性自命出〉與法家的「人情論」〉（《史學集刊》2002年第2期）一文中結合郭店簡《性自命出》來研究儒法、儒道關係，認為此篇中的「人情論」與法家一脈相承。周熾成則在〈先秦有法家嗎？──兼論「法家」的概念及儒法關係〉（《哲學研究》2017年第4期）中認為，先秦「法家」之內容太複雜，「儒法相對」晚出，儒法關係乃歷史構造而成。周教授所論雖然不無道理，但對於《韓非子》文本並未作詳實考察，對於其中所蘊含的儒法思想之間的矛盾與衝突也有所忽視。

宋洪兵在〈論先秦儒家與法家的成德路徑──以孔孟荀韓為中心〉（《哲學研究》2015年第5期）一文中，通過儒法之間的比較來研究兩者成德路徑的差異及其意義，並認為這兩種成德思路既具有互補性，在對人性的認識上又存在著理論衝突。杜保瑞在〈論〈韓非子〉法家思想的內在理路及其與儒道的關係〉（《管子學刊》2019年第1期）一文中指出，《韓非子》書中雖然有不少對儒家的批評，但法家對儒家的批評都是概念上的錯置與誤用，假仁假義假賢假儒者多，但不能以現實上的偽儒以為真儒與真儒學而批判之，儒法兩家都是國之利器，必須互為融通。筆者對於杜教授儒法兩家必須互為融通的說法深表認同，但說法家對儒家的批評都是概念上的錯置與誤用，則有武

斷之嫌，需要結合文獻材料具體分析。王正的兩篇文章包括〈禮與法——荀子與法家的根本差異〉（《中國哲學史》2018年第4期）和〈「法儒」還是「儒法」？——荀子與法家關係重估〉（《哲學研究》2017年第2期），主要從儒法關係的角度重點探討了作為儒家人物的荀子與法家的關係及兩者之間的根本差異問題，從而為兩者之間的關係做了正本清源式的闡釋。

通過以上的簡要分析，我們可以發現，學者們對於《韓非子》文本中所呈現的儒法關係研究尚顯不足，值得進一步探討。有鑒於儒家學派在春秋晚期戰國時期影響力的逐漸擴大，以及《韓非子》文本中多次出現孔子、子貢、子路等儒家人物，在本文我們將主要以《韓非子》為考察依據來分析其中所呈現的孔子形象，進而對法家在消解孔子儒家身份與建構孔子新形象的張力中所彰顯的立場、價值及意義進行研究。

一　新舊制度交替時期的孔子

孔子身處新舊制度交替時期的春秋晚期，這一時期正在經歷著天子治下的層級政治權力體系（周制）趨於瓦解，中央集權政治制度（秦制）逐漸確立的歷史過程。這種政治制度的變化，在孔子的身上則體現出了對舊制度的眷戀和對新制度的疑懼的矛盾與衝突。在《論語》文本中，孔子對於隱逸者的態度也非常值得研究與玩味。他對於隱逸者雖不乏同情與理解，但又持有不滿與批評的態度。他理解與同情的是，隱逸者因不滿於天下之無道而選擇避世以保持個人節操；他批評與不滿的是，隱逸者的潔身自好是以放棄君臣大倫與天下百姓為代價的，如果僅僅止步於此，與山林中的鳥獸無異：「鳥獸不可與同群，吾非斯人之徒與而誰與？天下有道，丘不與易也。」與此相應，子路亦云：「不仕無義。長幼之節不可廢也，君臣之義如之何其廢之？欲潔其身而亂大倫。」（均見《論語‧微子》）可謂與孔子立場相同，是一脈相承的。《論語‧微子》中的隱者桀溺稱孔子為「避人之士」，無疑切中了孔子為了實現理想抱負而四處周遊，遍尋明主而不得的現實困境。在桀溺看來，天下無道失序，毫無變革的可能，既然如此，避人徒勞無功，不如避世徹底。

避人尚在世中，要想做到潔身自好無異於緣木求魚；避世處江湖之遠，不問世事，既可與鳥獸同遊，又可獨立其志，可謂「知其不可而不為」。

當然，孔子也不否認天下無道的社會現實，故對「知其不可」的評價深表贊同，而與隱逸者的分歧在於，如何面對這個無道的天下。儘管孔子積極入世，為天下蒼生奔走吶喊，但他常有無力、無奈之感，並以隱逸者的口吻自嘲，其中也很難說毫無對這種態度與立場的嚮往：「道不行，乘桴浮於海，從我者其由與？」（《論語・公冶長》）孔子這種複雜的態度與立場，實際上很鮮明地彰顯了其對於無道之世的矛盾心理。

就儒家而言，所謂的無道主要指向了王道價值在春秋戰國時期的失落。在前孔子時代，王道具體指向了周人所建立的以嫡長子繼承制和封藩建衛為主要特點的政治權力體系，是一種政治制度的稱謂。在經過孔子、孟子等儒家人物的理論加工和理想化改造以後，王道又具有了理想性面向，從而由制度躍升為理想。所以，從先秦哲學史的角度來看，王道這個概念包括了形上的理想層面和形下的制度層面，制度層面可以主要歸結為周人的貢獻，而理想層面孔孟則具有開創之功。再結合春秋晚期戰國時期政治失序、禮樂崩壞的社會現實，我們可以發現，儒家眼中所謂的無道，可謂王道政治（周制）在這一歷史時期的失落，並非指的是王道理想。進而言之，王道政治的失落具體表現為天子式微、權力下移以及禮樂崩壞下的政治失序等方面。

由此來看，所謂的無道之世，正反映了舊制度的日趨瓦解與新制度的逐漸確立，這種新舊制度交替的歷史特點也在孔子的身上留下了深刻烙印。可以說，孔子身上所具有的多種面向與複雜形象，也為後來莊子、韓非借助孔子以言說自己的思想理論提供了基礎與可能性。

實際上，與對其他人物的單一性刻畫不同，《莊子》文本對於孔子的態度及刻畫則十分耐人尋味。《莊子》對於孔子既有批判性的一面——這種批判主要基於孔子的儒家身份，也有肯定與讚賞的一面——這種讚賞源自對孔子形象的道家化建構。[1]

---

[1] 對此，方勇認為，《莊子》中的孔子形象，至少有三種面孔，包括以儒家面貌出現的孔

　　為了對儒家更好地進行道家化建構，《莊子》將道家經典的修養方法——坐忘的主角設計成顏回。與傳統的儒家形象相比，《莊子》中的顏回則具有了新的面目。這種新面目，在莊子的努力下，變成了對於儒家價值的放下：「忘仁義」，「忘禮樂」，乃至到了「墮肢體，黜聰明，離形去知」的「坐忘」地步（文見《莊子・大宗師》），這與儒家典籍中的顏回形象是頗為不同的。與顏回相比，孔子在《論語》中的形象更為豐富與多元，其師者的身份也為莊子及後學的理論改造與形象重塑提供了更多的空間與可能性。故而，在《莊子》文本中，不僅顏回成了莊子及其後學的代言人，而且孔子也「成為《莊子》作者用以表達自己意見的代言人。」[2]

　　出於《論語》文本所呈現的顯著師者身份，《莊子》在塑造孔子新形象的時候顯然借助了這一點，因而《莊子》中孔子的出場常常是以與弟子的對話作為情境與背景的。鑒於儒家學說在戰國時期的影響力，《莊子》作者在以自己的立場塑造孔子新形象的時候，也不時對其儒者身份及思想學說加以批判，從而在批判的過程中申論自己的主張。《莊子》作者的這種批判，其目的在於以清理孔子學說不足與弊端的方式來弱化甚或消解孔子的儒者身份，然後讓孔子為自己的思想主張代言，借孔子之口表達己意，將孔子塑造成符合莊子立場的道家式人物。如此，在《莊子》作者的理論改造下，孔子脫下了儒家的外衣，成為了莊子式的人物，不乏與弟子談論心齋、坐忘之類

子（其主要表現為虛心好學，務求博瞻；死抱仁義、禮樂、度數，不知隨時變化；四處奔走，極意營謀天下），由儒而道的孔子（其主要表現為內忘仁義，外去禮文，息奔竟之心，入恬淡之境；遺形去智，乃悟求道之方），以道家面貌出現的孔子（其主要表現為虛心以遊世，不以死生、窮達為念，德充之美）。見方勇：《莊子學史》（第一冊）（北京：人民出版社，2000年），頁117-123。與此相似，黃浩然也總結說：「孔子在其中扮演了三種不同的角色——道家的代言人、道家的尊崇者、儒家的衛道士。」黃浩然：〈《莊子》中的孔子形象與道儒之爭〉，《中國文學研究》2015年第3期。

2　對此，余樹蘋申論說：「《莊子》成書之時，孔子及儒學雖然未被賦予正統地位，但是，孔學在當時思想界已經處於標準與尺度的位置。……無論孔子在當時有如何的影響，也只能成為《莊子》作者用以表達自己意見的代言人。」余樹蘋：〈多面聖人——〈莊子〉中的孔子形象〉，載劉小楓、陳少明編：《經典與解釋》第24輯，北京：華夏出版社，2008年。

的莊學問題與命題，從而表現得與莊子並沒有什麼兩樣。

雖然西漢史學家司馬遷在《史記・老子韓非列傳》中曾對孔子適周問禮於老子一事言之鑿鑿，但從思想史的角度而言，孔子與道家並無多少思想上的關聯，更談不上是道家人物。《莊子》作者的做法，讓孔子得以改頭換面，脫下儒家外衣換上了莊子道袍。可以說，《莊子》作者對於孔子的道家化處理，既是諸子學在戰國時期進一步交流、會通的結果，也為後來儒家和法家吸收、轉化道家思想（包括黃老道家思想）提供了基礎與可能性。不僅可以說戰國晚期《荀子》、《韓非子》以及《呂氏春秋》等具有集大成特點文本的出現便是這一會通潮流下的產物，而且還可以指出，《韓非子》文本中出現的孔子形象，以及對其形象的處理方式不無受《莊子》作者的影響。

二　《韓非子》文本對孔子儒家身份的消解

簡要考察了《莊子》文本，我們再來研究《韓非子》文本，就會發現在後者中也出現了對於孔子形象的再詮釋與重構。參照《莊子》作者對於孔子所作的道家化處理，我們可以將韓非對於孔子的再詮釋與重構整體上稱之為法家化處理。

與《莊子》文本對於孔子形象的處理相似，在《韓非子》文本中，也呈現出了韓非對於孔子態度的兩面性。一方面，韓非對於孔子的儒家身份以及由此所建立起來的思想學說給予了相當程度的否定與批判[3]；另一方面，韓非著力發掘與突出了孔子務實理性的一面，並將自己的立場、思想主張賦予了孔子的身上，從而建構起了孔子的法家新形象。[4]此處，我們將重點探討

---

[3] 對此，王正也說：「後期法家面對儒家在先秦思想界的重大影響力，集中精力對儒家進行了重點批駁，他們不僅批判了儒家理念對於治理的無效性，還批評了孔子等代表人物。」誠是。所引文見王正：〈「法儒」還是「儒法」？——荀子與法家關係重估〉，《哲學研究》2017年第2期。

[4] 關於孔子的法家新形象，周熾成稱之為孔子的正面形象。他在總結《韓非子》一書中的孔子正面形象時，認為其具有明賞罰、明信、明平和明君臣上下之分的顯著特點。詳見周熾成：〈論韓非子對孔子及其思想的認識和態度〉，《哲學研究》2014年第11期。

韓非是如何以批判孔子思想學說的形式來消解其儒家身份的，而關於韓非建構孔子新形象的問題，我們將放在下一部分解決。

　　首先我們來考察一下先秦法家類文獻中的儒家人物形象：「貴義」、「以仁義治天下」（《商君書・畫策》），「仁義愛惠」，「夫施與貧困者，此世之所謂仁義；哀憐百姓不忍誅罰者，此世之所謂惠愛也。」（《韓非子・奸劫弒臣》）「釋法術而心治」（《韓非子・用人》），「仲尼，天下聖人也，修行明道以遊海內，海內說其仁，美其義，而為服役者七十人」（《韓非子・五蠹》），「恃人之為吾善」（《韓非子・顯學》），等等。從所徵引文獻來看，法家人物的批判矛頭主要集中在了儒家的仁義治國立場上，用韓非的話來說便是儒家「釋法術而心治」（《韓非子・用人》）。儒家身上所呈現出的這些標籤在法家看來，恰恰如同「心治」一樣缺乏成文法那樣的客觀理性與確定性，不僅潛藏著親疏遠近之情，而且由於沒有一定的客觀標準可依憑從而具有無可避免的隨意性與不確定性。具體到孔子的身上來說，在韓非看來，孔子乃天下之聖人，名聞海內，饒是如此，追隨他的也不過七十人而已，這與天下萬民相比自是難以相提並論。故而，就天下治理而言，僅憑仁義道德是不足以管理好天下萬民的，更不能指望每個人都會自律，主動追求仁義道德：「蓋貴仁者寡，能義者難也。故以天下之大，而為服役者七十人，而仁義者一人。」（《韓非子・五蠹》）韓非這種「不務德而務法」（《韓非子・顯學》）的立場無疑是非常客觀理性的，在切中了春秋晚期戰國時期禮樂崩壞、政治失序社會現實的同時，也洞悉到了透著自律精神的禮樂文化此時已難以約束政治野心日益膨脹與功利主義思想主導的貴族集團了，因此，「法家尤其是韓非的法制建構工作，從一開始便帶上了不要倫理說教而只問法律條文的極端主義傾向。」[5]誠然，這正是韓非思想的深刻之處。

　　當然，法家並沒有徹底否定道德仁義本身的價值與意義，否則商鞅便不會說「仁者能仁於人」，「義者能愛於人」（《商君書・畫策》），韓非也不會說「海內說其仁，美其義」（《韓非子・五蠹》）了。對此，宋洪兵評論說：「韓

5　韓東育：〈法家的發生邏輯與理解方法〉，《哲學研究》2009年第12期。

非子之所以反對仁義道德，並非就仁義道德的『存在價值』而言，而是就仁義道德相對於他所處的現實社會是否能夠真正解決問題而言的，是就古今、虛實、多寡層面而言的。」[6]這種評論是符合法家對仁義道德所持的立場的，因而是可信的。可見，法家對於道德的價值與意義並非一味地反對與排斥，其對儒家價值立場的消解主要針對的是後者將道德延伸至政治領域的做法，以及道德於當今之世的不合時宜性（《韓非子‧五蠹》即云：「是仁義用於古不用於今也」。），由此也可以看到，法家對於儒家立場的這種消解是有所保留且極具理性的。

那麼，作為由王道政治（周制）向中央集權政治（秦制）過渡的春秋晚期戰國時期[7]，什麼樣的治國理念、政治主張才是切實有效的呢？較之老莊的無為退守立場，儒家的厚古與理想化傾向，法家的務實理性在當時可能是最為有效的。老莊的無為主張，固然有消解人欲，為社會鬆綁的積極意義，但對於當時的貴族集團而言是難以做到的，故而對於東周時期的社會政治實際上影響並不大。與此相似，由於推崇周制，守持厚古立場，儒家對於其時亂局採取的是仁義修身、仁政治國的主張，因為理想化的原因同樣很難見用於當權者。與道家和儒家不同的是，法家主張以法治國，這種治國理念，「實質上是以法治秩序替代傳統禮治秩序的一次積極努力」[8]。這樣的法治秩序，不僅是對根基於宗法血緣倫理之上貴族政治的削弱與瓦解，更是為君主權力日益集中和中央集權不斷加強提供了制度性保障。由於崇周的立場，孔子給世人留下的是厚親情、重倫理的仁者形象，這自是與韓非「法不阿貴，繩不撓曲」（《韓非子‧有度》）的政治訴求發生衝突。故而，韓非若要寓己意於孔子，勢必要對其進行一定程度上的改造，進而以改造過後的孔子

6　宋洪兵：《韓非子政治思想再研究》（北京：中國人民大學出版社，2010年），頁231。

7　關於這種時代的變化，嵇文甫也說：「戰國時代實際政治上的趨勢，是從貴族政治過渡到君主集權政治，也就是從氏族貴族的統治過渡到新興地主的統治。法家學說正反映這種趨勢，也就是說，是適應這種趨勢而產生出來的。」嵇文甫：《春秋戰國思想史話》（北京：北京出版社，2014年），頁96。

8　彭新武：〈論先秦法家的道德觀〉，《北京行政學院學報》2013年第1期。

新形象作為自己思想立場的代言人。

由於儒家學說與儒家立場在戰國時期影響力的不斷擴大，再加上儒家類文獻不斷累積所形成的儒家形象漸趨固化，在儒家群體的身上便有著鮮明的標籤式身份與精神文化符號，故而法家在進行理論創建的過程中，主要採取了以儒家人物中的孔子（也兼及其他儒家人物）寓己意的方式，這種方式當然不能罔顧孔子身上的這些標籤與特點了。同時，「破」是「立」的前提。結合本文立意來看，所謂的「破」，即是要弱化乃至消解孔子身上的儒家身份。無論商鞅還是韓非，雖然並非同一歷史時期的人物與文本，但都採取了詰問儒家仁義治國立場缺陷與不足的方式來作為自己言說和立論的前提。對於儒家仁義治國立場缺陷與不足的不斷詰問，為法家文本中孔子儒家身份的弱化與消解提供了理論依據與可能，從而為後來的立論，以及將孔子成功置換為法家人物作了理論上的清理與準備工作。

可以說，《韓非子》文本中的孔子新形象，新在其具有濃厚的法家特點與精神，從而成為了符合法家立場的法家式人物。關於這一方面，將是我們下文重點研究的內容。

三　《韓非子》文本中的孔子新形象

在對孔子的儒家身份進行深刻批判以後，韓非接下來要做的工作便是以自己的思想立場來完成對其的理論改造，進而以改造後的孔子新形象作為法家思想與精神的代言人。那麼韓非是如何對孔子進行理論改造的呢？

根據《韓非子》文本的內容來看，「聖人」是被韓非高頻次使用的一個詞彙。就這一點而言，表面上韓非與老子、孔孟似乎並無不同，但實際上並非如此。首先需要指出的是，「聖人」是一個在先秦諸子時代被思想家們所普遍使用的詞彙，並非儒家專用，在包括道家、墨家、法家、儒家在內的文獻裡都多次出現過聖人一詞，而且多有當權者、在位者的義涵指向[9]，故而

9　即便是強烈反對儒家仁義道德立場的老子，與其相關文獻《老子》中的聖人，在很多

在很多時候可以與侯王相等同。接下來，在研究法家的聖人之前，我們先結合儒家的聖人觀念來簡要分析一下道家文獻《老子》中的聖人。

　　與莊子後學對聖人持有的批判性立場不同（《莊子・駢拇》即云：「聖人則以身殉天下」。《莊子・馬蹄》亦云：「及至聖人，屈折禮樂以匡天下之形，縣跂仁義以慰天下之心，而民乃始踶跂好知，爭歸於利，不可止也。此亦聖人之過也。」），老子對於聖人則多有肯定與讚賞。當然兩者所言聖人並不完全相同，莊子及後學所肯定的是無名的聖人（文見《莊子・逍遙遊》），批判的是儒家式的聖人，是「心懷名利欲望之心的執政者，是不可能對社會與民眾行『不言之教』的」[10]，這樣的聖人恐怕即便是老子也是無法認可與接受的。這是因為，作為早期道家代表人物的老莊，其對於儒家仁義道德的態度與立場整體上是一致的：儒家所認可的以仁義道德立場經國治世的聖人，在老莊看來無異於是將己意強加於民眾的做法，非但經營不好天下，而且還深陷功名利祿之泥淖，是無法達到無己、無功和無名的逍遙遊境界的（《莊子・逍遙遊》云：「至人無己，神人無功，聖人無名。」）。老子之所以肯定和讚賞聖人，是因為《老子》文本中的聖人已經經過了他的理論改造，重塑以後的聖人形象已與儒家式的聖人大為不同：「處無為之事，行不言之教」（《老子》第2章），「不尚賢」（《老子》第3章），「不仁」（《老子》第5章），「無為」「好靜」「無事」「無欲」（《老子》第57章），「無為」「無執」「欲不欲」「學不學」（《老子》第64章）等等。由《老子》文本所示，經過老子改造後的聖人被賦予了「道」的特點與表現形式，給世人留下的形象是灑脫、自得，與世無爭（不與萬物爭功），不妄為、不強為。

　　經由上述闡述可以看出，《老子》文本中獨特聖人形象的出現是有其堅實的思想基礎與理論依據的。老子建構的聖人形象之所以迥異於儒家，是因為《老子》文本中的聖人並不以內在的心性為根基，而是以其哲學性創

時候都可以被視為「政治用語，意即統治者，或有位之人」。羅安憲：〈以道治國與以德治國——儒道治國理念的比較〉，《現代哲學》2015年第1期。

10 李友廣：〈政治的去道德化努力——韓非對政治與道德關係之思考〉，《哲學動態》2019年第2期。

建的「道」和「德」作為理論旨歸的，是形上本根在現實世界中的政治行為
與表現，是形上與形下的統一。可見，鑒於老子於春秋晚期對於「道」所作
的哲學化詮釋與形上建構，將「道」由道路義提升為規律義、本根義及生成
義[11]，具有濃厚的本體性、生成性與超越性；在此基礎之上，又將「德」從
政治領域和修養領域剝離出來，從而成為道物之間發生聯繫的橋樑。這就使
得《老子》中的聖人雖不離政治，但並不以政治價值的實現為根本目的，這
就與儒家汲汲於功名的聖人形象有了很大不同。老子所言的聖人，以不為
（不強為、不妄為）的方式在客觀上不僅達成了對於政治價值的合理化實現，
而且還輔助了天地萬物的生長：「以輔萬物之自然而不敢為」（《老子》第64
章）。可以說，老子的聖人觀可以包含政治價值的實現，但絕不僅限於此，
還要以無為的方式實現人的自然價值[12]，是社會價值與自然價值的統一。

　　與老子對於聖人所進行的改造理路相同，為了更好地挺立起自己的治國

---

[11] 就老子所開創的道論思想體系而言，「道」在道家、道教那裡，本身就不同程度地含有
宇宙萬物的本原；萬物化生、生成的動力和根據；天地運轉的自然規律等義項與內
容。詳見李友廣：〈自然與益生之間：道家道教生命態度比較的重要向度〉，《現代哲
學》2016年第3期。

[12] 自然價值是一個環境倫理學的概念，主要反映的是人與自然的關係狀況。萬慧進、朱
法貞認為，自然價值具有「以人為尺度」和「以宇宙為尺度」兩種不同的向度。由於
人的理性能力的界限和人類對自身各種利益整合能力的微弱，「以人為尺度」帶有不可
避免的局限性。「以宇宙為尺度」，從超越主、客體二分的視角來考察人與自然的關
係，是認識自然價值的一種新的向度。自然價值的宇宙尺度，可以使人類突破自身需
要和利益的狹隘眼界，拓寬對自然價值的認識視野，使人類能夠從整個宇宙、一個地
球的角度來重新審視和規範自身的行為。（詳見萬慧進、朱法貞：〈論自然價值的雙重
向度〉，《浙江大學學報》（人文社會科學版）2002年第1期。）所謂人的自然價值，實
際上是指「人是自然的一部分，人與自然是一個價值共同體。在這個共同體中，人是
自然存在物，人自身必須順其自然」。（毛建儒、王常柱：〈論自然價值問題上幾種觀點
的競爭與轉換〉，《自然辯證法研究》2010年第6期。）根據上述環境倫理學的相關理
論，我們可以發現，老子的主張蘊含著對於天地萬物的尊重，認為從道的高度與視野
來看，天地萬物的存在與運轉自有其良好的狀態與趨勢，當權者不應該強力干預而使
這種狀態與趨勢遭到破壞，這實際上是對人和天地萬物所作的道化處理。在老子看
來，當權者以不強為、不妄為的方式輔助萬物之自然，便是順道而為，便可以促進人
的自然價值之實現。

理念與政治主張，韓非同樣也對諸子時代所普遍關注的聖人觀念進行了重新詮釋，並以法家化了的聖人新形象作為己意的代言人。那麼，他對於聖人觀念是如何進行重新詮釋的？這是本文在解決韓非建構孔子新形象問題之前需要研究的。與老子主要以自己的立場來建構聖人新形象不同，由於儒家學派在戰國時期持續擴大的影響力（韓非在《韓非子·顯學》中將儒家列為顯學加以批判），在戰國時期的文本《莊子》和《韓非子》當中所集中批判的對象均已被打上了儒家思想和儒家身份的烙印。[13] 無論是莊子後學對於「以身殉天下聖人」（文見《《莊子·駢拇》》）的批判，還是韓非對於儒家聖王堯舜禹之間「禪讓」情形所進行的經驗性重構，都有著進一步消解儒家聖王賢能政治神話的功能與作用。

　　韓非在《韓非子·五蠹》中說：「堯之王天下也，茅茨不翦，采椽不斫；糲粢之食，藜藿之羹；冬日麑裘，夏日葛衣，雖監門之服養，不虧於此矣。禹之王天下也，身執耒臿以為民先，股無胈，脛不生毛，雖臣虜之苦，不苦於此矣。以是言之，夫古之讓天下者，是去監門之養，而離臣虜之苦也，古傳天下而不足多也。」與傳統意義上基於厚古、托古立場的儒家美化堯舜禹之間的禪讓事件不同，韓非基於現實主義的立場認為，「堯舜禹時期的部落聯盟首領位子以禪讓的方式實現了最高權力的和平交接，其原因主要是為了使自己能夠從艱苦辛勞的工作事務中解放出來，從而也就與儒家關於德性這一類的說辭有了完全不同的面目。」[14] 韓非的這種批判無疑是針對儒家的賢能政治立場的，在他看來，道德有其適用的範圍與歷史階段（《韓非子·五蠹》即云：「故文王行仁義而王天下，偃王行仁義而喪其國，是仁義

---

13 對此，徐復觀先生也認為，莊子雖對孔子常採取調侃的態度，但是「心齋」是他所提出的基本功夫，「坐忘」是他所要求的最高境界，而皆托於孔子、顏淵之口。徐復觀：《中國經學史的基礎》（臺北：臺灣學生書局，1988年），頁40。

14 李友廣：〈政治的去道德化努力——韓非對政治與道德關係之思考〉，《哲學動態》2019年第2期。對此，王中江也說：「對於帝王退休為他們養生帶來的益處，一種傳說認為，古代帝王都是身先士卒的最辛苦的勞動者。……因此，帝王讓位和退休，對他們來說就是從艱苦的工作中解放出來。」見王中江：〈〈唐虞之道〉與王權轉移的多重因素〉，《陝西師範大學學報（哲學社會科學版）》2011年第4期。

用於古不用於今也。」），並非如儒家所認為得那樣具有普遍性價值，[15]故而他認為道德不能淩駕於法律之上，如果發生於政治領域內往往就會弊端叢生：「皆以堯、舜之道為是而法之，是以有弒君，有曲于父。堯、舜、湯、武，或反君臣之義，亂後世之教者也。堯為人君而君其臣，舜為人臣而臣其君，湯、武為人臣而弒其主、刑其屍，而天下譽之，此天下所以至今不治者也。」（《韓非子・忠孝》）與儒家式的聖人相比，韓非所稱頌的聖人則具有很顯著的法家式的務實理性色彩：「聖人之治國也，賞不加於無功，而誅必行於有罪者也。」（《韓非子・奸劫弒臣》）「聖人盡隨于萬物之規矩，故曰：『不敢為天下先。』」（《韓非子・解老》）「聖人之治也，審於法禁，法禁明著則官法；必于賞罰，賞罰不阿則民用。」（《韓非子・六反》）「夫聖人之治國，不恃人之為吾善也，而用其不得為非也。恃人之為吾善，境內不什數；用人不得為非，一國可使齊。為治者用眾而舍寡故不務德而務法。」（《韓非子・顯學》）與對聖人新形象的建構相同，韓非在建構孔子新形象的時候也非常注重發掘其務實理性的一面，實際上是對儒家孔子所作的法家化處理。

　　誠如上文所言，法家對於儒家的批評，並不在於仁義道德本身，也沒有否定其價值，[16]法家批判的是儒家仁義道德在天下治理上存在的局限性，認為它並不具有必然性和普遍有效性：「仁者能仁於人，而不能使人仁；義者能愛於人，而不能使人愛。是以知仁義之不足以治天下也。」（《商君書・畫策》）在法家看來，執政者一旦受困於倫理親情，勢必會在執政過程中體現出遠近親疏之別，從而使國家治理缺少客觀而明確的標準與依據，是「釋法任私」（《商君書・修權》）、「廢法而服私」《韓非子・奸劫弒臣》的行為，這樣的話往往會賞罰失當、弊端叢生：「夫施與貧困者，此世之所謂仁義；哀

15　對此，曾振宇也說：「仁義忠孝的適用範圍是有限的，君子之德只能是單株的小草，無法形成草上之大風。換言之，仁義忠孝並非是超越時空的絕對真理，並不具備普適性。」言之有理。引文見曾振宇：〈「以刑去刑」：商鞅思想新論〉，《山東大學學報（哲學社會科學版）》2013年第1期。

16　在《韓非子》文本中，此類言論並不鮮見：「明主屬廉恥、招仁義」（《用人》），「倒義，則事之所以敗也；逆德，則怨之所以聚也。」（《難四》）「群臣居則修身」（《說疑》），「仁義無有，不可謂明」（《忠孝》），等等。

憐百姓不忍誅罰者，此世之所謂惠愛也。夫有施與貧困，則無功者得賞；不忍誅罰，則暴亂者不止。」(《韓非子·奸劫弒臣》) 故而韓非一再宣稱：「君不仁，臣不忠，則可以霸王矣。」(《韓非子·六反》)「君通於不仁，臣通於不忠，則可以王矣。」(《韓非子·外儲說右下》) 由此來看，韓非基於國家富強、稱霸天下的功利性目的，洞悉到了儒家仁義道德在實現這一目標上的缺陷與不足，進而他強調要「以道為常，以法為本」(《韓非子·飾邪》)，彰顯了韓非試圖「將倫理元素從政治中剔除出去」[17]，「劃道德於政治領域之外」[18]的努力。

　　基於上述立場，韓非對於孔子形象進行了重塑，韓非的這種建構性努力主要集中於以下三個情境化極強的案例當中。在此，我們將作重點考察。

　　我們先看第一則案例：

> 魯人從君戰，三戰三北。仲尼問其故，對曰：『吾有老父，身死莫之養也』。仲尼以為孝，舉而上之，以是觀之，夫父之孝子，君之背臣也。上下之利，若是其異也。而人主兼舉匹夫之行，而求致社稷之福，必不幾矣」。(《韓非子·五蠹》)

從這則故事可以看到，儒家所一貫守持的仁孝立場與國家利益並非完全一致，尤其是到了家國同構政治結構日趨瓦解的戰國時期，兩者之間的衝突更為明顯。孔子對於逃兵的行為實際上是一種變相鼓勵：士兵因念及家有老父而不能全力打仗，並解釋原因說，自己死了父親便無法得到贍養。士兵的說辭當然符合儒家孝親的立場，故而得到了孔子的肯定，並舉薦其做官。然而，在韓非看來，孔子對於士兵的肯定固然保全了個人的小家，卻是對逃跑行為的默許，如此三戰三北便不難理解。三戰三北，損害的是國家和君主的利益。由此來看，孔子所肯定的「父之孝子」，在法家的眼裡則變成了「君之背臣」。「父之孝子」與「君之背臣」，兩種不同的評價集於一人之身，正

17　詳見夏中南：〈韓非政治與倫理思想邊界問題研究〉，《河北師範大學學報（哲學社會科學版）》2015年第4期。

18　蕭公權：《中國政治思想史（一）》（瀋陽：遼寧教育出版社，1998年），頁216。

是儒法兩家立場產生衝突的具體表現。這則故事中的孔子，韓非沿用了其傳統的儒家身份，並借此來反思儒家仁孝立場與君國利益之間的關係。韓非的這種反思，無疑切中了戰國時期禮樂崩壞對於貴族政治所造成的衝擊與影響。禮樂的崩壞，貴族政治的日趨瓦解，仁義孝親觀念在政治治理上的無力感，都為法家的反思與學說的建立提供了必要的社會歷史條件。

除了對孔子的儒家立場加以批判以外，韓非還基於孔子固有的正名思想（《論語·顏淵》即云：「君君，臣臣，父父，子子。」）對其形象加以重構，從而使得重構後的孔子形象更加符合法家的立場。這在《韓非子·外儲說右上》中的案例表現得非常典型：

> 季孫相魯，子路為郈令。魯以五月起眾為長溝，當此之時，子路以其私秩粟為漿飯，要作溝者于五父之衢而飧（同「餐」，下同）之。孔子聞之，使子貢往覆其飯，擊毀其器，曰：「魯君有民，子奚為乃飧之？」子路怫然怒，攘肱而入，請曰：「夫子疾由之為仁義乎？所學于夫子者，仁義也；仁義者，與天下共其所有而同其利者也。今以由之秩粟而飧民，不可何也？」孔子曰：「由之野也！吾以女知之，女徒未及也，女故如是之不知禮也？女之飧之，為愛之也。夫禮，天子愛天下，諸侯愛境內，大夫愛官職，士愛其家，過其所愛曰侵。今魯君有民，而子擅愛之，是子侵也，不亦誣乎！」

儘管這則故事中的孔子還保留了正名思想的影子，但已與《論語》文本中的傳統形象大為不同。韓非筆下的孔子不僅強調守禮法、正名分，而且對於社會各等級的職責與權限有著嚴格的限定，故而他認為仁義應由君王施，否則便是與君爭民，劫弒之患易生。可見，這裡的孔子在韓非的改造之下已去掉了仁孝的標籤，非常注重維護君上的尊嚴與地位。子路以自己的俸米請勞作的民眾吃飯，從表面上看與孔子的仁義精神並不相違，但是不區分場合地實施仁義，就有可能會損害君上的威望與利益，這對於禮樂崩壞的現實政治來說無異於雪上加霜。由此來看，韓非在面對孔子這一歷史人物的時候，一方面，尊重和依憑了他正名分、尊君上的固有立場與態度；另一方面，特意設

置了與子路行為發生衝突的具體情境，借此強化和突出了他的尊君思想。當然，除了《韓非子》文本所示，這則故事還出現在了《孔子家語·致思》和《說苑·臣術》中，除了保留故事的梗概以外，對於韓非的原有立場也給予了比較完整的保留。由此可見，韓非在此故事中的立場對於中央集權政治制度逐漸確立起來的後世儒家產生了影響，或者說儒家類文獻對於法家思想進行了一定程度上的認同與吸收。

到了第三則案例，就變成了韓非對於孔子形象的全新創造，故而這裡的孔子已完全告別了傳統的儒家身份與溫和形象。據《韓非子·內儲說上七術》記載，魯哀公曾就救火一事向孔子請教，孔子對曰：「救火者盡賞之，則國不足以賞於人，請徒刑罰。」孔子並下令曰：「不救火者比降北之罪，逐獸者比入禁之罪。」令下未遍而火已救矣。故事中的孔子認為刑罰比獎賞更有效用，這裡已全然改變了《論語》中「為政以德」（重德輕刑、先教後誅）的溫和形象，儼然成為為政以法、注重刑罰的法家式人物。至此，在韓非的努力下，孔子一改傳統的儒者形象，被建構成了與法家人物並無二致的新形象。

可以說，儒家對於政治所作的倫理化處理[19]，到了韓非這裡則變成了政治的去道德化努力[20]。這裡所言的道德，實際上指向了儒家所深為認可的適應於周制的宗法倫理規範，諸如仁義、孝親，恭、寬[21]、惠等等。這一類的倫理規範固然在家國同構的西周時期曾起過維護宗族團結和利益的積極作用，但在家國逐漸疏離的東周時期卻會使國家與君主的利益被弱化甚或被忽視，這是守持中央集權政治立場的法家所不能接受的，也成了他們眼中的舊道德，故而在《商君書》、《韓非子》等法家文本中都對此一再反思與批判。

---

19 參李友廣：〈政治的倫理化：早期儒家在政治文化領域理論建構的一種向度〉，《管子學刊》2012年第1期。

20 參李友廣：〈政治的去道德化努力──韓非對政治與道德關係之思考〉，《哲學動態》2019年第2期。

21 基於自己的法家立場，韓非對於仁義作出了不同於儒家的新界定：「仁義者，不失人臣之禮，不敗君臣之位者也。」（《韓非子·難一》）以君臣之禮來作為判定一個人的行為是否仁義的標準與依據。

儒家所認可的舊道德，淵源並適應於以血緣親疏、宗族大小為原則建立起來的天下層級政治權力體系（周制）。這樣的道德曾很好地維護了家國之間的平衡，協調了兩者之間的關係，但在向中央集權政治制度（秦制）過渡的歷史階段，這樣的道德在政治上的無力感便被突顯了出來。儒家式的道德往往具有濃厚的血緣倫理色彩，而對此類道德德目的強調無疑具有張私家弱國家的危險，這也是韓非所一再警惕的，故而其言謂：「凡人主之國小而家大，權輕而臣重者，可亡也。」（《韓非子・亡征》）對此，《韓非子・五蠹》舉例說：「楚之有直躬，其父竊羊，而謁之吏。令尹曰：『殺之』。以為直于君而曲于父，報而罪子。以是觀之，夫君之直臣，父之暴子也。」故事中的令尹，其基於孝親、維護父子親情目的的做法，無疑非常符合儒家「子為父隱，父為子隱」（《論語・子路》）的倫理立場。但問題在於，直躬者被殺意味著再有此類竊羊犯罪的行為便不會有人去告官，由於君臣與父子之間並非具有天然的一致性，衝突難以調和[22]，故而這固然維護了倫理親情卻助長了犯罪，損害了國家和君主的利益，這種矛盾與衝突在《韓非子・外儲說右下》中也有反映：

> 秦昭王曾有病，百姓紛紛買牛而為王祈禱。對此，昭王言謂：「夫非令而擅禱者，是愛寡人也。夫愛寡人，寡人亦且改法而心與之相循者，是法不立；亂亡之道也。」

百姓愛昭王，並紛紛買牛為王祈禱，從表面上看這種行為值得肯定，但是否真的應如此呢？愛寡人，愛的是寡人之勢還是寡人本身？不管愛的寡人什麼，總歸是私行。在韓非看來，自是公利要高於私行，如此則國治。反過來

---

22 關於這種衝突，詹世友評論說：「韓非認為儒家德論的根本謬誤之處在於把私人之德的原則與政治之德的原則相混同，或者總是從私人之德的原則中借貸政治之德的原則。」「儒家在此衝突中寧可保全私人之德，而犧牲政治之德。這顯然源於儒家政治之德的原則是建立在親情聯繫紐帶之上的，認為家庭的倫理價值是絕對需要得到珍視的。」言之有理。所引文見詹世友：〈韓非「德」論的邏輯結構及其內部不自洽性──兼論韓非是否有德治思想〉，《國學學刊》2013年第3期。

說，人人相愛雖是美好願景，但由於遠近親疏關係的存在，愛則必有差等，情有私而親有別。如此，則法不立，國難治，可謂是「愛多者則法不立」（《韓非子·內儲說上七術》）。故而從法家的立場來看，仁慈、慈惠對於君王而言並非是值得肯定的品德，因為同情心會使賞罰失當，政令難行，輕則政亂兵弱，重則亡國失位。依此來看，儒家所深為認可的倫理規範，在法家看來卻是漏洞百出，難以兼顧家國兩者之間的價值與利益（《韓非子·奸劫弒臣》云：「夫嚴刑重罰者，民之所惡也，而國之所以治也；哀憐百姓，輕刑罰者，民之所喜，而國之所以危也。」），也就無法適應變化了的社會新形勢。

在這種情況下，法家強調公利高於私行的政治立場，對於公私混雜、家國不分的行為表現總是給予嚴厲地反對與批判。儒家向來以德行高下來衡量一個人的賢能與否，言稱賢能實則偏向於「賢」，「能」往往成為「賢」的派生物，處於從屬性地位。鑒於法家的上述立場，針對兵力爭鋒、權謀詭計盛行的戰國時代，韓非對於賢能重新進行了定義：「已自謂以為世之賢士，而不為主用，行極賢而不用於君，此非明主之所臣也」（《韓非子·外儲說右上》），「不事力而衣食則謂之能，不戰功而尊則謂之賢；賢能之行成，而兵弱而地荒矣。人主說賢能之行，而忘兵弱地荒之禍，則私行立而公利滅矣。」（《韓非子·五蠹》）在此，韓非認為，一個人如果於君於國皆無益的話，即便品德再高，也只能算作私門、私家之德，尤其是「不事力而衣食」、「不戰功而尊」的表現對於耕戰無益，並不值得肯定與讚賞，更不能以此作為官員舉薦和選拔的標準，而是以能和功作為授官的依據：「因能而受祿，祿功而與官」（《韓非子·外儲說左下》）。因而，他主張要將私門、私家之德從政治領域中徹底剝離出來：「外舉不避仇，內舉不避子。」（《韓非子·外儲說左下》）以公門治國為上，舉賢不避仇也不避親，不受私門、私家之德方面的任何影響。

概而言之，韓非在闡述自己理論學說的時候，主要借助的是對於孔子儒家身份的消解，以及對於其法家新形象建構的方式。韓非批判儒家仁義立場在治國上的缺陷與不足，認為這種立場常常會使家國之間的關係處於失衡狀

態，是以損害國家與君主利益為代價來保全個人及其家族宗法倫理價值的。在弱化甚或消解了孔子的儒家身份以後，韓非以自己的法家立場重塑了孔子為政以法、注重刑罰的法家式新形象。可以說，孔子的這種新形象既是以法家的方式對其儒家身份的揖別，也是法家思想與精神的理想代言人。

試說清華簡〈成人〉「刑之無赦」的觀念背景

——兼談《尚書大傳》的「五刑」之說[*]

古育安

政治大學中國文學系

一 前言

　　二〇一九年十一月出版的《清華大學藏戰國竹簡（玖）》[1]中，有一篇關於為政之道與刑罰獄訟的文字，篇名擬訂為〈成人〉本篇的整理與執筆者賈連翔已指出，本篇部分內容與《尚書・呂刑》有關，引起了學界的關注，為重新理解〈呂刑〉中尚有疑義的問題，帶來新的啟發。不過由於相關內容大多非異文關係，釋讀的工作比較困難，內容的通讀也不易形成共識，相關研究目前也還在初步階段，賈連翔另有〈清華簡〈成人〉及有關先秦法律制度〉一文，是目前介紹此篇文本內容與思想觀念較全面的文章。[2]由於學者多注意〈成人〉與〈呂刑〉相同的一面，本文擬就同中有異的部分，即不見於〈呂刑〉的「刑之無赦」部分做一些討論。

　　〈成人〉列舉了五類「無赦」之罪，整理者將此段內容與《尚書大傳》中五類罪行搭配五種刑罰的敘述聯繫，本文認為有可商之處。〈成人〉的五「無赦」僅列「罪」，並未搭配相應之「刑」，而先秦文獻中還有一種「列舉

---

[*]　本文已刊於《中國文哲研究通訊》第32卷第1期（2022年3月）。

[1]　黃德寬主編：《清華大學藏戰國竹簡（玖）》，上海：中西書局，2019年。

[2]　賈連翔：〈清華簡〈成人〉及有關先秦法律制度〉，《文物》2019年第9期，頁50-55。

罪行」的敘述，與〈成人〉五「無赦」的敘述關係應更密切。以下先從先秦刑罰敘述中「罪」、「刑」分合的問題談起，看〈成人〉列舉五種「無赦」之「罪」與〈呂刑〉列舉五「刑」之「罰」兩種敘述的區別，再談五「無赦」敘述的觀念背景，並與《尚書大傳》的「五刑」之說做一比較。

二 從先秦「罪」、「刑」敘述看〈成人〉的五「無赦」

清華簡〈成人〉第三段中，成人為王講述了聽獄斷訟的原則與方法，以「刑之無赦」作為開頭，提到五類應處刑的犯罪行為，原釋文如下：

> 坕（成）人曰：「吁！坕（來），典獄、司正，舍（余）【16】方告女（汝）于型（刑）之無㽅（赦）：則（賊）人膿（攘）人，道詑（奪）盾（閶）寶（扶），無㽅（赦）；臣妾記（起）辟（嬖），黴（竊）義坥（妒）瑋（主），無㽅（赦）；戕（殘）豪（家）【17】焚（僨）宗，大攻少（小），無㽅（赦）；軱（犯）歛（禁）喬（矯）飤（飭），毀㮰（盟）宔（主）匿，無㽅（赦）；遊述（怵）女又（有）夫，士又（有）妻遊，無㽅（赦）。【18】[3]

此段之後是關於審判原則與程序的敘述，有不少文字可以呼應〈呂刑〉，此段歸納五類「無赦」之「罪」的文字則不見於〈呂刑〉。

原釋文之注解指出，以上五種「無赦」可參看《尚書大傳》中以五刑搭配相應罪行的一段文字，即「決關梁、踰城郭而略盜者，其刑臏。男女不以義交者，其刑宮。觸易君命，革輿服制度、姦軌、盜攘、傷人者，其刑劓。非事而事之，出入不以道義而誦不詳之辭者，其刑墨。降畔、寇賊、劫略、奪攘、撟虔者，其刑死」[4]。賈連翔進一步認為：「其中所列罪條與《尚

---

3 黃德寬主編：《清華大學藏戰國竹簡（玖）》，頁155。

4 黃德寬主編：《清華大學藏戰國竹簡（玖）》，頁163。又可參李均明：〈清華簡〈成人〉

書大傳》十分相似，也分為五類，這五類『無赦』很可能也與『五刑』相對應。」[5]

　　然而，〈成人〉中列舉的「無赦」之「罪」是否有相應的「刑」，戰國時代以前的刑罰敘述中，是否已有系統性的「罪」、「刑」搭配，都有待討論，《尚書大傳》之說未必適合用來解釋五「無赦」。

　　關於先秦法律制度的發展，學者一般借用「成文法」的概念討論相關問題。早期主要依據「公布於眾」的特性，界定中國何時開始有成文法，因而象魏制度、被廬之法、夷之蒐、鑄刑書、鑄刑鼎等具有「公布於眾」性質的制度或事件受到關注，此類說法著重法律如何施行。其後，學者從法律體系的轉變探討相關問題，認為「公布」不能作為成文法形成的標誌，只能說明法律實施的方式，進一步指出成文法的兩個條件，一是罪名與刑名合一，二是具有法典或準法典的特徵，並提出春秋時期法律制度開始從「以刑統罪」過渡到「以罪統刑」，其後出現「罪刑合一」的法典，此類說法關注先秦文獻中具體的「罪」、「刑」敘述[6]。

　　武樹臣認為，西周立法的特點是一時一事的「單項立法」，分別規定「違法犯罪的概念、司法的一般原則」與「以刑統罪的刑罰制度」；前者不涉及具體刑罰，後者不涉及犯罪概念。先秦文獻中，前者的代表性敘述為《左傳・文公十八年》「毀則為賊，掩賊為藏。竊賄為盜，盜器為姦。主藏之名，賴姦之用，為大凶德，有常，無赦」，後者以《尚書・呂刑》中的刑罰內容為代表。此階段為「對犯罪行為只作原則上的規定，而且罪行與刑名分而述之，沒有明確的罪名及相應的刑罰規定」，春秋以降，法家將春秋萌芽的「法治」思想發揚光大，法律制度逐漸發展為「罪名」與「刑名」合一

篇之尚「五」觀〉，王捷主編：《出土文獻與法律史研究》第9輯（北京：法律出版社，2020年），頁73。

5　賈連翔：〈清華簡〈成人〉及有關先秦法律制度〉，頁52。

6　馬小紅：〈夏商周法制史考證綜述〉，楊一凡主編：《中國法制史考證》（北京：中國社會科學出版社，2003年），甲編第1卷，頁464-470。第二類說法為武樹臣、馬小紅所提出。

的「成文法」階段[7]。

〈成人〉的敘述與〈文公十八年〉的敘述類似，僅列「無赦」之「罪」，而〈成人〉不僅未提到「五刑」內容，連「五刑」這個詞都沒出現。〈呂刑〉則提到「五刑」，並列舉相應之「五罰」：

> 墨辟疑赦，其罰百鍰，閱實其罪。劓辟疑赦，其罰惟倍，閱實其罪。剕辟疑赦，其罰倍差，閱實其罪。宮辟疑赦，其罰六百鍰，閱實其罪。大辟疑赦，其罰千鍰，閱實其罪。墨罰之屬千，劓罰之屬千，剕罰之屬五百，宮罰之屬三百，大辟之罰其屬二百：五刑之屬三千。[8]

〈呂刑〉未提及與此刑、罰相應之罪[9]，二者關於「罪」、「刑」敘述的區分十分明顯。這樣看來，似乎〈成人〉的五「無赦」也屬於「罪名」與「刑名」尚未系統性整合階段的表述，或者承繼了此類表述。

當然，在先秦文獻中，還是能在戰爭誓詞中找到一些「罪」、「刑」搭配的表述，如《尚書·甘誓》：「用命，賞于祖；弗用命，戮于社。予則孥戮汝。」〈湯誓〉：「爾不從誓言，予則孥戮汝，罔有攸赦。」〈牧誓〉：「勖哉夫子！爾所弗勖，其於爾躬有戮！」其他「書」類文本也有此類敘述，如《左傳·昭公十四年》引《夏書》：「昏、墨、賊，殺。」以及〈盤庚〉告誡人民的「汝無侮老成人，無弱孤有幼。各長于厥居。勉出乃力，聽予一人之作猷。無有遠邇，用罪伐厥死，用德彰厥善」、「乃有不吉不迪，顛越不恭，暫遇姦宄；我乃劓殄滅之，無遺育，無俾易種于茲新邑」[10]，還有《墨子·非樂上》引先王之書湯之〈官刑〉：「其恆舞于宮，是謂巫風。其刑，君子出絲

---

7 參武樹臣：〈中國成文法的起源〉（與馬小紅合作）、〈從「判例法」時代到「成文法」時代——對春秋法制改革的再探索〉、〈孔子與鑄刑鼎〉，《武樹臣法學文集》（北京：中國政法大學出版社，2002年），頁98-105、121-127、169-171。

8 屈萬里：《尚書集釋》（上海：中西書局，2019年），頁263。

9 〈呂刑〉開頭提到苗民的種種罪，如「罔不寇賊，鴟義姦宄，奪攘矯虔」、「民興胥漸，泯泯棼棼，罔中于信，以覆詛盟」，只是形容苗民之亂，並未與「五刑」聯結，最後是上帝滅絕了他們。

10 屈萬里：《尚書集釋》，頁77、80、113、87-88、94。

二衛，小人否，似二伯黃徑。」[11]《荀子・君道》引《書》：「先時者殺無赦，不逮時者殺無赦。」[12]都將「罪」、「刑」並列。西周時期的〈兮甲盤〉有「其賈，毋敢不即次即市，敢不用命，則刑撲伐」、「毋敢或入蠻宄賈，則亦刑」[13]，則是明確的反例。

武先生對戰爭誓詞的解釋是「戰爭之前的單項立法中，偶爾出現罪名與刑名合一的立法，但其遠遠不能構成『法律規範群』」[14]，而〈盤庚〉成書時代可能較早，也是因應特殊情境下達的命令，至於《荀子》的例子缺乏原文的前後文脈絡，無法判斷是否為刑罰敘述，另外《夏書》所載為「皋陶之刑」，《墨子》所引來自湯之〈官刑〉，難以確定是否為春秋以前的材料。至於〈兮甲盤〉為西周器，可以說明以「罪名」與「刑名」二分的框架界定西周時期的刑罰敘述，仍有可商之處。再者，〈呂刑〉列舉「五刑」及相應之「五罰」此種敘述僅此一例，是否具有代表性，也是問題。

不過即使武先生對先秦法律制度演進的框架推論性較高，他對先秦刑罰敘述的觀察仍有啟發性。戰國以前有罪、刑合一的敘述，卻無證據可以證明有罪、刑合一的法典，且列舉罪行而未搭配相應之刑此種敘述，僅對罪行做初步的歸納整理，確與戰國秦漢罪、刑合一的法條與法典有別，其敘述形式仍具有代表性。因此本文認為，將此五「無赦」放在先秦相關敘述的脈絡中理解，應該比聯繫到《尚書大傳》的「罪」、「刑」搭配敘述更合適。

---

11 吳毓江：《墨子校注》（北京：中華書局，2012年），頁376。
12 〔清〕王先謙：《荀子集解》（北京：中華書局，2007年），頁239。偽古文《尚書・胤征》「逮」作「及」，《書》作《政典》，《韓詩外傳》「逮」作「及」；「殺」作「死」，《書》作《周制》。
13 吳鎮烽：《商周青銅器銘文暨圖像集成》（上海：上海古籍出版社，2012年），第25卷，頁595。
14 武樹臣：〈中國成文法的起源〉，頁100。

三 〈成人〉的五「無赦」與先秦的「列舉罪行」敘述及「刑書」的關係

〈成人〉的五「無赦」與先秦「列舉罪行」敘述類似，而此類敘述與早期的「刑書」有關，本文認為「刑之無赦」此段的形式與內容帶有早期「刑書」的一些特點，很可能就是來自先秦的「刑書」。以下先看先秦文獻中「列舉罪行」敘述的特點與性質，再進一步談其與「刑書」的關係。

（一）先秦文獻中的「列舉罪行」敘述

先秦文獻中涉及「罪」的內容很多，其中有一類列舉犯罪行為的敘述值得注意，此類敘述在罪行之後常有「常刑」、「有常刑」、「有常不赦」、「有常無赦」、「常刑不赦」、「常刑無赦」之類文字，茲擇要略舉如下。《左傳·文公十八年》魯大史克曰：

> 先君周公……作〈誓命〉曰：「毀則為賊，掩賊為藏。竊賄為盜，盜器為姦。主藏之名，賴姦之用，為大凶德，有常，無赦。在九刑不忘。」[15]

楊伯峻指出：

> 莊十四年及昭三十一年《傳》並云：「周有常刑。」昭二十五年《傳》又云：「常刑不赦。」哀三年《傳》且云：「則有常刑無赦。」然則此有常者，有常刑也，與哀三年《傳》同意。《逸周書·大匡解》「有常不赦」，《戰國策·魏策四》引《憲之上篇》「有常不赦」，常俱謂常刑。[16]

可以看出此類表述有「套語」性質，表達的是某些罪行依規定必須處刑。

---

15 楊伯峻：《春秋左傳注（修訂本）》（北京：中華書局，2018年），頁693-694。

16 楊伯峻：《春秋左傳注（修訂本）》，頁694。

〈文公十八年〉該段引自《春秋左傳注（修訂本）》，標點亦暫從之，不過楊先生以「誓命」為篇名，「九刑」為九種刑罰或可商榷（詳後文），但不論「誓命」是否為篇名，「毀則為賊……有常無赦」都應該是周公作的「誓詞」內容，是歸納須處刑之罪的文字，其特點在於列出「罪」，並以「有常無赦」此一套語作結，且未與應處之「刑」聯繫或搭配。

同樣為「誓詞」的《尚書·費誓》中也有類似表述，如：

> 公曰：「嗟！人無譁！聽命！……今惟淫舍牿牛馬。杜乃擭，敜乃穽，無敢傷牿。牿之傷，汝則有常刑。馬牛其風，臣妾逋逃，勿敢越逐；祇復之，我商賚汝。乃越逐不復，汝則有常刑。無敢寇攘。踰垣牆，竊馬牛，誘臣妾，汝則有常刑。甲戌，我惟征徐戎。峙乃糗糧，無敢不逮；汝則有大刑。魯人三郊三遂，峙乃楨榦；甲戌，我惟築。無敢不供；汝則有無餘刑、非殺。魯人三郊三遂，峙乃芻茭，無敢不多；汝則有大刑。」[17]

這裡除了「常刑」之外，還提到「大刑」、「無餘刑、非殺」，處刑的程度雖不同，亦未將罪聯繫到應處之「刑」。

此類表述亦見於戰國時代的魏國刑書中，如《戰國策·魏策四》：

> 安陵君曰：「吾先君成侯，受詔襄王，以守此地也，手受大府之憲，憲之上篇曰：『子弒父，臣弒君，有常不赦。國雖大赦，降城亡子不得與焉。』今縮高謹解大位，以全父子之義，而君曰『必生致之』，是使我負襄王詔而廢大府之憲也！雖死終不敢行！」[18]

此「大府之憲」受於魏襄王，載有「常刑不赦」之「罪」，仍未配上具體之「刑」。

---

17 屈萬里：《尚書集釋》，頁252-254。

18 諸祖耿：《戰國策集注匯考（增訂本）》（南京：鳳凰出版社，2008年），頁1333。這段話的背景是信陵君伐管不下，安陵人縮高之子為管守，便派人叫安陵君請縮高招降其子，縮高不願違父子之義，故不從，信陵君怒而威脅安陵君，安陵君便作了以上回覆。

　　另外，《左傳》記載的對話中有此類格式的口語化表述，如〈莊公十四年〉：

> 屬公入，遂殺傅瑕，使謂原繁曰：「傅瑕貳，周有常刑，既伏其罪矣。納我而無二心者，吾皆許之上大夫之事，吾願與伯父圖之。」[19]

《左傳‧昭公三十一年》：

> 季孫意如會晉荀躒于適歷。荀躒曰：「寡君使躒謂吾子：『何故出君？有君不事，周有常刑，子其圖之！』」[20]

此二例非羅列罪行，後接套語的格式。不過，有二心為毀棄盟誓的行為，出君為以下犯上的行為，是破壞封建秩序的明確罪行，也可能出於刑書而以口語表述。

　　此類套語也常見於一般的口語中，如《逸周書‧祭公》中祭公告誡三公應負起教誨天子的責任，曰：

> 嗚呼，三公！予維不起朕疾，汝其皇敬哉！茲皆保之，曰：康子之攸保，勖教誨之，世祀無絕。不，我周有常刑。[21]

《逸周書‧大匡》記載周文王救荒的措施，文王要求眾官員考察官民狀況，盡力相助，曰：

> 不穀不德，政事不時，國家罷病，不能胥匡，二三子尚助不穀。官考厥職，鄉問其人，因其耆老，及其總害。慎問其故，無隱乃情，及某日以告于廟。有不用命，有常不赦。[22]

---

19 楊伯峻：《春秋左傳注（修訂本）》，頁214。

20 楊伯峻：《春秋左傳注（修訂本）》，頁1682。

21 黃懷信：《逸周書彙校集注》，頁940-941。《清華簡‧祭公》有相應的內容。

22 黃懷信：《逸周書彙校集注》，頁148-149。

《左傳・昭公二十五年》仲幾以為身為臣子應堅守宋國之法度，不可失職，曰：

> 若夫宋國之法，死生之度，先君有命矣，群臣以死守之，弗敢失隊。臣之失職，常刑不赦。[23]

《左傳・哀公三年》提到司鐸發生火災，延及桓公、僖公之廟，大夫們要求眾人搶救圖書、全力救災：

> 夏五月辛卯，司鐸火。火踰公宮，桓、僖災。救火者皆曰顧府。南宮敬叔至，命周人出御書，俟於宮，曰：「庀女，而不在，死。」子服景伯至，命宰人出禮書，以待命。命不共，有常刑。校人乘馬，巾車脂轄，百官官備，府庫慎守，官人肅給。濟濡帷幕，鬱攸從之。蒙葺公屋，自大廟始，外內以俊。助所不給。有不用命，則有常刑，無赦。[24]

《國語・越語》記載句踐與吳交戰前對父老的宣誓：

> 句踐既許之，乃致其眾而誓之曰：「……吾不欲匹夫之勇也，欲其旅進旅退。進則思賞，退則思刑，如此則有常賞。進不用命，退則無恥，如此則有常刑。」[25]

這些提到「常刑」的表述或為告誡之語，或為自警之語，大致是說對某事不盡責或不聽命將會受到懲罰，非專指具體罪行。

另外，《商君書・賞刑》曰：

> 所謂壹教者，博聞、辯慧、信廉、禮樂、修行、群黨、任譽、清濁不可以富貴，不可以評刑，不可獨立私議以陳其上，堅者被，銳者挫。雖曰聖知、巧佞、厚樸，則不能以非功罔上利然。富貴之門，要存戰

---

23 黃懷信：《逸周書彙校集注》，頁1631-1632。
24 楊伯峻：《春秋左傳注（修訂本）》，頁1808-1809。
25 徐元誥：《國語集解（修訂本）》（北京：中華書局，2006年），頁571-572。

而已矣。彼能戰者踐富貴之門，彊梗焉，有常刑而不赦。[26]

這裏的「有常刑而不赦」是在闡述觀念的敘述中，強調能戰者有功受賞，修德議上者非但無功，還應受刑。

〈成人〉的五「無赦」並非口語表述，也不是闡發思想的敘述，比較接近誓詞、刑書中的文字。本文認為，上引誓詞中的論罪敘述，應該也是先秦刑書中收錄的主要內容之一（詳後文），因此可以推測，五「無赦」的內容很可能歸納整理自先秦的刑書，而全篇「尚五」風格明顯[27]，作者將罪行分為五類，並省略「無赦」前的「有常」、「常刑」之類文字，讓敘述更為為整齊，也可以看出具有歸納整理的性質。

（二）先秦「刑書」問題略論

本文認為此類涉及「常」、「常刑」的論罪敘述原出於「刑書」，而誓詞中同類的敘述也會被收於「刑書」中。這些問題涉及先秦「刑書」的內容性質，由於目前未見戰國以前「刑書」的完整文本，研究材料有限，僅能做初步討論。誓詞問題可從《左傳・文公十八年》魯大史克所引述的周公「誓命」與刑書的關係來看，而此類與「常」、「常刑」有關的套語，或與先秦「議事以制」的審判傳統有關，原先應該就是具有法律意義的表述。

1　《左傳・文公十八年》所載周公之「誓命」為「刑書」內容

先秦文獻中提到「刑書」一詞，且時代較早的材料有《尚書・呂刑》「哀敬折獄，明啟刑書胥占，咸庶中正」[28]，《逸周書・嘗麥》有「王命大正正刑書」，「太史筴（策）形（刑）書九篇」[29]。這些「刑書」的具體內容

---

26 「清濁」當作「請謁」，「被」當作「破」，「彊梗」指「梗上之教令，獨立私議堅銳」者，參蔣禮鴻：《商君書錐指》（北京：中華書局，2006年），頁104-105。

27 參李均明：〈清華簡〈成人〉篇之尚「五」觀〉，頁68-75。

28 屈萬里：《尚書集釋》，頁264。

29 黃懷信：《逸周書彙校集注》，頁722、741。

不明。比較值得注意的是，《左傳·昭公六年》的內容：

> 三月，鄭人鑄刑書。叔向使詒子產書，曰：「始吾有虞於子，今則已矣。昔先王議事以制，不為刑辟，懼民之有爭心也。……民知有辟，則不忌於上，並有爭心，以徵於書，而徼幸以成之，弗可為矣。夏有亂政，而作《禹刑》，商有亂政，而作《湯刑》，周有亂政，而作《九刑》，三辟之興，皆叔世也。今吾子相鄭國，作封洫，立謗政，制參辟，鑄刑書，將以靖民，不亦難乎？[30]

叔向以《禹刑》、《湯刑》、《九刑》比喻子產鑄「刑書」，說明這些典籍也可理解為「刑書」。其中《九刑》與《左傳·文公十八年》魯大史克所引述的周公「誓命」有關：

> 先君周公……作誓命曰：毀則為賊，掩賊為藏。竊賄為盜，盜器為姦。主藏之名，賴姦之用，為大凶德，有常，無赦。在九刑不忘。[31]

「誓命」、「九刑」應如何理解，其是否為文獻名稱，周公所作「誓命」內容是否包含「在九刑不忘」此句，學者看法不同。

從前引楊伯峻之標點來看，他將「誓命」視為篇名，認為「九刑者，九種刑罰之謂，昭六年《傳》，亦為刑書之名」，又說：「忘讀為妄。在九刑不忘者，於大凶德之人，依其情節輕重，以九刑之一適當處之，亦不為過度。」[32]即這段話是說周公所作〈誓命〉的內容提到可用九種刑懲罰大凶德之人。在〈昭公六年〉「周有亂政，而作《九刑》」的注解中，楊先生認為此「九刑」即《逸周書·嘗麥》「王命大正正刑書」、「太史策刑書九篇」之刑書，「史克引〈誓命〉及之」[33]。到底大史克提到的「九刑」是九種刑罰還是刑書，需要進一步討論。

---

30 楊伯峻：《春秋左傳注（修訂本）》，頁1410-1413。
31 為討論方便，暫將此引文的標點簡化，楊伯峻標點見前引文。
32 楊伯峻：《春秋左傳注（修訂本）》，頁694。
33 楊伯峻：《春秋左傳注（修訂本）》，頁1412。

「九種刑罰」之說源自鄭注〈堯典〉（楊注曰〈呂刑〉），鄭注見於《周禮・秋官・司刑》賈疏所引，以「正刑五」加〈堯典〉之「流宥」、「鞭」、「扑」、「贖」為九。沈家本認為：

> 康成據《虞書》為說，則是唐、虞已有《九刑》，何至周方名為九？是其說亦未可從。竊謂《逸周書》曰《刑書》九篇，是周初舊有九篇之名，後世本此為書，故謂之《九刑》，非謂刑有九也。[34]

以〈堯典〉之文輾轉解釋「九刑」確實可商。先秦多言「五刑」罕言「九刑」，似未將此九種刑罰視為同一層次而並稱為九。而〈堯典〉的成書時代多有爭議，未必早於西周，其中有戰國時代寫定的內容[35]，如舜的朝廷中聚集了眾多著名的傳說人物，具有總結性質，刑之種類為九也比較可能是後代的總結，如此則不能用以解釋時代更早的「九刑」。因此本文認為大史克提到的「九刑」為「刑書」較為合理。

此外還有一個問題，即「誓命」之內容是否包含「在九刑不忘」此句。楊伯峻的標點是將「在九刑不忘」放在「誓命」內容中，「誓命」是篇名，那麼便是周公所作「誓命」提到的「毀則為賊……有常無赦」來自「九刑」，「九刑」為周公所引；「誓命」之內容若不包含「在九刑不忘」，就是大史克指出，周公所作「誓命」的「毀則為賊……有常無赦」出自「九刑」，即「九刑」收錄了周公的「誓命」。若「九刑」為「刑書」，便進一步涉及《九刑》成書在周公之前還是之後的問題。

古人的注解傾向後者。杜預注曰：「誓命以下，皆九刑之書，九刑之書今亡。」正義曰：「言『制周禮曰』，『作誓命曰』，謂制禮之時，有此語為此

---

34 沈家本：《歷代刑法考・律令九卷・律令一》，收入徐世虹主編：《沈家本全集》（北京：中國政法大學出版社，2010年），第3卷，頁574。

35 關於〈堯典〉時代的問題可參蔣善國：《尚書綜述》（上海：上海古籍出版社，1988年），頁140-168，對民初以來主要觀點有全面討論。另可參黃啟書：〈《尚書・堯典》「納于大麓」試詮〉，《臺大中文學報》第47期（2014年12月），頁6，對古今具代表性的觀點有精要的整理。

誓耳。此非周禮之文，亦非誓命之書。在後作九刑者，記其誓命之言，著於九刑之書耳。」[36]杜預認為「九刑」是文獻名稱，未明確指出「誓命」是否為文獻名稱，孔疏同意杜注，進一步認為「誓命」非文獻名稱，而曰「九刑」後作，收錄周公「誓命」之言，可知孔疏認為「誓命」內容不包含「在九刑不忘」此句。日本學者亦承此系說法，如竹添光鴻曰：「周公之誓命，載在後世所作之九刑之書而不忘也。」[37]滋賀秀三將此段標點為：「先君周公制周禮曰……作誓命曰：『毀則為賊，掩賊為藏。竊賄為盜，盜器為姦。主藏之名，賴姦之用，為大凶德，有常，無赦』，在九刑不忘。」並進一步提出先秦的「誓告」為立法手段的觀點，認為引文的「誓命」是「在某個時代所舉行的誓告，其內容久久地流傳於人們口頭，就是誓告起到立法作用的一個例證」，對「誓命」的意涵賦予新義[38]。

　　一般將大史克提到的《九刑》與〈昭公六年〉叔向提到的「周有亂政，而作《九刑》」及〈嘗麥〉的「刑書九篇」聯繫。關於〈嘗麥〉的時代，李學勤曾指出，其「文字有很多地方類似西周早較的金文」，又從典故與〈呂刑〉呼應，比喻也可能與昭王南征不復有關，史載穆王時「王道衰微」，因此「可能是穆王初年的作品」，李先生進一步指出，「刑書九篇」即《九刑》，是根據周初的刑書修訂，因此收有周公「誓命」內容[39]。本文認為李

---

36 〔晉〕杜預注，〔唐〕孔穎達疏：《春秋左傳正義》（臺北：藝文印書館，2001年），頁352。

37 竹添光鴻：《左氏會箋》（臺北：新文豐出版公司，1987年），第9卷，頁7。

38 滋賀秀三：〈中國上古刑罰考──以盟誓為線索〉，籾山明編，徐世虹譯：《中國法制史考證》（北京：中國社會科學出版社，2003年），丙編第1卷，頁198-199。

39 李學勤：〈〈嘗麥〉篇研究〉，《古文獻論叢》（北京：中國人民大學出版社，2010年），頁73-74。張懷通則從職官系統指出〈嘗麥〉為西周文獻，參〈由職官及其系統看〈嘗麥〉的年代〉，《《逸周書》新研》（北京：中華書局，2013年）。關於穆王時「王道衰微」的問題，近年學者透過出土材料有進一步研究，如夏含夷指出，穆王時期開始出現西周衰亡的徵兆，參夏含夷：〈西周之衰微〉，《夏含夷古史異觀》（上海：上海古籍出版社，2005年），頁205-212。李峰進一步全面分析西周衰亡的原因，以為淮夷入侵使周人開始走下坡，對外關係從進攻者變為防禦，國內政治出現諸侯不臣及王室繼承等問題，參李峰：《西周的滅亡（增訂本）》（上海：上海古籍出版社，2019年），頁104。

先生之說應較合理，則《九刑》可能成於西周中期以後，便不能為周公所引。此外，當時周公所作之「誓命」如同其他「書」類文獻一樣還是檔案狀態，尚無篇名[40]，因此「誓命」應該是與「誓告」相同的表述，並非篇名。

綜上所述，本文認為「毀則為賊……有常無赦」是周公作的「誓命」內容，收於西周中期以後出現的《九刑》這部「刑書」，為大史克所引述；當然，也不能排除《九刑》是春秋時人所輯，或者成書之後持續有增補的狀況，故其成書時代大概可以推測在西周中期至文公十八年大史克引述之間。

2 從「議事以制」推測先秦「刑書」的內容與功能

周公之「誓命」應屬於「書」類文獻，其中列舉罪行並以「有常無赦」之類套語作結的內容收於《九刑》，說明當時編輯「刑書」時會收錄此類文字。「有常」即「有常刑」、「有常法」，不指涉具體刑罰，應該是指前人留下的一些刑罰的原則、典範。前舉《尚書·費誓》有類似表述，在罪行後有「有常刑」、「有大刑」等套語，相關內容亦有資格收於「刑書」之中，此類表述應該是一種「論罪」的基本形式。

《尚書·康誥》有一段王告誡康叔的文字，也提到罪行問題：

> 王曰：「封！元惡大憝，矧惟不孝不友。子弗祗服厥父事，大傷厥考心；于父不能字厥子，乃疾厥子；于弟弗念天顯，乃弗克恭厥兄；兄亦不念鞠子哀，大不友于弟。惟弔茲，不于我政人得罪，天惟與我民彝大泯亂。曰：乃其速由文王作罰，刑茲無赦。」[41]

這是比較口語的表述，若比照前引「論罪」格式，可化約為「不孝不友，有常無赦」，或分別作「子不孝，父不慈，有常無赦」、「弟不恭，兄不友，有

---

40 《尚書》各篇初無篇名，目前所見篇名可能是流傳的過程中由整理者或藏書者所加，相關研究可參程元敏：《尚書學史》（上海：華東師範大學出版社，2013年），頁37-43；程浩：〈從出土文獻看《尚書》的篇名與序次〉，《史學集刊》，2018年第1期，頁113-118。

41 屈萬里：《尚書集釋》，頁154。

常無赦」之類[42]。這段口語的論罪敘述還有一點值得注意，《左傳・昭公七年》有「周文王之法曰『有亡，荒閱』，所以得天下也」[43]，〈康誥〉的「文王作罰」大概也屬於「文王之法」的範圍，而周公之「誓命」中有「掩賊」之罪，呼應此「有亡、荒閱」之法，該段話出自楚國無宇之口，他舉周文王大搜逃奴之法與楚文王禁止「隱匿」的「僕區之法」，指責楚靈王窩藏他的逃奴，則周文王大搜逃奴之法與周公以掩賊為罪，實為一體兩面。這也說明這些「無赦」之罪乃依據文王之法處刑，所謂「有常」，在周公「誓命」的語境中指涉的便是文王之法，即文王留下的刑罰原則、典範。

無赦之罪以「常刑」、「常法」論罪處刑，或與先秦「議事以制」的審判傳統有關。

《左傳・昭公六年》叔向反對子產鑄刑書，開宗明義便提到反對的主要理由「先王議事以制，不為刑辟」[44]，法制史學者或以為「議事以制」體現的是古代法律制度演進過程中「成文法」之前的「判例法」階段，或以為是「習慣法」階段。而寧全紅以為，這些西方的術語概念很難合理解釋古代法律制度，他檢討古今諸說，認為「議事以制」指斷獄決訟主要以古代訓典中的「古之義理議論」為據，這些「古之義理議論」一般指「詩、歌、誥令以及口傳史書等等形式所流傳下來的古代執政者的經驗之談，或者是他們根據執政經驗對於後世的諄諄告誡」，寧先生也透過《左傳》中的事例佐證此種審判模式[45]。本文認為這是比較合理的說法。

---

42 此段後還有「不率大戛，矧惟外庶子訓人，惟厥正人，越小臣、諸節；乃別播敷，造民大譽；弗念弗庸，瘝厥君。時乃引惡，惟朕憝。已，汝乃其速由茲義率殺」，也提到官員不循國家大法者要以「義率（律）」殺之，「義律」也可理解為「常法」，此句應該也可化約為一般的「論罪」格式。

43 楊伯峻：《春秋左傳注（修訂本）》，頁1423。

44 楊伯峻：《春秋左傳注（修訂本）》，頁1411。

45 參寧全紅：《春秋法制史研究》（成都：四川大學出版社，2009年），頁62-115。徐祥民提出成文法階段之前為「前例法」階段，也是類似的解釋，他指出「前例」不是「判例」，曰：「制和典、則、法都首先是前例。春秋人在遇到具體事件時引述典、則等就是引用前例。『先王之制』就是先王曾為某事以及如何為某事的先例；『周公之典』就是周公處理有關事項的具體做法；『文王之法』就是文王當年曾經那樣做過，他為後人

《左傳・昭公十四年》有「刑侯之獄」事件：

> 晉邢侯與雍子爭鄐田，久而無成。士景伯如楚，叔魚攝理。韓宣子命斷舊獄，罪在雍子。雍子納其女於叔魚，叔魚蔽罪邢侯。邢侯怒，殺叔魚與雍子於朝。宣子問其罪於叔向。叔向曰：「三人同罪，施生戮死可也。雍子自知其罪，而賂以買直；鮒也鬻獄；邢侯專殺，其罪一也。己惡而掠美為昏，貪以敗官為墨，殺人不忌為賊。《夏書》曰『昏、墨、賊，殺』，皋陶之刑也，請從之。」[46]

叔向用《夏書》中「皋陶之刑」的內容斷獄，為「議事以制」做了示範。在此審判傳統之下，「列舉罪刑」敘述的套語之「常」、「常刑」有更深層的指涉。寧全紅指出：

> 從《左傳》和《國語》的大量記載來看，故事、先例以及先王先公之言論等，對包括刑罰實施在內的各種事務之處理均產生重大的影響。隨著時間推移，對於某行為施以某刑罰逐漸成為慣例，成為通常的作法。這可能就導致「常刑」的形成。如果這樣的推論成立，在發生應予懲罰的人和事後，執政者按照慣例辦理，而不是像後世一樣斷獄決訟。[47]

則「常刑」之類套語正體現了「議事以制」的精神，反映的是依據前人留下來的刑罰觀念、原則或前例進行審判的司法模式。

此種傳統至少可追溯至周初。如前所述，〈康誥〉、周公之「誓命」提及諸多罪，量刑據文王之法，比後代的「議事以制」單純，如寧先生所說，與古代執政經驗有關的典籍多可作為參考，因此可依據的資料將越來越多，後人便進一步以「刑」為主題編輯了「刑書」，其中包括各種刑罰相關敘述，

樹立了一個榜樣；『則紂』或者『則』，舜禹就是按他們的樣子去做。」參徐祥民：〈春秋時期法律形式的特點及其成文化趨勢〉，《中國法學》2000年第1期，頁144。

46 楊伯峻：《春秋左傳注（修訂本）》，頁1516-1517。

47 寧全紅：《周秦時代獄訟制度的演變》（北京：人民出版社，2015年），頁104。

而「誓詞」中的論罪敘述直接指出應處刑之罪，應該是比較重要的內容。叔向提到的《禹刑》、《湯刑》、《九刑》是當時流傳的「刑書」。《九刑》成書時代在西周中期以後，其收錄周公之「誓命」，顯然與後代罪、刑合一的法典性質不同，可能是彙整古代典籍中與刑罰有關的內容以資借鑒，並作為斷獄參考的文獻，而《禹刑》、《湯刑》成書時代亦未必早到夏、商，也可能是後人收集古代典籍中夏、商刑罰資料，而託名禹、湯。

〈呂刑〉中的量刑原則與具體的刑罰內容及前面提到的〈甘誓〉、〈湯誓〉、〈牧誓〉、〈盤庚〉中涉及具體刑罰的敘述，在「議事以制」的審判傳統之下，為貴族斷獄的參考資料，應該都有資格收錄於刑書中（也可能整篇收入）。〈成人〉「刑之無赦」的內容應該也是整理自先秦刑書。

〈呂刑〉在「墨辟疑赦，其罰百鍰，閱實其罪……」後提到「哀敬折獄，明啟刑書胥占，咸庶中正」，說明五刑之「罰」的內容來自刑書，如果刑書中完整的刑罰制度敘述包含罪、刑、審判原則與程序等不同類型的內容，則〈呂刑〉不列「罪」、〈成人〉不列「刑」，如此明顯的區隔，應該是文本的作者有所選擇的結果，也反映出二者敘述立場的不同。〈呂刑〉的敘述方式是王引古訓為鑑，告誡臣子，〈成人〉則是就實際問題討論的君臣對話。兩篇都提到人民無德，造成社會失序。〈呂刑〉是因蚩尤濫刑，導致人民無德，伯夷撥亂反正，使典獄者制百姓於刑之中以教民，強調「五刑」得中之道，除了提出謹慎合理的審判程序，還談到「五刑之疑有赦」、「五罰之疑有赦」及「五罰」的具體內容，敘述立場重視「教民」、「赦罪」，傾向建立正確的刑罰觀念。〈成人〉說「民多不秉德」導致「四輔不輔，司正荒寧；晦朔枉違，四維以覆傾；五盜不罰，五審信蔽，獄用無成；五梟沈滯，五辭不不聽」等亂象，但並未說明人民何以無德；針對「司正失刑」，〈成人〉指出應如何回歸正軌之道，雖提出與〈呂刑〉類似的審判程序，不過沒有關於「刑」的內容，而列舉了五類「無赦」之罪，似乎更強調「定罪」一面，並重視「治民」，敘述立場傾向解決實際的問題。

四 〈成人〉五「無赦」反映的時代觀念：兼談 《尚書大傳》的「五刑」之說

〈成人〉的五「無赦」將罪行分為五類，原整理者之釋文如下：

（1））則（賊）人膿（攘）人，道叜（奪）臱（闆）寳（抶），無鼗 （赦）。

（2）臣妾记（起）辟（嬖），徹（竊）義坦（妒）琫（主），無鼗 （赦）。

（3）戕（殘）豪（家）焚（僨）宗，大攻少（小），無鼗（赦）。

（4）軋（犯）敛（禁）喬（矯）飤（飭），毀票（盟）宔（主）匫， 無鼗（赦）。

（5）遊迷（怵）女又（有）夫，士又（有）妻遊，無鼗（赦）。

引文中有很多字詞考釋尚無定論，由於罪行大致以類相從，本文僅就較無疑 義的部分觀其梗概。

第一類罪行中，「叜」、「臱」、「寳」原釋文分別讀為「奪」、「闆」、 「抶」（訓「擊」、「戮」）[48]。王永昌將「叜」讀為「施」，「臱」、「寳」從賈 連翔讀為「猖」、「肆」，認為「『道施猖肆』，即在道路上施行猖狂肆意的行 為，意思正好與前文的『賊人攘人』相照應」[49]。王寧釋為「道殺闆肆（或 屠）」，「肆」亦訓「殺」[50]，暮四郎讀「臱」為「黨」，為基層組織單位[51]， 無痕讀「叜」為「攄」或「襏」，訓「奪」[52]。zzusdy 以為「叜」、「臱」即

---

48 黃德寬主編：《清華大學藏戰國竹簡（玖）》，頁163。

49 王永昌：〈讀清華（九）札記〉，李學勤主編：《出土文獻》（上海：中西書局，2019 年），第15輯，頁202。

50 王寧：〈讀清華簡〈成人〉散札〉，發表於「復旦大學出土文獻與古文字研究中心」網 站，網址：http://www.gwz.fudan.edu.cn/Web/Show/4497，2019年12月4日。

51 暮四郎「清華九〈成人〉初讀」討論中之發言，見武漢大學「簡帛網・簡帛論壇」，網 址：http://www.bsm.org.cn/forum/forum.php?mod=viewthread&tid=12422&extra=&page= 6，2019年12月2日。

52 無痕「清華九〈成人〉初讀」討論中之發言，見武漢大學「簡帛網・簡帛論壇」，網

「導」、「倡」[53]，子居則釋為「道奪堂冒」，「寶」從「寶」聲，讀為「貪冒」之「冒」，並指出「《尚書：呂刑》：『罔不寇賊鴟義，奸宄奪攘。』所說頗與〈成人〉此處相近」[54]。「攺」、「冐」、「寶」字釋讀目前未有定論，不過相同的是思路上都以此句呼應前句「賊人攘人」。《尚書》中常見的罪行為「寇賊」（〈呂刑〉、〈堯典〉）、「寇攘」（〈康誥〉、〈費誓〉）、「奪攘」（〈呂刑〉），從「賊」、「攘」來看，此類罪行應屬於一般危害生命財產之罪。

第二、三、四類罪行都與破壞封建等級秩序有關。其中第二類字詞問題較多，「起」、「辟」、「竊義」、「坦」各家說法不同，整理者將「辟」讀為「嬖」，沒有解釋，將「竊義」聯繫到《莊子・胠篋》「為之仁義以矯之，則並與仁義而竊之」，又將「坦」讀為「妬」，以《說文》「婦妒夫也」解釋[55]。王寧將「義」讀為「儀」，「坦」讀為「越」，解釋為「竊用主人的威儀並逾越於主人之上」[56]。子居將「起辟」解釋為「立法」，「竊義」即《呂刑》的「鴟義」，「坦」讀為「堨塘」，即「遏壅」[57]。HYJ 以為「坦」從「曰」讀為「汩」，《尚書・洪範》「汩陳其五行」之「汩」訓為「亂」，王念孫指出「汩」與「猾」聲近義同，故「『汩主』即『亂主』，指侵害、危害君主」[58]。劉信芳以為「臣妾之『竊義』，應是竊取名分的意思」，也將「坦」讀為「汩」，訓為「亂」[59]。李均明指出「起」訓為「舉」，如《戰國策・秦策

址：http://www.bsm.org.cn/forum/forum.php?mod=viewthread&tid=12422&extra=&page=7，2019年12月11日。

53 zzusdy「清華九〈成人〉初讀」討論中之發言，見武漢大學「簡帛網・簡帛論壇」，網址：http://www.bsm.org.cn/forum/forum.php?mod=viewthread&tid=12422&extra=&page=9，2020年8月9日。

54 子居：〈清華簡九〈成人〉解析〉，發表於「中國先秦史研究」網站，網址：https://www.xianqin.tk/2020/01/26/899/，2020年1月26日。

55 黃德寬主編：《清華大學藏戰國竹簡（玖）》，頁163。

56 王寧〈讀清華簡〈成人〉散札〉。

57 子居〈清華簡九〈成人〉解析〉。

58 HYJ：〈清華九〈成人〉初讀〉，發表於西南大學「出土文獻網・簡帛討論」，網址：http://wenxiansuo.com/article/1578398210781，2020年1月7日。

59 劉信芳：〈清華（九）〈成人〉試說〉，發表於武漢大學「簡帛網」，網址：

二》「起樗里子於國」，「嬖」指「親信」，即《左傳‧隱公三年》之「嬖人」，「起嬖」指受寵幸，「竊義」指「歪曲倫理」[60]。本文認為 HYJ、劉信芳對「坥」的說法與李均明對「起」的說法可參。

王念孫已指出「汨」與「滑」、「猾」之間的音義關係[61]，「坥」字從「曰」，可讀為「汨」（見母物部）或「猾」（匣母物部），《尚書‧堯典》「蠻夷猾夏，寇賊姦宄」之「猾」與「寇賊姦宄」呼應，與〈成人〉的「竊義坥主」表述類似，「坥」讀為「猾」比較適合。《經義述聞》釋《尚書‧盤庚中》之「暫遇姦宄」時曾列舉「寇賊姦宄」（〈堯典〉）、「草竊姦宄」（〈微子〉）、「寇攘姦宄」（〈康誥〉）、「鴟義姦宄」（〈呂刑〉）、「敗禍姦宄」（〈盤庚上〉）、「俾暴虐于百姓，以姦宄于商邑」（〈牧誓〉），以為皆「四字平列」[62]，「竊」有「盜」義，《經義述聞》釋〈立政〉「三宅無義民」、〈呂刑〉「鴟義姦宄」之「義」為「俄」，「義」、「俄」同聲，訓為「衺」為「傾衺」之義[63]，「竊義」為義近詞連用，「竊義」與「暫遇」、「寇賊」、「草竊」、「寇攘」、「鴟義」、「敗禍」皆以為惡之詞連用以寄「奸邪」之義。

從「臣妾」之「嬖」與「猾」來看，頗疑此句與《論語‧陽貨》「唯女子與小人為難養也，近之則不孫，遠之則怨」有關，勞悅強指出此句指涉家中的「主僕關係」，「女子」、「小人」指「婢僕」、「妾媵」及「奴僕」、「臣下」之類，近之則不遜順，遠之則有怨，如程頤說〈遯〉九三之「懷恩而不知義」，違禮而難以役使[64]。「起」有「徵召」、「舉用」之義，則「臣妾起

---

http://www.bsm.org.cn/show_article.php?id=3510，2020年2月14日。正式發表題目改為〈清華簡（九）〈成人〉釋讀與研究〉，《出土文獻綜合研究集刊》第14輯（成都：巴蜀書社，2021年），頁85。

60 李均明：〈清華簡〈成人〉篇之尚「五」觀〉，頁72。

61 〔清〕王念孫：《廣雅疏證》（上海：上海古籍出版社，2018年），頁410。《莊子‧齊物論》「置其滑涽」之「滑」又作「汨」，從「曰」字與從「骨」字的通假關係，可參高亨：《古字通假會典》（濟南：齊魯書社，1997年），頁524-525。

62 〔清〕王引之：《經義述聞》（上海：上海古籍出版社，2018年），頁184。

63 〔清〕王引之：《經義述聞》，頁231-233。

64 勞悅強：〈從《論語》「唯女子與小人為難養」章論朱熹的詮釋學〉，《漢學研究》第25卷第2期（2007年12月），頁131-159。

嬖」指「男女奴僕受提拔、寵幸」[65]，「竊義猾主」指其「為姦邪之行以亂主」，此「無赦」指奴僕受寵而違禮亂主之罪。第三類是西周以降封建制度崩壞的主要現象。整理者對文字的解釋沒有問題，認為「大攻小，指兼併戰爭」[66]。子居、劉信芳則認為「大攻小」非指兼併戰爭，而是宗族之間的內亂[67]，可從。

第四類反映了春秋戰國時期常見的罪行。「犯禁」，整理者曰：「即違禁。《周禮‧禁暴氏》：『撟誣犯禁者，作言語而不信者，以告而誅之。』」[68]顏世鉉先生提醒筆者〈禁暴氏〉所禁者為庶民之「亂暴力正者」、「撟誣犯禁者」、「作言語而不信者」，可聯繫《韓非子‧五蠹》的「俠以武犯禁……犯禁者誅，而群俠以私劍養」，〈成人〉之犯禁「很可能指向游俠、刺客這類人的行為，此類人又都為有政治權勢之人所用」。「犯禁」也可能指臣子違反禁令，如《國語‧晉語八》：

> 欒懷子之出，執政使欒氏之臣勿從，從欒氏者為大戮施。欒氏之臣辛俞行，吏執之，獻諸公。公曰：「國有大令，何故犯之？」……。[69]

欒盈被逐，家臣辛俞無二心從之，而違反執政的范宣子所下的不得從之之禁令。

「撟飭」，整理者曰：「喬，讀為『矯』、『撟』，稱詐也。飤，讀為『飭』，指飭令。《周禮‧士師》『五曰撟邦令』，鄭注：『稱詐以有為者。』」[70]孫詒讓《正義》曰：「《春秋》宣公十五年『王札子殺召伯、毛伯』。《穀梁傳》云：『矯王命以殺之。』」[71]《穀梁傳》進一步闡釋曰：「為人臣而侵其君之

---

65 「臣妾」為受事主語，梅廣指出，「嬖」的被動用法比主動用法更常見，參梅廣：《上古漢語語法綱要》（臺北：三民書局，2019年），頁279。

66 黃德寬主編：《清華大學藏戰國竹簡（玖）》，頁163。

67 子居〈清華簡九〈成人〉解析〉。劉信芳：〈清華簡（九）〈成人〉釋讀與研究〉，頁85。

68 黃德寬主編：《清華大學藏戰國竹簡（玖）》，頁163。

69 徐元誥：《國語集解（修訂本）》，頁421-422。

70 黃德寬主編：《清華大學藏戰國竹簡（玖）》，頁163。

71 〔清〕孫詒讓：《周禮正義》（北京：中華書局，2000年），頁2788。

命而用之,是不臣也。」[72]「矯命」是以詐犯上的行為,有違封建秩序,春秋戰國時期還有幾例,如《左傳‧昭公二十七年》郤宛為費無極、鄢將師所害,鄢將師矯子常之命滅郤宛[73],《公羊傳‧僖公三十三年》鄭商弦高矯以鄭伯之命而犒秦師[74],《韓非子‧內儲說下》魏濟陽君令人矯王命謀攻己[75]。單育辰認為「飭」也可考慮讀為「飾」,「矯飾」即「虛矯裝飾」[76],亦可參。「飾」有「文飾」之義,《管子‧立政》:「諂諛飾過之說勝,則巧佞者用。」[77]顏世鉉先生提醒筆者可以注意《韓非子‧外儲說右上》「上明見,人備之;……其知見,人飾之」此條資料[78]。「其知見,人飾之」指人主若顯露其智,人臣便會諂諛虛美之。無論人臣對其主飾惡還是虛美,皆諂諛欺上之事,則「矯」、「飾」義有相涉,與「撟誣」意思相近。

〈成人〉之「犯禁」指違反禁令應無問題,針對的是「臣」或「俠」則不易論定,而犯禁者不論是應效忠於君的人臣,還是只效命於貴族主人的俠,應該都屬於「臣不臣」的問題。「矯飤」讀為「矯飭」還是「矯飾」也很難論定,不過前者是以詐犯上,後者是以詐欺上,也都是「臣不臣」之過。

「毀盟」,整理者曰:「指破壞盟約。」[79]子居補充「即《尚書‧呂刑》的『罔中於信,以覆盟詛』」[80],心包則認為「這句話的前後語境並不涉及

---

72 〔晉〕范甯注,〔唐〕楊士勛疏:《春秋穀梁注疏》(北京:中華書局,1980年),頁2415。

73 楊伯峻:《春秋左傳注(修訂本)》,頁1652-1656。

74 〔漢〕何休注,〔唐〕徐彥疏:《春秋公羊注疏》(北京:中華書局,1980年),頁2264。

75 陳奇猷:《韓非子新校注》(上海:上海古籍出版社,2000年),頁633。這三例都是特殊狀況,矯命者沒有被答責。鄢將師滅郤宛為子常默許,他後來被殺主要是因為國內議論所致,而弦高不僅無過,還有救鄭之功,至於濟陽君是用計陷害仇人,讓魏王以為是仇人矯命,計謀得逞。

76 單育辰:〈《清華九》〈成人〉釋文商榷〉,《中國文字》第3期(臺北:萬卷樓圖書公司,2020年),頁281。

77 黎翔鳳:《管子校注》(北京:中華書局,2006年),頁80。

78 陳奇猷:《韓非子新校注》,頁775。

79 黃德寬主編:《清華大學藏戰國竹簡(玖)》,頁163。

80 子居〈清華簡九〈成人〉解析〉。

國家會盟層面的事情。這裏的『盟』應該是『私盟』」[81]。「毀盟」即毀棄盟誓，《國語·晉語九》：「臣委質於狄之鼓，未委質於晉之鼓也。臣聞之：『委質為臣，無有二心，委質而策死，古之法也。』」委質為臣，以盟書為證，此「毀盟」或與「臣有二心」有關，如前文所舉《左傳·莊公十四年》鄭厲公曰：「傅瑕貳，周有常刑。」

「主匿」，整理者曰：「匿，匿藏也。主匿，即『首匿』，指主謀藏匿罪犯。《史記·淮南衡山列傳》：『得陳喜于衡山王子孝家。吏劾孝首匿喜。』」[82]子居補充《左傳·襄公十一年》：「乃盟，載書曰：凡我同盟，毋蘊年，毋壅利，毋保奸，毋留慝。」[83]單育辰認為「主匿」為「主其慝害」[84]，心包進一步認為「主」為「賓主」之「主」，指出春秋會盟有「關於各國收納『叛臣』的核心條款，一般要求諸侯國不得收納別國『叛臣』，故『『主慝』字面義即當這些亂臣賊子的主人，換句話說就是收養這些個亂臣賊子」[85]。

前文提到《左傳·昭公七年》：楚國無宇舉周文王的「有亡、荒閱」之法，及楚文王的「僕區之法」，指責楚靈王窩藏他的逃奴。《左傳·文公十八年》魯大史克以周公之「誓命」說明「掩賊為藏」，「主藏之名」為「大凶德」，向魯宣公說明何以要把弒君的莒國太子逐出魯國，相關罪行又見於上引〈費誓〉。「主匿」即「主藏」，指主掩賊之事。這些材料都說明藏匿逃臣、逃奴是受到重視的罪行，不僅可以上溯至「文王之法」，甲骨文中也有此類記載。在占卜是否抓到逃臣（奴）的卜辭中，王的占辭曰：「甲戌臣涉，舟延匿，弗告。」（《醉古》27+《乙補》440）意思是「甲戌這天有奴隸涉水逃亡，渡口的舟人『延』隱匿了奴隸逃亡涉水渡河之事，沒有上告給

---

81 心包「清華九〈成人〉初讀」討論中之發言，見武漢大學「簡帛網·簡帛論壇」，網址：http://www.bsm.org.cn/forum/forum.php?mod=viewthread&tid=12422&extra=&page=6，2019年12月3日。

82 黃德寬主編：《清華大學藏戰國竹簡（玖）》，頁163。

83 子居〈清華簡九〈成人〉解析〉。

84 單育辰：〈《清華九》〈成人〉釋文商榷〉，頁281。

85 心包「清華九〈成人〉初讀」討論中之發言。

官方」[86]。

本文認為此類罪行互有關聯,「犯禁」、「矯飤」指違反秩序及以詐犯上或欺上,二者同為「臣不臣」之過;「毀盟」、「主匿」指臣有二心及私藏逃臣、逃奴,二者與「叛臣」有關,皆涉及統治秩序之維護。

第五類罪行的「遊」字,整理者解釋為「生活放縱」,「述」字讀為「怵」,訓為「誘」[87],王寧讀「述」為「遂」,訓為「亡」,「遊遂」指「淫奔」[88],子居以為「怵」本字為「訹」,「誘」也,「游」、「誘」同音,亦訓「誘」,「游」、「訹」同義並稱,將此句斷為「游訹:女有夫,士有妻,游,無赦」[89]。劉信芳以「遊」訓為「淫」,「遊怵」謂「色誘」[90]。單育辰則讀「述」為「術」,訓為「邑中道」,《商君書‧墾令》有「怠惰之民不游」,而將此句斷為「遊術,女有夫,士有妻,遊,無赦」[91]。單先生之說於文義通讀較順暢。此類罪行屬於違反家庭倫理之罪。

禮書中亦有歸納罪行的敘述,行文整齊,不以套語作結,如《大戴禮記‧千乘》:

> 司寇司秋,以聽獄訟,治民之煩亂,執權變民中。凡民之不刑,崩本以要閒,作起不敬,以欺惑憧愚。作於財賄、六畜、五穀曰盜;誘居室家有君子曰義;子女專曰;五兵及木石曰賊;以中情出,小曰閒,大曰講;利辭以亂屬,曰讒;以財投長,曰貸。[92]

應該是戰國晚期對先秦犯罪行為的分類整理。

再來看《尚書大傳》的「五刑」之說。整理者引用《尚書大傳》的一段

---

86 蔡哲茂:〈甲骨文中的《阿波卡獵逃》——商代奴隸逃亡的故事〉,宋鎮豪主編:《甲骨文與殷商史》第9輯(上海:上海古籍出版社,2019年),頁153。

87 黃德寬主編:《清華大學藏戰國竹簡(玖)》,頁163。

88 王寧〈讀清華簡〈成人〉散札〉。

89 子居〈清華簡九〈成人〉解析〉。

90 劉信芳:〈清華簡(九)〈成人〉釋讀與研究〉,頁85。

91 單育辰:〈《清華九》〈成人〉釋文商榷〉,頁281。

92 方向東:《大戴禮記匯校集解》(北京:中華書局,2008年),頁873。

文字說明五「無赦」，見於《周禮・司刑》「掌五刑之灋，以麗萬民之罪。墨罪五百，劓罪五百，宮罪五百，刖罪五百，殺罪五百」鄭注：

> 《書傳》曰：「決關梁、踰城郭而略盜者，其刑臏。男女不以義交者，其刑宮。觸易君命，革輿服制度，姦軌盜攘傷人者，其刑劓。非事而事之，出入不以道義，而誦不詳之辭者，其刑墨。降畔、寇賊、劫略、奪攘、矯虔者，其刑死。」此二千五百罪之目略也，其刑書則亡。[93]

本文認為〈成人〉五「無赦」的敘述或源自先秦刑書，未見「五刑」的稱呼及具體內容，強調罪而非刑，體現了先秦罪、刑尚未明確搭配階段的法律觀念。上引《尚書大傳》內容，一般認為是〈呂刑〉之傳，其將「罪」與「刑」搭配敘述，反映的是較晚的觀念。類似的表述方式見於《禮記・王制》：

> 析言破律，亂名改作，執左道以亂政，殺。作淫聲、異服、奇技、奇器以疑眾，殺。行偽而堅，言偽而辯，學非而博，順非而澤以疑眾，殺。假於鬼神、時日、卜筮以疑眾，殺。此四誅者，不以聽。凡執禁以齊眾，不赦過。[94]

皮錫瑞認為：「《大傳》此文正以釋〈甫刑〉之五刑，其分屬之詞疑出古法家言，今不可攷。」[95]注意到《尚書大傳》以罪配刑可能是後起法家之說，誠為卓識。不過此種搭配應該是受到所處時代的法律觀念影響，從目前所見《尚書大傳》的內容來看，其思想應該還是以儒家為主[96]，其中以禮制論述

---

93 孫詒讓：《周禮正義》，頁2835-2836。

94 李學勤主編：《禮記正義》（北京：北京大學出版社，1999年），頁412-413。

95 〔清〕皮錫瑞：《尚書大傳疏證》，收入《續修四庫全書》（上海：上海古籍出版社，2013年），第55冊，頁778。

96 黃開國認為，「《大傳》是解說《尚書》之作，其說應該有諸多伏生以前儒生訓解《尚書》之義，而非僅僅是伏生一人所創，所以，《大傳》的思想應視為由伏生所傳述，代

居多，華友根歸納為三方面，即「從天子到庶民的等級制度」、「養老與祭祀之禮」、「用刑應出之於禮而歸之於義」，並指出「伏生在《尚書大傳》中所提出的各種制度及禮義等主張，很多方面，或為西漢的君主所採納，或為西漢禮學家賈誼、董仲舒、劉向、王莽等所繼承」，「在漢初制度尚未完全確立之時，也有托古改制的作用」[97]。

就《尚書大傳》所列之罪行而言，文字較平淺，容易理解，其將罪行放在罪、刑合一的框架中，受到法家觀念的影響，罪行內容則偏向儒家系統。其以五刑為綱，分類罪行，死刑中「寇賊」、「奪攘」、「撟虔」見於〈呂刑〉，〈費誓〉有「寇攘」，與「寇賊」、「奪攘」意思相近，「撟虔」舊說以為是「攪擾」之義，雷燮仁指出，為「欺詐」之義，可參[98]；「降畔」、「劫略」二詞未見於先秦文獻。墨刑、剕刑為破壞封建秩序、擾亂制度的罪，其中「觸易君命」、「革輿服制度」、「非事而事之」、「出入不以道義」不難理解，而「誦不詳之辭」又見《漢書・律曆志》，後接「作祅言欲亂制度」[99]，其義亦大略可知。另外，墨刑中還有「姦軌盜攘傷人」，「姦軌」於《尚書》中多見，作「奸宄」，而「姦軌盜攘」與〈康誥〉之「寇攘奸宄」、〈堯典〉之「寇賊奸宄」意思差不多，《尚書校釋譯論》在〈康誥〉「寇攘奸宄」注中對此類罪行的意涵有較完整的解釋：

> 寇攘奸宄——與〈堯典〉「寇賊姦宄」全同。「寇」，劫取（〈費誓〉鄭注），強取（〈堯典〉鄭注）。「攘」，取（《孟子・滕文公下》趙岐

表晚周以來儒家訓解《尚書》的歷史匯集」。參黃開國：〈簡論伏生與《大傳》〉，林慶彰主編：《經學研究論叢》第8輯（臺北：臺灣學生書局，2000年），頁140。關於《大傳》之思想，另可參吳智雄：〈論《尚書大傳》輯本之思想要義〉，《漢學研究》第26卷第4期（2008年12月），頁1-29；侯金滿《《尚書大傳》源流考》（南京：南京大學碩士論文，2013年）。

97　華友根：《西漢禮學新論》（上海：上海社會科學院出版社，1998年），頁19-29。

98　雷燮仁：〈《尚書》同義或義近連言例補（十則）〉，發表於「復旦大學出土文獻與古文字研究中心」網站，網址：http://www.gwz.fudan.edu.cn/Web/Show/3140，2017年10月31日。

99　〔漢〕班固著，〔唐〕顏師古注：《漢書》（北京：中華書局，2002年），頁978。

注），盜取（《穀梁傳・成公五年》「攘善也」范注），「有因而盜曰攘」（〈呂刑〉鄭注）。王念孫云：「《說文》：『姦，私也。』『宄，姦也。外為盜，內為宄。』盜自中出曰竊。文十八年《左傳》云：『竊賄為盜，盜器為姦。』〈魯語〉云：『竊寶者為軌，用軌之財者為姦。』成十七年《左傳》及〈晉語〉並云：『亂在外為姦，在內為軌。』軌與宄通，姦、宄、竊、盜，訓雖不同，理實相貫。」（《廣雅疏證四》）然《周禮・司刑》疏引鄭注：「由內為姦，起外為宄。」玄應《一切經音義》引《三蒼》云：「在內曰姦，在外曰宄。」又云：「亂在內為宄。」以上內、外解釋相反，可知強分內、外之無據。王引之謂〈堯典〉、〈盤庚〉、〈微子〉、〈呂刑〉與本篇幾處「姦宄」句皆四字平列，都是邪惡行為（《述聞》）。參看此諸篇校釋。[100]

最後，臏刑為掠奪財產的罪，其中「踰城郭」與〈費誓〉「踰垣牆」同，宮刑為破壞倫理的罪。

若與〈成人〉比較，〈成人〉文字風格較為統一，所列舉的罪都較具體，有呼應〈呂刑〉的一般危害生命財產之罪，有破壞家庭倫理的罪，而主要是關於破壞封建等級秩序的罪，且多能聯繫到《左傳》、《國語》中的實際案例，比較能反映現實，其「概括」、「總結」春秋以降主要罪行的意味較濃。

《尚書大傳》的罪行涉及層面較廣，包含〈成人〉提到的罪行，不少罪名取自《尚書》，還雜有一些後代詞語，文字風格較雜，可見《尚書大傳》的作者或整理者欲廣納罪行並整齊罪、刑搭配之企圖，頗有「創制」意味，反映的是戰國末期以降的大一統觀念，其說應非古有，鄭注以為「此二千五百罪之目略也，其刑書則亡」可商。而剕刑中的「姦軌盜攘」較為空泛，又與死刑之「寇賊」、「奪攘」有所重疊，或許是希望盡可能列入《尚書》中的罪行，導致分類重複而不夠仔細。〈成人〉的五「無赦」不論是敘述形式還是反映的時代觀念，都比《尚書大傳》的「五刑」之說早，因此以後者注前者，或透過後者理解前者，都須謹慎。

---

100 顧頡剛、劉起釪：《尚書校釋譯論》（北京：中華書局，2005年），頁1334。

五　結語

　　本文探討清華簡〈成人〉「刑之無赦」此段敘述中五「無赦」的內容，嘗試追溯五「無赦」的文本淵源，解釋五類「無赦」之罪的內涵，以探討此一敘述的觀念背景，並與《尚書大傳》中以「五刑」搭配相應罪行的說法比較。茲總結如下：

　　第一，武樹臣曾指出先秦有兩類刑罰敘述，基本分開表述，其一為「違法的概念」，其二為「刑罰內容」，前者以《左傳‧文公十八年》周公所作「誓命」中列舉罪行的內容為代表，後者以《尚書‧呂刑》中的刑罰內容為代表。這樣的分別恰為〈成人〉五「無赦」與〈呂刑〉「五刑」、「五罰」敘述之別，若此種「罪」、「刑」分別敘述的習慣是中國法律制度在「成文法」階段之前的狀態，那麼〈成人〉的五「無赦」很可能承繼了早期刑罰敘述的傳統，而學者透過《尚書大傳》的「五刑」之說，認為五「無赦」也可能搭配「五刑」，則有待商榷。

　　第二，先秦文獻中常見接有「常刑」、「有常刑」、「有常不赦」、「有常無赦」、「常刑不赦」、「常刑無赦」之類文字的「列舉罪行」敘述，此種表述或已形成固定的論罪格式，見於先秦誓詞、刑書中，也見於一般口語中。〈成人〉的表述與此同類，而作者將罪行分為五類，表述更為整齊，且「無赦」前省略「有常」、「常刑」，可能是整理或改寫自當時流傳的刑書。

　　先秦「刑書」的形式與內容為何，目前材料不足，很難進一步探討，本文以《左傳‧文公十八年》周公所作「誓命」的「毀則為賊，掩賊為藏。竊賄為盜，盜器為姦。主藏之名，賴姦之用，為大凶德，有常無赦，在九刑不忘」為主，對此問題略作討論。此段話中「毀則為賊……有常無赦」的性質為何，歷來看法不同，本文認為應該是《九刑》這部刑書記載了周公的「誓命」，為大史克所引述，「毀則為賊……有常無赦」是刑書收錄周公之「誓命」中的內容。

　　叔向曾提到早期斷獄的方式為「議事以制」，學者指出此種方式是根據先王留下的古代執政者經驗（即「古之義理議論」）斷獄。此種傳統至少可

　　追溯至周初，所謂「有常，無赦」之「常」指「常刑」、「常法」，即先王留下的刑罰原則、典範，如《尚書・康誥》的「文王作罰」及《左傳・昭公七年》的「周文王之法」。隨著可依據的資料越來越多，後人便以「刑」為主題編輯了「刑書」，其中收錄各種刑罰相關敘述或記載相關敘述之篇章。而「誓詞」中的論罪敘述直接指出應處刑之罪，應該是比較重要的內容，叔向提到的《禹刑》、《湯刑》、《九刑》是當時流傳的「刑書」，彙整古代典籍中與刑罰有關的內容以資借鑒，作為斷獄的參考。

　　〈呂刑〉提到「明啟刑書胥占」，其「五刑」、「五罰」的內容應該也源自當時的刑書，而〈呂刑〉不列「罪」、〈成人〉不列「刑」，此種區隔應該是有所選擇的結果，反映了兩個文本敘述立場的不同。〈呂刑〉以古訓為鑑，強調「五刑」得中之道，重視「教民」、「赦罪」，敘述立場傾向建立正確的刑罰觀念；〈成人〉則以救亂為目的，強調「罪」之「無赦」，重視「治民」、「定罪」，敘述立場傾向解決實際的問題。

　　第三，〈成人〉的五類「無赦」之罪，還有不少字詞的考釋沒有定論，本文認為這些罪刑應該是以類相從，或可從部分觀其大概。第一類罪行屬於一般危害生命財產之罪，與《尚書》中提到的一些罪行有關。第二、三、四類罪行與破壞封建等級秩序有關，包括家族、宗族、君臣間的犯上、欺下、違命、背叛等罪行。第二類罪行可能與《論語・陽貨》「唯女子與小人為難養也，近之則不孫，遠之則怨」有關，指奴僕受寵而違禮亂主之罪。第三、四類罪行是西周以降封建制度崩壞的主要現象，第三類是宗族之間的內亂，第四類「犯禁」、「矯飾」、「毀盟」、「主匿」兩兩相關，前二者為「臣不臣」之過，後二者與「叛臣」有關，皆涉及統治秩序之維護。第五類則是違反家庭倫理之罪。

　　《尚書大傳》的「五刑」之說分類較亂，死刑中的「寇賊」、「奪攘」、「撟虔」見於〈呂刑〉，「降畔」、「劫略」二詞不見於先秦文獻；墨刑、劓刑為破壞封建秩序、擾亂制度的罪，其中「誦不詳之辭」見於漢代文獻，「姦軌盜攘」於《尚書》中有不少同類罪行，意思較為空泛，且與死刑中「寇賊」、「奪攘」義近重疊；臏刑為掠奪財產的罪，其中「踰城郭」與〈費誓〉

「踰垣牆」同;宮刑為破壞倫理的罪。與〈成人〉比較,〈成人〉的敘述框架為「罪」、「刑」分述,文字風格較為統一,列舉的罪也較具體而反映社會現實,或可視為對春秋以降主要罪行的「概括」與「總結」;而《尚書大傳》的敘述框架為「罪」、「刑」合一,文字風格較雜,列舉的罪來源也較雜,內容或有重複,可能反映了戰國以降的大一統觀念,頗有「創制」意味,不過內容的組織與建構都較草率。

孔子的《易》學遺教

孔令宜

淡江大學中國文學系

一 前言

　　孔子與六經之間的關係，依據〔西漢〕司馬遷《史記・孔子世家》的記載：孔子刪《詩》、《書》，訂《禮》、《樂》，贊《周易》，作《春秋》。孔子以《詩》、《書》、《禮》、《樂》當作教材，《易》、《春秋》則有爭議。孔子與《周易》之間的關係，大致可分為三個問題：其一，孔子是否讀過《周易》？其二，孔子是否講過《周易》？其三，孔子於《周易》有無著述？[1] 筆者以為，可分為四個層次：學《易》、講《易》、傳《易》、作《易》，而傳《易》與作《易》，可視為廣義與狹義之分。《周易》的作者，從伏羲畫八卦，文王重卦六十四卦作卦爻辭，後來加上周公作爻辭，孔子作《十翼》。漢代經學昌盛的時代，以為孔子作《十翼》並無異議；迄乎宋代疑古風氣的時代，〔北宋〕歐陽修《易童子問》始提出《十翼》作者並非全是孔子；降及清代，以及民國古史辨的學者益是推波助瀾，形成完全否定的態度；但隨著出土文獻的佐證，當代學者重新加以肯定。本文之提出，以前賢的考據為基礎，除了以《論語》為研究孔子思想的基本文獻，通行本《易傳》與帛書本《易傳》亦可視為孔門弟子對孔子思想的記載，而有「子曰」、「孔子曰」、「夫子曰」、「先生曰」等的紀錄。

---

[1] 黃慶萱：〈周易與孔子〉，《周易縱橫談》（臺北：東大圖書公司，2008年），頁203。

二　《論語》之中的《周易》

　　《論語》之中，有三則關於《易》的基本史料。孔子有學《易》最重要的證據，由孔子自述：

> 子曰：「加我數年，五十以學《易》，可以無大過矣。」（《論語‧述而》）

《論語》明載，孔子學《易》的功用，在「可以無大過」。如果再加添我幾年的時間，我對《易》的學習就不會有重大的過失了。此章嘗有疑義。〔唐〕陸德明《經典釋文‧論語音讀》：「學『易』如字，《魯》讀『易』為『亦』，今從《古》。」將傳統「易」字的版本，改為「亦」字，屬於下讀，原文應作：子曰：「加我數年，五十以學，亦可以無大過矣。」換言之，孔子不曾學《易》。

　　〔清〕劉寶楠《論語正義》：「《釋文》云：『學『易』如字，《魯》讀『易』為『亦』，今從《古》。』此出鄭注。惠氏棟《九經古義》：『〈外黃令高彪碑〉：『恬虛守約，五十以斅。』此從《魯論》『亦』字連下讀也。』按《魯》讀不謂『學易』，與〈世家〉不合，故鄭從《古論》。」引〈外黃令高彪碑〉「五十以斅」的句法讀例，「斅」通「學」，說明高彪問學之遲，為《魯論》讀「亦」字的旁證，屬於下讀，認為《史記‧孔子世家》不足信。依照此種說法，《魯論》原文應作：

> 子曰：「加我數年，五十以學，亦可以無大過矣。」

《經典釋文》的「魯讀易為亦」，究竟是字讀抑或是音讀？學者確定為字讀，不用再爭論。[2]《經典釋文》所記載的《魯論》，讀「易」為「亦」，所以《魯論》原文也作「易」，只不過讀為「亦」的通假字。陸德明已知《魯

2　黃沛榮：〈孔子與《周易》經傳之關係〉，《易學乾坤》（臺北：大安出版社，1998年），頁164-172。

論》不可信，仍從《古論》，「易」為《周易》，屬於上讀。學者考證，作「亦」的版本為後起的異文，與作「易」的版本並不等值，在探討孔子與《周易》的關係時，可以放心引用。[3]〈外黃令高彪碑〉的「五十以斆」，未必是引用《論語》；即使是引用《論語》，亦不能斷章取義地證明《論語》的原文是「五十以學」。

問題的歧異在於，《古論》作「學易」，《魯論》作「學亦」。考察《論語》流傳的版本，西漢初年《齊論》與《魯論》均為口說的今文經，齊學尚變，魯學平實。魯恭王壞孔壁，《古論》出，是為古文經。《史記‧孔子世家》對孔子學《易》的講法，依《古論》，而非《魯論》。東漢末年鄭玄注《論語》，混合《張侯論》與《古論》，採《古論》作「易」，同於《齊論》，不取《魯論》作「亦」。今《論語》的通行本為〔魏〕何晏《論語集解》，係以西漢末年安昌侯張禹《張侯論》為底本，張禹原治齊學，後治魯學，依《魯論》為二十篇，其章句亦不違《齊論》。可見漢代《論語》的通行本，《齊論》、《古論》、《張侯論》原文皆作：子曰：「加我數年，五十以學《易》，可以無大過矣。」唯獨《魯論》原文作：子曰：「加我數年，五十以學，亦可以無大過矣。」後世學者除依《魯論》者，[4]蓋從今本，[5]均主張孔子有學《易》。

根據《史記‧孔子世家》的記載，孔子有學《易》：

---

3 李學勤：《周易溯源》（成都：巴蜀書社，2006年），頁83。

4 依《魯論》學者，如：郭沫若〈周易之制作時代〉、毛子水《論語今註今譯》、錢穆〈孔子五十學易辨〉、〈孔門經傳辨〉，《先秦諸子繫年》卷一、馮友蘭《中國哲學史》、李鏡池〈易傳探源〉，《周易探源》、王叔岷《論語斠證》等。

5 依今本《論語》，學者解釋略有差異，如：〔北宋〕刑昺《疏》、〔清〕劉寶楠《論語正義》、〔清〕毛奇齡《論語稽求篇》，子曰：「加我數年五十，以學《易》，可以無大過矣。」〔南宋〕朱熹《論語章句集注》，子曰：「假我數年，卒以學《易》，可以無大過矣。」〔清〕俞樾《群經平議》，疑「五十」作「吾」，子曰：「加我數年，吾以學《易》，可以無大過矣。」〔清〕惠棟《論語古義》，子曰：「加我數年，七十以學《易》，可以無大過矣。」〔清〕俞樾《續論語駢枝》、嚴靈峰〈馬王堆帛書易經中孔子贊易和「說卦」〉，《大陸雜誌》第89卷第1期（1994年7月），頁2，子曰：「加我數年，五、十，以學《易》，可以無大過矣。」

> 孔子晚而喜《易》,〈序〉、〈彖〉、〈繫〉、〈象〉、〈說卦〉、〈文言〉。讀
> 《易》,韋編三絕,曰:「假我數年,若是,我於《易》則彬彬矣。」
> (《史記‧孔子世家》)

孔子不僅讀《易》、學《易》,而且還喜《易》,甚至到了「韋編三絕」的地
步。如果再加添我幾年的時間,我對《易》的學習會更文質兼備。只說「孔
子晚而喜《易》」,所謂的晚指孔子喜歡《易》較遲。「讀《易》」與「喜
《易》」不同,「晚而喜《易》」未必是「晚而讀《易》」。《論語‧述而》「五
十以學《易》」與《史記‧孔子世家》「晚而喜《易》」並不衝突,是不同層
次的問題。司馬遷此說,或許將孔子贊《易》置於孔子歸魯的晚年較佳。

　　朱熹《論語章句集注》:「劉聘君見元城劉忠定公,自言嘗讀他《論》,
『加』作『假』,『五十』作『卒』,蓋『加』、『假』聲相近而誤讀,『卒』與
『五十』字相似而誤分也。愚按:此章之言,《史記》作『假我數年,若
是,我於《易》則彬彬矣』,『加』正作『假』,而無『五十』,蓋是孔子年已
幾七十矣,『五十』字誤無疑也。」依照此種說法,原文應作:

> 子曰:「假我數年,卒以學《易》,可以無大過矣。」

朱注引劉聘君說,「自言嘗讀他《論》」,卻沒有說明是何《論語》本子。只
要讓我有多幾年的時間,「卒」指最終,最後能對《易》的義理有深入的體
會,這樣便可免除犯重大的過失了。學者認為,「加」、「假」同音假借,《史
記》作「假」,原是用通假字。司馬遷作《史記》,採用《尚書》、《左傳》、
《國語》、《戰國策》等,慣用通假字代替原文。司馬遷在《史記‧孔子世
家》與《史記‧仲尼弟子列傳》,採用《論語》最多,自是使用相同的手
法。「加」、「假」通用,對《論語》的原義並沒有多大的出入。只是以「五
十」作「卒」,卻有問題。朱熹據《史記》而言,以為「蓋是孔子年已幾七
十矣,『五十』字誤無疑也」,這是沒有根據的論斷。[6]司馬遷是說孔子「晚
而喜《易》」,縱使承認孔子到晚年才對《易》有所傳述,亦不能肯定地說,

6　高明:〈孔子的易教〉,《易經研究論集》(臺北:黎明文化事業公司,1981年),頁61。

孔子到晚年甫學《易》。

目前學者在論證此章何時所說時，有早晚兩種主張。筆者嘗困惑。學者以為：「從心理學的角度看，追悔的話大都出現在晚年，這不正是孔子自覺此生有『大過』嗎？孔子的意思是說：『讓我回顧一下，要是五十歲就學了《易》，這一生就不會有大過失了。』」[7]學者據《史記·孔子世家》，推斷為孔子六十八歲至七十三歲的晚年語。[8]學者以為，這確實代表了孔子回魯定居後的心境，也是孔子晚年心境的自況。孔子自附遺逸之民，表示孔子能正視現實上的不得志，而又能不再執著；「可」與「不可」皆為執，無此執著，則精神和心境都能安定下來，而獲得研讀典籍的主觀條件。孔子雖仍關心世道，但畢竟不用到處求仕，精神安定，便能專心研究學問。有了這樣的生活背景，加以孔子的德性亦臻至聖人的境地，當孔子重讀《周易》時，便發現了《周易》的道德價值，帛書〈要〉云：夫子曰：「吾好學而才聞要，安得益吾年乎？」「要」所指的是孔子在《周易》中所體會到的道德內涵。[9]

筆者以為，應該是孔子在四十幾歲時已讀過《易》，只是《易》的義理廣大悉備，未到五十歲知天命之年，人生體驗尚未深刻通透；六十八歲自衛返魯後，思想成熟，孔子重讀《易》，韋編三絕，發現古有遺言，孔子以德說《易》。預設孔子思想有早晚期的變化，詳見第四節帛書本《易傳》。

以上為《論語》「五十以學易」章的分析。要證明孔子有學《易》，《論語》另一章記載：

> 子曰：「南人有言曰：『人而無恆，不可以作巫醫。』善夫。」「不恆其德，或承之羞。」子曰：「不占而已矣。」（《論語·子路》）

7　林義正：〈孔子對《周易》的詮釋方法〉，《《周易》《春秋》的詮釋原理與應用》（臺北：臺灣大學出版中心，2010年），頁115。

8　廖名春：〈試論孔子易學觀的轉變〉，《孔子研究》1995年第4期（總第四0期）（1995年12月），頁28。

9　鄧立光：〈從帛書《易傳》析述孔子晚年的學術思想〉，《周易研究》2000年第3期（總第45期）（2000年8月），頁13。

記載孔子引南國之人論恆之言，一個人沒有恆德，不可以當筮醫。引用《周易·恆卦》九三爻辭：「不恆其德，或承之羞。」沒有恆德，說不定遭受羞辱。勉勵人做一個有恆者，強調德性的重要。《論語·述而》：子曰：「善人，吾不得而見之矣；得見有恆者，斯可矣。」有恆為自強不息的意思。子曰：「不占而已矣。」此句重要。

　　《周易》本為卜筮之書，在春秋當世各方面以《周易》來占筮，《左傳》、《國語》中有詳細的記載，[10]可見春秋已流行《周易》，是孔子當時所見的本子。據帛書《易傳》推斷，孔子早年視《周易》為卜筮之書，排斥筮數，不甚重視；晚年發現有古之遺言，不再排斥筮數。「不占而已矣」一句，代表孔子以修德取代占筮。一個人如果沒有德性，占問又能如何？即使占到吉卦也不能保證吉，道德才是根源保證，吉不吉要看人有沒有恆德，人如果沒有恆德，就不用占了，即使占了也沒用，不占也罷。《論語》此章，應該是孔子晚年之語。

　　《論語》此章，在《禮記·緇衣》有類似而更詳細的記載：

> 子曰：「南人有言曰：『人而無恆，不可以為卜筮。』古之遺言與？龜筮猶不能知也，而況於人乎？《詩》云：『我龜既厭，不我告猶。』〈兌命〉曰：『爵無及惡德，民立而正事，純而祭祀，是為不敬；事煩則亂，事神則難。』《易》曰：『不恆其德，或承之羞。恆其德偵，婦人吉，夫子凶。』」（《禮記·緇衣》）

相較而言，《論語》此章與《禮記·緇衣》都是引用南人之言，《論語》此章卻沒有引用《詩》、《書》，也沒有特別記載引自《易》，可能較古樸。雖然漢

---

10 《左傳·莊公二十二年》：「周史有以《周易》見陳侯者，陳侯使筮之，遇〈觀〉之〈否〉，曰：『是謂「觀國之光，利用賓于王。」』」《左傳》首例占筮案於魯莊公二十二年（672B.C.），在此之前《周易》已然成書。《國語·晉語四》所筮：「得貞〈屯〉悔〈豫〉皆八也。筮史占之，皆曰：『不吉。……』司空季子曰：『吉。』是在《周易》，皆『利建侯』。」此占筮於晉惠公十四年（637B.C.）。同年，另一占筮，《國語·晉語四》：「臣筮之，得〈泰〉之八，曰：『是謂「天地配享，小往大來。」今及之矣。』」

人對先秦文獻不無修改之可能，但《論語》此章已引《周易・恆卦》九三爻辭，應可視為對孔子言語的實錄。

以上是《論語》「南人有言」章的分析。其實《論語》之中所載孔子論《周易》的話，僅有兩章，另一章則是孔子學生曾子之言：

> 子曰：「不在其位，不謀其政。」曾子曰：「君子思不出其位。」（《論語・憲問》）

曾子所言「君子思不出其位。」與《周易・艮卦・大象傳》：「兼山艮，君子以思不出其位。」大致相同。孔子的學生之中，曾子是少數能掌握孔子學《易》的精神，當孔子說：「不在其位，不謀其政。」曾子才會回答：「君子思不出其位。」可見曾子讀過《易》，對於《易》有所體會，由《論語》編纂者加以記錄。《論語》此章，應該是孔子晚年之語。綜上所述，孔子讀《易》、學《易》之事，毋庸置疑。

三　通行本《易傳》

孔子有讀《易》、學《易》，也有講《易》，至於孔子有無傳《易》，甚至是作《易》？《論語》是孔子思想最重要的歷史實錄，由部分弟子將孔子應答弟子、時人，及弟子相與言而皆聞於夫子之語加以記錄，卻不是孔子一生言行完整的紀錄，仍需要參考其他的典籍，如通行本與帛書本《易傳》，不必全面地排斥而以後世假託視之，需要進一步地考察。

春秋時代已有「周易」一詞，即今之所謂的《易經》。如《左傳・莊公二十二年》：「周史有以《周易》見陳侯者，陳侯使筮之，遇〈觀〉之〈否〉，曰：『是謂『觀國之光，利用賓于王。』』」對《易》的解說春秋以來就有。如《左傳・昭公二年》韓宣子觀書於太史氏：「見《易象》與《魯春秋》。」如《戰國策・齊策四》顏斶見齊宣王曰：「是故《易傳》不云乎？居上位未得其實，以喜其為名者，必以驕奢為行，據慢驕奢，則凶從之。」先秦已有「易傳」一詞，專有所指，不同於漢代的各家說，是先秦相傳的古

《易》說，古《易》說之解釋《周易》，不自孔子始，於春秋中期已有。[11]

傳統以為，孔子作《十翼》。《史記·孔子世家》記載：

> 孔子晚而喜《易》，〈序〉、〈彖〉、〈繫〉、〈象〉、〈說卦〉、〈文言〉。讀
> 《易》，韋編三絕，曰：「假我數年，若是，我於《易》則彬彬矣。」
> （《史記·孔子世家》）

據司馬遷的說法，有〈序〉、〈彖〉、〈繫〉、〈象〉、〈說卦〉、〈文言〉，沒有〈雜卦〉，並無十篇之說。後世對此有不同的解讀，從班固到孔穎達，傳統派認為〈序〉、〈彖〉、〈繫〉、〈象〉、〈說卦〉、〈文言〉是篇名。此外，有學者將「序」當作動詞，[12]〈彖〉、〈繫〉、〈象〉、〈說卦〉、〈文言〉是篇名，變成下述語句：

> 孔子晚而喜《易》，序：〈彖〉、〈繫〉、〈象〉、〈說卦〉、〈文言〉。讀
> 《易》，韋編三絕，曰：「假我數年，若是，我於《易》則彬彬矣。」

另外，有學者把「序」、「繫」、「說」、「文」當作動詞，把「彖」、「象」、「卦」、「言」當作名詞，[13]變成下述語句：

> 孔子晚而喜《易》，序彖、繫象、說卦、文言。讀《易》，韋編三絕，
> 曰：「假我數年，若是，我於《易》則彬彬矣。」

以為是「序彖、繫象、說卦、文言」的句讀。「序彖」指的是序次卦爻辭，而不是指解釋彖辭的彖傳；「繫象」指的是將卦象繫屬在彖辭之上，而不是繫屬象辭；「說卦」指的是解說卦爻辭；「文言」指的是將讀《易》的心得，筆之成文。依此理解，司馬遷認為孔子對《周易》曾加以整理、研究，喜好

---

11 劉建國：《中國哲學史料學概要》（吉林：吉林人民出版社，1983年），頁59。

12 嚴靈峰：《馬王堆帛書易經斠理》（臺北：文史哲出版社，1994年），頁47。戴璉璋：《易傳之形成及其思想》（臺北：文津出版社，1989年），頁3

13 高明：〈孔子春秋教〉，《孔孟學報》第22期（1971年9月），頁1。林義正：〈論《周易》與孔子晚年思想的關係〉，《孔學鈎沈》（臺北：巨凱數位服務公司，2007年），頁192。

其言，並進行解說與著述。

《十翼》一詞，始見於西漢末年《易緯‧乾坤鑿度》卷末〈孔子附〉：「五十究《易》，作《十翼》。」《十翼》指的是〈九問〉、〈十惡〉、〈七正〉、〈八嘆〉、〈上繫辭〉、〈下繫辭〉、〈大道〉、〈大數〉、〈大法〉、〈大義〉十篇，除了〈上繫辭〉、〈下繫辭〉，篇名與通行本不同。但《易緯》為緯書，顏師古、孔穎達所言的「十翼」應當可據。

〔東漢〕班固《漢書‧藝文志》記載：

> 《易經》十二篇，施、孟、梁丘三家。……孔氏為之〈彖〉、〈象〉、〈繫辭〉、〈文言〉、〈序卦〉之屬十篇。（《漢書‧藝文志》）

可見班固認為司馬遷所謂的「序」，指的是〈序卦〉篇名。《漢書‧藝文志》記載的〈彖〉、〈象〉、〈繫辭〉、〈文言〉、〈序卦〉五種，隨經分上下，故為十篇；加上《易經》分為上下經，共為十二篇，沒有〈說卦〉、〈雜卦〉。〔唐〕顏師古《漢書‧藝文志》注：「上下經及《十翼》，故十二篇。」指出《漢書》所謂的《易經》，是上下經加上《十翼》。經傳的傳抄彙集，漢人統稱為《易傳》或《易大傳》，並無指出篇名與篇數。所謂的《易傳》，是指漢代的各家說，並非是今之所謂即《十翼》的《易傳》。

〔唐〕孔穎達《周易正義‧序》卷一論夫子《十翼》云：

> 其〈彖〉、〈象〉等《十翼》之辭，以為孔子所作，先儒更無異論，但數《十翼》亦有多家，既文王，《易經》本分為上下二篇，則區域各別，〈彖〉、〈象〉釋卦亦當隨經而分，故一家數《十翼》，云：〈上彖〉一、〈下彖〉二、〈上象〉三、〈下象〉四、〈上繫〉五、〈下繫〉六、〈文言〉七、〈說卦〉八、〈序卦〉九、〈雜卦〉十，鄭學之徒並同此說，故今亦依之。（《周易正義‧序》）

《十翼》的名稱正式見於東漢，「但數《十翼》亦有多家」，「則區域各別」。從〔魏〕王弼、〔唐〕孔穎達採用〔東漢〕鄭玄所定的說法才固定下來，《十翼》共〈上彖〉、〈下彖〉、〈上象〉、〈下象〉、〈上繫〉、〈下繫〉、〈文言〉、〈說

卦〉、〈序卦〉、〈雜卦〉十篇。《十翼》，翼者，輔翼也，能輔佐經義，猶如飛鳥的雙翼。今通行本《易傳》又稱為《十翼》，接續孔穎達的見解。此為傳統肯定派的說法，從司馬遷到班固、鄭玄、王弼、孔穎達等，皆認為《十翼》的作者為孔子。

宋代疑古風氣興起，從〔北宋〕歐陽修《易童子問》認為孔子之於《十翼》，僅作〈彖〉、〈象〉，始疑〈繫辭〉、〈文言〉、〈說卦〉而下皆非孔子所作。〔南宋〕趙汝談、〔清〕崔述、廖平、康有為等繼之，當代錢玄同、顧頡剛、郭沫若、錢穆、馮友蘭、李鏡池、張岱年、戴璉璋等，[14] 疑古辨偽，認為〈彖〉、〈象〉亦非孔子所作，《十翼》的作者皆非孔子。

否定派的說法，大致可歸納為三個方面來論證：思想內容、語彙表詮、文獻考訂。[15] 關於孔子的思想，孔子重視日用倫常的道德倫理，罕言天道，然罕言並非等於不言，尤其是孔子晚年道德修養臻入聖境，「下學而上達」，與天相證，不是一般弟子所能證悟的境界。子在川上，曰：「逝者如斯夫！不舍晝夜。」（《論語・子罕》）因自然界的變化不已而興起人應自強不息地效法天道，就是以天象推人事。子曰：「君子之於天下也，無適也，無莫也，義之與比。」（《論語・里仁》）孔子認為君子的處事態度，無可無不可，沒有一定要如何如何，不執著成見，只求合理合宜。不能因此而言孔子有道家「無」的思想。《易傳》說理繁複，非出於一人之作，反見孔子有講《易》、傳《易》，弟子各有所記。

至於語彙表詮方面，西周末年，已有「陰陽」一詞的出現，如《國語・周語》：「陽伏而不能出，陰迫而不能蒸，於是有地震。」周幽王二年，在涇

---

14 請參見徐芹庭〈由孔子與易之深切關係糾正先賢及古史辨諸君之誤解〉，《孔孟學報》第45期（1983年4月）、張心澂《偽書通考》、劉建國《中國哲學史史料學概要》所引完全否定的眾說。如：崔述《洙泗考信錄》、廖平《今古學考》、康有為《新學偽經考》，錢玄同、顧頡剛《古史辨》、郭沫若〈周易之制作時代〉、錢穆〈論十翼非孔子作〉、《先秦諸子繫年》、馮友蘭《中國哲學史》、李鏡池〈易傳探源〉、《周易探源》、張岱年〈論易大傳的著作年代與哲學思想〉、《周易研究論文集》、戴璉璋《易傳之形成及其思想》等。

15 請參閱林義正：〈論《周易》與孔子晚年思想的關係〉，《孔學鉤沈》，頁182-188。

水、渭水、洛水等三川流域形成的關中平原發生嚴重的地震，太史官伯陽父以陰陽之氣失衡提出警告。早於孔子，非迨乎戰國始言陰陽。孔子之前，「仁義」已連稱，如《逸周書・大戒解》：「上明仁義。」出於西周或依西周舊文加以整理，不晚於春秋早期。如《逸周書・謚法解》：「仁義所在曰王。」出於西周王室未衰之前或依西周舊文加以整理，不晚於戰國。帛書〈要〉：「君子德行焉求福，故祭祀而寡也；仁義焉求吉，故卜筮而希也。」孔子以為君子最重要的是有德行、行仁義，即是福即是吉，重點不在於祭祀、卜筮以求福求吉。孔子「仁義」連言。《左傳》、《國語》引《易》沒用爻題，不一定代表孔子之時無爻題。〈文言〉六言「何謂也？」答之以「子曰」，是回答體，非著述體，既稱「子曰」非孔子自著，而是孔子講《易》、傳《易》，弟子們加以記錄的語錄體，不能因非孔子自著就認為不屬於孔子的思想。〈文言〉間作韻語，孔子之前已有《詩經》韻文。《論語》用「斯」不用「此」，《易傳》屢用「此」，蓋孔子講《易》、傳《易》，弟子各以其習慣用語加以記載。

　　至於文獻考訂方面，魏襄王墓中無《十翼》出土，不一定代表當時無《十翼》。《左傳・襄公九年》：「穆姜薨於東宮，……是於《周易》曰：『〈隨〉，元、亨、利、貞，無咎。』元，體之長也；亨，嘉之會也；利，義之和也；貞，事之幹也。體仁足以長人，嘉德足以合禮，利物足以和義，貞固足以幹事。」〈文言〉曰：「元者，善之長也；亨，嘉之會也；利，義之和也；貞，事之幹也。體仁足以長人，嘉德足以合禮，利物足以和義，貞固足以幹事。」《左傳》穆姜論「元亨利貞」四德，為〈文言〉所依據，由孔子講述。曾子曰：「君子思不出其位」，《周易・艮卦・大象傳》：「兼山艮，君子以思不出其位。」可見曾子讀過《易》，由《論語》編纂者加以記錄。《荀子》有四條引用《易》的文獻，荀子引《易》是史料明文的紀錄。秦火未燒卜筮之書《易》，不一定能證明孔子未嘗講《易》、傳《易》。《史記・孔子世家》：「序彖、繫象、說卦、文言」八字，以為〔西漢〕劉歆所偽造，錢穆《劉向歆父子年譜》已考訂此說不成立。學者認為，〈雜卦〉成於〈彖〉之

前、〈說卦〉之後，約於春秋末期至戰國中期。[16]

　　從歐陽修提出懷疑孔子作《十翼》，到民國古史辨等學者完全否定孔子
作《十翼》，可以發現對「作」字的定義不同。即筆者所謂的廣義與狹義之
分，以廣義而言，由孔子教學而口述《易》，弟子加以記錄，是所謂的講
《易》、傳《易》；以狹義而言，由孔子親自著述，方謂之作《易》。孔子刪
《詩》、《書》，訂《禮》、《樂》，贊《周易》，作《春秋》，所謂的「贊」，動
詞，參與、贊助的意思。《中庸》：「唯天下至誠，為能盡其性；能盡其性，
則能盡人之性；能盡人之性，則能盡物之性，能盡物之性，則可以贊天地之
化育；能贊天地之化育，則可以與天地參矣。」三才之道為天、地、人，人
當效法天地，參與、贊助天地的造化。孔子贊《周易》，孔子參與、贊助
《周易》，實有廣義與狹義之別。

　　關於《十翼》各篇的成書年代，需要分篇考察。《荀子》有四條引用
《易》的文獻：

> 凡言不合先王……故《易》曰：「括囊，無咎無譽。」腐儒之謂也。
> （《荀子·非相》）

> 《易》之〈咸〉，見夫婦。夫婦之道，不可不正也，君臣父子之本也。
> 咸，感也，以高下下，以男下女，柔上而剛下。（《荀子·大略》）

> 《易》曰：「復自道，何其咎？」《春秋》賢穆公，以為能變也。（《荀
> 子·大略》）

> 故《春秋》善胥命，而《詩》非屢盟，其心一也。善為《詩》者不說，
> 善為《易》者不占，善為《禮》者不相，其心同也。（《荀子·大略》）

《荀子·非相》、《荀子·大略》素來被懷疑非荀子所作，出於戰國末期至西
漢初期荀子後學所作。即使由荀子後學所記錄，亦不能否定荀子未嘗言

---

16 蕭漢明：〈雜卦論〉，《周易研究》1998年第2期（1998年5月），頁24-29。

《易》，荀子引《易》是史料明文的紀錄。學者認為，考訂荀子讀〈彖〉，受到〈繫辭〉影響，此兩篇應寫於戰國中期，於是推定〈文言〉早於〈繫辭〉，〈彖〉早於〈文言〉，〈大象〉早於〈彖〉、〈小象〉，〈說卦〉不晚於〈彖〉、〈大象〉，〈序卦〉也許晚於〈繫辭〉，或是秦至西漢，〈雜卦〉未能考訂，《易大傳》應寫於戰國初期至中期。[17]

學者認為，〈說卦〉、〈彖〉、〈象〉出於戰國前期之前，〈繫辭〉、〈文言〉成於戰國初期七十子的年代，〈雜卦〉不晚於戰國初期，〈序卦〉不甚清楚，出於戰國時代。[18]

學者認為，今本《易傳》由四個部分構成。第一部分為孔子之前的《周易》文獻，稱之為早期《易傳》，包括〈彖〉、〈象〉二傳全部，〈說卦〉前三章之外的部分和〈序卦〉、〈雜卦〉全部、〈乾文言〉的第一節。第二部分為孔門弟子所記孔子關於《周易》的言論，包括〈繫辭〉的一部分，屬《論語》類文獻。第三部分為孔子的〈易序〉佚文，包括〈繫辭〉的另一部分和〈說卦〉的前三章。第四部分為孔子的另兩篇佚文：一篇為〈續乾文言〉，包括〈乾文言〉的第二、三、四節；另一篇名之為〈乾坤大義〉，包括〈乾文言〉的第五、六節和〈坤文言〉全部。後三部分全部為孔子易說。至於帛書《易傳》，大致包括弟子所記孔子關於《周易》的言論和孔子〈易序〉佚文兩部分，當然亦為孔子易說。[19]以孔子傳《易》而言，一是述而不作，將孔子之前的《周易》文獻，謂為早期《易傳》；一是孔子《易》說，孔門弟子將孔子關於《周易》的言論記錄下來，歸為孔子的《易》說，猶如《論語》。

學者認為，從詮釋系統看，六十四卦之所以如此排序，必以〈序卦傳〉、〈雜卦傳〉、〈說卦傳〉為前提，應是孔子以前的舊說。通行本〈大象傳〉符合《左傳·昭公二年》韓宣子觀書於魯太史所見的《易象》，是孔子以前的作品。孔子晚年讀到《易象》，擺脫只是卜筮之書的成見，認為有古之遺言在，於是運用爻稱（爻題）整理〈彖〉，謂之「序彖」，繫上整理過的

---

17 劉大鈞：《周易概論》（增訂本）（成都：巴蜀書社，2021年），頁10-15。

18 廖名春等：《周易研究史》（長沙：湖南出版社，1991年），頁48。

19 郭沂：《郭店竹簡與先秦學術思想》（上海：上海教育出版社，2001年），頁280。

《易象》（即後來的〈大象傳〉），謂之「繫象」。孔子為弟子解說卦爻之義，謂之「說卦」，此解說經弟子記錄，成為〈文言傳〉（今傳只有乾坤兩〈文言〉，其實六十四卦均有，只是後來散佚，有些散入今之〈繫辭傳〉中），即今〈繫辭傳〉及帛書《易傳・繫辭》中凡有「子曰」的解卦之語均屬之，還有帛書中〈二三子〉、〈易之義〉、〈要〉有引「易曰」、「卦曰」接著「子曰」，均如《論語》，雖非孔子手筆，當可視為孔子詮釋《周易》。孔子對六十四卦象之所以可供取法，必有更進一步的解說，謂之「文言」。[20]對於《十翼》各篇是否為孔子所傳加以分論，並配合其「序象」、「繫象」、「說卦」、「文言」的說法。

對於孔子最有可能親自著述的〈象〉、〈象〉，據《左傳・昭公二年》記載：

> 二年春，晉侯使韓宣子來聘，且告為政，而來見，禮也。觀書於大史氏，見《易象》與《魯春秋》，曰：「周禮盡在魯矣，吾乃今知周公之德與周之所以王也。」（《左傳・昭公二年》）

關於韓宣子觀書於太史氏，「見《易象》與《魯春秋》」一詞，有句讀為「見《易》、《象》與《魯春秋》」，筆者以為當作「見《易象》與《魯春秋》」。春秋時代各國均有《易》，當韓宣子這種高級官員出使魯國，唯獨讀到魯國太史所提供解釋《易》的《易象》時，不禁讚嘆地說：「周禮盡在魯矣，吾乃今知周公之德與周之所以王也。」由此可見周公之德性與西周王室之所以能王天下。何以魯國獨有此重要的《易象》古籍？要從魯國的首封之君周公說起。周公重視道德，而《易象》言為政者要如何修德。周公攝政，輔佐成王，周公之子伯禽封於魯國，自然保存一些重要的西周王室文獻，合理地包括《易象》等典籍。魯國得到周初王室的特別禮遇，不唯見於《禮記・明堂

---

20 林義正：〈孔子對《周易》的詮釋方法〉，《《周易》《春秋》的詮釋原理與應用》，頁124。

位》、《史記‧魯周公世家》，[21] 子曰：「禘自既灌而往者，吾不欲觀之矣。」（《論語‧八佾》）成王追念周公之所以勳勞者而欲尊魯，故賜之重祭。故得禘於周公之廟，以文王為所出之帝，而周公配之。禘祭是周天子之祭，現在是放在魯國，魯國每隔五年舉行一次大祭，實非一般諸侯之僭禮越分，但由魯大夫祭祀則非禮也。韓宣子之所見，應為魯國從封國伊始即保留下來的西周初年王室典籍。

《周易》的興起，源於商末周初憂患意識的背景，商紂王無道失德，文王囚於羑里以衍《易》。[22] 孔子曾經稱讚文王此盛德，有而不居。[23] 學者研究，《易象》的思想內容，當時是對文王觀點的一種闡述。周室早已將《周易》視為言德之書，即使周公沒有作《易象》之類的文辭，但亦為商末周初的周室史官，根據周室的修德傳統而展開對八卦大象的德性推述。〈繫辭下〉：「《易》之興也，其於中古乎？作《易》者，其有憂患乎。」之後連接的「三陳九卦」，[24] 是以修德角度體會九卦卦名的道德涵義。以德說《易》

21　《禮記‧明堂位》：「成王以周公為有勳勞於天下，是以封周公於曲阜，地方七百里，革車千乘，命魯公世世祀周公以天子之禮樂。」《史記‧魯周公世家》：「成王乃命魯得郊祭文王，魯有天子禮樂者，以褒周公之後也。」

22　〈繫辭下〉：「《易》之興也，其當殷之末世，周之盛德邪？當文王與紂之事邪？是故其辭危。危者使平，易者使傾。其道甚大，百物不廢，懼以終始，其要無咎，此之謂《易》之道也。」帛書〈要〉：「紂乃无道，文王作，諱而辟（避）咎，然後《易》始興也。」

23　《論語‧泰伯》：「舜有臣五人而天下治。武王曰：『予有亂臣十人。』孔子曰：『才難，不其然乎？唐虞之際，於斯為盛。有婦人焉，九人而已。三分天下有其二，以服事殷。周之德，其可謂至德也已矣。』」帛書〈易之義〉：「子曰：『《易》之用也，殷之无道，周之盛德也。恐以守功，敬以承事，知以辟（避）患，□□□□□□文王之危，知史記（說）之數書，孰能辯焉？』」

24　所謂「三陳九卦」，「是故〈履〉，德之基也；〈謙〉，德之柄也；〈復〉，德之本也；〈恆〉，德之固也；〈損〉，德之脩也；〈益〉，德之裕也；〈困〉，德之辨也；〈井〉，德之地也；〈巽〉，德之制也。〈履〉，和而至；〈謙〉，尊而光；〈復〉，小而辨於物；〈恆〉，雜而不厭；〈損〉，先難而後易；〈益〉，長裕而不設；〈困〉，窮而通；〈井〉，居其所而遷；〈巽〉，稱而隱。〈履〉以和行，〈謙〉以制禮，〈復〉以自知，〈恆〉以一德，〈損〉以遠害，〈益〉以興利，〈困〉以寡怨，〈井〉以辨義，〈巽〉以行權。」

實始於商末周初的王室成員及其史官系統，而《易》用以占筮的傳統功能在周王室以外的地方繼續流行。以德治《易》在孔子之時還是處於伏流階段，韓宣子在魯國太史處才可得睹，便知周室易學未公之於眾。以德說《易》展現在《易象》這樣的王室易學中，而未形成易學傳統，孔子則本於周室易學的方向，而開出義理易學。孔子晚年改變對《周易》性質的體認，應當與孔子讀到《易象》之類的周室易學文獻有關。考察〈大象傳〉總用「君子」（出現53次）、「后」（出現3次）、「先王」（出現7次）、「大人」（出現1次）、「上」（出現1次）等有政治份位的人為受事者，很明顯〈大象傳〉的作者（或編者）是有政治份位的人。「君子」在〈大象傳〉是有份位的統治者，在《論語》孔子是指修德之人。「后」在〈大象傳〉表示王者，孔子之時已不以「后」指稱王者，適足以反映〈大象傳〉是孔子以前的文獻，「后」字的襲用，反映編〈大象傳〉的孔門後學是沿用古籍遺文，而這些古籍遺文的時代必在孔子之前。「大人」在〈大象傳〉是具有君位的統治者，屬於孔子教說而為孔門後學編訂的〈乾文言〉，「大人」是指道德人格。「先王」在〈大象傳〉為先王份位的受事者，作者（或編者）的身份應與周王室有密切關係，或許是周室史官，若為孔子語，則〈豫卦〉與〈渙卦〉的《傳》文便非孔子作為士的身份所應說的。六十四卦〈大象傳〉的用辭與句義既不合春秋時代的政治與文化實情，因而只能說這是古籍遺篇，非孔子的撰述。〈大象傳〉純就六十四卦的上下卦象發揮推演人事應然之理，條理井然；〈彖傳〉則對六十四卦卦辭有所解釋，並有引申發揮，義理更為綿密。主張〈大象傳〉與〈彖傳〉為孔子以前的易學文獻，其產生時間可上溯至西周時代。[25]

學者認為，孔子所述易道，由門弟子筆錄、整理，不斷補充、發展，成為《易傳》主要內容。源自孔子，出之後學，大體脈絡還是清楚的。[26]《易

25 鄧立光：〈從《彖傳》、《象傳》探討中國哲學的特色〉，https://www.google.com.tw/url?sa=t&rct=j&q=&esrc=s&source=web&cd=&ved=2ahUKEwjS8pea3vnwAhWMUPUHHZ_xCTEQFjABegQIAxAD&url=http%3A%2F%2Fhksh.site%2Fseminar%2F2006-05tang.doc&usg=AOvVaw0hlLWEEyA5HG_DPW4ud6z0，香港華夏書院2006年5月12日講座筆記，頁1-25。
26 韓仲民：《帛易說略》（北京：北京師範大學出版社，1992年），頁104-105。

傳》七種雖非孔子手定，然其論《易》之語亦當為弟子所記而載諸《易傳》之中。自孔子傳《易》於門人弟子，其初僅口耳相傳，後乃陸續寫定，故《易傳》七篇之內容與孔子思想有極深厚之關聯性。[27]子曰：「述而不作。」（《論語・述而》）廣義地說，孔子的論述方式，是以述為作。

綜上所述，《十翼》各篇的成書年代，從秦代推至戰國中末期，再推至戰國中前期，更推至戰國前期以前，甚至最早可上溯至西周時代。〈文言〉、〈繫辭〉，屬於孔子的《易》說資料。《易傳》明引孔子的言論，見於〈繫辭上〉七條，〈繫辭下〉十一條；散見於〈繫辭上〉、〈繫辭下〉者七條；見於〈乾文言〉者六條，合共三十一條。隨著帛書《易傳》〈二三子〉、〈要〉的出土，除非堅持這些出土文獻為後世偽託，或是後世儒學化之作，孔子喜《易》、好《易》、講《易》、傳《易》的事實無法否定。

四　帛書本《易傳》

孔子有讀《易》、學《易》，究竟是幾歲贊《易》？看法有所不同，其實預設孔子思想有早晚期的變化。孔子自述一生的成德歷程：

> 子曰：「吾十有五而志於學，三十而立，四十而不惑，五十而知天命，六十而耳順，七十而從心所欲，不踰矩。」（《論語・為政》）

孔子十五歲立志向學，三十歲立於禮，四十歲智者不惑，五十歲知天命，知己，六十歲聲入心通，知人，七十歲從心所欲不踰矩，主體性與道德性合一，臻入最高的境界。第二節《論語》之中的《周易》已述，學者認為孔子思想有早晚期的變化，大約以五十歲之前為早期，以六十八歲之後為晚期，強調早晚期思想的重要。熊十力就以孔子「五十以學《易》」作區分，認為孔子之學有早晚期之分。[28]筆者以為，孔子思想包括中期亦為重要，大約為

---

27 黃沛榮：〈孔子與《周易》經傳之關係〉，《易學乾坤》，頁209-210。
28 熊十力：《乾坤衍》第一分辨偽（臺北：臺灣學生書局，1976年）。

五十歲至六十八歲之間，孔子五十五歲至六十八歲周遊列國十四年，孔子思想隨著一生的際遇，是一漸變的過程。

　　孔子十五歲即已立志向學，「五十而知天命」，為何還說「五十以學《易》」？《論語‧述而》「五十以學《易》」的功效，是「可以無大過矣」，為進德修業方面而言。《史記‧孔子世家》「晚而喜《易》」，晚年對《易》有所傳述，「若是，我於《易》則彬彬矣」，為對《易》學貢獻方面而言。

　　一九七三年十二月，湖南長沙馬王堆第三號漢墓出土一批具有重要歷史價值的古代帛書，帛書《易傳》出土。成書年代雖在戰國末期至西漢初期，但成書晚未必不是歷史實錄。學者考證，根據同時出土的一件紀年木牘，可以斷定該墓下葬的年代是西漢文帝前元十二年（168B.C.）。[29]是司馬遷出生前二、三十年前的文物，正史《史記》記載孔子讀《易》、喜《易》、贊《易》有所本，應是歷史實錄。

　　帛書本《易傳》六篇：〈二三子〉、〈繫辭〉、〈易之義（衷）〉、〈要〉、〈繆和〉、〈昭力〉，其中有許多「子曰」、「孔子曰」、「夫子曰」、「先生曰」的紀錄。此種體例與《論語》相似，都是孔子弟子及其儒家後學記載孔子言語思想的語錄體。由帛書《易傳》的出土，證明孔子的《易》說。茲分篇梗概簡介如下。

　　帛書本《易傳》第一篇〈二三子〉，以「二參子問曰」開始，「參」的通常寫法為「三」，無篇題，故定其篇名為〈二三子〉，36行，2600餘字。「二三子」的稱呼是《論語》之中常見的稱呼，通常指的是孔子的學生，可見此篇當是孔子弟子保留的孔子《易》說。〈二三子〉之中，有關「孔子曰」的紀錄有三十六條。〈二三子〉以今通行本《易經》六十四卦卦序為基準，並不是使用帛書本《易經》六十四卦卦序。學者認為，〈二三子〉解《易》有一明顯的特色，就是只談德義，罕言卦象、爻位與筮數。不但迥異於《左傳》、《國語》的易說，同今本《易傳》諸篇也頗有不同。其說同〈彖傳〉、〈大象〉、〈文言〉、〈繫辭〉較為接近，尤近於〈文言〉、〈繫辭〉中的「子

---

29 曉菡：〈長沙馬王堆漢墓帛書概述〉，《文物》（1974年9月），頁40-44。

曰」。從思想內容而言，它充滿敬天保民、舉賢任能、進德修身的思想，這與孔子的基本思想是很接近的，與荀子「明於天人之分」、「性惡」諸說倒有一定距離。因此，它不可能是荀子一系學者的作品，當是孔子弟子保留下來的孔子說《易》的遺教。[30]

帛書《易傳》第二篇〈繫辭〉，無篇題，47行，3000餘字。今通行本〈繫辭〉的多數內容，都分見於帛書本〈繫辭〉、〈易之義〉、〈要〉三篇之中。今通行本〈繫辭〉只有「大衍之數」章未見於帛書本。今通行本〈繫辭〉下第五章的後半部分，多不見於帛書本〈繫辭〉，而是記載於帛書本〈要〉，正是該篇作者摘錄孔子《易》學的重要觀點。今通行本〈繫辭〉的部分，分見於帛書本〈易之義〉、〈要〉。帛書本字數比今通行本少很多。學者認為，從語意的不同論帛書本〈繫辭〉是對今本〈繫辭〉的改造，從內容的詳略論帛書本〈繫辭〉是對今本〈繫辭〉的節錄，從〈易之義〉、〈要〉的記載論今本〈繫辭〉早於帛書本〈繫辭〉。[31]

帛書本《易傳》第三篇〈易之義〉，以「子曰易之義」開始，45行，3100餘字。最後一行殘片，考證為「衷二千」，故該篇名應為〈衷〉，至於「二千」的計數則不得其解。今習慣以開篇的「易之義」為篇名，指的是「易的精義」。〈易之義〉之中，有關「子曰」的紀錄有八條。〈易之義〉記載今通行本〈說卦〉的前三章，最後「子曰」、「易曰」的部分，卻未見於今通行本〈繫辭〉。學者認為，〈易之義〉有五大內容，其第一行至第二行說陰陽和諧相濟，是《易》之精義。其第三行至第十行歷陳各卦之義，其解釋多從卦名入手。從第十三行至第十五行左右，為今本〈說卦〉的前三章，內容較為完整。自第十六行至第二十一行左右，闡述鍵川之「參說」。自第二十二行至第三十四行，分別闡述鍵川之「羊（詳）說」。從第三十四行至第四十五行，為今本〈繫辭〉下的第六章、第七章、第八章、第九章。[32]帛書本

---

30 廖名春：〈帛書《二三子問》簡說〉，《帛書《易傳》初探》（臺北：文史哲出版社，1998年），頁2、5。

31 廖名春：〈論帛書《繫辭》與今本《繫辭》的關係〉，《帛書《易傳》初探》，頁31-43。

32 廖名春：〈帛書《易之義》簡說〉，《帛書《易傳》初探》，頁9。

《易經》的〈鍵卦〉與〈川卦〉，相當於通行本《易經》的〈乾卦〉與〈坤卦〉。學者主張，「而由其思想義涵加以考察，廖教授認定此篇無疑屬於儒家《易》說，筆者亦認同其說，可證孔子及其後學弟子確實傳承易教、易義、易說。……帛書〈二三子〉、〈繫辭〉、〈易之義〉及〈要〉都是記載孔子與其弟子論易的資料，在這些篇章中連篇累牘的『子曰』，應係孔子弟子所記錄下來的孔子之言。」[33]

帛書本《易傳》第四篇〈要〉，該篇末有篇題，24行，其中篇前有8行殘缺，並記字數「千六百四十八」。〈要〉之中，有關「（夫）子曰」的紀錄有九條。學者認為，〈要〉有三大段，第九行（包括第八行的一部分）至第十二行「此之胃也」可能屬一章，其內容主要是今本〈繫辭〉下篇第五章的後半部分。從第十二行「夫子老而好《易》」至第十八行「祝巫卜筮其後乎」為一章，記載孔子晚年與子貢論《易》之事。從第十八行的最後兩字至第二十四行末為一章，記孔子給其門弟子講述《易經》〈損卦〉、〈益卦〉的哲理。〈要〉篇的篇名及其體裁形式及作者的易學思想密切相關。學《易》不在於占筮求福，而在於觀其要。《易》之要，不在於筮數，而在於其德義，在於蓍、卦之德，六爻之義，這就是神、智和變易的哲學思辨。在這幾篇帛書裏，作者對「要」這一概念格外重視。由此可見，學《易》要得其「要」，這是孔子的遺教，這可能就是該篇以「要」名篇並通篇記敘孔子論《易》的重要言論的原因。〈要〉篇的內容，以後兩章最具學術價值。孔子與《周易》及其《易傳》的關係問題，過去一直存在著爭議。〈要〉篇的記載，應該是很具有說服力的。「夫子老而好《易》，居則在席，行則在囊」之說與《史記‧孔子世家》、《史記‧田敬仲完世家》、《論語‧述而》的記載可以印證。「夫子」、「子贛」、「二三子」，以及《詩》、《書》、《禮》、《樂》之稱，說明其所記載孔子事蹟的真實性是難以懷疑的。李學勤曾指出：〈要〉篇所記孔子、子貢之間發生的對話，恰合於孔子晚年與子貢的情事。[34]故孔

---

33 賴貴三：〈孔子的易教〉，《易學思想與時代易學論文集》（臺北：文津出版社，2007年），頁193、209。

34 廖名春：〈帛書《要》簡說〉，《帛書《易傳》初探》，頁15-16。

子傳《易》與弟子述《易》的歷史事實，由此證成。

有關帛書本《易傳》的文本及其缺字、補字，以廖名春《帛書《易傳》初探》與趙建偉《出土簡帛《周易》疏證》[35]兩書為依據。帛書〈要〉記載：

> 〔夫〕子曰：「吾好學而龂（縓）聞要，安得益吾年乎？」（帛書《易傳·要》）

孔子一生好學，學而不厭，才終於體悟到研究《周易》的要領，在於道德意義。然孔子年事已高，希望可以有多數年的時間，好好地鑽研《周易》，故興發「安得益吾年」的感嘆！子曰：「加我數年，五十以學《易》，可以無大過矣。」（《論語·述而》）曰：「假我數年，若是，我於《易》則彬彬矣。」（《史記·孔子世家》）「加我數年」、「假我數年」、「安得益吾年」三句是同義語，孔子晚年歲月無多之語，增加數年之盼，希冀有更多的時間研究《周易》。帛書〈要〉記載：

> 夫子老而好《易》，居則在席，行則在囊。子贛曰：「夫子它日教此弟子曰：『德行亡者，神需（靈）之趨；知謀遠者，卜筮之繁。』賜以此為然矣。以此言取之，賜緡（勉）行之為也。」（帛書《易傳·要》）

孔子晚年喜《易》、好《易》，讀《易》到達「韋編三絕」的境地。「夫子老而好《易》，居則在席，行則在囊。」可知孔子栖栖遑遑，到年老時還在外遠行，而且好《易》。孔子五十五歲至六十八歲，周遊列國十四年，造次顛沛，難免以《周易》卜筮。《周易》本為卜筮之書，孔子晚年鑽研《周易》，與往昔以修德取代卜筮的言論，似乎有所相違，故引來弟子的不滿，即使是高徒子貢亦加以反對。子贛就是端木賜，字子貢。子貢曰：「夫子之文章，可得而聞也；夫子之言性與天道，不可得而聞也。」（《論語·公冶長》）即使高徒子貢，無法體悟孔子性與天道的形上思想。學者認為，孔子研《易》的態度是觀其義理，明達德義，這自然深化孔子的道德形上體會。孔子開闢

---

35 趙建偉：《出土簡帛《周易》疏證》，臺北：萬卷樓圖書公司，2000年。

尋研義理的新方向，這在當時實在是第一家。在被視為筮書的《周易》開闢
價值之源。[36]「夫子它日教此弟子曰：『德行亡者，神靈（靈）之趨；知謀
遠者，卜筮之繁。』」由此證明孔子講《易》、傳《易》的事實。無德之人才
會事事依靠神靈的佑助，遜於智謀之人才會一直以卜筮來決疑。依賴神靈者
難以言德，重視卜筮者不可言智。孔子反對頻繁地卜筮，但並非否定卜筮，
仍尊重傳統。子貢因而質疑孔子何以老而好《易》，沉迷卜筮。帛書〈要〉
記載：

> 夫子何以老而好之乎？夫子曰：「君子言以渠（矩）方也，前羊
> （祥）而至者，弗羊（祥）而巧（好）也。察亓要者，不詭亓福
> （德）。《尚書》多於（闕）矣，《周易》未失也，且又古之遺言焉。
> 予非安亓用也。」（帛書《易傳·要》）

孔子老而好《易》，察其要者，學《易》的目的不在於占筮求福，而在於觀
其旨趣大要，即在於德義的講求。《尚書》辭義難解，《周易》卻保存完好，
而且《周易》保有古代之遺言，遺言指嘉言懿行，係為周文王的遺教。孔子
並非安於卦爻辭只是作為占驗之用。孔子以《周易》的價值解釋子貢的疑
惑，將《周易》的性質，由卜筮之書，轉化為言德之書。帛書〈要〉記載：

> 〔子贛曰：賜〕聞於夫〔子曰〕：「□必于□□□。如是，則君子已重
> 過矣。賜聞諸夫子曰：『孫（遜）正而行義，則人不惑矣。夫子今不
> 安亓用而樂亓辭，則是用倚于人也，而可乎？』」子曰：「校（謬）
> 哉，賜！吾告女，易之道昔□□□而不□以百王（姓）之□□□易
> 也。夫易，剛者使知瞿（懼），柔者使知剛，愚人為而不忘（妄），漸
> （譖）人為而去詐。文王仁，不得亓志，以成亓慮。紂乃无道，文王
> 作，諱而辟（避）咎，然後易始興也。予樂亓知之□□□之自□□。
> 予何□王事紂乎？」（帛書《易傳·要》）

---

36 鄧立光：〈孔子形上思想新探〉，《新亞學報》第19卷（1999年6月），頁41。

子貢繼續批評孔子自違其《易》說，已犯重過。子貢對於孔子不安於占筮卻樂於閱讀卦爻辭，大為不解，認為孔子用倚於人，修德的君子怎麼可以如此？孔子斥責子貢的荒謬之言，繼續告之以《周易》的教化功能與歷史起因。《周易》的功能，能使剛強者有所憂懼，能使柔弱者有所剛強，能使愚者不致於妄為，能使譖人不至於詐偽。《周易》興起的歷史背景，商紂王無道失德，時為西伯的周文王有仁德，困於羑里，演繹《周易》。文王具有憂患意識，用《易》避咎。《周易》之用並非一般的趨吉避凶，借以文王之德，孔子以德義說《易》。帛書〈要〉記載：

> 子贛曰：「夫子亦信亓筮乎？」子曰：「吾百占而七十當，唯周梁山之占也，亦必從亓多者而已矣。」子曰：「易，我後（複）亓祝卜矣！我觀亓德義耳也。幽贊而達乎數，明數而達乎德，又仁〔守〕者而義行之耳。贊而不達于數，則亓為之巫；數而不達于德，則亓為之史。史巫之筮，鄉之而未也，好之而非也。後世之士疑丘者，或以易乎？吾求亓德而已，吾與史巫同涂（途）而殊歸者也。君子德行焉求福，故祭祀而寡也；仁義焉求吉，故卜筮而希也。祝巫卜筮亓後乎？」（帛書《易傳·要》）

孔子雖以德義說《易》，不廢卜筮，所以子貢又追問孔子相信卜筮與否？孔子答之以「吾百占而七十當」，由此可知孔子有豐富的卜筮經驗。一言以蔽之，「四營十八變」的算卦程序。[37]孔子不是回答「信」不信，而是回答「從」。易言之，「信」是主觀相信的層次，「從」則是客觀事實的層次。無論信不信，不得不從。孔子自云卜筮一百次之中，約有七十次的命中準確率，即不可否定卜筮的預測功能。《禮記·經解》曰：「《易》之失賊。」但是沉迷占卜，容易使人迷信，指出沉迷占卜的缺點在於迷信。「不占而已矣。」（《論語·子路》）表示孔子以修德取代占筮，修德與否已決定吉凶禍

---

37 請參閱朱伯崑：〈第一章《易經》〉，《易學基礎教程》（臺北：志遠書局，2004年），頁29-30。

福，何必占筮？「我觀亓德義耳也。」孔子抉發出《周易》的道德蘊涵，使《周易》成為中國的哲學鉅著，孔子成為以德義說《易》的第一人也。「善為易者不占。」（《荀子・大略》）荀子繼承孔子以德義說《易》的主張。

孔子言及祝、卜、史、巫。祝官的職掌在於祝頌禱詞，以祭祀鬼神；卜官的職掌在於占卜之法，以預測國之大事；巫官的職掌在於祭祀祈雨，以為人神的中介。史官的職掌在於敷陳文辭，以為舖張其事。「後世之士疑丘者，或以易乎？」《周易》本為卜筮之書，孔子晚年研究《周易》，得其要領，此為孔子的道德創見。然時人卻視《周易》為卜筮之書，卦爻辭只是占辭，即使連孔門高徒亦無法契悟，而加以懷疑。孔子自認與史、巫同途而殊歸。學者認為，吉凶禍福本為卜筮的主要內容，而孔子則易利害考慮為道德實踐，並以此為吉為福，其義乃勉人努力修德而為其所當為，所謂知命之義亦如此而已。[38]「君子德行焉求福，故祭祀而寡也；仁義焉求吉，故卜筮而希也。」帛書本〈易之義〉引孔子語：「位（立）人之道曰仁與義。」帛書本〈要〉引孔子語已仁義連言。學者認為，趨吉避凶，本來是人的自然欲求，孔子則以成德之教為人生最重要的事情，因而以有德行和行仁義為福為吉。[39]孔子以義理詮釋《周易》，以進德修業取代占筮的吉凶禍福。孔子在象數易的傳統中，開闢出義理易的新途徑。

帛書本《易傳》第五篇〈繆和〉，以「繆和問於先生曰」開始，篇末題「繆和」二字，70行，約5070字。〈繆和〉之中，有關「先生曰」、「子曰」的紀錄。學者認為，〈繆和〉可分為兩部分，第一段至第十二段記繆和、呂昌、吳孟、莊但、張射、李羊向先生問《易》，先生回答之事。第十二段至第二十四段不再是問答，而是直接以「子曰」解《易》和以歷史故事證《易》。[40]〈繆和〉以歷史故事證《易》，開啟「史事易」的先河。

---

38 鄧立光：〈從帛書《易傳》看孔子之《易》教及其象數〉，《鵝湖月刊》第21卷第4期（總號第244）（1995年10月），頁14。

39 鄧立光：〈從帛書《易傳》重構孔子之天道觀〉，《鵝湖學誌》第13期（1994年12月），頁47。

40 廖名春：〈帛書《繆和》、《昭力》簡說〉，《帛書《易傳》初探》，頁22。

帛書本《易傳》第六篇〈昭力〉，以「昭力問曰」開始，篇末題「昭力」二字，並記字數「六千」，14行，約930字。〈昭力〉記載昭力向先生問《易》，先生回答之事，論及「君卿大夫之義」、「國君之義」、「四勿之卦」之義。〈昭力〉之中，有關「子曰」、「先生曰」的紀錄九條。學者主張，「此『先生』究竟係何人，廖教授認為是儒家後學說易的『講師』，筆者基本上亦認同其說，而其說的根源當與孔門易教有直接繼承的關係。」[41]〈繆和〉與〈昭力〉雖各自成篇，內容實為一體，如同上下兩篇。所謂「六千」，應為〈繆和〉與〈昭力〉字數的總合。學者認為，〈繆和〉解《易》，不言數，只有一處分析〈明夷卦〉的上下卦之象，其餘都是直接闡發卦爻辭的德義。〈昭力〉則全是談卦爻辭的政治思想。這種傾向，與帛書〈二三子〉、〈繫辭〉、〈易之義〉、〈要〉是完全一致的。不同的是，〈二三子〉、〈要〉是直接記載孔子師生論《易》的言行，而〈繆和〉、〈昭力〉則很少提到孔子，其思想具有較強的綜合性，具有戰國末期學術的特點。[42]〈繆和〉、〈昭力〉二篇的著成時間最晚，應為儒門傳《易》、論《易》之作。帛書本《易傳》最有可能是戰國晚期稍前的作品，是孔子晚年傳《易》弟子及其後學所傳抄。帛書本《易傳》的成篇，時間上有先後次序。

五　結論

孔子與《周易》之間的關係，有讀《易》、學《易》、喜《易》、好《易》、講《易》、傳《易》等關係。本文的三層架構，依《論語》、通行本《易傳》、帛書本《易傳》的次序，其中有「子曰」、「孔子曰」、「夫子曰」、「先生曰」等的原典進行考察。筆者以為，孔子講《易》、傳《易》有廣義與狹義定義的不同。嚴格地狹義而言，孔子親自撰寫著作方可謂之傳《易》，但若如此主張，眾所周知，《論語》即不可視為孔子的言說思想；廣

---

41 賴貴三：〈孔子的易教〉，《易學思想與時代易學論文集》，頁194。
42 廖名春：〈帛書《繆和》、《昭力》簡說〉，《帛書《易傳》初探》，頁23。

義而言，同理可證，《論語》、通行本《易傳》、帛書本《易傳》，均為孔子弟子及其儒家後學對孔子言論的實錄，皆可視為孔子的言說思想，是記載孔子及其弟子論《易》的資料，是孔子弟子保留下來的孔子說《易》遺教。《論語》為孔子思想最重要的紀錄，然而並不夠全面，應再參考其他的典籍，二十世紀帛書本《易傳》的出土文獻，提供強而有力的證據。子曰：「下學而上達。」（《論語・憲問》）孔子下學於人事，上達於天。《周易》本為卜筮之書，孔子晚年韋編三絕，孔子讀《易》而得其要領，轉化《周易》的性質為言德之書，以德義說《易》的態度，開闢《易》學的方向，分為象數易與義理易，使《周易》成為中國哲學的鉅著，孔子成為義理易的第一人。為《論語》孔子仁學建構形上思想，以修德取代卜筮，開出成德之教。本文參考諸位學者的考證結果，以經學式的考察孔子的《易》說關係；俟日後機緣，以哲學式的論述孔子《易》學的形上思想。

論《周禮》「以為民極」開展的民本思想

林素英

臺灣師範大學國文系

一　前言：禹已重視民本思想

　　《尚書‧夏書‧五子之歌》所載：「皇祖有訓：民可近，不可下，民惟邦本，本固邦寧。」[1]算是傳世文獻中最早出現的民本思想，而文中的皇祖即是大禹。大禹在陰錯陽差下，改變部落社會傳賢制度，成為君主世襲制的開創者。[2]雖然該篇被列入《偽古文尚書》之範圍，然而其思想內容，卻可與伏生所傳二十九篇《今文尚書》的〈洪範〉相呼應，都凸顯禹在中國政治思想史上具有極重要的地位。〈洪範〉記錄武王伐紂成功後，特別造訪箕子，得知天帝賜禹「洪範九疇」的治國之道，卒使當時天下「彝倫攸敘」，大禹因而甚得民心。由此可見古代的天命觀可以溯自禹秉承天命所賜，實踐以民為本的政策，而達到本固邦寧、天下歸心的結果。至於禹對人民的具體功勞，〈皋陶謨〉、〈益稷謨〉、〈禹貢〉等篇都有相關記載，也有人從古代氣候變遷的角度，說明公元前二十四至二十二世紀間，北半球溫度驟降，於是形成多處冰川，然而公元前二十二世紀後，氣溫回暖導致冰川融化，於是大

1　《尚書‧夏書‧五子之歌》，見於舊題〔漢〕孔安國傳，〔唐〕孔穎達疏：《尚書正義》，收入《十三經注疏（附〔清〕阮元《校勘記》）》（臺北：藝文印書館，1985年），頁100。

2　禹雖然欲傳位益，但是因為人民對益的功勞還不熟悉，而禹的兒子啟也很賢能，人民感念禹的偉大功德，紛紛歸附禹之子啟，於是啟即位，也下開「家天下」之始。

規模的洪水為患，時間大致與堯、舜、鯀、禹的時代相當，[3]因此大禹治水的事大致可信。這也間接說明〈五子之歌〉所傳的大禹祖訓，即使為後代追記的資料，其思想仍可反映禹當時大公無私的施政概況，故而「民惟邦本，本固邦寧」的民本思想，也同樣可溯自大禹的時期，其思想也成為後代帝王施政的最重要原則。透過禹的政績與其受到萬民擁戴的情形，可知為政者是否視民如親，能否優先解決民生大事，已成為為政者能否獲得民心擁戴、邦國能否安寧的根本關鍵。

《論語・堯曰》所載堯、舜、禹傳位時的一段說詞，雖也屬後代歸納、追記的資料，然而其事例不僅符合堯、舜、禹傳賢之實，也可與《尚書》的〈虞書・大禹謨〉、〈商書・湯誥〉以及〈周書・武成〉、〈周書・泰誓〉的內容相對應，具有重要參考價值：

> 堯曰：「咨！爾舜！天之曆數在爾躬。允執其中，四海困窮，天祿永終。」舜亦以命禹。曰：「予小子履，敢用玄牡，敢昭告于皇皇后帝：有罪不敢赦。帝臣不蔽，簡在帝心。朕躬有罪，無以萬方；萬方有罪，罪在朕躬。」周有大賚，善人是富。「雖有周親，不如仁人。百姓有過，在予一人。」謹權量，審法度，修廢官，四方之政行焉。興滅國，繼絕世，舉逸民，天下之民歸心焉。所重：民、食、喪、祭。寬則得眾，信則民任焉，敏則有功，公則說。[4]

透過以上的重要歸納，可以說明無論是部落社會的傳賢，抑或是夏代以後的「家天下」時代，不變的，乃是天命曆數的長短掌握在為政者自己手中。倘若為政者能明辨善惡、公正無私、為民興利，且又藏富於民，即可贏得民心而得天下。否則，四海之內的人民一旦普遍困窮，則為政者的天命亦將隨之告終。至於為政者「允執其中」不忘初衷的具體做法，則在「謹權量」以下的行政措施，且以「所重：民、食、喪、祭」為施政重點；苟能如此，則為

3　其詳參見謝世俊：《中國古代氣象史稿》（重慶：重慶出版社，1992年），頁140-156。

4　《論語・堯曰》，見於〔魏〕何晏集解，〔宋〕邢昺疏：《論語注疏》，收入《十三經注疏（附〔清〕阮元《校勘記》）》（臺北：藝文印書館，1985年），頁178。

眾望所歸。此前後相傳的施政理念，也與〈虞書‧大禹謨〉出現「人心惟危，道心惟微，惟精惟一，允執厥中」的內容相呼應。[5] 此「十六字心法」深為後世所重，被稱為是堯、舜、禹三聖道統相傳的一貫原則，不僅時刻警惕為政者施政應以民為本，也成為中華文化最可貴的核心內容。

只是，開創王朝者雖能善始，後繼者卻未必能恪遵其皇祖訓示，未能時刻銘記先祖開朝之初衷，以致王朝更迭、天命轉移的狀況接踵而至。姑且不論夏啟是否如有些學者所懷疑，僅傳一代至其子太康即失國，而太康、仲康、少康的世代關係也不清楚，然而少康在「田一成、眾一旅」的基礎上，「布其德，而兆其謀，以收夏眾」，終於復興夏朝的史事並非虛構。因為春秋時期的人對少康中興相當熟悉，因而《左傳》已明載伍員舉該事以諫諍吳王，警告夫差萬萬不可接受越王勾踐請降。[6] 有關夏的興衰以及有窮滅亡的歷史原因，也成魏絳為晉文公分析對諸戎策略的考量對象。有窮的后羿雖曾抓住太康荒於政務的機會，「因夏民以代夏政」，短暫取得夏朝政權，但是不久也因不修民事、不德於民，而喪失民心，覆亡於布德收眾的少康，形成中國歷史上首次「中興」王朝的事例。[7] 由於夏是中國歷史上的第一個君主世襲王朝，且其政權曾經歷失國、復國的轉變，故而其興衰存亡的原因即特別值得後代戒鑑。可見「民惟邦本，本固邦寧」的思想，固然可再遠溯自堯、舜、禹一脈相承的傳賢心法，然而在「家天下」時代後，大禹以此傳賢、傳子的施政明訓，更具有重要的歷史意義。

基於上述的重要歷史因緣，本文認為第一部完整記錄王朝體制、封國規劃的《周禮》，其「體國經野」的根本原則，當也秉承聖王大禹「民惟邦本，本固邦寧」的施政理念而來，且主要藉由養民、教民、治民三大方面體

5　《尚書‧虞書‧大禹謨》，頁55-56。雖然此篇也列入《偽古文尚書》的範圍，然而其思想內容不但可與古代歷史相互驗證，而且影響後代政治思想極為深遠。

6　其詳參見《左傳‧哀公元年》，見於〔晉〕杜預注，〔唐〕孔穎達等正義：《春秋左傳正義》，收入《十三經注疏（附〔清〕阮元《校勘記》）》（臺北：藝文印書館，1985年），頁991。

7　其詳參見《左傳‧襄公四年》，頁506-508。

現之。既有此思，遂取《尚書》以及相關的先秦典籍互證，以明《周禮》「以為民極」所蘊藏民本思想的微言大義。首先，於「前言」提出「民惟邦本，本固邦寧」的民本思想先聲後；其次，論述「以為民極」立基於《尚書》「建用皇極」的概念；其三，論述《周禮》「養民」措施所體現的民本思想；其四，論述《周禮》「教民」措施所體現的民本思想；其五，論述《周禮》「治民」措施所體現的民本思想；最後，總結古代聖王乃以落實民本思想的實踐為最高的政治理想。

二 「以為民極」立基於《尚書》「建用皇極」的概念

大禹治天下的原理原則固然上承堯、舜而來，不過，堯、舜時期尚屬古史幽遠難明的部落社會，而有別於「家天下」王朝，以致後代帝王治理天下的大法，仍應以夏為參照基準，因此〈洪範〉所載天帝賜禹治理天下的「九疇」，即成為後代聖王平治天下的最重要根據。治理天下的「九疇」依次為：

> 初一曰五行，次二曰敬用五事，次三曰農用八政，次四曰協用五紀，次五曰建用皇極，次六曰乂用三德，次七曰明用稽疑，次八曰念用庶徵，次九曰嚮用五福、威用六極。[8]

在此「九疇」當中，值得注意的，則是位居九大要法中間地位的「建用皇極」，明顯借用古代建築居屋棟宇的概念。「極」，乃是房屋最高、最中間的脊梁位置，在架構屋頂檩（梁）木的數根檩木中，以此最高、正中的大檩最重要，必須不偏不倚地居於正中位置，方可使左右兩翼平衡，使房屋無傾斜倒塌的危險，也才可使屋內的人安心過活。引申之，主政者最重要的做法，即是在「皇極大中」的最高宗旨下，秉持公而無私、大中至正態度，以執行各項惠民政策，才可造福天下子民。此說法可以參照文字結構原理，清楚理解「極」在「建用皇極」的重要施政意義。根據《說文》所載，「棟」與

8　《尚書・周書・洪範》，頁168。

「極」乃互為轉注的兩字，段《注》還引《周易‧繫辭下》「上棟下宇」的說法，而言「五架之屋，正中曰棟。」並指稱：「極，本謂屋至高之處。」又以李奇注〈五行志〉、薛綜注〈西京賦〉，皆曰：「《三輔》名『梁』為『棟』。」於是又稱：「按此，正名『棟』為『極』耳。今俗語皆呼『棟』為『梁』也。」再引申之，則「凡至高、至遠，皆謂之極。」[9]說明治天下要能設立至高至遠的大中至正目標，以便各級為政者共同達成。此即〈洪範〉「皇建其有極，斂時五福，用敷賜厥庶民」所指示的道理，說明天子建立此最高且至中至正的目標，乃是為全民謀取壽、富、康寧、攸好德、考終命的五種幸福，而達成為民父母，以為天下王的重要使命。[10]

此外，更應注意的，則是建立起以「皇極」居中的重心概念後，更要妥善安排此「皇極」兩側的對應關係：一側是由一至四的重視五行、敬用五事、農用八政、協用五紀；一側是由六至九的乂用三德、明用稽疑、念用庶徵、嚮用五福與威用六極。如此以「建用皇極」居中，而前後兩側正好形成對應平衡的狀態，前半具體說明惠民之政，有賴民生經濟社會建設安排妥當，後半則說明各階層執政官員應善用施政要領，使前後相得益彰。民生建設，首重水、火、木、金、土五種材質物類間的彼此調和，使其各遂其生、各成其長；其次，必須抱持敬肅謹慎的態度，以促進各種物類平衡發展；其三，執行食、貨、祀、司空、司徒、司寇、賓、師，八種有關民生大事的政策，必須以民食為先，且應竭盡心力完成；其四，實施各項政策時，必須與日月星辰四時運行有序的自然天象變化相配合。執政者更須講求施政要領，首先，執政者必須靈活運用剛、柔、正直三種德性，以處理各種政務；其次，必要時，還要懂得妥善借助卜筮解決疑難問題；其三，隨時提高警覺，考察各項變化發生的徵兆，掌握最佳轉環契機；其四，明白揭示足以獲得五福、或導致六大嚴厲懲戒的行為，以引導人民奉行眾善、杜絕惡行。

當然，〈洪範〉「九疇」所呈現的只是施政要點，是否有效，仍要透過大

9　《說文‧六篇上》，見於〔漢〕許慎撰，〔清〕段玉裁注：《說文解字注》（臺北：蘭臺書局，1972年），頁256：「棟，極也，從木、東聲。」、「極，棟也，從木、亟聲」。

10　其詳參見《尚書‧周書‧洪範》，頁172-173、178。

禹的躬行實踐，始可具體彰顯該九大施政要點的價值。檢視先秦諸子對大禹公而忘私、不畏艱苦，為天下勞苦至極的情形，紛紛表達肯定，如：在孔子極度稱許之外，[11]墨子更是讚譽有加，在〈法儀〉、〈尚賢〉、〈兼愛〉、〈非攻〉、〈節葬〉、〈天志〉、〈明鬼〉、〈非命〉、〈大取〉、〈貴義〉、〈公孟〉、〈魯問〉等篇，都標榜禹為墨者的典範。《莊子・天下》，雖批評墨子能獨自承擔天下所不堪的超強之苦，卻不忘保留禹的大聖形象而無異議，都可說明無論學派立場之差異，對大禹公而忘私奉行「洪範九疇」的精神，都讓人肅然起敬：

> 昔者禹之湮洪水，決江河而通四夷九州也，名山三百，支川三千，小者無數。禹親自操稿耜而九雜天下之川，腓無胈，脛無毛，沐甚雨，櫛疾風，置萬國。禹，大聖也，而形勞天下也如此。[12]

大禹勞苦從公以為民解決洪水大患，《尚書》都有重要的相關記載，因而司馬遷綜合整理的資料也足堪取信。《史記》記載要點如下：禹殫思竭慮，「開九州，通九道，陂九澤，度九山」，治水十三年，三過家門而不入，終於平治水土。然後，使益、稷教導眾庶播種穀物，懂得從川澤捕獲魚鱉等鮮食，並且相土地之宜以制定合理稅賦，以成養民之實。繼而率先敬天法祖以惇敘九族，又令皋陶為士以理民，以安社會秩序。其後，再以夔典樂，且以聲為律，以教民敬事山川。在安定內部以後，進而平定三苗、建都陽城，且在塗山大會諸侯後，成就當時萬國為治、薄海歡騰的天下平治狀態。[13]由此可見

---

11 《論語・泰伯》，頁72：子曰：「巍巍乎！舜禹之有天下也，而不與焉。」頁73-74：子曰：「禹，吾無間然矣。菲飲食，而致孝乎鬼神；惡衣服，而致美乎黻冕；卑宮室，而盡力乎溝洫。禹，吾無間然矣。」〈憲問〉，頁123：南宮适問於孔子曰：「羿善射，奡盪舟，俱不得其死然；禹稷躬稼，而有天下。」夫子不答，南宮适出。子曰：「君子哉若人！尚德哉若人」！

12 《莊子・天下》，見於〔清〕郭慶藩集釋：《莊子集釋》（臺北：貫雅文化事業公司，1991年），頁1077。

13 其詳參見《史記・夏本紀》，見於〔漢〕司馬遷著，〔日〕瀧川龜太郎考證：《史記會注考證》（臺北：洪氏出版社，1977年），頁41-51。

大禹平治水土的下一步驟，教導民眾從事農耕，即是遵行〈洪範〉所列，積極從事五行、五事、八政、五紀等民生建設。至於其恭儉修德、卑己盡孝、敦行樂禮、崇敬鬼神以為天下表率，乃積極教化人民奉行諸善，業已具體促成民本思想的落實。

然而要落實這種「民惟邦本，本固邦寧」的思想，需要有組織結構完整、彼此合作密合無間的官員系統，透過分工有序、無縫接軌的官聯組織層層規劃、綴合，始可貫徹聖王治國理想的達成。《周禮》正是一部實現聖王統治天下的法典，全書記錄王朝各部門職官的任務內容，企圖透過各級官員職務的周密規劃、組織之間的聯動情形，共同促成聖王治國的理想。

《周禮》成書的問題極複雜，自鄭玄以下，學者多承其說，認為屬於冬官的〈司空〉在西漢業已佚失。[14]後來雖也有「冬官未亡」之說，畢竟尚未成定論，此處不多論述。不過，〈冬官考工記〉的體例確實與其他五官不同，因此天、地、春、夏、秋官的開篇，都以「惟王建國，辨方正位，體國經野，設官分職，以為民極」二十字開場，具有特殊旨意，清楚可見其為全書之宗旨。[15]其中，「辨方正位，體國經野」，說明建立邦國，必先由大司徒

14　《周禮・冬官考工記》，見於〔漢〕鄭玄注，〔唐〕賈公彥疏：《周禮注疏》，收入《十三經注疏（附〔清〕阮元《校勘記》）》（臺北：藝文印書館，1985年），頁593，〈冬官考工記〉篇題下，引鄭玄《三禮目錄》云：「〈司空〉之篇亡，漢興，購求千金不得，此前世識其事者，記錄以備大數，古《周禮》六篇畢矣」。

15　張亞初、劉雨《西周金文官制研究》（北京：中華書局，1986年），頁111-143，總論西周金文官制與《周禮》比較研究的結果，指出：從橫向而言，《周禮》總計356職官中，其中有96種職官可在西周金文中找到相同或相近的記載，證實《周禮》成書時一定參照西周時的職官實況。從縱向而言，體制上，除司寇以外的其餘五官，大體與西周中晚期金文中的官制相當；《周禮》冢宰之職也反映西周中晚期的實況；《周禮》的司士放在夏官，職責之一為掌管吏治，與西周金文中的司士職司相合，可謂保存珍貴的資料。或許有鑒於此，稍後的郭偉川即專門從官制的角度切入，以研究《周禮》制度的淵源，並進一步推論其成書年代，都是客觀研究《周禮》實質問題的著作。郭偉川：《〈周禮〉制度淵源與成書年代新考》（北京：國家圖書館出版社，2016年），該書亦以此二十字為《周禮》的核心，且認為「設官分職」是核心問題中的核心，因此從溯源堯、舜時代及夏商二朝即有「六卿」官制的萌芽與發展，展開其一連串論述，最後提出戰國魏文侯促成《周官》成書之結論。

等相關人員選擇王城與國都所在地，仔細觀察地形以劃定國、野的範圍，選擇天地所合、四時所交、風雨所會、陰陽所和的地中位置以建立都邑，始可期望物阜民豐、百姓安居樂業。[16]「設官分職」，正是實現邦國安治最重要、最具體的途徑，必須有周密的分工安排，且又要有彼此偕同聯繫、相互檢核查驗的各項機制，以構成完整的配套措施，共同推動政策的執行，而達成預定的效果。「以為民極」，則是所有政治規畫與政策實踐的最終依歸，旨在為人民打造最安全、最穩固、衣食最無虞匱乏，受到王朝庇護的大棟宇。在天王秉持以民為本的信念下，以「大中至正」的態度架設王朝大棟宇的正脊，而各部會的組織結構則是從屋脊到屋簷（檐）的兩大屋面，形成覆蓋面極廣大的屋頂，提供屋宇內的所有人民遮蔽風雨、抵禦濕寒、抗拒飛禽走獸侵襲的安全處所，使人民從上古時代的穴居野處，過渡到安身於宮室的生活狀態。[17]此外，各部會的行政組織，還提供人民從事各種生產消費、養生送死、社交往來等所需的基本條件，是聚集養民、教民、治民三大功能於一爐的核心結構，促使人民可以安身立命、自在生活。雖然單一人民的力量可能微小如土芥般，然而摶和、凝結眾多微小的土芥，則可成為堅韌無比的草筋泥，鞏固成最堅實的樁腳，促使屋宇牢牢矗立於大地之上，是厚實堅固四壁的重要有機材質，同時也成為「民惟邦本，本固邦寧」的最忠實寫照。為保證達到「本固邦寧」的效果，「民惟邦本」的講求與實踐，乃是不變的康莊大道。

　　透過杜正勝對古代居室的考察，認為新石器時代早期的居室，與韓非子所說的「茅茨不翦，采椽不斲」相去不遠，[18]主要凸顯堯帝聖王的自奉儉

---

16 其詳參見《周禮・地官・大司徒》，頁153-155：以土圭之法測土深、正日景，以求地中。……地中：天地之所合也，四時之所交也，風雨之所會也，陰陽之所和也。然則百物阜安，乃建王國焉，制其畿，方千里而封樹之。……凡建邦國，以土圭土其地而制其域。……凡造都鄙，制其地域而封溝之。

17 《周易・繫辭下》，見於〔魏〕王弼注，〔晉〕韓康伯注，〔唐〕孔穎達等正義：《周易正義》，收入《十三經注疏（附〔清〕阮元《校勘記》）》（臺北：藝文印書館，1985年），頁168。

18 《韓非子・五蠹》，見於〔清〕王先慎撰，鍾哲點校：《韓非子集解》（北京：中華書

薄。因為距今七千多年前的農莊，已具備房基、窖藏坑、陶窯和墓地四大主要成分，在隸屬黃河流域的仰韶文化西安半坡遺址（5000-3000B.C.）的地面房屋柱網，說明木構框架體系的居室已經出現，也有厚層茅草覆蓋的屋頂與堅固的牆壁以遮風擋雨，還有烘烤過的平硬地面而不怕潮濕。同一時期長江流域的浙江河姆渡遺址，也以高低干欄的木構樹樁方式，克服潮濕多雨、瘴癘流行、蛇蟲出沒的惡劣環境，且從居住面至屋頂的高度已超過二點五公尺，說明一般人居住其間可以抬頭挺胸，而不必卑躬屈膝，都算是相當差強人意的居住環境。[19]由於新石器早期的黃河以及長江流域，都已發展出木構形式的居室環境，因此對於大約處在新石器中期到晚期的堯、舜、禹時代而言，「極」的意象是再熟悉不過的生活經驗，因此擺在〈洪範〉「九疇」正中最重要位置的，即是借用「極」的意象，而有「建用皇極」之說，並引申而有最高、最遠之意，所以「以為民極」也被規劃政治宏模者借用為施政的終極指標，且結合「民惟邦本，本固邦寧」的民本思想先聲，成為《周禮》全書的宗旨。

三 《周禮》「養民」措施所體現的民本思想

以民為本的政治思想，首先要展現在發展民生經濟，以提升人民生存條件的規劃上。養民的主體規畫，在〈天官‧大宰〉執掌「事典，以富邦國，以任百官，以生萬民」的最高指導思想下，[20]運用九類職務任用萬民的措施而體現之：

> 一曰三農，生九穀；二曰園圃，毓草木；三曰虞衡，作山澤之材；四
> 曰藪牧，養蕃鳥獸；五曰百工，飭化八材；六曰商賈，阜通貨賄；七

局，1998年），頁168：「堯之王天下也，茅茨不翦，采椽不斲，糲粢之食，藜藿之羹，冬日麑裘，夏日葛衣。」可知當時無論居室或吃穿等生活日用都極簡單。

19 其詳參見杜正勝：《古代社會與國家》（臺北：允晨文化出版公司，1992年），頁103-114。

20 《周禮‧天官‧大宰》，頁26。

曰嬪婦,化治絲枲;八曰臣妾,聚斂疏材;九曰閒民,無常職,轉移執事。[21]

無論古今中外,正常狀況下,每個人都應在不同的職位上擔負任內的工作,以各盡其功。大宰的職責,即是規劃全天下各大部門的主要職掌,而此處呈現的,即是類似現代的勞動生產部門的部分,再行劃分八大類固定職業生產部門,具體擔負民生日用品類的生產工作,提供養民的重要資源。再外加一類工作性質不固定的閒民,以彈性配合社會需要。

首先,在民以食為天的生存條件下,古代農耕即是農業社會最重要的生產事業,主要從事九種穀類的生產工作,以保障人民最基本的主食需求。有關「三農」所指,雖有不同說法,如:鄭司農的「平地、山、澤」,鄭玄的「平地、原、隰」,惠士奇的「上農、中農、下農」等說,[22]然而都無礙於說明開拓不同土質農耕地的重要。配合地官相關人員考察各地土壤肥沃程度的差異,選擇最適合各類穀物生長條件的耕地從事種植,使其能達到較高的產值,即是地官的重要工作。至於「九穀」的內容,也有不同的說法,蓋穀物品名的區分,或因地區方言不同,或因品類對文與通稱的關係,都會造成差異現象,因此鄭司農以「黍、稷、秫、稻、麻、大豆、小豆、大麥、小麥」合稱「九穀」,鄭玄則以為無秫、大麥,而有粱、苽。重點不在於「九穀」的內容到底是哪九種,而是要求能否善盡地利以造福百姓的生活。

其次,園圃工作者,仍屬農業範圍,從事果菜花草樹木的生殖繁育工作。與「三農」相搭配,共同解決民眾賴以維生的蔬果飲食主要來源問題。

其三,虞、衡類工作者,從事川澤、山林資源的開發工作,提供人民水產、山產的來源,也提供木材、礦產等材料,使民眾的生活更便利、豐足。

其四,藪牧類工作者,在水稀或無水,卻可供麋鹿等禽獸居處的叢藪之地,或是遠郊可供畜牧牛馬等的牧田,從事飼養蕃殖鳥獸。藉此以提供人民

---

21 《周禮・天官・大宰》,頁29。

22 其詳參見〔清〕孫詒讓:《周禮正義》(北京:中華書局,1987年),頁79-89。以下對於有關此九職內容的不同說法,都可參照孫氏所蒐集的更詳細資料,不再另行註釋。

獸力資源，也可提供動物性食物以及毛皮等禦寒物的來源。

其五，百工類工作者，以不同的方法，對從川澤或山林取得的素材，加以精雕細琢，如：珠（切）、象（瑳）、玉（琢）、石（磨）、木（刻）、金（鏤）、革（剝）、羽（析）八類，使成為更具有實用或觀賞價值的器物或寶貝，提供祭祀或其他不同生活層面的需求。江永以為上述先鄭根據《爾雅》而稱的「八材」說，明顯遺漏摶埴之工，而且珠類之物的使用機率較少，當不至於專門特設一工，故而主張宜以〈曲禮〉之「土、金、石、木、獸、草」六材，再加上玉、羽兩類而共同組成八材。雖然孫詒讓以為先鄭與江氏二說皆通，不過，從實用狀況推想，江永之說或許更接近當時社會狀況。畢竟對於珠寶、象牙等物的加工品需求較少，且其加工處理法較容易與玉的加工進行技術轉換，所以可合併於對玉類的加工製造業者加以處理。

其六，商賈類工作者，從事各種材料或成品的搬有運無，促進各種財貨的流通。此類工作者，可使特定財貨出產過盛地區的居民，不至於物價低賤而傷民；反之，缺乏該特定財貨地區的居民，也不至於因為物以稀為貴而必須付出極高的代價，造成生活的不便與困難。政府若能妥為掌握各地生產，以及此類工作者的經營狀況，對於平衡市場物價、提升人民生活水準，都有相當正面的意義。

其七，嬪婦類工作者，從事化治絲枲。此處的嬪，乃婦人的美稱，即「典絲」一職所指的外工、外嬪婦，並非九嬪世婦一類的內嬪婦。雖然嬪妃世婦也必須從事蠶桑絲枲的工作，然而其治絲所得，乃供應宮中縫製祭服等重要用途，非供一般民間買賣流通之用。根據《史記・貨殖列傳》所載，姜太公封齊以後，利用當地極豐富的桑麻資源，勸女工以「極技巧」，遂開創齊國冠帶衣履豐厚的局面，還能恩澤披於天下，促成絲織業繁榮的勝景。[23]參照《國語・齊語》記載齊襄公豪奢與淫於女色的情形，使「九妃、六嬪，陳妾數百，食必粱肉，衣必文繡」，[24]可見齊國的絲織業，從姜太公的努力

---

23 其詳參見《史記・貨殖列傳》，頁1354。

24 《國語・齊語》，見於〔周〕左丘明撰，上海師大古籍整理組校點：《國語》（臺北：里仁書局，1981年），頁223。

推動，至襄公之時，絲織業已蓬勃發展，不僅品類繁多，如：羅、帛、綾、絹、綺、紈、錦等，而且不乏精品。[25]再對照考古發現，陝西涇陽高家堡、岐山賀家村、寶雞茹家莊等地墓葬中，都發現西周早、中期的麻布、絲織、刺繡等工藝品。[26]凡此都可見西周早、中期的布帛、絲織品技術，已有一定程度的發展。

其八，臣妾類工作者，此處的「臣妾」，乃通稱男女貧賤者，是專門協助主人從事聚斂疏材等各項工作的廝役。江永以為當時貧苦人民自鬻其身於雇主之家的，即稱為臣妾，後代則稱為奴婢，庶人、商賈之家多有之，具體協助九職各項職務的執行。

除上述八類的固定行業工作者外，另有一類並無固定職務的「閒民」，屬於「與人傭賃」性質，可以隨不同需要而機動轉移執事的內容。此類人，類似現今的臨時約聘雇員，並非指遊手好閒的「街友、遊民」。

透過此九大類職業的從業者，分別各就其工作崗位從事生產活動，即可穩定人民的衣食來源。此即《史記‧貨殖列傳》所載：

> 《周書》云：「農不出則乏其食，工不出則乏其事，商不出則三寶絕，虞不出則財匱少。」財匱少，而山澤不辟矣。此四者，民所衣食之原也。原大則饒，原小則鮮。上則富國，下則富家。貧富之道，莫之奪予，而巧者有餘，拙者不足。[27]

使從事農、工、商以及虞、衡之民，皆能努力於所屬的職務工作，則基本的民生資源即可以無虞匱乏。然而，人生難免會遭遇一些特殊狀況而使生活產生困難，政府也有安保民眾生息的社會福利措施以安養萬民：

> 一曰慈幼，二曰養老，三曰振窮，四曰恤貧，五曰寬疾，六曰安富。[28]

---

25 其詳參見宣兆琦：《齊文化發展史》（蘭州：蘭州大學出版社，2002年），頁105-107。
26 其詳參見楊寬：《西周史》（上海：上海人民出版社，1999年），頁306-308。
27 其詳參見《史記‧貨殖列傳》，頁1354。
28 《周禮‧地官‧大司徒》，頁158。

使少有所養、老有所安、鰥寡孤獨以及廢疾者皆有所養，幫忙解決生存問題。至於貧苦無財貨者，政府還提供借貸創業管道。同時，以均平繇役而不專取的方式減省民力，使民眾可以安心從事生產。

　　此外，為政者平時還應有足夠的危機意識，當遭遇如飢荒或旱澇等較大範圍天災所引發的緊急狀況時，則應適時啟動荒政法的應變措施以聚合萬民：

> 一曰散利，二曰薄征，三曰緩刑，四曰弛力，五曰舍禁，六曰去幾，
> 七曰眚禮，八曰殺哀，九曰蕃樂，十曰多昏，十有一日索鬼神，十有
> 二曰除盜賊。[29]

綜合上述遭遇災荒時，由地官配合採行應變措施，以各官之間重要的「官聯」組織，發揮即時救災的最高作用。首先，須散發豐年徵收的穀物或種子以救災，並寬待民眾於秋熟時歸還。其次，減輕歲賦、繇役，廢除關卡徵稅，並開放公設的山澤園囿供民眾採食維生。再次，則一方面嚴辦趁火打劫的盜賊，另一方面又寬緩因飢寒所引發的罪刑，以雙軌並行的方式，維護社會治安與秩序。然後，也要降殺吉、凶禮的禮數，且不作樂取樂。同時，應節約婚禮花費，然而卻應以增殖人口為重點，鼓勵結婚生子。在穩定民心方面，則是尋找可能致災之鬼神而加以祭祀，攘除凶險、以安民心。最後，必要時，還要啟動移民與節制飲食等非常方法，以協助民眾度過難關，真正達到養民之目的。

四　《周禮》「教民」措施所體現的民本思想

　　在〈天官・大宰〉執掌「教典，以安邦國，以教官府，以擾萬民」的最高指導思想下，[30]負責執掌邦教的乃是地官大司徒，而非專掌貴族教育的春官大司樂。蓋因庶民佔所有人口結構中的絕大多數，所以一個王朝教育的重

29　《周禮・地官・大司徒》，頁157。

30　《周禮・天官・大宰》，頁26。

心與對象,當然要放在庶民。孔子所云:「小人學道則易使。」[31]正是最好的說明。庶民教育的內容與方式,自然有別於注重典籍書冊學習與禮樂實踐的貴族教育。[32]司徒之教,乃透過地官相關人員深入民間進行土地丈量、登錄人口分布狀況的機會,定期以懸象示意與口傳宣教的方式,對百姓進行有計畫的社會教育。因為地政人員必須實地勘查山林、川澤、丘陵、墳衍、原隰等不同地區,測量各地土質肥瘠程度與調查相應生物的差異情形等,因而非僅能周知九州地形地物之別,[33]也能熟悉不同生活環境下的差異性民情風俗,最容易把握時機對庶民百姓進行社會教育。

大司徒對廣大庶民所施行的「十二教」如下:

> 一曰以祀禮教敬,則民不苟;二曰以陽禮教讓,則民不爭;三曰以陰禮教親,則民不怨;四曰以樂禮教和,則民不乖;五曰以儀辨等,則民不越;六曰以俗教安,則民不偷;七曰以刑教中,則民不虣;八曰以誓教恤,則民不怠;九曰以度教節,則民知足;十曰以世事教能,則民不失職;十有一曰以賢制爵,則民慎德;十有二曰以庸制祿,則民興功。[34]

將此「十二教」又可再行細分成三大類,共同組構出以禮為綱領的整體教育架構:前面四教,以祭祀與講求陰陽和諧的禮樂之教,奠定禮教的整體規

---

[31] 《論語·陽貨》,頁154:子之武城,聞弦歌之聲。夫子莞爾而笑,曰:「割雞焉用牛刀?」子游對曰:「昔者偃也聞諸夫子曰:『君子學道則愛人,小人學道則易使也。』」子曰:「二三子!偃之言是也。前言戲之耳」!

[32] 貴族教育之目的在於培養不同階層的統治人才,因而由地官的師氏、保氏擔任小學教育之基礎學習,然後由掌邦禮的春官,自大司樂以下的大批人員進行整套的禮儀樂舞實作練習,以便其進入不同層級的官場,參與不同的典禮時,可以得體地與天神、地祇產生交感作用,以收事神祈福的祭祀初衷。

[33] 《周禮·地官·大司徒》,頁149:掌建邦之土地之圖,與其人民之數,以佐王安擾邦國。以天下土地之圖,周知九州之地域廣輪之數,辨其山林、川澤、丘陵、墳衍、原隰之名物;而辨其邦國都鄙之數,制其畿疆而溝封之,設其社稷之壝而樹之田主。

[34] 《周禮·地官·大司徒》,頁151。

模；中間四教，透過民間禮俗與刑罰戒律，建立儀刑（型）之教以穩定社會秩序；最後四教，以促使士、農、工、商各行各業各盡其功的道藝之教，磨練其基本生活技能，進而達到利用、厚生以造福他人的功德。[35]尤其重要的，乃是最前面四教，都直接以四種不同的「禮」為標目，說明《周禮》的規畫，即使是對庶民百姓的社會教育，仍然以推動合理的「禮」之行為為起點，且以促成全民行為有禮為教育宗旨。如此推動合於「禮」的社會教育核心，與《禮記》的「禮不下庶人」並不衝突。[36]因為「禮不下庶人」所指的「禮」，乃指按照士以上各級貴族所遵行的專屬全套禮儀行禮，然而庶人平日要處理的事情繁多，既無暇、也無足夠的經濟能力可以「越級備禮」，在上者自然不能強人所難，故而改採降殺士禮的方式進行人際互動，因此會說「禮不下庶人」。換言之，在實際生活中，佔絕大多數的庶民百姓，也須一本虔誠之心以恭敬祭祀神祇，在人與人的彼此對待上，仍應講求謙讓不爭、待人親和有禮，秉持處事不偏激躁進的「中和」態度，使行為能遵守一定的「禮」之規範，始可締造祥和而無暴戾之氣的社會。這也是孔子所說「小人學道則易使」的真諦所在。[37]

倘若為政者只講求貴族應遵行禮儀規範，而不注重庶民的教化工作，使龐大的庶民皆行動粗魯、蠻橫無理（禮），則社會絕對無法秩序井然，民生也無法安和樂利，因而凡是有遠見的為政者，必然要投注極大的心力在庶民教育上。是故，要落實「十二教」的社會教育目的，大司徒又有「鄉三物」的更具體規劃：

> 以鄉三物教萬民而賓興之：一曰六德，知、仁、聖、義、忠、和；二曰六行，孝、友、睦、婣、任、恤；三曰六藝，禮、樂、射、御、

---

35 有關大司徒的「十二教」內容，其詳參見林素英：〈《周禮》的禮教思想——以大司徒為討論主軸〉，臺灣師範大學《國文學報》第36期（2004年12月），頁1-42，為避免過多重複，此處僅擇要論述。

36 《禮記‧曲禮上》，見於〔漢〕鄭玄注，〔唐〕孔穎達等正義：《禮記正義》，收入《十三經注疏（附〔清〕阮元《校勘記》）》（臺北：藝文印書館，1985年），頁55。

37 《論語‧陽貨》，頁154：君子學道則愛人，小人學道則易使也。

書、數。……以五禮防萬民之偽而教之中，以六樂防萬民之情而教之
和。[38]

此處的六德、六行、六藝之教，各有極具體的實踐項目，透過這些學習內
容，即可以養成心存高尚德性、行動合於人倫義理，且又具備自我生活技藝
與服務社群的能力。「鄉三物」的教育內容，其實還可涵括師氏以「三德」、
「三行」教導貴族子弟的內容，[39]也有取於保氏的部分執掌，[40]且不忘將貴
族最注重的禮樂教育目標，視為教導庶民百姓養成「中正平和」態度與習性
之最高目標。儘管士庶存在政治地位與社會分工的差別，然而基本教育理念
並無二致，可見人之所以為人的要點，在於成人（仁）與成德，已是當時重
要的共識，正好可呼應《尚書・舜典》舜任命契為司徒，以「敬敷五教」以
矯正「百姓不親，五品不遜」的做法。[41]此「五品」即是五種人倫之常，旨
在教導百姓能夠實踐父義、母慈、兄友、弟恭、子孝的五種基本人倫，本無
士庶貴賤之別。尤其從「以鄉三物教萬民而賓興之」，說明鄉大夫在州長的
協助下，不僅以鄉飲酒禮款待實踐「鄉三物」表現優良的庶民百姓，還會向
朝廷舉薦賢者，而由內史適時分配政務助理的工作。然後，也透過舉行鄉射
禮的機會選拔人才，分別從觀察射者的儀態，在和、容、主皮、和容、興舞
等五方面配合程度的高低，分辨射者的德行與能力，[42]並徵詢眾庶的意見，

---

38 《周禮・地官・大司徒》，頁161。

39 《周禮・地官・師氏》，頁210：以三德教國子：一曰至德，以為道本；二曰敏德，以
為行本；三曰孝德，以知逆惡。教三行：一曰孝行，以親父母；二曰友行，以尊賢
良；三曰順行，以事師長。居虎門之左，司王朝，掌國中失之事，以教國子弟。

40 《周禮・地官・保氏》，頁212：教以六藝：一曰五禮，二曰六樂，三曰五射，四曰五
馭，五曰六書，六曰九數。乃教以六儀：一曰祭祀之容，二曰賓客之容，三曰朝廷之
容，四曰喪紀之容，五曰軍旅之容，六曰車馬之容。

41 《尚書・虞書・舜典》，頁44：帝曰：「契，百姓不親，五品不遜。汝作司徒，敬敷五
教，在寬。」回應位在篇首，頁34的「慎徽五典，五典克從」。

42 《禮記・射義》，頁1014-1015：射者，進退周還必中禮，內志正，外體直，然後持弓
矢審固；持弓矢審固，然後可以言中，此可以觀德行矣。……故曰：射者，所以觀盛
德也。……是故古者天子以射選諸侯、卿、大夫、士。射者，男子之事也，因而飾之
以禮樂也。故事之盡禮樂，而可數為，以立德行者，莫若射，故聖王務焉。

共同選拔技藝精湛、德行崇高者以為鄉里的統治者。[43]由於古代鄰里生活的範圍不大，因此彼此都十分熟稔，每當鄉里發生婚喪政事等大事之時，大家多會前往幫忙，因而藉由眾庶參與協助的情形，基層官人員很容易從中考核參與者的德行與技藝，[44]並適時呈報鄉大夫，以便舉薦賢能之才。

對於大司徒所推動的「鄉三物」務實教育，注重經世之學的李塨即明白指稱：

> 夫古人之立教，未有不該體用、合內外者，有六德、六行以立其體，六藝以致其用，則內之可以治己，外之可以治人，明德以此，親民以此，斯之謂大人之學。[45]

如此體用合一、內外兼治的教育，實可與代表貴族子弟進入大學，從明明德、親民，以至於「止於至善」的一貫大道相通。[46]從周代教育以「止於至善」為統治者施政的最高指標，也是為政應「以為民極」的重要宣示，說明即使是為庶民設計的社會教育，其最終目的仍與大學之教殊途同歸。畢竟要建立一「至善」的社會環境，無論士庶都需要接受教育以提升自己的素質，只是內容有別而已。

周初已確知教育越早紮根、越普遍實施越好。此從《大戴禮記·保傅》

---

43 《周禮·地官·鄉大夫》，頁180：(鄉大夫)正月之吉，受教法于司徒，退而頒之于其鄉吏，使各以教其所治，以考其德行，察其道藝。以歲時入其書。三年則大比，考其德行、道藝，而興賢者，能者。鄉老及鄉大夫帥其吏與其眾寡，以禮禮賓之。厥明，鄉老及鄉大夫、群吏獻賢能之書于王，王再拜受之，登于天府，內史貳之。退而以鄉射之禮五物詢眾庶，一曰和，二曰容，三曰主皮，四曰和容，五曰興舞。此謂使民興賢，出使長之；使民興能，入使治之。

44 《史記·項羽本紀》，見於〔漢〕司馬遷著，〔日〕瀧川龜太郎考證：《史記會注考證》(臺北：洪氏出版社，1977年)，頁141：項梁殺人，與籍避仇於吳中。吳中賢士大夫皆出項梁下。每吳中有大繇役及喪，項梁常為主辦，陰以兵法部勒賓客及子弟，以是知其能。

45 分別見於〔清〕戴望：《顏氏學記》(臺北：廣文書局，1975年)，卷4〈恕谷一〉，頁224；卷7〈恕谷四〉，頁362。

46 其詳參見《禮記·大學》，頁983。

以及《禮記》的〈文王世子〉、〈內則〉、〈少儀〉等篇,都可見周初即相當注重家庭教育與境教對個人身心發展的感染力,此即孔子所云:「少成若性,習貫之為常。」[47]上述資料雖為貴族子弟教育內容,然而生命的成長有其共相性,非僅貴族子弟年少時的習慣可以成為其第二天性,庶民百姓亦然。在習以為常的慣性下,越早養成良好的習慣,正是培養成人具備良好品德與生活習性的不二法門,也是穩定社會秩序的重要基礎,因此有遠見的立教者在規劃整體教育體系時,除卻培養明禮、好禮,且能實踐愛民、親民之道的各級統治者外,[48]更應把教育的重點放在最大多數的庶民教育上。透過深入民間底層的地官人員從事社會教育,即可普遍提高庶民明理知道的程度,使其易於配合政府推動對全民有益的各項政策。當全體從上到下都能以成人(仁)與成德為教育的共同目標,則所有「教民」措施所開展的,正是以仁德為本、為尊的思想,藉以發揮人性善良、光明的一面,也正好可呼應王國維對於周代所賴以綱紀天下的關鍵,在於禮樂制度的道理:

> 周之所以綱紀天下,其旨則在納上下於道德,而合天子、諸侯、卿、大夫、士、庶民以成一道德之團體。周公制作之本意,實在於此。[49]

秉承周公制禮作樂之目的,在成就一包含所有士庶在內的群體,使共同講求道德的社會團體。其中,最重要的管道,即是透過自太子至全體庶民的教育措施,使其從小在生活中養成實踐六德、六行、六藝之教的習慣與能力。

五 《周禮》「治民」措施所體現的民本思想

大宰職務中攸關「治民」的項目者,乃以「治典,以經邦國,以治官

---

47 《大戴禮記‧保傅》,見於〔清〕王聘珍:《大戴禮記解詁》(北京:中華書局,1983年),頁51。

48 《論語‧憲問》,頁72:子曰:「上好禮,則民易使也」。

49 王國維:《殷周制度論》,收入《觀堂集林‧史林二》卷10(北京:中華書局,1959年),頁454。

府，以紀萬民」為最高指導思想，其下，則從執行「教典，以安邦國，以教官府，以擾萬民」，積極建設一從上到下的道德社會團體。然而任何崇高理想的制度，一旦涉及錯綜複雜的落實問題，也必須預先規劃一些消極輔弼的措施，因此又須以「刑典，以詰邦國，以刑百官，以糾萬民」，[50] 俾便從積極施教與消極防弊雙管齊下的措施，達到為全民謀最大福祉之目的。實際執掌刑典者，乃是秋官大司寇，針對邦國的特性，分別以：刑新國用輕典，刑平國用中典，刑亂國用重典，三種類型的刑典以輔佐王刑邦國，並以野刑、軍刑、鄉刑、官刑、國刑的五刑以糾正萬民。[51] 由於體系龐大，以下僅選取與治理一般庶民百姓最有關的，以「上德糾孝」為核心概念的「鄉刑」進行討論。

秋官的「鄉刑」，具體而言，即是地官的鄉大夫在州長的協助下，秉承司徒十二教以實施「鄉三物」的積極教育，另由黨正、族師、閭胥執行「讀法」的教育。當此雙重教育失敗後，於是採行「鄉八刑」以為矯正措施，使庶民百姓可以重歸於崇德盡孝，也能實踐合乎社會規範的正向行為：

> 以鄉八刑糾萬民：一曰不孝之刑，二曰不睦之刑，三曰不婣之刑，四曰不弟之刑，五曰不任之刑，六曰不恤之刑，七曰造言之刑，八曰亂民之刑。[52]

在此八刑中，以「不孝之刑」為首，與秋官「五刑」中，以「上德糾孝」為主旨的「鄉刑」兩相呼應，也是《孝經》「五刑之屬三千，而罪莫大於不孝」說法的起源。追溯其因，乃在於人自出生開始，即受到父母無微不至的照顧，若不能行孝、盡孝，即欠缺最基本的人倫親情。一個人自親其親尚且不能，則遑論要對其他人講求人倫義理。[53] 因此，八刑中的前六刑，即對應

---

50 其詳參見《周禮・天官・大宰》，頁26。
51 其詳參見《周禮・秋官・大司寇》，頁516。
52 其詳參見《周禮・地官・大司徒》，頁161。
53 其詳參見《孝經・五刑章》，見於〔唐〕玄宗御注，〔宋〕邢昺疏：《孝經注疏》，收入《十三經注疏（附〔清〕阮元《校勘記》）》（臺北：藝文印書館，1985年），頁42：子

「鄉三物」中，積極要求庶民百姓實踐孝、友、睦、婣、任、恤的「六行」以恪盡人倫之常。至於最後兩種訛言惑眾的造言之刑，以及變異官物之名、更造法度左道以亂政的亂民之刑，雖不在前述「六行」的基本倫常範圍之內，然而屬於為穩定社會秩序所採取的對治措施，對於締造祥和良善的社會具有重大意義。

《周禮》的造言、亂民二刑，因為缺乏詳細說明，以致難明其義。然而若與《禮記》的「四殺」之刑相互對照，則容易理解其內容：

> 析言破律，亂名改作，執左道以亂政，殺。作淫聲、異服、奇技、奇器以疑眾，殺。行偽而堅，言偽而辯，學非而博，順非而澤以疑眾，殺。假於鬼神、時日、卜筮以疑眾，殺。[54]

古代立法，會對此四種人殺而無赦，蓋因其行為影響所及，已足以敗德惑民、撼動國政，而有亡國之虞，故而干犯者的罪刑即在不赦之列。然而揆諸古代社會狀況，一般庶民百姓實在既欠缺訛言惑眾的能力，也缺乏足以謠言惑眾的機會，更難有變異官物之名、造法度左道以亂政的管道；是故，侯家駒即認為此比較像是初登仕籍的貴族子弟，因為剛剛接觸機密、寶物與權力，加上血氣方剛，所以容易受誘惑，進而鋌而走險，以致可能觸犯此類罪行。為避免初入仕途者誤觸法網，故而士師必須對此類官場新秀諄諄告誡。[55]此類觸犯四殺的罪行，可再配合秋官士師的執掌而知其義：

> 掌士之八成：一曰邦汋，二曰邦賊，三曰邦諜，四曰犯邦令，五曰撟邦令，六曰為邦盜，七曰為邦朋，八曰為邦誣。[56]

根據鄭玄解釋，此八種罪行分別是：盜取國家機密的邦汋、叛國作亂而違逆

曰：「五刑之屬三千，而罪莫大於不孝。要君者無上，非聖人者無法，非孝者無親。此大亂之道也。」其中的「五刑之屬三千」，出自《尚書・周書・呂刑》，頁301，《孝經・五刑章》據而再衍伸擴展之。

54 《禮記・王制》，頁260。

55 侯家駒：《周禮研究》（臺北：聯經出版事業公司，1987年），頁257。

56 《周禮・秋官・士師》，頁527。

君上的邦賊、為異國進行反間的邦諜、干冒王者教令的犯邦令者、詐稱王命而擅自行事的撟邦令者、竊取邦國寶藏的邦盜、結合朋黨亂政而誣罔君臣失實的邦誣者。由於上述行為都會嚴重危害邦國的存亡，因而以罪在不赦的殺戮之刑嚴重恫嚇，以免初登仕籍者誤觸法網。由於一般眾庶也能因表現優異而進入官場任職，因此在「鄉八刑」的最後列上這兩種罪刑，也算是預先防範犯罪的重要宣告。倘若果真干犯此「四殺」之罪，則由司寇判定死罪後，交由掌戮之官負責行刑。不過，即使同屬死罪，仍可按照所犯情節的輕重而有不同的處決方式：罪大者，以鈇鉞腰斬之；罪小者，以刀刃殺之棄市。倘若犯罪者為王的同族或有爵位者，在判定死罪後，由掌囚加上刑具，送往甸師氏以待刑殺。[57]

至於眾庶以暴力侵凌他人者，則由禁暴氏掌理、糾舉之：

> 掌禁庶民之亂暴力正者、撟誣犯禁者、作言語而不信者，以告而誅之。凡國聚眾庶，則戮其犯禁者以徇。[58]

凡是橫行霸道、以暴力侵凌他人而自以為是者，或是顛倒是非、造謠生事、詐偽欺騙者，都會按照罪行輕重，由司刑者分別以墨、劓、宮、刖、殺的「五刑」進行誅罰。儘管「五刑」之用由來已久，然而《尚書・呂刑》已強調唯有德者可以典刑，[59]清楚呼應〈康誥〉與〈多方〉中的「明德慎罰」概念。[60]

---

57 其詳參見《周禮・秋官・掌戮》，頁545。〈天官・甸師〉，頁64。〈秋官・掌囚〉，頁544。

58 《周禮・秋官・禁暴氏》，頁547。

59 「五刑」之說，最早見於《尚書・周書・呂刑》，相傳該篇為呂侯受穆王之命為司寇，訓暢夏禹贖刑之法以布告天下。頁300-302，即明載「五刑」的大致內容。頁303，更載有王曰：「朕敬于刑，有德惟刑」！

60 《尚書・周書・康誥》，頁547：王若曰：「孟侯，朕其弟，小子封。惟乃丕顯考文王，克明德慎罰；不敢侮鰥寡，庸庸、祗祗、威威、顯民，用肇造我區夏，越我一、二邦以修我西土。」〈多方〉，頁256：乃惟成湯克以爾多方簡，代夏作民主。慎厥麗，乃勸。厥民刑，用勸。以至于帝乙，罔不明德慎罰，亦克用勸。

與「治民」最直接相關者雖然是秋官，然而《周禮》當中運用「官聯以
會官治」的策略，乃是官府行政運作的重要模式，因此在負有「安邦國」使
命的夏官中，有些職官也與「治民」的工作密切相關。從輔佐王以安定天下
的大處而言，大司馬的「進賢興功，以作邦國」，以舉薦賢能，具有達到建
立社會秩序、提振人心的作用，且由司士實際掌握群臣的名籍，執行黜陟徵
召的政令；「簡稽鄉民，以用邦國」，則又須會同地官大司徒、土均，正確合
計各國鄉民的人數，以便必要時可以順利動員可用的人力；「均守平則，以
安邦國」，更是安定各大小諸侯國，使其彼此親和、敦睦相處以歸於大治的
重要工作，而掌管天下圖籍及地形的職方氏，則承擔實際業務。[61]

至於與「治民」直接相關，也是須布各邦國必須同遵政禮，成為秋官執
禮最重要依據者，則是大司馬每年周正建子之月例行的公事：

> 正月之吉，始和布政于邦國都鄙，乃縣政象之灋于象魏，使萬民觀政
> 象，挾日而斂之。[62]

在建子之月朔日，正式向各邦國都鄙宣布掌建邦國的九大政禮，以輔佐王平
治邦國，並公布九大征伐之禮以正邦國。將此重要大禮公開展示，使為同遵
的依據，十日後收藏，也成為地官人員到各地進行社會教育時「讀禮」的來
源。經過此懸象示禮，尤其是用來正邦國的九大征伐之禮，乃是大司馬發動
甲兵以平治天下的重要準則，更是協助秋官以穩定社會秩序的重要後盾。如
此一來，若有大欺小、強凌弱、賊害賢良、殘殺人民、不符節制、殺害親
族、藐視國禮、悖亂人倫等等罪刑者，則與秋官聯合職禮以維護正義，穩定
社會治安。

總而言之，治民之道，旨在積極以道德禮義教民、化民，此乃《周禮》
與法家截然不同之處。然而在強調德禮教化之外，也要藉由定期「讀禮」的
社會教育活動，使眾庶不至於誤觸法網，成為「德主刑輔」的治民之道。因

61　《周禮·夏官·大司馬》，頁439。
62　《周禮·夏官·大司馬》，頁441。

此，亦不免要設置各種刑罰以糾正眾庶錯誤的行為，使犯罪者的行為可以回歸常軌，同時，藉由「五刑」的威嚇，期望達到消極防止民眾誤陷法網的功效，庶幾可達「刑期無刑」的理想狀態。尤其重要的，則是強調執行刑罰者，都必須是有德之人，且須以極審慎的態度聽訟斷獄，然後考量其犯罪動機，並針對其罪行給予適當的刑罰。藉由刑罰的規劃與執行，保障所有奉公守法的良民，得以安心自在生活，免除外來詐偽、造謠等無謂的干擾，杜絕搶劫掠奪、暴力脅迫的危險降臨每個人身上，真正成就一「以為民極」的「止於至善」之祥和社會。

六　結論

綜上所述，大禹繼鯀之後擔任治水總指揮，形勞天下長達十多年，卒能平治九州，使山川澤陂各歸其道，四海之內的人民得以安居，身體力行以民為本的思想，一心謀求全民最高、最遠的福祉。公而忘私的大禹，一生深受萬民愛戴景仰，所遺留「民惟邦本，本固邦寧」的祖訓，也成為古代施政的核心概念。《周禮》即借用《尚書・洪範》「建用皇極」的「極」，具有「至高、至遠」的意義，遂在施政宗旨中，設定為全民開創最大福祉的「以為民極」為全書的核心理念。

為落實謀求全民「至高、至遠」的福祉，於是先從發展民生經濟、改善人民生活，奠定王朝的根基，再從輔助人民從事各項經濟發展的機會，藉由深入民間的機會，施行重孝道、尊德義、懂禮讓的社會教育，促成上下共同講求道德的團體，締造安和樂利的社會。孔子所主張的治國三步驟：庶之、富之、教之，[63] 即依循此線索發展而來。然而天下蒼生的生活際遇各有因緣，雖施教者同以德禮教之，而受教者亦可能發生違逆的情況，而有缺德、無禮、違法、犯禁的行為，於是為保障絕大多數的人不受干擾、侵害，是以

---

63 《論語・子路》，頁116：子適衛，冉有僕。子曰：「庶矣哉！」冉有曰：「既庶矣。又何加焉？」曰：「富之。」曰：「既富矣，又何加焉？」曰：「教之」。

必須要輔以「五刑」的規劃，合併訂定適當的治民之道，適時糾舉萬民，勤於實踐以孝為首的一系列美好德行，共同實現合乎人民理想的美善社會。

明代馬理的《易》學師承與治《易》特色論析[*]

楊自平

中央大學中國文學系

一　前言

　　馬理（字伯循，號谿田，1474-1556）為明代中葉著名《易》家，以《周易贊義》七卷傳世。馬理除精於《易》學外，尚著有《尚書疏義》、《詩經刪義》、《周禮注解》、《春秋修義》、《四書注疏》、《陝西通志》諸書。[1]

　　關於現存七卷本《周易贊義》，據明代學者朱睦㮮（字灌甫，號西亭，1520-1587）及鄭綱（字子尚）〈序〉所論，原有十餘萬字，分成十七卷。[2]關於該書之流傳，四庫館臣云：「原書十有七卷，其門人涇陽龐俊繕錄藏於家，河南左參政莆田鄭綱為付梓。今本僅存七卷，〈繫辭上傳〉以下皆佚，案朱彝尊《經義考》已注曰『闕』，則其來久矣。」[3]《周易贊義》並未收錄於《四庫全書》，僅留存目。目前傳世版本，據許甯、朱曉紅的考訂，僅存

---

[*]　本文於會議承蒙賴貴三教授講評，謹此特致謝忱。會後業經修改，刊登於《臺北大學中文學報》第31期（2022年3月），頁1-32。

[1]　〔明〕馮從吾：《關學編》，卷4，參見〔明〕馬理撰，許甯、朱曉紅點校整理：《馬理集‧附錄二‧關學編‧谿田馬先生》（西安：西北大學出版社，2015年），頁611。刑春華《明中期關中四家易學研究‧馬理及《周易贊義》「聖賢」之學》亦曾言此。刑春華：《明中期關中四家易學研究》（北京：中國社會科學出版社，2016年），頁120。

[2]　參見鄭綱及朱睦㮮〈序〉。〔明〕馬理撰，許甯、朱曉紅點校整理：《馬理集‧周易贊義》，頁4、5。

[3]　〔清〕永瑢等：《四庫全書總目》（上冊）（北京：中華書局，1995年），頁52。

嘉靖本。[4]

朱睦㮮肯定馬理，推崇馬理《贊義》[5]堪與其他六位《易》家之《易》著並美。這六家分別是梁寅（字孟敬，1303-1389）、蔡清（字介夫，號虛齋，1453-1508）、陳琛（字思獻，號紫峰，1477-1545）、湛若水（字元明，號甘泉，1466-1560）、方獻夫（字叔賢，號西樵，1485-1544）、呂柟（字仲木，號涇野，1479-1542）、崔銑（字子鍾，又字仲鳧，號後渠，又號洹野，1478-1541）。朱睦㮮云：

> 凡七先生所著者，或曰《參義》，或曰《蒙引》，或曰《通典》，或曰
> 《易測》，或曰《約說》，或曰《說翼》，或曰《餘言》，咸推明理性，
> 出所自得，無剿說雷同，以與前儒相統承者也。谿田先生……當與七
> 先生之《易》並行矣。[6]

朱氏肯定上述七位明中後期的《易》家，皆能承續前代《易》學大家，並自出新意。

雖然朱睦㮮對《贊義》高度推崇，然現今學界對馬理《易》學不甚關注，直接相關的研究僅有邢春華〈馬理及《周易贊義》「聖賢」之學〉[7]，許寧〈馬理理學思想初探〉[8]，及許寧指導的高華夏《馬理理學思想研究》碩論[9]，僅部分內容相關。邢春華介紹馬理生平，並論述《贊義》的版本與脫誤，這部分很值得參考。至於論《贊義》釋《易》方法及義理釋《易》特色為重心所在，主要透過文獻歸納的方式來說明。論釋《易》方法，僅是就馬

4　〔明〕馬理撰，許寧、朱曉紅點校整理：《馬理集・點校說明》，頁1。

5　自此以下，《周易贊義》簡稱《贊義》。

6　〔明〕馬理：《馬理集・周易贊義・朱睦㮮序》，頁5。

7　本文見於《明中期關中四家易學研究》第四章〈馬理及《周易贊義》「聖賢」之學〉。邢春華：《明中期關中四家易學研究》，頁115-166。該書由邢春華之博論改寫而成，尚有二篇關於馬理《易》學之期刊論文，與該書重複，故不另引介。

8　許寧：〈馬理理學思想初探〉，《北大中國文化研究（第2輯）》（2013年1月），頁182-203。

9　高華夏：《馬理理學思想研究》，西安：陝西師範大學中國哲學碩士論文，2013年。

理釋卦名、卦、爻辭簡要介紹。[10]論馬理以儒家經典解說卦、爻辭，僅是整理引用那些儒家經典。論馬理以史釋《易》，僅將所引史事整理羅列。論馬理談聖人君子思想，僅就理氣論及人倫觀、道德修養論等相關文獻彙整。可惜未能就《贊義》通貫理解及闡發，致使論述缺乏整體性。

許寧論馬理《易》學，主要見以下這段文字。曾云：

> 一方面具有強烈的以義理解經的風格，……另一方面，又受到朱熹的影響，體現了重義理而不忘象數的融合兼綜的特點。……注重象數、變占之法，尤其強調對各卦爻時位與時義的把握，……不僅以互體、五行、納甲等象數方法解《易》，且及重視卦、爻辭和卦爻象之間的關係。[11]

上述所論大抵涵蓋馬理《易》學所涉及的面向，但可惜的是，未能進一步說明馬理如何兼攝義理與象數，且基於什麼立意，運用互體、五行、納甲等釋《易》，這些皆有賴進一步說明。

邢文、許文對於馬理《贊義》做了全面爬梳與歸納整理，但如何有效通貫，使更深入見出馬理《易》學特色釋本文努力的方向。本文擬在邢文、許文的基礎上，結合歷代《易》學發展及馬理的師承，論述馬理《易》學的淵源及開展。並就馬理的學術或經學觀整體考察，指出其治《易》宗旨，以通貫見出馬理在《易》學發展的特色及價值。

二 馬理的學統與《易》學師承

（一）論馬理與關學及三原學派

邢春華論馬理《易》學是放在關學的脈絡下立論。關於關學，張豈之指

---

10 釋卦名，僅粗淺指出以月份、以卦名本身字義、八宮卦、卦序等五種方式，未針對釋卦名加以討論，且分類方式亦成問題。釋卦辭部分，僅指出據〈象傳〉詮解，釋爻辭方面，僅提及依當位與否及承乘比應來詮釋。

11 許寧：〈馬理理學思想初探〉，頁180-181。

出：「關學是由張載創立，並於宋、元、明、清以至民國初年，一直在關中地區傳衍的地域性理學學派，亦稱『關中理學』。」[12]關於「關學」一名的提出，劉學智認為：「『關學』之名，較早見於馮從吾萬曆三十四年（1606）完成的《關學編》。」[13]馮從吾（字仲好，號少墟，1557-1627）《關學編》列入馬理。然黃宗羲《明儒學案》（字太沖，號梨洲，1610-1695）將馬理歸在三原學案，並介紹三原學案云：「關學大概宗薛氏，三原又其別派也。其門下多以氣節著，風土之厚，而又加之學問者也。」[14]《明儒學案・師說》記載劉宗周（字起東，號念臺，1578-1645）論呂柟，曾述及關學云：「關學世有淵源，皆以躬行禮教為本，而涇野先生實集其大成。」[15]

關於馬理定位歸屬，就關學與三原學派來論，關學涵括地域較大，指關中地區，三原屬關中的一部分，故二者皆可。就學問特色來看，就劉宗周稱關學重在實踐禮教，黃宗羲稱三原學派重氣節，二者實無二致。

馮從吾《關學編》曾如是評述馬理之學：

> 先生一切體驗身心，……以曾子「三省」、顏子「四勿」為約，進退容止，力求古道。……四方學徒就講者日亦眾，其教以主敬窮理為主。……先生不談佛、老，不觀非聖書。初年介而毅，方大以直，致晚年則益恭而和，直諒而有容。其執禮如橫渠，其論學規準於程、朱，然亦時與諸儒異同，蓋自有獨得之見云。[16]

強調馬理承繼張載之學，重躬行實踐，謹慎守禮，深刻自省。治學專注聖賢之書，承繼程、朱主敬窮理思想。隨工夫積累，氣質產生明顯變化，由早期剛直方正的性情，晚歲呈現寬和大度之氣象。

---

12 《關學文庫》共47冊，是陝西省文史研究館和西北大學於2015年聯合出版。張豈之為該套書撰寫〈總序〉，置於每冊書前。張豈之：〈《關學文庫・總序》〉，《馬理集》，頁1。

13 劉學智：〈關學及二十世紀大陸關學研究的辨析與前瞻〉，《中國哲學史》2005年第4期，頁110。

14 〔清〕黃宗羲：《明儒學案・三原學案》（臺北：世界書局，1936年），頁64。

15 〔清〕黃宗羲：《明儒學案・師說・呂涇野柟》（臺北：世界書局，1936年），頁26。

16 〔明〕馬理：《馬理集・附錄・關學編・谿田馬先生》，頁610-611。

　　黃宗羲特就三原學派的脈絡論馬理，並指出上承王恕（字宗貫，號介庵，又號石渠，1416-1508）、王承裕（字天宇，號平川，？-1538）父子。經個人深入查考，發現馬理《易》學深受王氏父子影響，以下將進一步深論之。

（二）師承王恕與王承裕父子

　　關於馬理的《易》學師承，據明代學者薛應旂（字仲常，號方山，1500-1574）及李開先（字伯華，號中麓，1502-1568）所撰墓誌銘及傳記，記載馬理十四歲便從庠生雷鳴習《易》，[17]對馬理起較大影響者是王恕父子。馬理二十五歲中鄉試前，便從學於王恕、王承裕。[18]馬理曾作詩記載受教王恕一事，詩云：「石渠翁初年號介庵，晚臥東軒時玩《易》。……歸田我曾侍几杖。」[19]李開先亦載：「會端毅公致仕，子康僖以進士事養，有餘力，設教聚徒，先生即遊其門，得盡覽王氏家藏書。」[20]喬世寧（字敬叔，號三石，1503-1563）亦曾記載此事。[21]

　　邢春華已指出馬理師承王恕及王承裕，[22]然未進一步說明實際影響，此處就這點進一步探析。關於王恕之學，王恕曾評論宋明經學發展及明代《五經大全》、《四書大全》，言道：

> 夫五經、《四書》皆載道之器，聖賢微言，義理深遠，不有先儒傳
> 注，初學之士未易通曉。然而諸儒傳注，議論紛紜，有同有異，學者
> 莫知是從。至南宋議論始定，《四書》以朱子《章句集注》為主，
> 《易》以程《傳》、《本義》為主，《書》以《蔡傳》為主，《詩》以朱

17　〔明〕薛應旂〈谿田馬公墓誌銘〉、〔明〕李開先〈谿田馬光錄傳〉，〔明〕馬理：《馬理集》，頁619、623。

18　〔明〕喬世寧〈馬谿田先生墓碑〉，〔明〕馬理：《馬理集》，頁626。

19　〔明〕馬理：《馬理集·谿田文集·賀石渠先生天恩存問詩》，頁378。

20　〔明〕李開先〈谿田馬光錄傳〉，頁623。

21　〔明〕喬世寧〈馬谿田先生墓碑〉，頁626。

22　刑春華：《明中期關中四家易學研究》，頁116-117。

《傳》、《春秋》以胡《傳》為主,《禮記》以陳澔《集說》為主。我
太宗文皇帝……特命儒臣纂修《五經、四書大全》,仍以前五子
《傳》、《注》為主,而以其餘諸儒注釋分書之。[23]

王恕認為五經多聖人微言大義,故初學者需藉由先儒傳注引領入門,然傳注
紛紜,參考不易。自南宋理宗訂出定本,明成祖命胡廣等編纂《五經大
全》,士人科舉始有官方定本可參考。

王恕又自述其學思歷程、志業與著述,言道:

恕自早歲讀書,竊取傳注之糟粕,為文辭取科第。及入仕,亦嘗執
此,措諸行事。今老矣,致仕回家,復理於學。其於傳注發揮明白,
人所易知易行者,不敢重復演繹,徒為無益之虛文。至於頗有凝滯,
再三體認行不去者,乃敢以己意推之,與諸生言之,評論其可否。諸
生皆明理士也,以為可,吾則筆之於書,藏諸私家,以示子孫;以為
不可,即當焚之,無惑後學。[24]

王恕自道退休前,僅為科考研讀特定經傳,任官時,亦僅是憑藉所學立論致
用。退休後,方致力著述、講學,考訂傳注,深入辨析抉擇,並將撰述之
作,與諸生審慎研議。在退休九年後,曾回顧習《易》歷程:

余初以《易經》取科第,由庶吉敭[25]歷內外。……休老於家,今春秋
八十有七,未嘗一日忘乎《易》。蓋《易》寓吉凶消長之理,進退存
亡之道。吾居官時,亦嘗竭駑鈍之力,於顛危之際,陳逆耳之言,於
負宸之前,未嘗有一事之失,獲多言之罪。蓋竊取乎《易》之道而保
全之,以至於斯也。[26]

---

23 〔明〕王恕撰,張建輝、黃芸珠點校整理:《王恕集・王端毅公文集・石渠意見請問可
否書》(西安:西北大學出版社,2015年),卷3,頁26。

24 〔明〕王恕:《王恕集・王端毅公文集・石渠意見請問可否書》,卷3,頁26。

25 「敭」同「揚」字。

26 〔明〕王恕:《王恕集・王端毅公文集・玩易軒記》,卷1,頁14-15。

此番自道，說明從科舉入仕到退休，無時不研《易》。在家國危難之際，或皇帝朝堂問政，都能有效進言，且未曾失言獲罪，實皆受益於《易》所示吉凶消長之理，進退存亡之道。

王恕七十八歲退休，於三原佛寺普照院舊址建弘道書院，並將書院後堂命名為「考經堂」，揭示考經講學的理念，致力考訂歷代經傳。對於考訂經傳的重要，王恕云：

> 汝欲考經以教人，故當考先儒之傳注，以求聖賢立言之意，亦不可不以心考之。其經如此，其傳如此，以心考之亦如此，然後信之，斯可以與諸人。其經如此，其傳如此，以心考之不如此，則當闕之，不可以訛傳訛，以誤後學。[27]

又：「苟不以心考之，非惟難於踐履，不可措諸事業，抑且有誤後進。此考經者，固不可不用傳注，亦不可盡信傳注，要當以心考之也。……君子之立言，求是而已矣，豈可阿其所不是，以為是哉？」[28]王恕肯定傳注對解經的重要，但強調須用心考察經傳說法，加以辨析。經過個人深入研議，發現經傳所論仍有疑義，則宜保留，必須經、傳及個人研析所得通貫無疑，方能採信，傳授後學。

王恕晚年講學，撰成《玩易意見》一書，[29]曾論治《易》之法云：

> 今老矣，他無所為，惟《易》是玩。《易》由伏羲之畫，而窮天地變易之理；由文王、周公之辭，而究伏羲畫卦之旨；由孔子《十翼》，而明義、文、周三聖之《易》。《十翼》之文，或深奧未易明；復看程、朱《傳》、《義》及諸儒之說，或不一，則以吾心裁之。雖未盡得

27　〔明〕王恕：《王恕集・王端毅公文集・考經堂記》，卷1，頁12。

28　〔明〕王恕：《王恕集・王端毅公文集・考經堂記》，卷1，頁12。

29　邢春華《明中期關中四家易學研究・王恕及《玩易意見》「闕疑」之學》曾整理王恕對《周易》、朱子《本義》及伊川《易傳》之疏解。刑春華：《明中期關中四家易學研究》，頁79-108。

四聖之心，亦頗得其一二之悅我心，以延未盡之歲月耳。[30]

該書以個人玩《易》心得命名。藉由《易》辭以明卦畫，由《易傳》以究經旨。輔以《程傳》、《本義》及諸說。並就個中殊異，以己見裁斷，務求透徹理解聖人深義。

馬理從學王恕甚久，想必常參與討論，自然受到不少啟發。馬理曾追憶王恕強調學以修身經世的理念：

> 嘗謂學者讀書所以明夫道，而聖賢之道，不過在於日用形式之間而已，初非遠於人也。……必以所讀之書，而施諸所履之行；即所履之行，而驗諸所讀之書。不必求道於聖賢，推求之於吾心。如求之吾心而愜厭之，吾行而安，則以為聖賢之道即此而在，否則未敢以為是也。公之為學也，蓋如此。[31]

馬理指出王恕強調為學是為明白聖賢之道，聖賢之道不離生活日用。相較部分時人所學與所行不一，王恕學而能辨，辨而後行，顯得可貴。

至於王恕之子王承裕，馬理曾為王承裕撰寫行實，文中保留王承裕弱冠所作〈太極動靜圖說〉[32]的內容：

> 乾坤攸位，迺旋乃轉，陰陽行焉。由是生生化化，萬物咸備。而人生於中，得元亨利貞之理，為仁義禮智之性。理也者，默默然，無形可見，無聲可聞。然賦之於人，非動乎其未賦之先，蓋靜之謂也。人之有性，猶天地之有理，未感而見之於外，徒深以存之於內，則失變化之機矣。是故象勞兼樂，所謂法天而不載者也；象安兼壽，所謂法地而不覆者也，斯皆常人之為。若夫動靜以時，無所逆焉，則與天地為一矣。[33]

---

30 〔明〕王恕：《王恕集‧王端毅公文集‧玩易軒記》，卷1，頁15。

31 〔明〕馬理：《谿田文集‧乞建石渠先生祠呈》，卷6，頁359。

32 文中將篇名標為〈太極筆判〉。該文發行本早已亡佚，朱彝尊《經義考》載明未見。〔清〕朱彝尊：《經義考》（北京：中華書局，1998年），卷71，頁397。

33 〔明〕馬理：《谿田文集‧南京戶部尚書平川先生王公行實》，卷5，頁324。

上述所論有四要點：其一，論宇宙造化之歷程，天地既立，陰陽二氣流行不已，化生萬物，太極之理寓於陰陽二氣之中，理氣相即不離。其二，論人性之善，人稟太極之理而生，遂具仁義禮智之善性。其三，天地之理與人性之善皆寂然不動，待感物而動。文中「象勞兼樂」、「象安兼壽」，是指人性得自天地之理，兼具仁、智特質。其四，人之行事宜依時動靜，順應天地之道。

王恕專研程《傳》、《本義》，重視用《易》，晚年致力講《易》及程《傳》、《本義》，深入考訂傳注，書成《玩易意見》。王承裕則據周子《太極圖說》，加以發揮，闡明造化、人事之理。馬理治《易》，深受王恕、王承裕影響，有明確師承。

（三）通經致用理想之延續與實踐

馬理承繼王恕《易》理致用的理念。在朝堂議論時政，常引《易》為據，或僅逕引經文，或引經以說理，或發揮《易》理以議政。

據〈清理貼黃疏〉載，馬理面對汪俊（字抑之）、馬明衡（字子萃）、朱浙（字必東，號損岩，1486-1552）、季本（字明德，號彭山，1485-1563）、林應璁（字號不詳）、呂柟（字大棟，號仲木，1479-1542）、鄒守益（字謙之，號東廓，1491-1562）等賢臣遭罷黜，便曾引〈蹇〉六二「王臣蹇蹇，匪躬之故」一句，陳述汪俊諸臣秉忠貞之心行事。[34]

〈與總制劉公書〉一文，記載馬理曾與總制劉公論軍事，馬理引〈師〉卦云：「理又聞出師之義，貴剛中而應，戒弟子輿尸。今既合所貴，而免所戒矣。但吾兄不患不剛，惟患剛或過乎中耳。」[35]勸勉劉總制用兵避免過剛。

馬理又曾為所任職之文選司遭祝融一事，援引《易》理上疏道：「臣竊惟天人一理，交相感通，善惡之積在人，災祥之降在天。變不虛生，惟人所

---

34 〔明〕馬理：《谿田文集‧清理貼黃疏》，卷1，頁262。

35 〔明〕馬理：《谿田文集‧與總制劉公書》，卷4，頁318。

召。」[36]藉《易》說明天人陰陽交感之理,面對災異,人宜深刻自省。以上三例,皆馬理援《易》致用之實證。

馬理平日好讀《易》,曾有詩句:「洞門閑出持《周易》」。[37]臨遇大事,亦藉占筮以釋疑。薛應旂於〈谿田馬公墓誌銘〉記載馬理於關中大地震前一年,便預知會遭死劫,記云:「公曰:『子遂忘吾寄浙之言乎?值〈明夷〉之象,為火地之占,宜再玩之。』」[38]據此所述,馬理在離世前三十二年便預知死劫,於離世前一年,又再占筮,並預先交代後事。

馬理有事用《易》,無事玩《易》,實得自王恕啟發。在治《易》方面,馬理正視王恕及王承裕的治《易》成果,鑑於王恕已針對《程傳》、《本義》加以辨析,遂致力全面詮解《周易》文本。馬理釋《易》亦多本《程傳》、《本義》之說,並發揮王恕強調以己意辨析的方法。此外,亦將王承裕論天地理氣的說法,發揮在以陰陽之理釋《易》。以下將進一步探究馬理對王恕父子《易》學的開展成果。

三　融會漢、宋,歸宗程、朱

(一)《贊義》之成書與融會漢、宋

關於《贊義》的成書背景,朱睦㮮言道:

自卿寺謝病而歸,卜築名山,雅志著述。是時四方請業者,踵接於門,講授之暇,先生乃謂:「《易》為六籍之原也,今者不作,二、三子何觀焉?」於是發凡舉例,闡微摘隱,博求諸儒同異,得十餘萬言,釐為十有七卷,猗與盛哉!……然所謂弘通簡易之法,仁義中正

---

36 該事件發生於正德十年(1515年)十二月二十日,馬理任職的文選司遭遇火災。〔明〕馬理:《谿田文集·上彌天變疏》,卷1,頁260。

37 〔明〕馬理:《谿田文集·洞門讀《易》偶見杏花》,卷10,頁409。

38 〔明〕薛應旂〈谿田馬公墓誌銘〉,頁619。

之歸，其庶幾乎？[39]

《贊義》乃為講學而作，期揭示《周易》全書要旨與體例，闡發微言深義，參考並抉擇眾說，致力闡發乾坤易簡及中正仁義之理。

關於抉擇眾說，曾協助校刻《贊義》並寫序的鄭絅指出，《贊義》專主鄭玄（字康成，127-200）、王弼（字輔嗣，226-249）、程頤（字正叔，1033-1107）、朱熹（字元晦，又字仲晦，號晦庵，1130-1200）之學。曾云：

> 余少好讀《易》，竊覽諸家傳注，其精詣者的四人焉。在漢魏之際，有鄭康成氏、王輔嗣氏，宋有程正叔氏、朱仲晦氏。……鄭之學主於天象，王之學主於人事，程之學主於義理，朱之學主於占筮。其後諸儒迭興，互相祖述，雖千有餘家，然亦不出四氏之矩畫也。……乃知先生參酌四氏，旁求諸說，由詳而約，考異而同。於是乎，象辭之旨，變占之法，乃燦然明矣。[40]

鄭絅認為鄭、王、程、朱四子為《易》學大家，所論甚是。須強調的是，鄭絅稱鄭玄主天象、王弼主人事，伊川主義理，朱子主占筮，宜置於漢、宋《易》的架構下，就漢《易》而論，鄭玄以爻辰說釋《易》、王弼重人事之理；就宋《易》而言，伊川重義理、朱子主占筮。

四庫館臣亦襲用鄭絅說法云：「其書雖參用鄭玄、王弼及程、朱二家之說」[41]，並進一步指出：「然大旨主於義理，多引人事以明之。」[42]

整部《贊義》兼採前賢說法，以己意通貫，重點在詮釋各卦，但並不就卦、爻辭取象及占辭提出解釋，而是將卦辭、爻辭結合卦象作整體解釋。馬理常使用的釋象方式，與多數《易》家無異，或依上下二體、互體[43]之象，及爻性剛柔、爻位中正與否、卦主，及爻與爻承乘比應的關係。另外，亦運

39　〔明〕馬理：《贊義·朱睦㮮序》，頁5。
40　〔明〕馬理：《贊義·鄭絅序》，頁4。
41　〔清〕永瑢等：《四庫全書總目》（上冊），頁52。
42　〔清〕永瑢等：《四庫全書總目》（上冊），頁52。
43　運用互體釋〈大壯〉六五、〈明夷〉初九。〔明〕馬理：《贊義》，卷4，頁128、133。

用爻變、消息卦變[44]以釋《易》。偶而運用的方式，如引京房（字君明，前77──前37）八宮卦釋〈屯〉卦[45]、以納甲釋〈益・大象〉[46]，引邵雍（字堯夫，1012-1077），「天根月窟」釋〈恆・象〉、〈益・象〉[47]。

承上所述，除了鄭絅指出馬理《易》學專主鄭、王、程、朱四家《易》，印證《贊易》，確實馬理既採宋《易》，亦採漢《易》。本節標題採用「融會」而非「兼採」，實因發現，馬理治《易》所承繼的是整個《易》學發展，宋《易》與漢《易》並非截然斷裂，而是有所承繼。如宋《易》承漢魏《易》談陰陽消息，提出十二消息卦，進而發展出消息卦變，亦談卦主、納甲、納支、八宮卦等。以《贊義》結合曆法釋《易》為例，馬理指出〈乾〉為四月卦、〈泰〉為正月卦，[48]又釋〈坤〉初六云：「關於曆象，五月則陰生為〈姤〉，至九月則霜降，十月則冰始結而地凍。由是言之，則〈姤〉者履冰之端，霜降則陽剝而陰，堅冰則必至矣。是故三陰生斯即暑，暑極則〈否〉；三陽升斯極寒，寒極斯〈泰〉。」[49]馬理承繼朱子結合曆法談十二消息卦，而朱子又承自漢《易》。

回到鄭絅的說法，鄭絅雖指出馬理主漢、宋四家，但就四家的影響來看，仍以程、朱為主。若進一步從時間軸來看，程、朱亦承繼並開展鄭、王《易》學。鄭玄《易》主要以爻辰說及以禮釋《易》為特色，[50]《贊義》雖非逕採鄭玄的說法，但承繼鄭玄重視《易》與禮有關的部分。但重視《易》

---

44 以消息卦變釋〈損・象〉、〈益〉卦、〈渙・象〉。〔明〕馬理：《贊義》，卷4，頁149、152；卷6，頁215。

45 〔明〕馬理：《贊義》，卷1，頁24。

46 〔明〕馬理：《贊義》，卷4，頁153。

47 〔明〕馬理：《贊義》，卷4，頁120、153。

48 〔明〕馬理：《贊義》，卷1，頁8；卷2，頁51。

49 〔明〕馬理：《贊義》，卷1，頁19。

50 參見姜廣輝主編《中國經學思想史》第二卷，第38章〈鄭玄易學思想的特色〉，該篇為林忠軍教授所撰寫，該文論鄭玄《易》學較朱伯崑《易學哲學史》之論述更能全面掌握鄭玄治《易》特色。姜廣輝主編：《中國經學思想史》第二卷（北京：中國社會科學出版社，2003年），頁534-553。

與禮的關聯，既可稱承自鄭玄，但馬理治學重視禮，亦與張載有關。對此該如何看待？據喬世甯云：「其執禮如橫渠，……先生又特好古儀禮，時自習其節度。」[51] 亦即《橫渠易說》多通論禮的重要性，而《贊義》多就卦、爻辭與禮有關的內容探討其儀式，就這點來看近於鄭玄。

馬理釋《易》關於禮的內容，直接援引鄭注言禮處不多，釋〈鼎〉初六「鼎顛趾，利出否，得妾以其子」談休妻及再娶之禮，為極少數參考鄭注的例子。鄭玄注：「以喻君夫人事君，若失正禮，踏其為足之道，情無怨，則當以和義出之。然如否者，嫁於天子，雖失禮，無出道，遠之而已。若其無子，不廢遠之后，尊如故。其犯六出則廢之，遠之，子廢。」[52] 馬理承繼此說云：「以家人之道言之，『出否』者，出去之謂。無子，其一也。……先王制禮，婦人無子并犯七去者去之，乃更有所取，則家道正，而胤嗣昌。」[53] 稍不同處，鄭玄特就君夫人論之，馬理則廣就一般婦人立論。

馬理釋《易》關於禮的內容，多就禮的普遍涵義論述，以下舉數例說明。馬理釋〈節〉卦，強調禮主於嚴，[54] 認為禮當求周備不宜輕率。但談最多的是家庭倫理，曾於〈家人〉卦揭示女正其位，為政教倫理的根本。馬理云：「女正而後有夫婦，有夫婦而後有父子、兄弟，有父子、兄弟而後有君臣。天下之禮，皆從此出，風化由此而成。」[55] 並藉〈漸〉談婚姻須慢慢準備所需之物，六禮齊備，始成禮。[56] 藉〈歸妹〉指出違背男女結婚以時的正禮，並舉例說明道：「乃或以長男而感動乎外，少女即說而從之，此非禮聘，乃奔而歸者，故不曰歸妻，曰歸妹。」[57] 依此例來看，男長女幼，以感情相誘，不以禮聘而私奔，有違明媒正娶之禮。馬理又進一步談到成婚後，

---

51 〔明〕喬世甯〈馬谿田先生墓碑〉，頁625-626。

52 〔漢〕鄭玄注，〔明〕王應麟輯，丁杰等校訂：《周易鄭注》（北京：中華書局，1985年），頁66。

53 〔明〕馬理：《贊義》，卷5，頁181。

54 〔明〕馬理：《贊義》，卷6，頁218。

55 〔明〕馬理：《贊義》，卷4，頁135。

56 〔明〕馬理：《贊義》，卷5，頁191。

57 〔明〕馬理：《贊義》，卷5，頁195。

當以齊家為要務，言道：「家人之道在正倫理，倫理正而後恩義篤。」[58]足見馬理以禮釋《易》，並非著重古禮的細部儀節，而是著重禮的普遍義涵。

（二）歸本程、朱

馬理〈自序〉，將伏羲所畫之卦稱為「先天《易》」，將文王之卦辭稱為「後天《易》」，再加上周公作爻辭，稱為《周易》。視孔子所作《易傳》為贊《易》。[59]馬理亦解釋為何孔子贊《周易》，言道：

> 以是《易》變通無方而不離於正。……以是道而行於上，則垂裳而治，堯、舜之君也；以是道而行於下，則昭明協和，堯、舜之民也。是故聖人明之，則希乎天；君子明之，則齊乎聖；小人明之，則吉不利，而天佑之矣。是故《易》之為書，有轉禍為福之理，有以人勝天之道，非龜卜之書，所可班也，故孔子贊之。自孔子贊《易》，而龜卜之書廢。蓋龜卜之吉凶定於天，而《易》之吉凶係乎人。[60]

馬理指出孔子贊《周易》，以《易》並非僅是占筮吉凶之書，而是蘊涵易道變化萬端，卻不離正道的智慧。故用心贊《易》，掘發深刻的易道。

在治《易》上，馬理推崇程、朱能掌握經旨，深體聖人深義，並傳承聖人之道，延續文化慧命。馬理云：「夫程、朱釋經之言，自今觀之，千百言中似亦有一二誤處，然語其體認宗旨之真，持守斯道之正，續孔、孟既墜之緒，闢佛、老似是之非，則千古不可泯滅。」[61]

馬理亦承繼朱子以占釋《易》辭，就二子做法比較，相同處在於，皆將《易》辭區分出占辭，且皆以〈乾〉、〈坤〉二卦為例，說明聖人藉《易》，

---

58 〔明〕馬理：《贊義》，卷4，頁136。

59 〔明〕馬理：《贊義·自序》，頁3。

60 〔明〕馬理：《贊義·自序》，頁3。

61 〔明〕馬理：《谿田文集·上羅整庵先生書》，卷4，頁322。

教人卜筮。[62]

相異處在於，朱子強調探求《易》本義，不參雜個人義理解釋，馬理則認為卦、爻辭有其一定義涵，可依文脈加以闡釋。如朱子釋〈乾〉卦辭云：「六爻皆不變者，言其占當得大通，而必利在正固，然後可以保其終也。」[63]馬理則云：「筮者得此，苟非純德，則吉凶自夫循違而決之矣。」[64]朱子僅言及占者須正固，方能大通，而馬理則認為占者須具備純德方能用此占。又如〈乾〉九五，朱子云：「特所利見者，在上之大人耳。若有其位，則為利見九二在下之大人也。」[65]馬理則云：「占者得此，則飛龍之象不可妄擬，審有協於皇極之德，則待聘而興可也。」[66]朱子並未限定占者身分，但馬理認為此爻特就賢君而言。

馬理又進一步發揮「玩占」之法。所謂「玩占」之法，是指對義理的擴大詮釋。如釋〈乾〉九四，除闡釋人臣之德外，又有所衍伸發揮，馬理云：

> 若夫孔子之聖，則不稼不圃，而被九四之德，不卿不相，而居九四之業，……蓋宜進斯進，……宜退斯退，……此吾孔子之道，孟子所願學者，實萬世學者之法，不必時位臨於九五而後然也。學《易》而占者，其玩之哉![67]

此處以孔子作為不為時位所囿限的理想代表，勉學《易》者讀此爻時，就此深玩之。馬理又於〈乾〉上九「亢龍，有悔」，擴大發揮云：「若夫聖人，則明乎陰陽消息之理，無過中失正之行，何悔之有？」[68]強調聖人所以居高位

---

62 朱子釋〈乾〉卦辭：「此聖人所以作《易》，教人卜筮，而可以開物成務之精意。餘卦放此。」〔宋〕朱熹，王鐵校點：《周易本義》，《朱子全書》第1冊（上海：上海古籍出版社、合肥：安徽教育出版社，2002年），頁30。

63 〔宋〕朱熹：《周易本義》，頁30-31。

64 〔明〕馬理：《贊義》，卷1，頁6。

65 〔宋〕朱熹：《周易本義》，頁31。

66 〔明〕馬理：《贊義》，卷1，頁8。

67 〔明〕馬理：《贊義》，卷1，頁8。

68 〔明〕馬理：《贊義》，卷1，頁8。

而無悔，實因深明陰陽消長之道，並踐履之，欲學《易》者就此深體之。

馬理在合乎文意脈絡下，發揮人事之理，異於朱子重探求《易》本來面目，對義理闡發較少。馬理又指出，若能深明人事之理，可不需藉占筮，便能明吉凶。這樣的觀念和做法，反較接近伊川。

綜上所述，馬理治《易》，背後包含漢、宋《易》相承的思維，故既尊程、朱，又採用漢《易》說法。但若明確界定馬理《易》學的立場，宜視之歸宗程、朱。

四　標舉《易》理以辨佛、老

《贊義》的另項特點是，具有鮮明時代義，[69]馬理正視佛、老思想對宇宙生成、人性論、工夫實踐、生死的觀點，及對傳統儒家思想造成的衝擊。馬理曾批評佛、老強調靜坐，言道：「敬非只是閉門叉手靜坐，要在隨事謹恪做去。若只是閉門靜坐，即是禪學，有體無用。」[70]並指出佛、老重靜坐與主靜思想有關。曾藉〈艮〉發揮此義，馬理云：

> 夫〈艮〉，非一於靜也，時乎靜，則靜而止；亦非倚於動也，時乎動，則動而行。一動一靜皆無倚著，惟不失時焉而已。……夫〈艮〉以靜止為義，宜若專以靜為言矣，而聖人猶以時動時靜，發明〈艮〉義，則逝者不息，與聖人純亦不已之道，於斯可見。彼老氏、釋氏以靜篤定止而為道者，其於吾道真妄邪正，豈不曉然也耶？由是觀之，則聖人於天地定位，觀象畫卦以來，發明斯道，以杜異端邪說之害，意已至矣，豈待邪說橫行之時，而後然耶？[71]

馬理批評佛、老重視虛靜，過於消極，缺乏生機。相較下，〈艮〉卦雖言靜

69　許寧亦曾關注《贊義》回應釋老的說法，並指出馬理表現出維護正統的批判精神。許寧：〈馬理理學思想初探〉，頁190。

70　〔明〕馬理：《馬理集・附錄・明儒學案・關西四先生要語・谿田馬先生》，頁605。

71　〔明〕馬理：《贊義》，卷5，頁188。

止，但並非僅就靜止，談時止則止，而是亦關注動時，談動靜不失時的道理，即此認定《易》理可救正佛、老耽溺虛靜之弊。

馬理對佛、老耽溺虛靜的批評，是站在儒家重生生之理的立場。若就是否相應道、釋二家的主張來看，對道家基於不生之生談無、談無為，佛家基於緣起性空的談空，並未相應理解。僅是依個人抉擇，認同儒家思想，並期以儒家思想對治佛、老。

關於馬理所推崇的易理，首先點明易之道在陰陽。曾云：「易之道，陰陽變化而已矣。」[72]並進一步以陰陽之道，通貫天人，談生生、感通及中庸之道。馬理特別於首卦〈乾〉卦彰明《易》核心思想，談天道生生及人宜法天自強。馬理云：「〈乾〉之所以為乾者，元亨利貞，循環而已，此天道所以於穆不已。……聖人法之，則純亦不已，動止而合乎吉凶。君子自強而循理則吉，小人惰慢而違天斯凶。」[73]又釋〈乾〉初九云：「純陰之時，一陽始生，氣體雖存，而功用未見。……是故君子深蟄以存神，蠖屈以待伸，養其幽潛之德可也。」[74]釋〈乾〉上九云：「若夫聖人則明乎陰陽消息之理，無過中失正之行，何悔之有？」[75]透過天道循環不已，談人宜隨時法天循理。藉由一陽始生，論養德存神的重要，藉陽氣之極盛，提醒避免言行過剛。

馬理又藉〈復〉卦發揮天人生生之理，曾云：

> 冬至陽生為〈復〉，在天為生物之心，常為主於內而生物也。乃生生而為〈臨〉，以至於為〈乾〉、為〈坤〉，則陽消物盡而復返於內，〈復〉則生物有主，生生無窮矣。人心放而復者亦如之，……放心而復，則身有所主，出無妄動，入斯靜安，無復疵病，由是朋來則為下人、為從道，亦無過矣。蓋身有所主，能成己成物如此。[76]

72　〔明〕馬理：《贊義》，卷3，頁105。

73　〔明〕馬理：《贊義》，卷1，頁6。

74　〔明〕馬理：《贊義》，卷1，頁7。

75　〔明〕馬理：《贊義》，卷1，頁9。

76　〔明〕馬理：《贊義》，卷3，頁92。

上述揭示天地循環往復及人心失而復得之理，強調動靜相生，以生生之道為天地人事之通理，故能生物不息，成己成物。

　　順此，馬理亦談陰陽二氣之感應，並談及聖人體現中庸、中和。關於感通，馬理著重五個面向：一、就氣化流行談二氣相感，馬理云：「天地者，氣化之始；男女者，形化之始。有氣化然後有形化，……易者，二氣感應以相與而已矣。」[77]二、就理氣相即談感通之道。馬理云：「〈无妄〉，大中至正，實理蘊於陰陽而非陰陽。」[78]又云：「至誠无妄之道，寂然不動，感而遂通而已。」[79]三、天地之化與聖人教化皆可言感通，馬理云：「天地之化，聖人之治，亦感而已矣。」[80]四、以心為人身感通之樞機。馬理云：「感人以心，非以體也。」[81]五、以正心工夫，真誠感通。馬理云：「蓋一心之明，足以照萬物而無外；一心之大，足以包萬物而有餘。未應之先，洗滌其心，使一切外物足以害吾心者，皆無得而感焉，則心體自正，而天下無餘事矣。……不然私意一起，良心斯蔽。」[82]透過正心的工夫，使心清明廣大，能真誠感物。

　　既明正心的重要，接著談聖人、君子體現中庸、中和之道。馬理特別關注六二爻所體現的中正之道。釋〈離〉六二云：「黃，中色，為中庸之麗也。凡道以中庸為至，凡物相麗，不及則增，大過則損。」[83]釋〈萃〉六二〈小象傳〉云：「〈萃〉以中德為主。……故引君當道，為此中正有孚者為吉。」[84]釋〈大過·象〉云：「君子執中則不倚，……子曰：『君子依乎中庸……』此之謂也。」[85]

77　〔明〕馬理：《贊義》，卷4，頁116。

78　〔明〕馬理：《贊義》，卷3，頁95。

79　〔明〕馬理：《贊義》，卷3，頁96。

80　〔明〕馬理：《贊義》，卷4，頁116-117。

81　〔明〕馬理：《贊義》，卷4，頁117。

82　〔明〕馬理：《贊義》，卷4，頁118。

83　〔明〕馬理：《贊義》，卷3，頁113。

84　〔明〕馬理：《贊義》，卷5，頁164。

85　〔明〕馬理：《贊義》，卷3，頁106。

順此進一步談聖人行中庸、中和之道。釋〈賁〉卦云：「聖人貫天人之文於一身，修一身之文為天人之主，而致中致和者也。」[86]特別揭示《易》所涵蘊深刻的中庸、中和之理。

整部《贊義》以陰陽之理通貫天人，回應佛、老思想的衝擊。透過重視《易》生生之道，以及感通、中庸等觀點，為時代注入積極的思維與行動力。

五　本於儒家理想政治的經世觀

《贊義》全書義理，除了以陰陽之理通貫天人為核心外，在實踐層面則專談人事之理。乍讀《贊義》，不易理解馬理為何多著墨於君臣觀，常將第五爻是為君位，將第二、四爻視為臣位。雖然以君臣議題立論完全解的通，但為何執意於此？經深究後發現，與馬理強調經世致用有關。

馬理所以強調致用，實因明代政局紛亂，部分學者空有學問，而輕忽實踐，有鑑於此，遂致力推展有體有用的儒學。馬理云：

> 今之學者，有體無用，只原止讀得硬本子，不曾用身心工夫，故別無展拓，遇事便周章，莫措手處，反被刀筆吏笑。……果能用力於身心之學者，則天地可位，萬物可育，於天下國家何有乎？[87]

馬理所說的身心實踐，實包括修身與經世。對於儒家體用之學，進一步論道：「遯世不悔，此是聖人之體，其他欲用事處，都是聖人之用。惟有其體，故能有用，二者並行而不相悖者也。……遯世不悔，是不怨不尤，潛龍之德也。其他欲用事處，是欲為見龍而未能也。」[88]意即能明明德的聖賢，既能獨善其身，亦能兼善天下。

馬理本於儒家政治理想，論君臣之道，強調賢才在位，勤政保民。馬理思考問題常從根本處入手，故論政治，便從賢德立論，於〈晉〉卦發揮道：

86　〔明〕馬理：《贊義》，卷3，頁86。
87　〔明〕馬理：《馬理集・附錄・明儒學案・關西四先生要語・谿田馬先生》，頁606。
88　〔明〕馬理：《馬理集・附錄・明儒學案・關西四先生要語・谿田馬先生》，頁606。

「在人則昭其明德於四海之內，為安世之侯矣。」[89]馬理貴本思想，亦體現於釋〈升〉初六「允升，大吉」，曾云：「在人則君子務本，德行修於家，著於鄉者，上合志而引之，如伊尹出於耕莘，傳說舉於版築，皆有本而允升也。」[90]無論個人修身或經國濟世，馬理皆從根本處立論。所論看似平凡，卻是關鍵所在，也是一般人不容易做到的。

關於君道，馬理與前賢看法一致，首先重視君王的德性。又進一步強調君王應具備治國長才，特別是聚合群賢智力的能力。釋〈臨〉六五「知臨」云：「是不以一人之聰明而臨天下，實以天下之聰明而助一人，……非舜之大智不足以語此。」[91]又云：「蓋大君在上，一顰一笑，天下之生殺出焉，休戚係焉。苟有一偏執則害急天下，不勝言矣。故一人聰明不足恃也，必取善於人，眾論之參差位必中也，必擇善於己。」[92]此處不將「知臨」限定在君王的聰明，而重君王之聰明體現在任賢上，有群賢相輔，則可明施政得失，與群賢合力治國。

然任賢尚賴為君者善聽，至於如何善聽，釋〈坎〉六四云：「天下不患無聽諫之主，患無善諫之臣；不患無善諫之臣，患君無通明之處。而善諫之人不相際遇，異徒然耳。」[93]唯有君王具備通貫明達的長才，方能善聽群賢建議，做出明智判斷。

至於臣道，馬理認為為臣者應戮力從公。釋〈損〉初九「己[94]事遄往」云：「九居〈損〉初，以實應虛，四虛己以受益，而佐上者也，則初之事為

---

89 〔明〕馬理：《贊義》，卷4，頁129。

90 〔明〕馬理：《贊義》，卷5，頁167。

91 〔明〕馬理：《贊義》，卷2，頁78。

92 〔明〕馬理：《贊義》，卷2，頁78。

93 〔明〕馬理：《贊義》，卷3，頁111。

94 〈損〉初九爻辭，王弼、朱子皆採「已事遄往」，王弼釋為：「事已則往」，指事成之意。朱子釋為：「輟所為之事」，將「已」解為停止。〔魏〕王弼、〔晉〕韓康伯：《周易王韓注》（臺北：大安出版社，1999年），頁128。〔宋〕朱熹：《周易本義》，〔宋〕朱熹：《周易本義》，頁67。馬理採「己事遄往」，並釋為初九將一己之私事暫放於一邊，遄往從事公眾之事。馬理的解釋異於王弼、朱子，即此強調公而忘私。

私，四之事為公。故宜自損，輟其私事，速往以益公事。」[95]又云：「公事畢然後政治私事，此上下之分，當然之道也。」[96]馬理特別將經文解釋為「己事」，強調人臣對私事、公事的輕重抉擇，應先將私事擱置，戮力從公。

此外，馬理亦強調人臣謹言慎行的重要，特別據〈繫辭傳〉「君不密，則失臣；臣不密，則失身。」特別談保守國政機密的重要，於〈遯〉卦除談身遯，還特別揭示另兩種遯的方式，即言遯、貌遯。[97]並於九四「好遯，君子吉，小人否」，發揮言遯的重要。馬理云：

> 「好遯」一爻，古今經傳，皆以身遯為言，未有及夫言者。夫身遯者小而易，言遯者大而難也。蓋九四為近君之臣，其於君有密謀至計，不惟不輕以語人，雖所好愛至親之人，亦隱而弗泄，此「好遯」之謂也，是之謂言遯。非語默以實者不足以語此。君子而處此，則公爾忘私，隱所當隱，以成濟時之功；小人而處此，則當隱弗隱，泄於所好，而敗迺公事矣，故君子吉而小人否。[98]

上述所論，實發前人所未發。強調近君之臣，須嚴守分際，不洩漏重要機密。一般人因私利洩密而誤事，惟君子能以大局為重，嚴格自律，謹守分際。

馬理又特別就第四爻談近君之臣，說明人臣艱難之處境及如何善處。此處舉兩例說明。釋〈豫〉九四「由豫，大有得，勿疑，朋盍簪」云：「九四以陽剛之德，處群陰之世，近至尊之位，……天下由我而豫，能不疑懼而動心矣乎？……要以天下為己任而不宜，則德不孤立，朋類合簪，共成大豫之業矣。」[99]即此說明大賢之臣如何善處群陰環伺的困境。又釋〈小畜〉六四「有孚。血去惕出，无咎」云：「六四以陰居陰，柔順得正，為畜之主。上下親比，無所間隔，是誠於畜君而於上合志者也，故殺傷之害去而憂懼之心

---

95 〔明〕馬理：《贊義》，卷4，頁150。

96 〔明〕馬理：《贊義》，卷4，頁150。

97 〔明〕馬理：《贊義》，卷4，頁123。

98 〔明〕馬理：《贊義》，卷4，頁125。

99 〔明〕馬理：《贊義》，卷2，頁69。

出矣，何咎之有？」[100]即此論大德之臣如何居險地而不遭小人傷害。此二例均關注賢臣居近君高位之艱難。

〈小畜〉六四為卦主，雖為陰爻，但能以柔順之道自處。就兩爻而言，〈豫〉九四之難處在於面對上下群陰，〈小畜〉六四面對陽剛之主，處境皆屬艱難，根本做法唯本至誠之心自處。馬理並舉周公、伊尹為例，指出居近君險地之賢臣，唯本至誠之心，方能獲得上下信任，而不遭忌害。此道理看似簡易，卻不容易做到，相較使用種種避禍手段，馬理提出治本的做法。

此外，馬理亦論及人臣面臨國家危難當如何因應，此處舉二例說明。對有言責、官守的大臣，當懷積極救難之心。釋〈需〉六四「需于血，出自穴」云：「當險難之時，而有官守、言責之寄，無所逃焉，固有『需于血』之象。需血則見危受命，以平難而為心矣，……能不出自坎穴也耶？」[101]對親貴的大臣而言，宜集結群賢之力，救國家於危難。釋〈蹇〉六四「往蹇，來連」云：「六四居蹇之時，當位得正，切近九五，與之同體，是親貴之臣，急欲拯蹇者也。然陰柔才弱，……故來連諸賢，寅協以拯，庶其有濟。」[102]馬理從根本處立論，無論一般人臣或親貴之臣，危難當前，都須勇於承擔，即便本身才能不足，仍積極糾合眾力以濟難。

綜觀馬理談君臣之道，皆就根本處立論。雖不免拘限文意，但於實際致用，卻有提撕作用。

六 結論

馬理釋《易》重人事義理之闡發，但卻能兼重釋象，運用上下二體之象、爻性、爻位、互體及承乘比應、爻變、卦主、卦變等前賢常用方式，偶而運用八宮卦、納甲的說法，大抵與前賢無異。在義理闡發方面，馬理《贊義》藉由陰陽變化通貫天人，並關注修身、君子、小人之辨、君臣之道，透

100　〔明〕馬理：《贊義》，卷1，頁46。
101　〔明〕馬理：《贊義》，卷1，頁34。
102　〔明〕馬理：《贊義》，卷4，頁144。

過自身經歷與體會，結合時代議題及致用目標，掘發義理新意，展現個人見地。

面對明代紛亂政局，馬理致力推展有體有用的儒學。在治經上，強調通貫並深刻掘發聖人深義。《明儒學案》曾記載，馬理曾應對皇帝殿試提問對真德秀（字景元，號西山，1178-1235）《大學衍義》的看法，馬理回應道：「《大學》之書，乃堯舜禹湯文武之道也。……真氏所衍唐、漢、宋之事，非《大學》本旨也。真氏所衍，止逾齊家，不知治國、平天下，皆本於慎獨工夫。宋儒所造，大率未精。」[103] 馬理批評真德秀《大學衍義》以後世帝王之學，不合《大學》談堯舜聖王之道。雖然因不合上意，錯失登一甲第的機會，但可見出馬理對治經有其堅持。

馬理《易》學深受王恕、王承裕之啟發，強調深入文本掌握本旨，強調致用。承繼前賢成果，尤其是程、朱《易》學，並結合時代議題及自身體悟，真切掌握《易》之本旨及時代新意，發揚有體有用的儒學精神。此正式馬理《易》學的特色及價值所在。

---

103 〔明〕馬理：《馬理集・附錄・明儒學案・三原學案・谿田馬先生》，頁609。

Han Learning Elitism: Chen Li (1810-1882) on "Gentry Learning" and His Compilation for Beginners

Magnus Ribbing Gren

中央研究院歷史語言研究所

Introduction

The specialized textual studies often referred to as Han Learning or evidential research spread beyond its cradle in Jiangnan and the capital during the final years of the Qianlong reign. Throughout the 1820s and 1830s, a new center for such research emerged in Guangzhou, where the prominent statesman Ruan Yuan 阮元 (1764-1849) established the Xuehaitang Academy on the model of the Gujing Jingshe Academy in Hangzhou, a bastion for Han Learning.

A closer look at the state of learning in Guangzhou during these decades indicates many obstacles to the local spread of evidential research, however. The Cantonese scholar Chen Li 陳澧 (1810-1882), one of the most accomplished philologists of the nineteenth century, earned the raised scholar degree in 1832 and in 1840 became the youngest co-director of the Xuehaitang Academy. His assessment on the state of Cantonese evidential research may thus be considered fairly reliable, and a close reading of his diary entries, letters, and notebooks suggests a more cumbersome and incomplete spread of specialized philology in Guangzhou than has generally been recognized.

This article relies on Chen Li's correspondence with other Cantonese scholars to highlight those obstacles and the implications for local literati. It then shows how Chen Li explored two separate solutions to that problem. His first approach was to compose textbooks to guide beginning students in the art of philology. When that project failed to develop smoothly, he instead proposed a division of the educational system into "specialized learning" and what he called "gentry learning." He concluded that philology, like philosophy, was a preoccupation suitable to a thin substratum of professional scholars, whereas Chinese literati at large needed a less technical form of Confucian education.

Cantonese Scholars' Lack of Interest in Han Learning

In 1838, Chen Li immersed himself in research on historical phonology and developed the manuscript for his *Shuowen shengtong* 說文聲統 (Systematization of Sounds in the Shuowen Jiezi), a first 17-chapter draft of which he completed sometime before 1840.[1] He was also writing a subsequently famous work called *Qieyun kao* 切韻考 (Investigations into the Qieyun), which he prepared a first preface for in 1842. Having completed his daily teaching duties at a local temple in Guangzhou, he often worked late into the night and filled hundreds of notebooks as part of these time-consuming research projects. Naturally, Chen Li was eager to share new insights with his students and hoped to kindle an interest in classical philology among them, but he soon realized that the dozen or so potential examination candidates under his tutelage had no clue what the great classicist debates were about, and they quickly lost interest when he tried to

---

[1] The title of this work was later changed, see Chen Li, "Shuowen shengbiao xu" 說文聲表序 (Preface to *Shuowen shengbiao*), in *Dongshu ji* 東塾集 (Collected Works from the Eastern Hall), vol. 1 in *Chen Li ji* 陳澧集 (Collected Works of Chen Li), ed. Huang Guosheng (Shanghai: Shanghai guji chubanshe, 2008), 124-125.

enlighten them.[2]

Chen Li's students in 1838 were just regular examination candidates, of course, and not necessarily budding scholars. Even so, their lack of passion reflected an overall indifferent attitude to Han Learning and evidential research among established Cantonese scholars. Many of those who participated in examinations at the Xuehaitang Academy, for example, did so less because they appreciated Ruan Yuan's scholarly agenda, and more for the promise of publication in the prestigious *Xuehaitang ji* 學海堂集 (Collected Essays from the Xuehaitang Academy) and a substantial monetary prize. Wang Quan 汪瑔 (1828-1891), for example, confessed that "upon hearing that the Xuehaitang Academy tested candidates on lyrics and rhapsodies, I decided to give it a shot. At the time I just did it for the money" (*wen Xuehaitang yi ci fu ke shi, manying zhi, shi dan wei gaohuo ji er* 聞學海堂以詞賦課士, 漫應之, 時但為膏火計爾).[3]

The Han-Song debate was recognized and understood in Guangzhou. It was in response to a conflict there with Ruan Yuan that Fang Dongshu (1772-1851) wrote his *Hanxue shangdui* 漢學商兌 (Critique of Han Learning) and *Shulin yangzhi* 書林揚觶 (Raising a Goblet to the Forest of Books). Many Cantonese scholars read and discussed these books, which were critical of Han Learning, after their publication in 1831.[4] They remained unconvinced of the debate's importance, however. The well-known poet Zhang Weiping 張維屏 (1780-1859)

2　Chen Li, *Dongshu dushu lunxue zhaji* 東塾讀書論學札記 (Notes from Reading and Discussions in the Eastern Hall), vol. 2 in *Chen Li ji*, 377:107; and *Dongshu ji waiwen* 東塾集外文 (Collected Works from the Eastern Hall, Additional Material), vol. 1 in *Chen Li ji*, 458.

3　Wang Quan, *Suishanguan conggao* 隨山館叢槀 (Collected Drafts from Suishanguan), vol. 100 in *Guangzhou dadian* 廣州大典 (Guangzhou Encyclopedia), 136, 1a.

4　Cf. Chen Li, *Dongshu zazu* 東塾雜俎 (Miscellaneous Works from the Eastern Hall), vol. 2 in *Chen Li ji*, 673.

advised against taking sides in such polemics.[5] "Han Learning and Song Learning both have their strengths and weaknesses," he argued, "and it boils down to individual preference."[6] Similarly, Lin Botong 林伯桐 (1775-1844) "studied both Han Learning and Song Learning,"[7] and his disciple Jin Xiling 金錫齡 (1811-1892) emphasized similarities between Han and Song Learning in his *Lixue yongyan* 理學庸言 (Simple Words on the Study of Principle).[8] Liang Tingnan 梁廷枏 (1796-1861), co-director of the Xuehaitang Academy, pointed out that neither Han Learning nor Song Learning could do without the other,[9] and Zhang Biao 張杓 (1781-1851) noted the irony that both sides claimed Gu Yanwu's 顧炎武 (1613-1682) legacy.[10] Even Chen Changqi 陳昌齊 (1743-1820), who had worked beside Han Learning luminaries like Ji Yun 紀昀 (1724-1805), Dai Zhen 戴震 (1724-1777), Qian Daxin 錢大昕 (1728-1804), Shao Jinhan 邵晉涵 (1743-1796), and Wang Niansun 王念孫 (1744-1832), recognized no significant methodological differences between Han and Song dynasty approaches to textual research.[11]

---

5 Zhang Weiping, "Ludong shuyuan shi shengtu" 鹿洞書院示生徒 (Instructing Students at the White Deer Grotto Academy), in *Kuanglu ji* 匡盧集 (Kuanglu Collection), vol. 93 in *Guangzhou dadian*, 250, 11b-12a.

6 Zhang Weiping, "Dongyuan zashi" 東園雜詩 (Miscellaneous Poems from the East Garden), in *Huadi ji* 花地集 (Huadi Collection), vol. 93 in *Guangzhou dadian*, 262, 1:2b.

7 Zhang Weiping, "Wan Lin Yueting xiaolian" 輓林月亭孝廉 (Mourning Lin Botong), in his *Tingsonglu shilue* 聽松盧詩略 (Selected Poems from Tingsong Hut), vol. 79 in *Guangzhou dadian*, 120, 2:18b.

8 Cf. Zhang Weiping, *Yitan lu* 藝談錄 (Record of Cultured Conversations), vol. 94 in *Guangzhou dadian*, 601, 2:44a.

9 Liang Tingnan, "Zhengtong daotong lun" 正統道統論 (On the Transmission of Rulership and of the Way), in *Tenghuating santiwen chuji* 藤花亭散體文初集 (First Collection of Ancient Prose from Tenghua Pavilion), vol. 458 in *Guangzhou dadian*, 718-719, 1:21b-24b.

10 Zhang Biao, "Kunshan Gu shi Rizhilu ba" 崑山顧氏日知錄跋 (Postface to Gu Yanwu's *Rizhilu*), in *Modizhai wencun* 磨甌齋文存 (Remaining Works from the Modi Studio), vol. 461 in *Guangzhou dadian*, 321-322: 47a-48a.

11 Wen Xun, "Chen Guanlou xiansheng zhuan" 陳觀樓先生傳 (Biography of Chen Guanlou),

According to a letter that Chen Li wrote around 1850, the only Cantonese scholar truly invested in Han Learning was Zeng Zhao 曾釗 (1793-1854).[12]

Han Learning was thus only half heartedly recognized by Cantonese scholars, especially compared to its earlier reception among the Jiangnan academic community. Cantonese students and scholars were far more interested in poetry composition and examination preparation. Another form of Confucian learning that captured the Cantonese imagination were the meditative practices of Ming thinkers, such as Chen Xianzhang 陳獻章 (1428-1500).[13] This was so widespread that Chen Li as early as 1850 foresaw a coming revival of Lu-Wang thought.[14] Finally, there was a popular interest in Confucianism with so-called Grand Halls (daguan), where Cantonese teachers preached the Classics to the public. The beating of drums would gather hundreds of listeners at set times morning and evening, when they sat down on rows of benches facing each other. The teacher then ascended his stage, sat down facing south and ceremoniously opened a box containing the Four Books and Five Classics. It took him approximately one year

---

in *Dengyun shanfang wengao* 登雲山房文稿 (Drafts from Dengyun Mountain Hut), vol. 561 in *Qingdai shiwenji huibian* (Shanghai: Shanghai guji chubanshe, 2010), 92:3-94:2.

12 Chen Li, "Yu Xu Ziyuan shu (er)" 與徐子遠書(二) (Second Letter to Xu Hao), in *Dongshu ji waiwen*, 454-467, at 455.

13 Chen Li's host when hiding from the Red Turban uprising in 1854 was Zhong Fengqing 鍾逢慶 (b. ca 1775), a friend and relative by marriage, who had a deep interest in the thought of Chen Xianzhang and Zhan Ruoshui. See Zhong Fengqing, "Renyin yuandan shuhuai sishou shi zai huijicang dusui" 壬寅元旦書懷四首時在惠濟倉度歲 (Four Poems to Describe My Feelings in the Charitable Granary on New Year's Day, 1842), in *Xijing shanfang shichao* 習靜山房詩鈔 (Selected Poems from Xijing Hut), in *Guangzhou dadian*, vol. 458 (Guangzhou: Guangzhou chubanshe, 2015), 20a-21a, 612-613.

14 Chen Li, "Yu Xu Ziyuan shu (yi)," 454. The revival was adumbrated by new publications of Wang Yangming's and Lu Xiangshan's work, see Shi Gexin 史革新, "Wan Qing Lu-Wang xinxue fusu de ruogan kaocha" 晚清陸王心學复苏的若干考察 (A Few Observations on Lu-Wang "Learning of the Mind" Revival During the Late Qing), *Xuzhou shifan daxue xuebao* 31 (2005.1): 100-105.

to thus recite and explain the Four Books.[15]

Reasons for the Lack of Interest in Han Learning

The students that Chen Li taught in 1838 had their reasons for disregarding classical philology, for example to spend more time memorizing model essays for the examinations. Chen Li was not so quick to attribute their lack of interest solely to the examination system, however. In a letter to Cantonese scholar Xu Hao 徐灝 (1810-1879), written around 1850, he said:

> 夫以百年來諸儒提倡之力，而衰歇之易如此，推原其故，非盡時文之為害，此朱子所云欠小學一段功夫耳。……近儒號為明小學，然其書豈學僮所能讀，則雖謂之欠小學工夫可也。初學欠小學工夫，豈能讀近儒奧博之書，此其所以易衰歇也。

> Scholars have promoted [Han Learning] for a hundred years but see how quickly it falls apart. Why is that? It is not only due to the examinations. It is due to what Zhu Xi 朱熹 (1130-1200) called a lack of foundational knowledge (*xiaoxue*). [...] The philologists of our day claim to be masters of foundational knowledge, but their books certainly cannot be read and understood by schoolboys. Therefore, one may still say that they lack foundational knowledge. And if there is no foundational knowledge, how can beginners ever learn to read their erudite books? That is why [Han Learning] has declined so fast.[16]

Foundational knowledge, or *xiaoxue*, was both the name of a bibliographical category, consisting of works on the meaning of words and phrases, and an

---

15 Chen Li, "Jiangshu yi" 講書議 (On Lecturing), in *Dongshu ji* 東塾集 (Collected Works from the Eastern Hall), in *Chen Li ji*, vol. 1, 83-84.

16 Chen Li, "Yu Xu Ziyuan shu (er)," 455.

educational program that gave beginning students tools and knowledge to pursue their own studies. It was the latter that Chen Li thought was missing. His Cantonese students could not read the books written by Qian-Jia philologists because they lacked rudimentary knowledge of the problems, sources, and techniques involved when interpreting classical texts.

The examination system emphasized Neo-Confucian interpretations of the canon and restricted citation of post-Qin sources, all of which worked against the Han Learning movement. Nevertheless, examination supervisors from Jiangnan had become increasingly positive to evidential research, so that candidates with knowledge of such topics sometimes had an edge, especially in the policy questions. Chen Li experienced this personally as he earned the raised scholar degree under supervision of Cheng Enze 程恩澤 (1785-1837), one of Ruan Yuan's closest men. In other words, the examination system was a two-edged sword for Neo-Confucian orthodoxy and did not necessarily hamper the reception of Han Learning in Guangzhou. The obstacles to its spread must be sought elsewhere.

One major obstacle for Cantonese students who wished to pursue Han Learning was a lack of social and material resources. "Some do not have the mental capacity to pursue scholarship," Chen Li wrote, "some have other duties to attend to, and some cannot pursue scholarship because they live in a desolate area (*ren you zizhi dun er bu neng xuewen zhe, you zhengshi fan er wu xia xuewen zhe, you juchu pi er wu you xuewen zhe* 人有資質鈍而不能學問者，有政事繁而無暇學問者，有居處僻而無由學問者).[17] Practicing evidential research required relative financial independence, spare time not spent preparing for examinations, and access to substantial library resources. Due to the technical nature of Han Learning, beginning students also needed an experienced teacher to guide them.

---

[17] Chen Li, *Dongshu zazu*, 629.

None of these were easy to find in Guangzhou during the first half of the nineteenth century.

It was no coincidence that Han Learning flourished in the Jiangnan academic community, where social prerequisites were met by lineage education and generational wealth. Thanks to a combination of merchant support and public initiative in the establishment of the Xuehaitang Academy, similar privileges extended to a very limited circle of urban scholars in Guangzhou during the Daoguang reign (1820-1850), one of them being Chen Li. However, most literati in the province never gained access to the basic social and material resources needed to acquire even a basic understanding of Han Learning and evidential research. Despite individual examples of talents that rose from a modest background—Dai Zhen was the son of a cloth merchant—the specialized character of Qian-Jia philology supported an elitist academic structure, where only the sons and grandsons of wealthy official families could hope to participate.

Making Philology More Accessible: Chen Li's Compilation for Beginners

Chen Li's experience as a teacher in 1838 became the impetus for a project that he pursued over the next two decades but never completed. He decided to compile a textbook for beginners, introducing the general principles of various specialized fields of learning.[18] Such a book would level the playing field by giving students in the provinces a chance to understand, practice, and become proficient in evidential research despite their lack of experienced teachers and extensive libraries. Chen Li first explained the idea in a letter, written during the

---

[18] Chen Li, "Da Yang Fuxiang shu" 答楊黼香書 (Reply to Yang Rongxu) and "Da Liang Yuchen shu," in *Dongshu ji waiwen*, 442-443 and 445; see also *Dongshu zazu*, 689-690.

late 1830s, to his close friend Yang Rongxu 楊榮緒 (1809-1874). He wrote:

> 又諸儒之書，多宏通之篇，寡易簡之作，可資語上，難喻中人。故童
> 蒙之子，次困之材，雖有學山之情，半為望洋之歎。後學未振，或此
> 之由。

> Scholars have written many erudite books, but few that are easy to read. I
> can discuss their work with outstanding students, but not with those of
> average ability. Even as they passionately want to learn, most young boys
> and mediocre students simply sigh in resignation. Perhaps this is why
> scholarship is not what it once was.[19]

He continued:

> 澧所為書，事繁文省，旨晦詞明，思欲視而可識，說而皆解，庶幾稽
> 古之初柲，研經之先路。若乃方聞碩學之彦，沈博澹雅之才，見而陋
> 之，亦無懵焉。

> In my writing, I want to explain complex topics in few words and deliver
> profound insights with simple phrases. All who read my books should
> understand them. They can then serve as introductions to classicism, and I
> will not feel foolish even if outstanding scholars find them vulgar.[20]

When composing this letter, Chen Li was not yet a co-director at the Xuehaitang
Academy and his research was still focused on highly technical topics, historical
phonology and geography, to help him gain recognition as a scholar. It was not
until many years later that a break in his academic career due to social unrest
allowed Chen Li to pursue the ideas in this early letter. During the late 1840s and
early 1850s, he spoke with both Hou Du 侯度 (d. 1855) and Zhang Weiping

---

[19] Chen Li, "Da Yang Fuxiang shu" 答楊黼香書 (Reply to Yang Rongxu), in *Dongshu ji waiwen*, 443-444.

[20] Chen Li, "Da Yang Fuxiang shu," 443-444.

about ways to make evidential research more accessible and suggested that they collaborate to write a *Chuxuebian* 初學編 (Compilation for Beginners). He envisioned the book as a compilation of introductory essays to illustrate the general principles of paleography, phonology, geography, astronomy, and other technical topics.[21]

In addition to Hou Du and Zhang Weiping, he also exchanged several letters with Xu Hao. Chen Li wrote:

> 澧近著音韻書一種，甚有法，以授小兒女，四聲，清濁，雙聲，疊韻，纍纍然脫口而出，老夫側耳聽之莞然。……此正可與《象形文釋》並傳。

> I have recently been working on a systematic book on phonology for teaching my children. They can without hesitation explain the four tones, voiced and unvoiced consonants, alliteration and rhyme, and I cannot help but smile when hearing them. [...] We could print this book alongside [your] *Explanation of pictographs*.[22]

The book on phonology that Chen Li spoke of was a brief text in one volume, which he called *Yinxue* 音學 (The Study of Sounds). It was intended as a contribution to the *Chuxuebian* and a few copies were printed.[23] Xu Hao's *Xiangxing wen shi* 象形文釋 (Explanation of pictographs), on the other hand, was never meant to be published as an independent work. It contained preparatory research for the author's more comprehensive study of the Han dynasty dictionary

---

[21] Wang Zongyan 汪宗衍, "Chen Dongshu xiansheng nianpu" 陳東塾先生年譜 (Chronological Biography of Chen Li), *Lingnan xuebao* 4 (1935.1): 82.

[22] Chen Li, "Yu Xu Ziyuan shu (yi)," 454-55.

[23] Cf. Luo Weihao 罗伟豪, "Ping Chen Li Dongshu Chuxuebian Yinxue" 评陈澧《东塾初学编·音学》(Evaluation of the Chapter *Yinxue* in Chen Li's *Chuxuebian*), *Zhongshan daxue xuebao (shehui kexue ban)*, 44 (2004.4): 82-87.

Shuowen jiezi 說文解字 (Discussion of Phrases and Explanation of Characters). Nevertheless, Chen Li was far more interested in those residual drafts than in the body of his friend's research. He proceeded to suggest how Xu Hao could prepare them for publication, saying:

> 所引群書，並不必錄許書元文，而本許氏及群書之旨，隱括其詞，自為之釋，義取簡明，俾家家塾師皆能為學僮傳授為佳。此等大有關係，欲使漸成風氣。
>
> When you cite other books, there is no need to include the original text of the *Shuowen jiezi*. You can paraphrase both that and other texts, explaining them in your own words. Brevity and clarity are paramount. Any home or village teacher can then use it to teach young students. This is very important, and I hope we can start a new trend in this manner.[24]

Chen Li held that citing ancient sources verbatim was counter-productive in an introductory work, because neither teachers nor students could be expected to understand Han dynasty texts without lengthy explanations.[25] Taking his own children as an example, Chen Li explained how he envisioned Xu Hao's book to be used when teaching paleography. He wrote:

> 澧教小兒，即用吾弟之法，先以「日」「月」等字，「日」只注云○，象圓形……「月」字只注云象月，彎形。
>
> I used your method to teach my son [the *Shuowen jiezi* versions of] characters like "sun" and "moon." To explain the character for "sun," I simply draw a ○ and say that it looks like a circle [. . .] To explain the character for "moon", I simply say that it is crescent-shaped like the moon.[26]

---

24 Chen Li, "Yu Xu Ziyuan shu (yi)," 454-55.

25 Chen Li, "Yu Xu Ziyuan shu (yi)," 460.

26 Ibid.

Despite his friend's enthusiasm, Xu Hao was not amused. His ambition was not to teach children paleography, but to make an erudite contribution to knowledge. Chen Li's praise of the least innovative part of his research probably felt more like an insult. Xu Hao's dissatisfaction shone through in another of Chen Li's letters, where he responded to his friend's remarks, saying:

> 前索尊著《象形文釋》，來書云已入《說文箋》，此書可覆瓿，怪澧欲
> 存之，且謂以此啟蒙，更當刪節謹嚴。澧謂刪節謹嚴，是也；謂可覆
> 瓿，非也。且推吾弟之意，似輕視啟蒙者，與澧所見不同。
>
> When I asked to see your *Explanation of pictographs*, you said that it has already been incorporated in your *Commentary on the Shuowen jiezi* and may be discarded. You did not understand why I wish to keep it and said that, if I want to use it for teaching children, it should first be edited. I agree that it should be edited, but not that it should be discarded. Moreover, you seem to think that teaching children is not a serious matter. I must disagree.[27]

As Chen Li recognized already in his 1838 letter to Yang Rongxu, scholars who wrote for beginners exposed themselves to scorn from colleagues who considered themselves to be at the cutting edge of textual research. It was an ungrateful task that promised no immediate recognition or reward. Still, Chen Li did not consider it a side project. He saw the potential long-term implications of breaking the social elite's monopoly on evidential research by making it widely accessible and argued that the composition of beginners' textbooks was a task that should occupy the best minds of the scholarly community. Chen Li wrote:

> 故精深浩博之書，反不如啟蒙之書之為功較大，而獨恨百年以來，未
> 有著此等書者也。且啟蒙之書，又非老師宿儒不能為，蓋必其途至

---

[27] Chen Li, "Yu Xu Ziyuan shu (wu)," 458.

正，其說至明，約而不漏，詳而不支……

Erudite books are less praiseworthy than books for beginners, yet for the past century none have written the latter. In fact, only experienced scholars with perfect integrity and clarity of thought can write such books, making them brief without omission and detailed without digression.[28]

Despite his friend's skepticism, Chen Li tried to solicit a contribution to the *Chuxuebian* from Xu Hao. He wrote:

澧前數年即欲與子琴大令同著小學之書，極精深而出以極簡淺，庶幾可以開發初學。其實古人所謂小學，正是如此，能成此等書，其功正不小耳。容稍暇再詳具條例奉商，同力合作，乃易就也。子琴今方之官粵西，恐未必能為此矣。

A few years ago, I wanted to collaborate with Hou Du on a book about foundational knowledge. It was to express profound ideas in simple words and serve as an introduction for beginners. That is what the ancients called foundational knowledge. A book like that would be a great contribution. When time allows, I will send you more details so we can collaborate and complete it more easily. Hou Du has taken up official post in Guangxi, so he may not be able to finish his part.[29]

Chen Li ultimately failed to convince either Xu Hao or other friends to join the project, and during the 1850s turned his attention to other things, such as compiling the *Hanru tongyi* 漢儒通義 (Comprehensive Thought of Han Scholars) and the *Xuesilu* 學思錄 (Record of Study and Reflection). He still did not abandon his ambitions for the *Chuxuebian*, however. Not long before Anglo-French forces occupied Guangzhou in 1858, Chen Li wrote a series of letters to

---

28 Ibid.

29 Chen Li, "Yu Xu Ziyuan shu (shiqi)," 464-465.

Gui Wencan 桂文燦 (1823-1884), a younger scholar who became one of his most prominent disciples. These letters show that he still had plans to complete the book. For example, he wrote:

前日携來朱墨字《春秋》地圖，僕一見以為甚善。夜間復思之，喜而不寐，此庶乎可當荀卿所謂以淺持博者，有益於讀《春秋左傳》者不小。僕嘗謂無人能著淺書，蓋書雖淺，用功實深，否則粗淺而已，淺陋而已，何能持博哉！所謂淺者，能使人從此得門而入，及其學問大進，而仍不能出其範圍，故足貴也。近者，震伯為《說文檢字》，與足下之為此圖，皆可當「淺」之一字。更望於此用功，精益求精。所謂精者，心精、力精、體例精，及其成書，而人仍不見其精，乃可謂以淺持博也。見震伯時，並以此告之。若禮樂、天算等事，皆有此一種書，則後學之幸矣。

The other day you brought a map for the *Spring and Autumn Annals*, drawn with red and black ink. I thought it was excellent. I kept thinking about it later that night and got so excited that I could not fall asleep. It "conveys erudition in a simple way," as Xunzi said, and will be useful to anyone who reads the *Zuozhuan*. I have often claimed that people do not know how to write simple books, because writing simple books takes great effort. Without great effort, they will be superficial and hardly convey erudition. A simple book is one that introduces students to a field and remains relevant even after they have gained more experience. Therein lies its value. Recently, Li Yongchun's *Index to Shuowen jiezi* and this map of yours both deserve to be called "simple." Keep doing such work and refine it. That means refining your mind, your effort, and the structure of your writings. When you write a book and others fail to see how refined it is, you know that it conveys erudition in a simple way. Pass these words along to Li Yongchun next time you meet him. It would be a blessing for the next generation if we had such books about ritual and music, astronomy, mathematics and so on.[30]

The type of map that Chen Li referred to used black ink to mark present day place names and borders, while indicating their historical counterparts with red ink. This helped students visualize historical change and gain a sense of place when reading historical texts. Both Gui Wencan and Li Yongchun were younger scholars who saw Chen Li as their teacher. In this letter, Chen Li was thus subtly trying to enlist his students' help with the *Chuxuebian* project. Having failed to convince scholars of his own generation, he used the phrase "conveying erudition in a simple way" (*yi qian chi bo* 以淺持博) to underline that writing texts for beginners was serious scholarly work that required in-depth knowledge of technical topics. This attempt also failed, however, and due to a combination of other work and lack of interest from those around him, Chen Li finally abandoned the project. In another letter to Gui Wencan, he wrote:

> 至《初學編》之作，明年看來又不能專功，且未必人人皆能勤奮，各
> 人各自勉成之可也。
>
> It seems I will not have a chance to focus on the *Chuxuebian* next year either, nor will all those involved put serious effort into it. Each can just try to complete his own part.[31]

The resignation that these words convey marked the end of Chen Li's efforts to popularize technical philology in the Qian-Jia tradition. He wrote a few introductory texts himself, such as a guide to seal carving and brief but eminently practical instructions for using citation in scholarship. After the 1860s, however, he no longer promoted evidential research broadly among prospective scholars in

---

30 Chen Li, "Yu Gui Haoting shu" 與桂皓庭書 (Letters to Gui Wencan), in *Dongshu ji waiwen*, 425-442, at 439-440.

31 Chen Li, "Yu Gui Haoting shu," 429.

his home region. Instead, he turned his attention to the structure of Confucian education and questioned the suitability of Han Learning to serve as a foundation for statesmen and professionals across the empire.

Gentry Learning: A New Form of Confucian Education

In 1867, Chen Li accepted a position as sole director of the Jupo Jingshe Academy, a newly established school located close to the Xuehaitang Academy on Yuexiu Hill in Guangzhou. The Jupo Jingshe, like the Xuehaitang Academy, was an elite institution with access to everything students needed to pursue textual research. However, Chen Li continuously encouraged his disciples to look beyond philology. He was in many ways critical of the Xuehaitang Academy and held that it was not the only, or even the primary, purpose of academies to produce professional scholars.[32] What most students needed was a general understanding of the Classics to apply in their future careers as statesmen or administrators. Chen Li referred to such a Confucian education as "gentry learning" or the "learning of statesmen" (*shidafu zhi xue* 士大夫之學).

Based on historical sources, he envisioned two paths of Confucian education, one specialized and one more general, which he referred to respectively as "gentry learning" and "the learning of erudites" (*boshi zhi xue* 博士之學).[33] "These two paths are both indispensable," he explained, "and students may choose one based on personal inclination" (*liang pai zhi xue jie bu ke wu, xuezhe*

---

[32] Chen Li, *Xuesilu xumu* 學思錄序目 (On the Structure of the *Xuesilu*), vol. 2 in *Chen Li ji*, 775:8.

[33] Chen Li, *Dongshu zazu*, 693 and 696; *Dongshu dushu lunxue zhaji*, 361:25 and 388:167; and *Xuesi ziji* 學思自記 (Personal Notes on Composing the *Xuesilu*), vol. 2 in *Chen Li ji*, 760:18.

yin xing zhi suo jin er xue yan, ke ye 兩派之學皆不可無，學者因性之所近而學焉，可也).[34] This division did not correspond to Han and Song Learning. What Chen Li called the learning of erudites included the legacy of Qian-Jia philology, but also metaphysical speculation in the Neo-Confucian tradition, both of which demanded deep technical specialization. While he still granted these forms of learning a place in Confucian scholarship, Chen Li found them unsuitable as foundations for an empire-wide educational program. "The problem with these two schools [Han and Song Learning], when taken too far, is that they lack practical application," he wrote and continued:

> 此兩派者，其末流之弊，皆入於無用。然使四科之人，不交爭而偏廢，則空山之中，有一二腐儒，拱手而談理學，埋頭而治章句，皆大有益於世，無用即是有用。
>
> However, if people focus on their own disciplines without competing with or rejecting one another, then two or three old-fashioned scholars who sit on an empty mountain with folded arms to discuss metaphysics, or with their heads buried in commentaries, can still do some good for the world. In that case, even the useless can be of use.[35]

As Chen Li had realized already in 1838, Han Learning was a technical specialization that only a thin layer of the literati had the social and material conditions to pursue. The same went for Song Learning, or Neo-Confucian philosophy. These forms of learning were largely closed to the educated public and especially to literati in the provinces, who lacked access to initiated teachers and extensive libraries. Chen Li's division of Confucian education into gentry and erudite learning thus served to counteract an elitist impulse in Chinese education.

---

34 Chen Li, *Dongshu zazu*, 693.
35 Chen Li, "Yu Xu Ziyuan shu (er)," 456.

It leveled the playing field for students from different provinces and family backgrounds because the option of a less technical path made Confucian learning more attractive to broader segments of the literati. By reviving gentry learning, Chen Li also hoped to draw students away from popular religion and the budding resurgence of Lu-Wang thought.

But what were the characteristics of Chen Li's gentry learning? He defined its educational goal in terms of grasping central messages and overarching structures.[36] Rather than explain every word, phrase, or technical detail, he encouraged students to identify the general meaning of texts that they read. It was a common misconception, he argued, that Han dynasty scholars had all been expert philologists who aimed to transmit the original Classics. The *Chunqiu fanlu*, for example, distinguished between "specialized learning" (*zhuanmen zhi xue* 專門之學) and "government-aiding learning" (*zizhi zhi xue* 資治之學), where the latter required that students "grasp the general meaning."[37]

There was no lack of prominent historical models who read texts in this manner. One example was the Eastern Han historian Ban Gu 班固 (32-92), who "studied without a regular teacher and did not interpret every passage or section, but simply grasped the general meaning [of the Classics]" (*suo xue wu changshi, bu wei zhangju, ju dayi eryi* 所學無常師，不為章句，舉大義而已).[38] Likewise, Wang Huan 王渙 (d. AD 105) had only a general understanding of the *Shangshu* but became an official in the Eastern Han government.[39] Zhuge Liang 諸葛亮 (181-234) "only looked to the larger picture" (*du guan dalüe* 獨觀大略) and Tao Yuanming 陶淵明 (365-427) "did not pursue detailed explanations" (*bu qiu*

---

[36] Chen Li, *Dongshu zazu*, 693; and *Xuesilu xumu* 775:8.

[37] Chen Li, *Xuesilu xumu*, 775:8.

[38] Chen Li, *Dongshu zazu*, 694.

[39] Chen Li, *Dongshu zazu*, 693.

shenjie 不求甚解).[40]

To walk in the footsteps of such luminaries, students could leave interpretive intricacies and philological puzzles aside. Instead, they should read widely to gain perspective and a sense of historical development. Chen Li said:

> ……精通一經者，固當博觀諸家疏解之書。如欲觸類而觀、窺覽略周者，則不必然也。如為禮學者，講誦三《禮》後，窺覽《五禮通考》，亦可也。為詩學者，講誦《三百篇》後，窺覽漢、魏以後詩，亦可也。
>
> Those who pursue refined understanding of one Classic still need to study all its commentaries and subcommentaries. However, those who look for analogies and overall meaning do not need to do so. After reading the three ritual Classics, for example, those who study ritual can move on to the *Wu Li tongkao*. After reading the *Shijing*, those who study poetry can move on to poems from the Han and Wei dynasties.[41]

As I have argued elsewhere, Chen Li was always more interested in tracing the plurality of worldviews through different historical periods than in pursuing the original meaning of the Classics.[42] While a technical work like the *Qieyun kao* earned him repute as a scholar, he continuously emphasized that its value was limited compared to generally held books that could impact future generations and strengthen their Confucian conviction.

---

40 Chen Li, *Dongshu zazu*, 693-694.

41 Chen Li, *Dongshu zazu*, 694.

42 Magnus Ribbing Gren 馬瑞彬, "Learning Has No Right or Wrong: Pluralism in Chen Li's Confucian Thought" (Xuewen duan bu neng you zhen shifei: Chen Li de rujia duoyuan sixiang「學問斷不能有真是非」：陳澧的儒家多元思想), *Sixiangshi* 11 (2022), 297-339.

Conclusion

Chen Li never passed the metropolitan examinations and the scope of his statecraft-related ideas remained comparatively local. When it came to education, he worried that Cantonese literati lacked the social and material resources to compete with scholars in Jiangnan and the capital. With Han Learning, in particular, the game seemed rigged in favor of students from wealthy official families with access to large libraries and lineage education.

Chen Li had understood this inequality as early as 1838, when he taught students at a local Cantonese temple. For several decades, he encouraged friends and students to join him in writing simple introductions on specialized topics, such as paleography, mathematics, and astronomy. His plan was to thus compile and distribute a compilation for beginners to level the playing field for literati across the provinces.

He never completed this project, however. Largely due to a lack of professional incentives for scholars to write such textbooks, Chen Li failed to convince those around him of its value. Instead, during the 1860s, he imagined another way of solving the problem of elitism in Confucian education. Rather than trying to make specialized philology available to everyone, he now argued that it should be decoupled from the bureaucratic career path. Classicist philology, like Neo-Confucian philosophy, he argued, were inherently elitist pursuits and thus unsuitable as an empire-wide educational foundation for prospective statesmen.

秩序的講求：論《公羊》「大一統」 與《穀梁》「不以亂治亂」之義[*]

吳智雄

臺灣海洋大學共同教育中心語文教育組

一　前言

　　自從離孔子（前551-前479）棄世僅百餘年的孟子（前372-前289）首先提出孔子因懼「世衰道微，邪說暴行」而作《春秋》之說，[1]且將《春秋》的內涵區分為「事、史、義」三個層次後，[2]後世對《春秋》的探討，便大抵不出這兩個範圍；也就是說，在孟子率先界定《春秋》一書的基本性質後，孔子是否作《春秋》？以及《春秋》記了何事？載了何史？孔子如有作《春秋》，則其在《春秋》中又隱了何義？等等問題，就此成為後人討論的焦點。

---

[*]　本文為科技部專題研究計畫「《公》、《穀》思想比較研究」（MOST 108-2410-H-019-007）之部分研究成果

[1]　孟子曰：「世衰道微，邪說暴行有作，臣弒其君者有之，子弒其父者有之。孔子懼，作《春秋》。」又曰：「孔子成《春秋》而亂臣賊子懼。」見〔清〕焦循撰，〔民國〕沈文倬點校：《孟子正義》（北京：中華書局，1987年），卷13，〈滕文公下〉，頁452、459。

[2]　孟子曰：「王者之跡熄而詩亡，詩亡然後《春秋》作。晉之《乘》，楚之《檮杌》，魯之《春秋》，一也。其事則齊桓、晉文，其文則史。孔子曰：『其義則丘竊取之矣。』」見〔清〕焦循撰，〔民國〕沈文倬點校：《孟子正義》，卷16，〈離婁下〉，頁572-574。《公羊·昭公十二年》：「伯于陽者何？公子陽生也。子曰：『我乃知之矣。』在側者曰：『子苟知之，何以不革？』曰：『如爾所不知何？《春秋》之信史也。其序，則齊桓、晉文；其會，則主會者為之也；其詞，則丘有罪焉耳。』」見〔漢〕何休解詁，〔唐〕徐彥疏：《春秋公羊傳注疏》，收入李學勤主編「十三經注疏整理本」（北京：北京大學出版社，2000年），冊21，卷22，〈昭公十二年〉，頁567-569。皆以《春秋》含「事、史、義」三層次。

　　從戰國時期起，這些討論先由孔子弟子口傳其旨，如司馬遷（前145-前87？）所云：「七十子之徒口受其傳指，為有所刺譏褒諱挹損之文辭不可以書見也。」[3]其後再由各家各派依各自所需，或「采《春秋》」，或「刪拾《春秋》」，或「因孔子史記具論其語」，或「掆摭《春秋》之文以著書」，種種情況，不一而足。直至漢代，可見者在《漢書‧藝文志》中錄有二十三家、九百四十八篇；其中依《春秋》文而發者，有《左氏傳》、《公羊傳》、《穀梁傳》、《鄒氏傳》、《夾氏傳》等書，據班固（32-92）云：「丘明恐弟子各安其意，以失其真，故論本事而作傳，明夫子不以空言說經也。《春秋》所貶損大人當世君臣，有威權勢力，其事實皆形於傳，是以隱其書而不宣，所以免時難也。及末世口說流行，故有《公羊》、《穀梁》、《鄒》、《夾》之傳。四家之中，《公羊》、《穀梁》立於學官，鄒氏無師，夾氏未有書。」[4]是以流傳至今者有《左》、《公》、《穀》三傳。

　　三《傳》既依《春秋》而發，必然要面對《春秋》經文而有共同的問題面向，因而有《左氏傳》、《公羊傳》、《穀梁傳》之稱。然而，在相同的問題面向之下，或因對《春秋》微言的理解差異，或因家派學說的特色迥然，三《傳》又不免有所偏重而有各自的思想主張，其中有溢出《春秋》範疇者，也有各《傳》新創之義或自傳之事者；而三《傳》之中，《公》、《穀》二傳依經說義的敘事形式明顯，但《左傳》著重在春秋史事的記載，其傳不傳《春秋》的爭議較大，故而有人認為應以《左氏春秋》之名稱之。[5]不過無論如何，三《傳》名稱雖有紛歧，但書中義理思想有異有同，已是普遍共識。

　　若從三《傳》內容而言，《左傳》重視敘事記史，《公》、《穀》二傳強調講理說義，彼此間的差異已是顯而易見；而《公》、《穀》二傳的成書時間接近，文章表現形式雷同，學派發展過程中又有某些糾葛。因此，若要對三

3　〔漢〕司馬遷：《史記》（北京：中華書局，1982年），卷14，〈十二諸侯年表〉，頁509。

4　〔漢〕班固：《漢書》（北京：中華書局，1997年），卷30，〈藝文志〉，頁1715。

5　如張舜徽說：「自西漢今文博士斥左氏不傳《春秋》，後人遂謂左氏之書，無與解經，不得謂之『傳』；自是一家之書，當名《左氏春秋》，如《晏子春秋》、《呂氏春秋》之比。」見張舜徽：《漢書藝文志通釋》（武漢：湖北教育出版社，1990年），頁61。

《傳》傳義進行比較研究，將《公》、《穀》二傳並論以見其異同以及異同的程度，應是一個可行的進路。[6]以此，筆者擬對《公》、《穀》二傳思想進行系列的比較研究，此為其一，乃專就秩序講求的角度析論並比較《公》、《穀》思想中的核心論題，尚祈　方家不吝指正。

二　撥亂反正：從失序狀態談起

即使因傳文解釋的差異而在後世層累地形成了公羊學和穀梁學兩家學派，但當回歸到最基本的初始點時，可以發現《公》、《穀》二傳都同樣面對以史書為基底的《春秋》所形塑的特定歷史場景；也就是說，在依《春秋》而說義的原初性質之下，《公》、《穀》二傳都有一個必須共同面對並解決由《春秋》所承載而來的歷史問題。因為只有如此，《公》、《穀》二書才能共同成為解釋《春秋》經的「傳」，否則便是各自成書而不能稱之為「傳」了。以此，當對這個共同的歷史問題進行說解時，便形成了《公》、《穀》二傳解釋《春秋》的共同核心論題。

6　比較《公》、《穀》二傳思想異同之論題雖非新創，但以筆者拙眼所及，歷來研究成果亦不多見，茲略舉例如下。傅隸樸：《春秋三傳比義》，臺北：臺灣商務印書館，1983年。浦衛忠：《春秋三傳綜合研究》，臺北：文津出版社，1995年。吳智雄：〈試論《公》《穀》夷夏觀之異同〉，《中山人文學術論叢》，第一輯（高雄：復文圖書出版社，1997年），頁13-38。黃迎周：《〈春秋公羊傳〉、〈穀梁傳〉詮釋方法比較研究》，山東大學中國古典文獻學專業碩士論文，2005年。吳連堂：〈《公羊》、《穀梁》二傳中之霸者析論〉，《正修學報》第20期（2007年12月），頁267-286。吳連堂：〈《公羊傳》、《穀梁傳》之褒善事例析論〉，《正修學報》第21期（2008年11月），頁153-182。吳連堂：〈《公羊傳》、《穀梁傳》的戰爭觀〉，《正修學報》第22期（2009年11月），頁381-408。簡逸光：《〈公羊傳〉、〈穀梁傳〉比較研究》，新北：花木蘭文化，2008年。張端穗：〈《公羊傳》與《穀梁傳》親親觀比較研究──以君王對待世子、母弟之道為探索焦點〉，《東海大學文學院學報》第50卷（2009年7月），頁1-46。江右瑜：〈《公》、《穀》二傳對忠、孝議題的看法與取捨〉，《逢甲人文社會學報》第19期（2009年12月），頁89-115。吳濤：《「術」、「學」紛爭背景下的西漢《春秋》學：以《穀梁傳》與《公羊傳》的升降為例》，北京：中國社會科學出版社，2011年。王天然：《〈穀梁〉文獻徵》，北京：社會科學文獻出版社，2014年。

《公》、《穀》二傳共同的歷史問題既是承《春秋》而來，則這個歷史問題便須回到《春秋》本身來尋找。對此，本文以為西漢司馬遷所提出的「失本」說，能相當貼切地表達《春秋》所承載的歷史問題。司馬遷說：「撥亂世反之正，莫近於《春秋》。《春秋》文成數萬，其指數千。萬物之散聚皆在《春秋》。《春秋》之中，弒君三十六，亡國五十二，諸侯奔走不得保其社稷者不可勝數。察其所以，皆失其本已。故《易》曰『失之豪釐，差以千里』。故曰『臣弒君，子弒父，非一旦一夕之故也，其漸久矣』。」[7]司馬遷認為《春秋》所載述的是一個「皆失其本」的世界，這個「皆失其本」的世界呈現了「弒君三十六，亡國五十二，諸侯奔走不得保其社稷者不可勝數」的現象；也就是說，在當時的社會上發生了「臣弒君，子弒父」的「失本」行為。

「失本」的結果，會導致「失序」的狀態，亦即失去一個社會該有的正常運作秩序。正常來講，臣不該弒君，子不可弒父，但在春秋時代，原本不該發生的卻都發生了，於是當時的社會便因此而呈現出一種失序的狀態。失序狀態表示現行的規範遭到破壞而無法發揮原有的維持力量，以致於整個社會國家陷入集體的紛亂之中而被迫進入一段重整時期。由於春秋時期屬於宗法分封制度的東周朝代，[8]如《左傳·桓公二年》載師服之言曰：「吾聞國家之立也，本大而末小，是以能固。故天子建國，諸侯立家，卿置側室，大夫有貳宗，士有隸子弟，庶人、工、商，各有分親，皆有等衰。」[9]因此，當時

7　〔漢〕司馬遷：《史記》，卷130，〈太史公自序〉，頁3297-3298。

8　如許倬雲說：「周的封建實是本時代的重要特性，周天子分封出若干子弟功臣作諸侯，諸侯建立一個城邑作為中心，再分封自己的子弟或功臣在附近建城，成為若干小中心，即是卿大夫的采邑，卿大夫還可把土地分給屬下的武士們。大夫向所屬的卿服從，卿向國君服從，國君又向天子服從，構成一個寶塔形的結構。下一級只對上一級服從，對自己的采邑之內則具有絕對的權威，自天子以達於士，上下之間的關係主要有賴於宗法上宗子的權威維持，周天子是天下的宗主，諸侯是一國的宗主，而卿大夫是一氏一家的宗主。」見許倬雲：《求古編》（臺北：聯經出版社，1982年），頁378-379。

9　〔晉〕杜預注，〔唐〕孔穎達正義：《春秋左傳正義》，收入李學勤主編「十三經注疏整理本」（北京：北京大學出版社，2000年），冊16，卷5，〈桓公二年〉，頁177-178。

失序狀態最明顯、影響也最大的現象，即是周天子作為天下共主權威的低落與維持秩序力量的衰微，如鍾文烝（1818-1877）引沈棐曰：「見天子之柄非獨不行於諸侯，而且不行於卿士矣。上下相夷，王室益衰，不可救止。」[10]徐復觀（1904-1982）也持相同的看法，他說：「封建政治秩序的維持，需要一個『禮樂征伐自天子出』的共主。封建政治的崩壞，必然地，先從作為共主的周室，失掉其領導的地位開始。」[11]錢穆（1895-1990）則具體地說：「周室東遷，引起的第一個現象，是共主衰微，王命不行。王命不行下引起的第一個現象，則為列國內亂。王命不行下引起的第二個現象，則為諸侯兼并。又自列國內亂、諸侯兼并下引起一現象，則為戎狄橫行。」[12]東周「共主衰微，王命不行」的現象，之所以會像骨牌效應般陸續引起後面的失序情形，乃因最高治理者無力維持既有的規範，又無法讓破壞規範者受到制裁；既然無力制裁，或制裁無效，規範破壞者自然就容易變本加厲，在彼此效尤、推波助瀾之下，遂逐漸形成一種集體失序的狀態。[13]只是，如果換個角度來看，身為臣民者若能緊守本分，共同遵守既有規範，即使周天子的天下共主權威下陵、力量衰微，失序的狀態仍然不會出現，因為沒有人會破壞秩

---

10 〔清〕鍾文烝撰，駢宇騫、郝淑慧點校：《春秋穀梁經傳補注》（北京：中華書局，1996年），卷16，〈宣公十五年〉，頁456。

11 徐復觀：《兩漢思想史》（卷一）（臺北：臺灣學生書局，1985年），頁64。徐氏並進一步分析周王室地位衰落的原因，概有：親親精神的喪失、經濟財力的匱乏、繼承制度的破壞、統治禮制的不彰等四種，詳見前引氏著頁64-69。

12 錢穆：《國史大綱》（臺北：臺灣商務印書館，1974年），頁54-55。

13 為何「共主衰微，王命不行」，就必然會造成失序行為而形成失序社會？王師金凌從社會學的角度，認為其根本原因在於人類「社會結構性的內在缺陷」所致。因為人類的社會組織一定走向分工，分工的結果就一定會導致金字塔型態的結構，金字塔上層的人比下層的人少，所得卻比較多，所以下層的人自然會想往上走，但因數目少，難免就會有競爭，為了爭到，所以就會利用各種手段，包含符合規範的與違背規範的，也就是合法的與不合法的，於是人的社會生命活動過程就蘊藏著這樣的內在衝突，當這種內在衝突外顯時，就會逐漸形成一個失序的社會。關於王師金凌的「社會結構性的內在缺陷」說，詳見氏著：《先秦學術講學錄》（上冊）（臺北：萬卷樓圖書公司，2017年），頁13-31。

序，原本的有序狀態仍然可以繼續維持；也就是說，周天子權威下陵、力量衰微與失序狀態的產生，彼此之間並無必然的關係，一切還是得回歸到社會成員對其本分是否能自覺性地遵守。亦即，「守本」才是關鍵，所以「孔子之教，千言萬語，不外勸人各安其位，因為這是社會秩序的最終基礎」[14]。

因此，具史學家眼光的司馬遷在觀察春秋時期的整體歷史情勢並「察其所以」之後，認為失序社會的產生，其根源就在於社會成員的「皆失其本」，也就是社會各階層成員的本分出現了紊亂的情形。此種紊亂的「失本」類型有兩種：一種是「未本」，指未能或無法盡到本分，這是個體未能完盡本分而損壞了自身的權利與義務，屬消極式地破壞本分；另一種則是「越本」，意指逾越了原本該有的本分，這是個體未能緊守且向外溢出本分而影響或侵害了他人的權利與義務，也就是「人人不安其位，各階級不肯接受既定的社會疆界。……既然大家不再承認既定的社會疆界，自然亦不會接受劃定此等疆界的規範」[15]，既定的規範被破壞而不被遵守，所以是屬於侵略式地破壞本分。這兩種「失本」的類型皆為孔子所重視，所以在齊景公問政時，孔子答曰：「君君，臣臣，父父，子子。」[16]指的即是前者應盡而未盡本分的類型；而當季氏「八佾舞於庭」時，孔子所表現出「是可忍，孰不可忍」[17]的憤怒，則是屬於後者逾越本分的類型。在兩種類型中，孔子重視「越本」的問題更甚於「未本」，因為其破壞秩序的力道更強，前引孟子、司馬遷所說的臣弒君、子弒父，甚或邪說暴行、亂臣賊子……等等，皆是「越本」的類型之一；此等行為總合來說，即是傳統所謂的「僭越」，也就是造成上陵下替、尊卑失序情形的不當或非禮的行為。

自周公制禮作樂之後，禮樂制度便成為周王朝治理天下的行為規範，因

---

14 張德勝：《儒家倫理與秩序情結》（臺北：巨流圖書公司，1989年），頁77。

15 張德勝：《儒家倫理與秩序情結》，頁42-43。

16 〔宋〕朱熹：《四書章句集注‧論語集注》（北京：中華書局，1983年），卷6，〈顏淵〉，頁136。

17 孔子謂季氏：「八佾舞於庭，是可忍也，孰不可忍也？」見〔宋〕朱熹：《四書章句集注‧論語集注》，卷3，〈八佾〉，頁61。

此僭越行為的出現，意味著一種「禮崩樂壞」的時代特徵，例如隱公五年（前718）《春秋》載云：「初獻六羽。」《公羊傳》曰：「初獻六羽，何以書？譏。何譏爾？譏始僭諸公也。六羽之為僭奈何？天子八佾，諸公六，諸侯四。」[18]《穀梁傳》曰：「天子八佾，諸公六佾，諸侯四佾。初獻六羽，始僭樂矣。」[19]《公》、《穀》二傳對魯隱公（前722-712在位）採六佾舞的行為皆給予僭越的評論，顯示二傳皆重視遵禮守樂之下的有序狀態；而當時禮樂崩壞的程度，甚至讓孔子發出了「道不行，乘桴浮于海」[20]的不如歸去之慨。是以，春秋時期所出現的僭越行為及其「禮崩樂壞」的時代特徵，或是簡而言之的「失序」狀態，即是孔子、《春秋》、《左傳》、《公羊傳》、《穀梁傳》所必須共同面對的歷史問題。因此，在《論語》及《春秋》三傳中常見的「非禮」評論，即是批判春秋時期失序狀態的一種展現。

當思想家面對此種共同的歷史問題——失序狀態——所隨之而來的回應時，自然就會產生一種對於「秩序」的要求與渴望。於是，「秩序」遂成為儒家思想的根本底蘊。儒家思想重視「秩序」的特質，如果探討其根本來源處，有學者乃以「秩序情結」來解釋，如張德勝說：「儒家倫理千條萬條，但歸根究柢，不外乎從一個害怕動亂、追求秩序的情結（complex）衍生出來。」[21]又說：「用佛洛依德的術語，中國文化存在著一個『秩序情結』；換做潘乃德（Ruth Benedict）的說法，則中國文化的形貌（configuration），就由『追求秩序』這個主題統合起來。如前所言，儒家正是以建立秩序為終極關懷，由此而發展出來的一套學說，以及以之為準則的行為模式，可說正中下懷。」[22]既然在「秩序情結」之下，進而對「秩序」的建立會產生直覺性

---

18 〔漢〕何休解詁，〔唐〕徐彥疏：《春秋公羊傳注疏》，收入李學勤主編「十三經注疏整理本」，冊20，卷3，〈隱公五年〉，頁58。

19 〔晉〕范甯集解，〔唐〕楊士勛疏：《春秋穀梁傳注疏》，收入李學勤主編「十三經注疏整理本」（北京：北京大學出版社，2000年），冊22，卷2，〈隱公元年〉，頁24。

20 〔宋〕朱熹：《四書章句集注‧論語集注》，卷3，〈公冶長〉，頁77。

21 張德勝：《儒家倫理與秩序情結》，頁17。

22 張德勝：《儒家倫理與秩序情結》，頁159。

的需求，則儒家思想關心的重點自當會放在如何重建或回歸秩序上面，如金耀基說：「孔子則肯定『三代』，特別是周代乃人類已經達到一個良好秩序的理想社會，《周禮》可說是他理想社會的憲章典則。由於他的理想社會是已經具備一切規範的有秩序的三代文明，所以他才感嘆春秋戰國的無序且失範；也唯如此，他才積極地關心『秩序』的重建。」[23]劉長林也說：「孔子生於春秋末年，那時『禮崩樂壞』，諸侯混戰。孔子一生，開辦私學，周游列國，整理典籍，提出了許多主張和見解，其實都是圍繞如何使社會由無序變為有序這個主題。」[24]因為秩序的回歸，即是一種和諧平衡狀態的回歸，所以孔子說：「周監於二代，郁郁乎文哉！吾從周。」[25]《漢書》認為孔子的這段話代表了這樣的意義：「周監於二代，禮文尤具，事為之制，曲為之防，故稱禮經三百，威儀三千，於是教化浹洽，民用和睦，災害不生，禍亂不作，囹圄空虛，四十餘年。孔子美之曰：『郁郁乎文哉！吾從周。』」[26]所謂「禮文尤具」、「教化浹洽」，即指西周在周公制禮作樂之下，有「禮」的規範可茲遵循並且有效，又有「樂」的美感中和以陶冶淨化心靈，在禮、樂合璧之下，共同形成一個整體和諧且萬方平衡的社會，而成為孔子所嚮往且追求的有序狀態。但孔子所處的春秋時期，「及其衰也，諸侯踰越法度，惡禮制之害己」[27]，這個曾由西周王朝所建立的有序狀態被打破了，因此孔子的思想遂由解決這個失序的問題出發；況且，即使孔子未曾刪修《春秋》，記敘史事的《春秋》也都同樣會承載這個失序狀態所帶來的問題。於是，一個共同的歷史情境便就此產生。

由於共同面對《春秋》背後所承載的一種失序狀態，所以《公》、《穀》二傳在解釋《春秋》大義時，除了一方面批判春秋時期的失序問題，例如

---

23 金耀基：〈儒家倫理、社會學與政治秩序──序張德勝著《儒家倫理與秩序情結》〉，收入張德勝著《儒家倫理與秩序情結》（臺北：巨流圖書公司，1989年），頁4。

24 劉長林：《中國智慧與系統思維》（臺北：臺灣商務印書館，1992年），頁59-60。

25 〔宋〕朱熹：《四書章句集注·論語集注》，卷2，〈八佾〉，頁65。

26 〔漢〕班固：《漢書》，卷22，〈禮樂志〉，頁1029。

27 〔漢〕班固：《漢書》，卷22，〈禮樂志〉，頁1029。

《公羊傳‧宣公十一年》曰：「上無天子，下無方伯，天下諸侯有為無道者，臣弒君，子弒父，力能討之，則討之可也。」[28]《穀梁傳‧宣公十五年》曰：「為天下主者，天也；繼天者，君也；君之所存者，命也。為人臣而侵其君之命而用之，是不臣也；為人君而失其命，是不君也。君不君，臣不臣，此天下所以傾也。」[29]《公》、《穀》二傳都注意到春秋時期君臣倫理的紊亂所產生的問題。另一方面，《公》、《穀》的傳義中同時也會產生對秩序有某種要求甚或渴望的思想底蘊，其用意在於達到孔子作《春秋》的終極目的，也就是《公羊傳》所稱：「君子曷為為《春秋》？撥亂世，反諸正，莫近諸《春秋》。……制《春秋》之義以俟後聖，以君子之為亦有樂乎此也。」[30]「撥亂世，反諸正」，即是一個「信道不信邪」的世界而為《春秋》所重視，所以《穀梁傳‧隱公元年》說：「《春秋》貴義不貴惠，信道不信邪。」[31]所謂「貴義」、「信道」，即是有序狀態的特徵之一。而此種思想底蘊所呈現出來的是《公》、《穀》二傳在傳義中所共同討論的核心論題——對秩序的講求，在《公羊》與《穀梁》中，分別以「大一統」及「《春秋》不以亂治亂」之義來呈現。

28　〔漢〕何休解詁，〔唐〕徐彥疏：《春秋公羊傳注疏》，收入李學勤主編「十三經注疏整理本」，冊21，卷16，〈宣公十一年〉，頁403。

29　〔晉〕范甯集解，〔唐〕楊士勛疏：《春秋穀梁傳注疏》，收入李學勤主編「十三經注疏整理本」，冊22，卷12，〈宣公十五年〉，頁235。柯劭忞對此段傳文注曰：「此通釋經之大義，可以隅反。」見柯劭忞：《春秋穀梁傳注》（臺北：力行書局，1970年），卷9，頁287。柯氏以為，人君不失自己的君命，人臣不得侵害君命，以維持君君、臣臣的有序狀態，是《穀梁傳》對《春秋》大義的理解，可由此推衍出其他《春秋》之義。柯氏注義，大抵得之。

30　〔漢〕何休解詁，〔唐〕徐彥疏：《春秋公羊傳注疏》，收入李學勤主編「十三經注疏整理本」，冊21，卷28，〈哀公十四年〉，頁719。王師金凌認為《公羊》「撥亂世，反諸正，莫近諸《春秋》」之說，正說明了《公羊》「是從僭越論一統，而不是從分裂論一統」，也就是說，造成一統的需求是僭越，而非分裂。見王金凌：〈公羊傳的居正與行權〉，《輔仁國文學報》，第六集（1990年6月），頁211。

31　〔晉〕范甯集解，〔唐〕楊士勛疏：《春秋穀梁傳注疏》，收入李學勤主編「十三經注疏整理本」，冊22，卷1，〈隱公元年〉，頁3。

三 天子之事：有序狀態的追求

　　孟子曾云：「《春秋》，天子之事也。是故孔子曰：『知我者其惟《春秋》乎！罪我者其惟《春秋》乎！』」[32]《春秋》本為魯史，與其他諸侯國史本屬同一位階，所謂「晉之《乘》，楚之《檮杌》，魯之《春秋》，一也」[33]，但孟子認為《春秋》經孔子刪作以寓褒貶之義後，其位階已上升到周天子的層級，所作所為已是「天子之事」了。如此，則所謂「天子之事」所指為何？為何孔子因此又有知我、罪我之說？對此，朱熹（1130-1200）引胡安國（1074-1138）曰：「仲尼作《春秋》以寓王法。惇典、庸禮、命德、討罪，其大要皆天子之事也。知孔子者，謂此書之作，遏人欲於橫流，存天理於既滅，為後世慮，至深遠也。罪孔子者，以謂無其位而託二百四十二年南面之權，使亂臣賊子禁其欲而不得肆，則戚矣。」[34]胡氏的詮釋雖帶有「存天理，去人欲」的宋人理學觀點，但對《春秋》寓王法、天子之事的解釋基本不差，其大要指：孔子寄寓大義於《春秋》者，識者謂孔子乃深明天子之義，用心深遠，故而知之；不識者乃謂孔子在代行天子之事，有僭越之嫌，故而罪之。知之與罪之，為一體之兩面，其因皆源於《春秋》所行乃「天子之事」。所以，既能因《春秋》而知孔子，當然也能因《春秋》而罪孔子。

　　從秩序論的角度而言，「天子之事」乃指以周天子為秩序的維護者與歸趨者──維護於天子所訂之規範準則，歸趨於以天子為首之治理秩序。如此一來，社會的規範有效，世界的運作有序，上自天子，下至百姓，整體社會形成一個有序的狀態，即是「《春秋》，天子之事」的最終意義所在。所以對孔子而言，其思考的重點便落在「如何建立社會秩序？……問法是：『如何？』是個規範問題（normative question）」[35]之上，因此孔子提出了「正

---

32 〔清〕焦循撰，〔民國〕沈文倬點校：《孟子正義》，卷13，〈滕文公下〉，頁452

33 〔清〕焦循撰，〔民國〕沈文倬點校：《孟子正義》，卷16，〈離婁下〉，頁574。

34 〔宋〕朱熹：《四書章句集注・孟子集注》（北京：中華書局，1983年），卷6，〈滕文公下〉，頁272。

35 張德勝：《儒家倫理與秩序情結》，頁62。

名」之說。子曰：「名不正，則言不順；言不順，則事不成；事不成，則禮樂不興；禮樂不興，則刑罰不中；刑罰不中，則民無所措手足。」[36]孔子所一再強調「君君，臣臣，父父，子子」的倫理要求，以及孟子所謂「孔子成《春秋》而亂臣賊子懼」的貶損之效，即是「正名」思想的體現，所以《莊子》有「《春秋》以道名分」[37]的判準，清人陳柱（1890-1944）也有「自人倫政教之名分不明而天下國家之事亂矣。孔子之作《春秋》，其大旨固在乎明人倫，以宣政教」[38]之說。

在此前提之下，孔子因秩序的講求而提出的「正名」主張，乃藉屬辭比事的手法寄寓於《春秋》的微言之中而隱其大義，《公》、《穀》二傳對此義皆有著不同面向與程度上的回應。《公羊》講「一統」義，著重在僭越者僭越行為的對治；《穀梁》講「不以亂治亂」之義，則是對治理者的要求。以下分論之。

（一）僭越行為的對治：《公羊》「大一統」

王師金凌曾說：「面對僭越時聞和戎狄侵擾的春秋形勢，《公羊傳》的政治思想以一統為核心。」[39]而政治思想又為《公羊傳》諸多思想中的大宗，因此可以說，針對回歸秩序的需求而提出的「一統」主張，以及圍繞「一統」所提出的種種討論，即是《公羊傳》傳義的核心論題。[40]

---

36 〔宋〕朱熹：《四書章句集注‧論語集注》，卷7，〈子路〉，頁142。
37 〔清〕王先謙：《莊子集解》（北京：中華書局，1987年），卷8，〈天下〉，頁288。
38 陳柱：《公羊家哲學》（臺北：臺灣中華書局，1980年），頁62。
39 王金凌：〈公羊傳的居正與行權〉，頁210。
40 在「一統」的核心論題之下，包含了若干公羊學的主張，如林義正說：「『一統』蘊含著『譏世卿』（隱公三年夏）、『大夫無遂事』（桓公七年冬、莊公十九年秋）、『大居正』（隱公三年冬）、『王者無敵』（成公元年秋）、『王者無外』（桓公七年冬）、『王者無求』（桓公十五年春）、『什一』之制（宣公十五年秋）等義。這是《春秋》制，乃是孔子針對現實世界的亂象、亂行、亂制所批示出來的一條平正的治法。」見林義正：《公羊春秋九講》（北京：九州出版社，2018年），頁87。此外，《公羊》在尊王、居正、明禮、夷夏等課題的主張，也可涵蓋在「一統」義之下。

《公羊傳》的「一統」義是藉「大一統」的屬辭形式呈現，在《春秋》一開篇就點明此論題。在《春秋‧隱公元年》「元年，春王正月」的經文下，《公羊》發傳曰：

> 元年者何？君之始年也。春者何？歲之始也。王者孰謂？謂文王也。曷為先言王而後言正月？王正月也。何言乎王正月？大一統也。

從「元年者何」到「王正月也」，《公羊傳》分別以「君之始年」、「歲之始」、「文王」及文王之正月等語依序解釋經文之義，這些釋文都屬於編年體史書記載形式的一般說明，本無特殊之處，如趙伯雄說：「從西周及春秋時代的彝器銘文來看，『王×月』的記時方法為當時所習見，只是表示所用為周曆而已，加『王』字並不限於正月，這種情況孔子不容不知。」[41]戴維也說：「《春秋》的第一句話是『元年春王正月』，這本是三代歷史紀年的通例，從現在發現的金文中可證。」[42]如果《公羊傳》的解釋僅止於《春秋》史書紀年形式的層面，則《公羊》的傳文其實到「王正月也」一語即可結束；然而，《公羊》傳文不僅未結束於「王正月也」，反而在最後提出了「大一統」之說，可見《公羊傳》是有意提出該主張，並且特別藉由「王正月」的史書紀年形式賦予其義。[43]如此看來，「大一統」可以說是《公羊傳》對《春秋》「王正月」——原為史書紀年形式——的一種創造性詮釋，兩者之間必有深刻的意義關涉。

本為編年體史書記載形式的「元年，春，王正月，公即位」，在《公羊》先以「君之始年」、「歲之始」釋「元年」、「春」之後，東漢何休（129-182）作注時，繼之以推衍出《春秋》的「五始」之義，而將原為史書的記載形式，轉化並賦予了屬於公羊學派的經學意義。何休認為，「元」是「天地之始」，「春」是「歲之始」，「王」指「文王」而為「人道之始」，「正月」

---

41 趙伯雄：《春秋學史》（濟南：山東教育出版社，2004年），頁11。

42 戴維：《春秋學史》（長沙：湖南教育出版社，2004年），頁67。

43 如趙伯雄說：「《公羊傳》之發揮大一統之義，是專在《春秋》記事中的『王正月』這種記時方式上做文章的。」見趙伯雄：《春秋學史》，頁11。

是「政教之始」，「即位」是「一國之始」。[44]「五始」之間並非互不相干、各自獨立，而是有著層層涵攝的密切關係，何休云：「諸侯不上奉王之政，則不得即位，故先言正月，而後言即位。政不由王出，則不得為政，故先言王，而後言正月也。王者不承天以制號令，則無法，故先言春，而後言王。天不深正其元，則不能成其化，故先言元，而後言春。五者同日並見，相須成體，乃天人之大本，萬物之所繫，不可不察也。」[45]其中，《公羊》將「大一統」置於「王正月」之下，似有特別以「大一統」詮釋「王正月」之義。對此，何休注曰：「統者，始也，揔繫之辭。夫王者，始受命改制，布政施教於天下，自公侯至於庶人，自山川至於草木昆蟲，莫不一一繫於正月，故云政教之始。」唐人徐彥（？-？）則疏云：「所以書正月者，王者受命制正月以統天下，令萬物無不一一皆奉之以為始，故言大一統。」[46]何注、徐疏皆從五始義釋「大一統」，意指萬物之運作皆奉受命改制之王者以為始；王者為周文王，亦即周王為政教之始，天下之序皆始作於周王，最終亦一統於周王，如陳柱云：「『王正月』云者，自公侯以至於庶人，莫不統一之者也。此公羊家說《春秋》大一統之義也。」[47]故此「一統之天下也，亦即《公羊傳》之理想所在」[48]。

　　何、徐二人關於天下一統於周王的主張，在傳文中其實已有明示。《公羊傳》於〈文公十三年〉經文「世室屋壞」之下，發傳曰：

　　　　此魯公之廟也，曷為謂之世室？世室猶世室也，世世不毀也。周公何以稱大廟于魯？封魯公以為周公也。周公拜乎前，魯公拜乎後。曰：

44　關於何休的《春秋》「五始」注文，詳見〔漢〕何休解詁，〔唐〕徐彥疏：《春秋公羊傳注疏》，收入李學勤主編「十三經注疏整理本」，冊20，卷1，〈隱公元年〉，頁7-12。

45　〔漢〕何休解詁，〔唐〕徐彥疏：《春秋公羊傳注疏》，收入李學勤主編「十三經注疏整理本」，冊20，卷1，〈隱公元年〉，頁12。

46　〔漢〕何休解詁，〔唐〕徐彥疏：《春秋公羊傳注疏》，收入李學勤主編「十三經注疏整理本」，冊20，卷1，〈隱公元年〉，頁12。

47　陳柱：《公羊家哲學》，頁10。

48　李新霖：《春秋公羊傳要義》（臺北：文津出版社，1989年），頁44。

生以養周公，死以為周公主。然則周公之魯乎？曰：不之魯也。封魯公以為周公主。然則周公曷為不之魯？欲天下之一乎周也。[49]

《公羊》藉「世室屋壞」的經文，自設「周公不之魯」的提問，以表達其「欲天下之一乎周」的思想。所謂「欲天下之一乎周」，何注以為乃「一天下之心于周室」之意，其「本意在於尊周天子」[50]，其實就是一統天下於周王之意。此外，《公羊傳·成公十五年》亦云：

《春秋》內其國而外諸夏，內諸夏而外夷狄。王者欲一乎天下，曷為以外內之辭言之？言自近者始也。[51]

《公羊》於此所提出的異外內、別夷夏之說，其重點在透過由近及遠、自小而大的遞進過程中，逐漸達到「王者欲一乎天下」的《春秋》大義，所以何休才以「據大一統」之注語釋之。

如此，則《公羊傳》中所見的「一統」、「一乎周」、「一乎天下」等諸種說法，其實皆有著相同的意涵，皆指由周王而起、自周王而下所建立的一種有序狀態的描述，所以「《公羊傳》大『一統』之義，在於使天下定於一」，「就一統之形式言，乃一統之天下；就一統之人物言，唯有定于一尊之王者」，「意即天下之土地人民，均一乎一人之下」[52]。這種有序的狀態甚為《公羊》所讚賞、所肯定、所推崇，因其背後乃蘊含著對秩序的深沉需求。

因此，還可進一步由此推知，「一統」這組詞語在《公羊》傳文中，乃被視為一個完整的概念在使用，「大」為動詞，是以所謂的「大一統」，即是以一統為大之意，過往將「大」當作形容詞，而將「大一統」解為很大的一

---

49 〔漢〕何休解詁，〔唐〕徐彥疏：《春秋公羊傳注疏》，收入李學勤主編「十三經注疏整理本」，冊20，卷1，〈文公十三年〉，頁351-352。

50 如戴維說：「當時諸侯強盛，周王朝弱小，僅存名號而已，《公羊傳》有見於此，提出大一統，本意在於尊周天子。」見戴維：《春秋學史》，頁70。

51 〔漢〕何休解詁，〔唐〕徐彥疏：《春秋公羊傳注疏》，收入李學勤主編「十三經注疏整理本」，冊21，卷18，〈成公十五年〉，頁463。

52 前引諸語，皆見李新霖：《春秋公羊傳要義》，頁54。

統之意者，恐怕是一種誤讀。[53]

在前述的認知基礎之下，「一統」作為一種秩序穩定的概念，便能與不涉及秩序概念的「統一」有清楚地區隔，兩者不能混淆，也不可混用，[54]如王師金凌說：「一統不是分裂的相反，而是僭越的相反。分裂的相反是統一。一統、僭越、分裂、統一這幾個概念所指不同。統一和分裂是就政權數目而言，前者指僅有一個政權，後者指有兩個以上的政權。一統和僭越則指一個政權之內政治秩序穩定與否。統一和分裂不涉及政權的秩序或混亂，一統和僭越才涉及政權的秩序或混亂。」又說：「從僭越論一統，則一統指政

---

[53] 歷來關於「大一統」的詞語意義，基本上有這兩種解釋，本文以「大」作動詞解的主張與若干前賢相同。例如李新霖認為：「『何言乎王正月？大一統也』，係解釋所以標明『王正月』者，其目的在重視、強調『一統』也。故『大一統』一語，不宜視成一種『大一統』現象，而抹殺傳文彰顯『一統』之圖；後者之解釋，自較前者為佳。」見李新霖：《春秋公羊傳要義》，頁54。趙伯雄說：「『大』在這裏是一個動詞，有擁護、主張、表彰、張大、尊大等義，在《公羊傳》中『大』字的這種用法甚多，總之表示的是對某種事物的肯定態度。『大一統』就是對『一統』的肯定與張揚。」見趙伯雄：《春秋學史》，頁42。晁岳佩說：「在這裡，『大』是動詞，有誇大、支持、贊成之義，而不是我們現在使用的形容詞。所謂『大一統』，就是支持一統，贊成一統，也就是主張天下統一於一王之下。這一點被歷代《春秋》學者認為是孔子垂教後世最重要的《春秋》大義之一，其影響一直延續到現在。」見晁岳佩：《春秋三傳要義解讀》（北京：國家圖書館出版社，2008年），頁4。林義正說：「『一統』是作為《春秋》義使用的專詞，但『大一統』卻不是，而是對『一統』加以重視、讚賞、推崇的價值判斷句，句中『大』字是作評價的動詞。」見林義正：《公羊春秋九講》，頁201。林義正認為，將「大一統」視作一個完整的概念，而解為「大大的一統」，應始自唐人徐彥的疏文；此外，關於《公羊》「一統」的原義、衍義及其概念的釐清，林義正亦有詳細的解說，詳見氏著《公羊春秋九講》，〈第九講《春秋》「一統」衍義〉，頁197-217。

[54] 趙伯雄說：「《公羊傳》中的『大一統』，似乎就不是孔子的時代應有的思想。孔子雖然也尊王，但他維護的是周禮，是一種逐層分封的政治形式，他並不主張『一統』，『一統』的理想是在戰國時代才出現的。……因此，從『王正月』中挖掘『大一統』之義，絕不會是孔子所為。人們有理由相信，《公羊傳》中的『大一統』之義，乃是戰國儒者的創造。」見趙伯雄：《春秋學史》，頁11。趙氏認為孔子不主張「一統」，是因為孔子維護的是周禮規範之下的逐層分封政治形式。此說似將「逐層分封」理解為政權數目不止一個，而將「一統」當作只有一個政權數目的「統一」之義來解釋，因此認為「一統」（其實是「統一」）的理想應該在政權數目不止一個的戰國時代才會出現。

治體系內各基本單位間權力關係呈現秩序而穩定的狀態。一旦這種狀態逐漸動搖，就出現僭越。若再嚴重惡化，則變成分裂。亦即周王室不再是一統政治體系的最高層，而是上無天子，中原已經分裂成若干獨立政權的國家。由於周代數百年間所強調的夷夏之辨是文化的分野，中原雖處於分裂，統一的文化意識卻根深蒂固，進而擴散至政治的統一。因此，戰國中、晚期就有政治統一的呼聲。最後，在權略之下統一於秦。」[55]所以，「『大一統』是『重視一統』或以『一統』為大的意思，決不是當今人們所想當然爾的『統一』」[56]。《公羊》「一統」主張的提出，乃在僭越者做出不遵守既定規範的僭越行為，並進而對秩序產生破壞的歷史背景下產生，因此，若從秩序論的角度來看，《公羊》強調「一統」，其實就是對僭越行為所設想出的對治方法與社會理想。

此方法與理想，基本上是嚮往一種高度一致的政治與社會秩序，天子是天下的最高主宰，具有神聖性、權威性、不可逾越性，所以《公羊》有「王者無外」（〈隱公元年〉、〈桓公八年〉、〈成公十二年〉）的主張，亦即「率土之濱，莫非王土」（《詩‧北山》）之意，指天子擁有無可置疑的國家最高統治權以及全國土地的最高擁有權，例如《公羊傳‧桓公元年》曾云：「有天子存，則諸侯不得專地也。」何休注云：「地皆不得專。」[57]諸侯專地即是一種僭越行為，僭越會破壞規範，進而造成秩序的紊亂，而形成失序的狀態。

---

55 王金凌：〈公羊傳的居正與行權〉，頁211、211-212。另，有學者從仁道與霸道的角度區別「一統」與「統一」的差異，茲照錄以存一說。李新霖說：「所謂一統者，以天下為家，世界大同為目標；以仁行行之王道理想，即一統之表現。然則一統須以統一為輔，亦即反正須以撥亂為始。所謂統一，乃約束力之象徵，齊天下人人於一，以力假仁之霸道世界，即為統一之結果。『一統』與『統一』既有高下，《公羊傳》又每在霸道中展現王道，則『統一』寓於『一統』之中，自可知矣。」見李新霖：《春秋公羊傳要義》，頁50。林義正：「《春秋》是講『一統』，不是講『統一』，『一統』屬王道，『統一』屬霸道，這裡的霸道如孟子所批判的，是不好的意思。但如果按《春秋》之義來講，霸道還不錯，至少霸道還講信義。」見林義正：《公羊春秋九講》，頁105。

56 林義正：《公羊春秋九講》，頁87。

57 〔漢〕何休解詁，〔唐〕徐彥疏：《春秋公羊傳注疏》，收入李學勤主編「十三經注疏整理本」，冊20，卷4，〈桓公元年〉，頁79。

為了讓天下重回到以周天子為依歸的有序狀態，所以《公羊》「一統」的主張其實是在對治僭越的行為，希望藉此使世界回歸到有序的狀態，以達到秩序講求的最終目的。

（二）對治理者的要求：《穀梁》「《春秋》不以亂治亂」

至於《穀梁傳》，筆者曾說：「《穀梁傳》以孔子思想的繼承者與發揚者自居，則孔子寓褒貶之義於《春秋》之中，以達到建立秩序的目的，自然為《穀梁傳》所繼承。就《穀梁傳》思想而言，其以建立秩序為思想目的，表達在『《春秋》不以亂治亂』的主張上。」[58]此種對秩序需求所進行的闡釋，在《穀梁傳》中乃針對不同的歷史事件，而分以「不以嫌代嫌」（〈文公十四年〉）、「《春秋》之義，用貴治賤，用賢治不肖，不以亂治亂」（〈昭公四年〉）、「《春秋》不以嫌代嫌」（〈昭公十三年〉）等三種語詞形式的歷史評論來呈現，其重點都在於取代者與被取代者或是治理者與被治理者的資格或名分是否得正、無嫌，尤其是取代／治理者。因被取代／被治理者已是嫌，已形成亂／不正的狀態，需靠一個力量予以導正，若取代／治理者仍有嫌、仍為亂，這個世界就只會持續失序下去，而無法建立一個有序的狀態。因此，可知《穀梁》對秩序的講求，首重於對亂序者的批判與治理者的要求。

《穀梁傳》於〈文公十四年〉經文「齊公子商人弒其君舍」之下，發傳曰：

> 舍未踰年，其曰君何也？成舍之為君，所以重商人之弒也。商人其不以國氏，何也？不以嫌代嫌也。舍之不日，何也？未成為君也。[59]

而在〈昭公十三年〉經文「楚公子棄疾殺公子比」之下，《穀梁》亦發傳曰：

---

58 吳智雄：《穀梁傳思想析論》（臺北：文津出版社，2000年），頁48-49。

59 〔晉〕范甯集解，〔唐〕楊士勛疏：《春秋穀梁傳注疏》，收入李學勤主編「十三經注疏整理本」，冊22，卷11，〈文公十四年〉，頁208。

當上之辭也。當上之辭者,謂不稱人以殺,乃以君殺之也。討賊以當
上之辭,殺非弒也。比之不弒有四,取國者稱國以弒。楚公子棄疾殺
公子比,比不嫌也。《春秋》不以嫌代嫌,棄疾主其事,故嫌也。[60]

這兩條經文記載的都是殺弒事件,前者是弒君,後者是殺公子,雖然被殺者
的身分不同,但都與政權接替轉換有關,也就是皆為君位繼承的爭奪事件。
因此,《穀梁》兩度所發之「(《春秋》)不以嫌代嫌」之傳義,其指涉意涵與
發傳目的自不應有異,都是針對取代者與被取代者的名分資格進行評論。

在文公十四年(前613)的事件中,取代者為齊公子商人,被取代者是
齊公子舍,彼此之間屬叔(商人)姪(舍)關係,所以是叔殺姪的齊國繼承
事件。在該年五月,齊昭公(舍之父、商人之兄)卒,子舍繼立;七月,商
人殺舍(叔殺姪),自立為懿公。據《左傳》所載:「子叔姬妃齊昭公,生
舍。叔姬無寵,舍無威。公子商人驟施於國而多聚士,盡其家,貨於公有司
以繼之。夏,五月,昭公卒,舍即位。」又載:「秋,七月乙卯,夜,齊商
人弒舍而讓元。元曰:『爾求之久矣!我能事爾,爾不可使多蓄憾,將免我
乎?爾為之。』」[61]可知,公子商人早已萌生君位覬覦之心,殺舍只是其處
心積慮、預謀已久之後的結果;也就是說,藉武力弒君以自立的公子商人,
為齊桓公六妾所生,[62]繼承資格未具正當性,范注云:「商人專權,有當國
之嫌,故不書國氏,明不以嫌相代。」[63]且其繼位為懿公亦未循正常程序,
所以商人的取代者資格與名分是有「嫌」的。為了凸顯公子商人之「嫌」,

---

60 〔晉〕范甯集解,〔唐〕楊士勛疏:《春秋穀梁傳注疏》,收入李學勤主編「十三經注疏
整理本」,冊22,卷17,〈昭公十三年〉,頁333-334。

61 〔晉〕杜預注,〔唐〕孔穎達正義:《春秋左傳正義》,收入李學勤主編「十三經注疏整
理本」,冊17,卷19下,〈文公十四年〉,頁633。

62 錢鍾書對《左傳》「終不曰公,曰夫己氏」一語,注云:「猶言某甲。按洪亮吉《春秋
左傳詁》載孔廣森說,謂懿公母乃桓公妾次第六,故以甲乙之數名之;則今語所謂
『六姨娘的那個兒子』也。『夫人』訓此人或彼人,亦訓人人或眾人。」見錢鍾書:《管
錐編》,收入《錢種書集》(北京:生活・讀書・新知三聯書店,2001年),頁384。

63 〔晉〕范甯集解,〔唐〕楊士勛疏:《春秋穀梁傳注疏》,收入李學勤主編「十三經注疏
整理本」,冊22,卷11,〈文公十四年〉,頁208。

《穀梁》認為《春秋》採取稱即位未踰年的舍為「君」的筆法來彰顯，而不是使用商人之前加上「齊」的以國為氏的書例，[64]所謂「成舍之為君，所以重商人之弒」、「商人其不以國氏」即是。至於被取代的舍，范注云：「舍不宜立，有不正之嫌。」楊疏云：「范云舍不宜立，有不正之嫌，以《傳》云不以嫌代嫌，明知舍不正。」[65]范、楊二人皆認為舍「有不正之嫌」，但也都沒說明舍不正的原因為何？所以鍾文烝評曰：「今昭公卒而舍立，《左傳》但言『子叔姬妃齊昭公生舍』，不言舍不宜立，明舍非不正，范注失之。」[66]雖然《左傳》「不言舍不宜立」，但也不表示「舍非不正」，是以鍾氏的評論亦有推衍過當之虞。對此，柯劭忞認為：「昭公潘篡立，嫌也。商人弒其子舍而自立，若書齊商人，是以嫌代嫌。……嫌者之子孫本不立者，故弒而代之者，不以當國之辭書之。」[67]柯氏從舍父昭公潘繼位方式的角度立論，據《史記》所載：「孝公卒，孝公弟潘因衛公子開方殺孝公子而立潘，是為昭公。」[68]可知昭公潘乃藉外力殺當朝太子後繼位為君，屬篡立者，於繼承資格有嫌，所以柯氏由此而論，嫌者（昭公潘）之子孫（公子舍）自亦有嫌而不應立，柯氏的立論尚稱得理。是以，可藉周何先生的話，對此事件下以如此判定：「《春秋》重視正名的觀念，既然兩者名分都不正，誰立誰代，都不足取，所以不依『衛州吁』之例，以國為氏，而稱之為『齊公子商人』，『公子』固然是表示其為桓公之子，等於是記其姓氏。既以公子為姓氏，則

---

64 周何先生說：「以國氏者，如稱『衛州吁』，州吁之上冠以國名，是表示其有當國之嫌；如果現在商人之上也加上國名『齊』字，作『齊商人』，則也表示『商人』有當國之嫌。但是『舍』本人不一定就是適當的嗣君人選，也等於是有當國之嫌。以商人代替舍，實際上就是以嫌代嫌。」見周何：《新譯春秋穀梁傳》（臺北：三民書局，2000年），頁565。

65 〔晉〕范甯集解，〔唐〕楊士勛疏：《春秋穀梁傳注疏》，收入李學勤主編「十三經注疏整理本」，冊22，卷11，〈文公十四年〉，頁208。

66 〔清〕鍾文烝撰，駢宇騫、郝淑慧點校：《春秋穀梁經傳補注》，卷14，〈文公十四年〉，頁408。

67 柯劭忞：《春秋穀梁傳注》，卷8，頁252。

68 〔漢〕司馬遷：《史記》，卷32，〈齊太公世家〉，頁1495。

不是以國為氏。既不是以國為氏,就表示不同於『衛州吁』的嫌代,也正是表明《春秋》不同意這種以不正代不正的繼承方式與事實。」[69]

至於在昭公十三年(前529)的事件中,取代者為公子棄疾,是前君楚靈王之子;被取代者是公子比,是前君楚靈王之弟。兩人屬叔(比)姪(棄疾)關係,所以是姪殺叔的楚國繼承事件。據《史記》所載:「初,靈王會兵於申,僇越大夫常壽過,殺蔡大夫觀起。起子從亡在吳,乃勸吳王伐楚,為閹越大夫常壽過而作亂,為吳閹。使矯公子棄疾命召公子比於晉,至蔡,與吳、越兵欲襲蔡。令公子比見棄疾,與盟於鄧。遂入殺靈王太子祿,立子比為王,公子子皙為令尹,棄疾為司馬。」[70]其後,「五月癸亥,王縊于芋尹申亥氏」[71]。由此可知,「公子比之歸楚,并無篡滅之心,其被立為王,實在楚子自縊之前。并未親弒,但他不能拒絕推立,則逼楚虔之自縊的責任,他也就無法脫御了。許世子買既以不嘗藥而負弒君之罪,公子比當然也會因受立而負弒君之責了」[72],所以《春秋》書曰:「楚公子比自晉歸于楚,弒其君虔于乾谿。」然而《穀梁》卻說:「以比之歸弒,比不弒也。弒君者日,不日,比不弒也。」又說:「取國者稱國以弒,楚公子棄殺公子比,比不嫌也。」明確主張被取代者公子比不弒,所以不嫌。至於取代者公子棄疾,《史記》有載:「棄疾歸。國人每夜驚,曰:『靈王入矣!』乙卯夜,棄疾使船人從江上走呼曰:『靈王至矣!』國人愈驚。又使曼成然告初王比及令尹子皙曰:『王至矣!國人將殺君,司馬將至矣!君蚤自圖,無取辱焉。眾怒如水火,不可救也。』初王及子皙遂自殺。丙辰,棄疾即位為王,改名熊居,是為平王。」[73]知棄疾用計而使公子比自殺,雖非親殺,也難逃殺比之責,所以《春秋》書曰:「楚公子棄疾殺公子比。」《穀梁》對棄

---

69 周何:《新譯春秋穀梁傳》,頁565。

70 〔漢〕司馬遷:《史記》,卷40,〈楚世家〉,頁1706-1707。

71 〔晉〕杜預注,〔唐〕孔穎達正義:《春秋左傳正義》,收入李學勤主編「十三經注疏整理本」,冊19,卷46,〈昭公十三年〉,頁1515。

72 傅隸樸:《春秋三傳比義》,頁936。

73 〔漢〕司馬遷:《史記》,卷40,〈楚世家〉,頁1708-1709。

疾也是持以有殺君之嫌的評論，所以傳文云：「棄疾主其事，故嫌也。」范注云：「比實無弒君之罪，而主殺之者，是棄疾欲為君之嫌。」[74]柯劭忞亦云：「己恐弒事不成，使他人為之，己乃殺其人而自立，此棄疾所以為嫌。」[75]皆持相同說法。

在「楚公子棄疾殺公子比」的事件中，《穀梁》認為取代者棄疾有嫌，被取代者比不嫌，如此，則《穀梁》所發「《春秋》不以嫌代嫌」之義所指為何？本文以為，《穀梁》先言「比不嫌也」，再以「棄疾主其事，故嫌也」補充說明，其用意在以比的不嫌凸顯棄疾的嫌；也就是說，「不以嫌代嫌」既為《春秋》所不認同，則公子棄疾以嫌代不嫌的公子比，當然更不為《春秋》所允許。所以《穀梁》標舉「《春秋》不以嫌代嫌」之義，暗寓此事件中公子棄疾的「嫌」與公子比的「不嫌」，乃以傳義搭配曲筆的手法以發揮《春秋》褒貶之義。

由上引〈昭公十三年〉傳文的語義結構可知，「《春秋》不以嫌代嫌」之後的「棄疾主其事，故嫌也」一語，與〈文公十四年〉「不以嫌代嫌也」之後的「舍之不日，何也？未成為君也」的傳文一樣，都具有補充說明或強調傳義的功能。《穀梁·昭公十三年》云：「弒君者日，不日，不弒也。」〈昭公十九年〉云：「日弒，正卒也。」[76]意即弒君的事件都應記載日期，不記載日期者表示不是弒君。文公十四年（前613），公子商人實弒其君舍，但經文卻未記載日期，於是案件事實與《春秋》書例之間遂產生了衝突，為了解決這個衝突，說明其異同，《穀梁》特地以「舍未成為君」的解釋，區別弒舍的不日與其他弒君事件的不日之間的差異，「一方面以稱君的方式，謹商人弒君之罪；一方面則以不日的記載方式，明舍即位未踰年的事實」[77]。可

---

74 〔晉〕范甯集解，〔唐〕楊士勛疏：《春秋穀梁傳注疏》，收入李學勤主編「十三經注疏整理本」，冊22，卷17，〈昭公十三年〉，頁334。

75 柯劭忞：《春秋穀梁傳注》，卷13，頁410。

76 〔晉〕范甯集解，〔唐〕楊士勛疏：《春秋穀梁傳注疏》，收入李學勤主編「十三經注疏整理本」，冊22，卷17，〈昭公十三年〉，頁334；卷18，〈昭公十九年〉，頁340。

77 吳智雄：《穀梁傳思想析論》，頁55。

見，《穀梁》中兩條「（《春秋》）不以嫌代嫌」之後的傳文，都具有補充說明
或解釋「不以嫌代嫌」之義的重要功用。

《穀梁》「《春秋》不以嫌代嫌」之義隱含對秩序的講求，則所謂的
「嫌」所指為何？范注云：「凡非正嫡，則謂之嫌。」又云：「舍不宜立，有
不正之嫌。商人專權，有當國之嫌。」[78]鍾文烝曰：「謂非正嗣也。嫌，疑
也，疑於君也。……凡《傳》言嫌者，猶《公羊》言當國。」[79]柯劭忞曰：
「嫌者弒君而自立，以其嫌於君也，猶言已有君，又有欲為君者。」[80]周何
先生云：「嫌是嫌疑，引申為疑似近同的意思。這裡稱嫌，是說其權勢近似
於國君，有當國之嫌。」[81]綜合上述前人所解，則所謂的「嫌」，有不正、
非正嫡／嗣、當國之義。這樣的人因自身不正，無法以正治亂；或有當國之
勢力，足以取代在位國君而形成混亂的狀態。因此，「不以嫌代嫌」即是
「不以亂治亂」，所以在文公十四年（前613）與昭公十三年（前529），范甯
（約339-401）分以「《春秋》以正治不正，不以亂平亂」、「不以亂治亂之
義」注解「不以嫌代嫌」之義涵。柯劭忞亦云：「不以嫌代嫌，猶言不以亂
治亂也。」又云：「猶言不以賊討賊也。以賊討賊而代其位，是以嫌代
嫌。」[82]范、柯二人皆持兩者義涵相同之說，且「不以亂治亂」所指涉的意
思更加清楚而明確。

《穀梁傳‧昭公四年》經云：「秋，七月，楚子、蔡侯、陳侯、許男、
頓子、胡子、沈子、淮夷伐吳。執齊慶封，殺之。」傳曰：

> 此入而殺，其不言入，何也？慶封封乎吳鐘離。其不言伐鐘離，何
> 也？不與吳封也。慶封其以齊氏，何也？為齊討也。靈王使人以慶封

---

78 〔晉〕范甯集解，〔唐〕楊士勛疏：《春秋穀梁傳注疏》，收入李學勤主編「十三經注疏
整理本」，冊22，卷2，〈隱公四年〉，頁20；卷11，〈文公十四年〉，頁208。

79 〔清〕鍾文烝撰，駢宇騫、郝淑慧點校：《春秋穀梁經傳補注》，卷1，〈隱公四年〉，頁
36。

80 柯劭忞：《春秋穀梁傳注》，卷1，頁21。

81 周何：《新譯春秋穀梁傳》，頁30。

82 柯劭忞：《春秋穀梁傳注》，卷8，頁252；卷13，頁410。

> 令於軍中曰：「有若齊慶封弒其君者乎？」慶封曰：「子一息，我亦且
> 一言。曰：有若楚公子圍弒其兄之子而代之為君者乎！」軍人粲然皆
> 笑。慶封弒其君，而不以弒君之罪罪之者，慶封不為靈王服也，不與
> 楚討也。《春秋》之義，用貴治賤，用賢治不肖，不以亂治亂也。孔
> 子曰：「懷惡而討，雖死不服，其斯之謂與。」[83]

此段文字是《穀梁傳》中少見的長文，在傳文結構上，可依序劃出四個意義
區塊：首先是《春秋》經文用字例的解釋，包含「不言入」、「不言伐」、「以
齊氏」；其次是楚靈王與齊慶封的對話，這也是《穀梁傳》中不易見得的傳
文類型，具有豐富內容與增強語境的敘事效用；其三是《穀梁》對《春秋》
不以弒君之罪罪慶封的見解；最後是《穀梁》認為《春秋》有「用貴治賤，
用賢治不肖，不以亂治亂」之義的提出。再者，這四個意義區塊還可進一步
濃縮為兩大重點，一是人物對話內容的運用，二是《春秋》書例與大義的詮
釋，前者的敘事形態在補充後者的歷史情境，而後者又以「用貴治賤，用賢
治不肖，不以亂治亂」之義為要，不僅是全傳首發且是唯一的《穀梁》傳
義，故而為本條傳文的核心。

在《穀梁》所發《春秋》「不以亂治亂」之義中，亂者為齊慶封，治亂者
為楚靈王虔（即公子圍）。據《左傳》所載，魯襄公二十五年（前548），齊崔
杼弒其君莊公，立齊靈公之子杵臼為景公，自為相，以慶封為左相，並與國
人盟於太宮曰：「所不與崔、慶者。」可見崔、慶兩人或為朋黨，慶封不討
弒君之賊，應同擔弒君之罪名，如范注云：「謂與崔杼共弒莊公光。」[84] 襄
公二十七年（前546），慶封滅崔氏，當國。次年（前545），盧蒲癸、王何與
欒、高、陳、鮑之徒攻慶氏，慶封奔魯，齊人責魯，慶封遂奔吳，吳子句餘
朱方，慶封聚其族而居之，反而還富於從前。魯昭公四年（前538）七月，

83　〔晉〕范甯集解，〔唐〕楊士勛疏：《春秋穀梁傳注疏》，收入李學勤主編「十三經注疏
　　整理本」，冊22，卷17，〈昭公四年〉，頁319-320。

84　〔晉〕范甯集解，〔唐〕楊士勛疏：《春秋穀梁傳注疏》，收入李學勤主編「十三經注疏
　　整理本」，冊22，卷17，〈昭公四年〉，頁319。

楚靈王率諸侯伐吳，八月，克朱方，執齊慶封，戮之，並盡滅其族。由此可知，齊慶封參與弒君之事且荒淫亂國，如《公羊》曰：「慶封之罪何？脅齊君而亂齊國也。」[85]可知，若以「不以亂治亂」中的被治理者而言，齊慶封十足是亂者無疑。

至於治亂者楚靈王，《左傳》於魯昭公元年（前541）有載：「十一月己酉，公子圍至，入問王疾，縊而弒之，遂殺其二子幕及平夏，右尹子干出奔晉，宮廄尹子晳出奔鄭，殺大宰伯州犁于郟，葬王于郟，謂之郟敖。」[86]公子圍弒君後，即位為楚靈王，並改名虔。一樁如此重大的弒君事件，理應載於史冊，然而《春秋》卻僅以「楚子卷（麇）卒」一語帶過，楊士勛認為這是緣於楚國的不實赴告所致，楊氏說：「元年『楚子卷卒』，不云弒，此云弒者，彼為密弒之，託以疾卒。楚無良史，告以不實，故《春秋》從而書之。《傳》因慶封之對，以起其事，則篡之罪，亦足以見也。」[87]但即便《春秋》因故未載，仍能藉《左傳》的記載補足這起弒君事件與弒君過程；而《左》、《穀》二傳中對靈王、慶封對話內容的記述，則更是增加了這段歷史事件的可看性。《左傳》載曰：

> 將戮慶封。椒舉曰：「臣聞無瑕者可以戮人。慶封惟逆命，是以在此，其肯從於戮乎？播於諸侯，焉用之？」王弗聽，負之斧鉞，以徇於諸侯。使言曰：「無或如齊慶封，弒其君，弱其孤，以盟其大夫。」慶封曰：「無或如楚共王之庶子圍，弒其君兄之子麇而代之，以盟諸侯。」王使速殺之。[88]

---

85 〔漢〕何休解詁，〔唐〕徐彥疏：《春秋公羊傳注疏》，收入李學勤主編「十三經注疏整理本」，冊21，卷22，〈昭公四年〉，頁552。

86 〔晉〕杜預注，〔唐〕孔穎達正義：《春秋左傳正義》，收入李學勤主編「十三經注疏整理本」，冊18，卷41，〈昭公元年〉，頁1344-1345。

87 〔晉〕范甯集解，〔唐〕楊士勛疏：《春秋穀梁傳注疏》，收入李學勤主編「十三經注疏整理本」，冊22，卷17，〈昭公四年〉，頁320。

88 〔晉〕杜預注，〔唐〕孔穎達正義：《春秋左傳正義》，收入李學勤主編「十三經注疏整理本」，冊18，卷42，〈昭公四年〉，頁1384。

《穀梁傳》載曰：

> 靈王使人以慶封令於軍中曰：「有若齊慶封弒其君者乎？」慶封曰：
> 「子一息，我亦且一言。曰：有若楚公子圍弒其兄之子而代之為君者
> 乎！」軍人粲然皆笑。[89]

《左》、《穀》二傳所載楚靈王與齊慶封一來一往、彼此挪揄、相互指摘的對話，其實剛好互揭兩人皆為弒君者的瘡疤，這樣的戲碼正是所謂狗咬狗一嘴毛的不二寫照，難怪在場軍人在聽完兩人對話後會「粲然皆笑」，並讓楚靈王因此惱羞成怒而「使速殺」慶封；再者，椒舉對靈王欲殺慶封之前的一番規勸未獲採納，也正反襯了楚靈王的剛愎自用，最後演變成自取其辱也就不足為奇了。傳文中諸如此類的人物對話書寫，不僅增添了史文敘事的生動感，讓歷史人物活靈活現，同時更從中透顯了傳文想要傳達的褒貶大義。

從本條傳文的事件內容來看，楚靈王所率領的諸侯有華夏、有夷狄，所伐的地方屬吳地、為夷狄，所討伐的對象（慶封）為中國臣子，去討伐的楚則為夷狄，討伐者與被討伐者皆為弒君者，因此本傳文所涉及的對象、範圍、成員、事件等面向都相當複雜，不是單純的夷狄互侵或夷夏交伐事件，而是夷中有夏、夏中有夷。所以，既不能從《穀梁》的夷夏義例，如「中國與夷狄不言戰，皆曰敗之」（〈成公十二年〉）、「不以中國從夷狄」（〈襄公十年〉）、「中國日，卑國月，夷狄時」（〈襄公六年〉）……等等，也無法採夷狄之書法，如「兩夷狄曰敗」（〈昭公十七年〉）。在此事件的特殊背景下，《穀梁》解經時既要留意楚伐吳的夷狄書法，又要兼顧楚執慶封的夷夏義例，所以特著《春秋》「不以亂治亂」之義，顯見此大義為《穀梁》有意識地闡發《春秋》經文，而非隨意為之。

在「不以亂治亂」之義的詮釋之下，亂者（齊慶封）與治亂者（楚靈王）皆是弒君者，《穀梁》認為以弒君者治弒君者為《春秋》所不許，所以

---

89 〔晉〕范甯集解，〔唐〕楊士勛疏：《春秋穀梁傳注疏》，收入李學勤主編「十三經注疏整理本」，冊22，卷17，〈昭公四年〉，頁319-320。

特以「不以亂治亂」說明《春秋》之所以不以弒君之罪罪慶封,並非慶封無弒君之罪,而是不認同楚靈王以弒君者的身分予以討伐。如此詮釋,一方面解決了《春秋》看似不治慶封弒君之罪可能招來的質疑,另一面則避免了可能會有認同楚(夷)討慶封(夏)之舉的誤解,尤其是最後傳文還具引了孔子「懷惡而討,雖死不服」一句話,更加深了「不以亂治亂」的說服力。

除了藉「不以亂治亂」的反向陳述方式以闡明對亂序者的批判外,《穀梁》還進一步對治者與被治者提出正向的要求,即「用貴治賤」與「用賢治不肖」。「用貴治賤」是指政治身分位階的高低,「用賢治不肖」則是道德人格境界的良窳,《穀梁》主張應積極地以政治高階者治理低階者,以人格賢良者治理不良者,並輔以消極面不能以亂者治理亂者的要求;而治理者亂與不亂的判別,乃在於是否具有合於宗法制度下的正當繼承資格與即位程序。由此可知,《穀梁》對理想的治理人選,其實是綜合了政治階層、道德倫理、宗法制度等三個面向來考量;同時也藉此可知,《穀梁》對秩序的講求以及有序狀態的達成,乃仰賴合宜合格合法的領導者來達成。此種將治理重任寄託於領導人才的政治思維,接近於孔子「人能弘道,非道弘人」的主張;而「不以亂治亂」的正面說法即是「以正治亂」,重點在強調治者自身的「正」,此又與孔子「政者,正也。子帥以正,孰敢不正」的意義相通。[90]所以整體而言,「《穀梁傳》不贊成以亂治亂、以暴制暴的政權轉移,因為這樣的政權轉移方式,只會加重政權的不穩定與秩序的混亂,且對政權來說,也不是一個合法性的政權。我們設想一種情形,如果每個政權轉移的方式,都是靠弒君而來的話,那將會是一個多麼混亂的時代,所以《穀梁傳》才如此強調『不以亂治亂』的《春秋》之義」[91]。

---

90 前引兩則孔子言論,見〔宋〕朱熹:《四書章句集注‧論語集注》,卷8,〈衛靈公〉,頁167;卷6,〈顏淵〉,頁137。

91 吳智雄:《穀梁傳思想析論》,頁58-59。

四 結論

　　《春秋》一書，逐年依月計日地記載下春秋時期二百四十二年（前722-前481）間發生的重要歷史事件，這段歷史包含了天災、異象、善行與人禍。其中，為數眾多的亡國、弒君、殺子、侵伐、戰役、逃奔……等事件，共同構成了一幅基本的春秋圖像——一幅君不君、臣不臣、父不父、子不子的失序狀態圖像。這些失序的現象，司馬遷在「察其所以」之後，總稱之為「皆失其本」。

　　造成「皆失其本」的原因，首先來自於周天子領導地位的低落與力量的衰微，無力阻止或制裁諸侯的種種失序行為，以致於撐不住整個周王朝的有序運作，於是，僭越、欺凌、兼併、侵伐、滅國……等種種失序行為便隨之漫天而起。而周天子地位的衰落，則導因於規範力量的式微與喪失，也就是傳統所謂的「禮崩樂壞」。思想家處在禮崩樂壞的失序世界裏，自然會衍生對有序世界的嚮往，久而久之，這個嚮往也就內化為思想上的一種秩序情結。所以，《春秋》向來被視為治亂之書，以及孟子認為孔子懼「世衰道微，邪說暴行」而作《春秋》，《春秋》成而亂臣賊子懼等說法，亦皆自有其理。

　　就作為解《春秋》經之作的《公羊傳》與《穀梁傳》而言，《春秋》所承載的失序狀態及其所造成的原因與問題，便成為二傳所須共同面對的歷史問題；既然歷史問題相同，則《公》、《穀》二傳在說解這個相同問題時，除了共同批判春秋時期的各種失序行為之外，勢必也會對有序狀態產生一種渴求的想望，並進而對這個想望提出因應之道，最終成為《公》、《穀》二傳解釋《春秋》經文時共同的核心論題——對秩序的講求。

　　《公》、《穀》二傳就秩序講求的目的，分別提出「大一統」與「不以亂治亂」的主張。《公羊》「大一統」即以一統為大之意，指以周天子為中心所建立起的一個有序世界，著重於僭越行為對治後的秩序回歸，《公羊》傳文所云「欲天下之一乎周」、「王者欲一乎天下」即是。《穀梁》「不以亂治亂」即「不以嫌代嫌」，乃針對政權治理／取代者與被治理／被取代者的名分資格而論，尤其強調治理／取代者的名分要求，也就是導正混亂的力量必須具

正當性，才不會形成一種以惡制惡的不良循環，如此方可達到建立秩序的目的。由此可知，《公羊傳》的「大一統」與《穀梁傳》的「不以亂治亂」，都是在面對共同的春秋問題之下，省思共同面對的失序狀態，並對有序狀態所提出具有共同目標的嚮往與追求的主張。

然而，在上述共同點之外，《公羊》「大一統」與《穀梁》「不以亂治亂」仍有其不同之處。

首先，發傳的事件性質不同：《公羊》是從《春秋》的史書體例，引申發揮到具有經學意義的一種創造性詮釋；《穀梁》則是就《春秋》記載的政權正當性事件，提出一種理想的治亂作法。

其次，思考的面向廣度不同：《公羊》所思考的是周王朝之下諸侯之間的國際秩序，《穀梁》則比較注意諸侯國內部政權的轉換資格與方式。

其三，著重的問題方向不同：「大一統」在如何對治僭越的行為，較著重於政治結構的階層穩定；「不以亂治亂」則是對治理者提出具體的名分資格要求，較著重在失序行為的矯正手段。

其四，語義的指涉程度不同：「大一統」的語義明確度較高，且傳文中亦有明文指出，理解的難度較低；而「不以亂治亂」以及與其意義相通的「不以嫌代嫌」，語義明確度較低，且須深入事件過程中探討方可得知，理解的複雜度較高。

最後，對應的處理層次不同：《公羊》「大一統」是一種通則方向的提出，可以戰略層次形容；《穀梁》「不以亂治亂」則是具體解決方法的運用，可以戰術層次比擬。

《公羊》與《穀梁》雖然共同面對禮崩樂壞的春秋時代特徵，有著共同的追求目標──有序的狀態，也有著共同的核心論題──秩序的講求，但「大一統」與「不以亂治亂」仍有各自不同的側重點，《公》、《穀》二傳的思想特色，是否就由此走上不同的道路？值得後續深入探討。

「道統」與「心體」：明代蔡清《四書蒙引》朱學深化與衍異考察[*]

陳逢源

政治大學中國文學系

一 前言

　　蔡清，字介夫，其學初主靜，後主虛，以虛名齋，學者稱虛齋先生。生於代宗景泰四年（1453），卒於武宗正德三年（1508），福建晉江人。成化十三年（1477）鄉試第一，成化二十年（1484）甲辰進士，即乞假歸講學，後出任禮部祠祭主事，正德改元，任江西提學副使，忤寧王宸濠，遂乞休，後起復為南京祭酒，未及任而卒，年五十六，事蹟詳《明儒·儒林傳》。[1]後人整理蔡清相關史料記載有二十五種[2]，其中門人以林希元所撰〈南京國子祭酒虛齋蔡先生行狀〉內容較為詳盡[3]，其餘皆簡略，黃宗羲於《明儒學案·師說》「蔡虛齋清」云：「先生闇修篤行，不聚徒，不講學，不由師承，崛起於希曠之後，一以六經為入門，四子為標準，而反身用力，本之靜虛之地，所謂真道德性命，端向此中有得焉。久之涵養深至，日改而月以化，庶幾慥慥

---

* 本文乃是執行科技部「明代四書學中朱學系譜——以蔡清《四書蒙引》、陳琛《四書淺說》、林希元《四書存疑》為核心之考察」計畫所獲得之成果，計畫編號 MOST 109-2410-H-004-145-MY3，助理李松駿同學協助檢覈，大有助於觀察成果，在此一併致謝。

1　張廷玉等撰：《明史》（北京：中華書局，1974年）卷282〈儒林一〉，頁7234。

2　傅蓉：〈明中葉朱學砥柱——蔡清生平學術述略〉，《新亞論叢》2010年第11期（2010年8月），頁142。

3　林希元撰，何丙仲校注，廈門市圖書館編：《林次崖先生文集》（廈門：廈門大學出版社，2015年）下冊，卷14，〈南京國子祭酒虛齋蔡先生行狀〉，頁533-539。

君子。」[4]說明其學術自出為多，而卓然有守，列於〈諸儒學案〉當中，云：

> 先生平生精力，盡用於《易》、《四書蒙引》，蠶絲牛毛，不足喻其細
> 也。蓋從訓詁而窺見大體。其言曰：「反覆體驗，止是虛而已。蓋居
> 常一念及靜字，猶覺有待於掃去煩囂之意。唯念個虛字，則自覺安，
> 便目前縱有許多勞擾，而裡面條路元自分明，無用多費力，而亦自不
> 至懈惰也。」觀于此言，知不為訓詁支離所域矣。其《易》說不與本
> 義同者，如卜筮不專在龜筮，取卜相筮占疑為徵。又辯七占古法，皆
> 佳論也。羅整菴曰：「蔡介夫《中庸蒙引》論鬼神數段極精，其一生
> 做窮理工夫，且能力行所學，蓋儒林中之傑出者也。」先生極重白
> 沙，而以新學小生自處，讀其終養疏，謂「鈔讀之餘，揭蓬一視，惟
> 北有斗，其光爛然，可仰而不可近也。」其敬信可謂至矣。而論象
> 山，則猶謂「未免偏安之業」。恐亦未能真知白沙也。傳其學者，有
> 同邑陳琛、同安林希元，其釋經書，至今人奉之如金科玉律，此猶無
> 與於學問之事者也。[5]

對於蔡清學術有幾項說明，就進路而言乃是訓詁以見大體，然而又有超乎訓
詁之處，學術尊信白沙，但對於象山學術了解不清，因此推斷對於白沙學術
了解恐怕並不真確，大抵是接受但未全然肯定的態度，評價明顯並不高，然
而於末了透露頗為奇特訊息，蔡清所釋經書，人人奉為金科玉律，而其下包
括陳琛、林希元同傳其學，顯然不管是時人之見，抑或學有所傳，蔡清顯然
具有影響力，只是黃宗羲言此無關乎學問，可以存而不論，無所置評，缺乏
進一步說明，也就難以究析所指，蔡清學術存在一個模糊面影，以及評價當
中難以釐清的矛盾。延續於此，清代《四庫全書》收蔡清《四書蒙引》書前
提要也有類似的說法，云：

> 清品行端粹，學術極為醇正，此書本意雖為時藝而作，而體味真切，

4　黃宗羲：《明儒學案》（臺北：華世出版社，1987年）「師說」，頁6。
5　黃宗羲：《明儒學案》卷46〈諸儒學案上四〉，頁1097。

闡發深至，實足羽翼傳注，不徒為舉業準繩，刁包稱朱注為四書功
臣，《蒙引》又朱注功臣，陸之輔稱說四書者不下百種，未有過於此
者，其為學人推重如此，與後來之剽掇儒先賸語以為講章者，相去固
霄壤矣。[6]

認為《四書蒙引》是為時藝而作，足以羽翼經傳，甚至還給予朱注是四書功
臣，而《蒙引》是朱注功臣的說法，甚至提出四書詮釋者多矣但無有過於蔡
清《四書蒙引》的說法，評價頗高，然而這段評論於《四庫全書總目》當中
已然芟除，作「猶有宋人講經講學之遺，未可以體近講章，遂視為揣摩弋獲
之書也。」[7] 稍稍言其尚有遺風，未可以講章一概視之，比較之下可以見到
貶抑之意。筆者檢視明代四書學成果，從胡廣《四書大全》以下，科舉主導
明儒義理思考從政教而及於心性事理的反省，蔡清《四書蒙引》具有階段性
發展意義，突顯個人經典的體會，才有後續四書詮釋的發展，甚至心學思考
也是立基於四書詮釋深化的結果[8]，從官方《四書大全》至民間的《四書蒙
引》，四書成為學人展現義理思考的重要文本，對於明代學術發展至關重要，
只是前人關注不多，甚至有意貶抑的結果，也就無法有正確的了解。晚近雖
有周天慶、朱冶、孫寶山、王素琴、王志瑋撮舉介紹，可以見其大要[9]，然而

6　蔡清：《四書蒙引》（臺北：臺灣商務印書館，景印文淵閣《四庫全書》本1986年），頁
　　1-2。
7　紀昀等撰：《四庫全書總目》（臺北：臺灣商務印書館，1985年）卷36，「《四書蒙引》
　　十五卷別附一卷」提要，頁743。
8　陳逢源：〈明代四書學撰作形態的發展與轉折〉，《國文學報》第68期（2020年12月），
　　頁79。
9　參見周天慶：〈靜虛工夫與明中後期的儒道交涉──以朱熹後學蔡清為例〉，《東南學
　　術》（2008年第6期），頁93。朱冶：〈蔡清著作《四書蒙引》的背景、意義及其對《四
　　書大全》的修正〉，《華中國學（第一卷）》（2013年1月），頁141-156。孫寶山：〈言蔡
　　清的四書學詮釋〉，《中國哲學史》（2016年4期），頁52-58。王素琴：《蔡清及其四書蒙
　　引研究》（臺中：臺中教育大學語教系博士論文，2019年1月）、王志瑋：〈蔡清《四書
　　蒙引》的治經態度──以《大學蒙引》的詮釋為例〉，《東亞漢學研究》第10號（2020
　　年9月）頁239-252。

可以深入之處尚多，是以選擇蔡清《四書蒙引》為範圍，分析其學術，考察
對於朱學的深化與衍異，期以有深入的觀察。

二　蔡清學述

有關蔡清的學術，黃宗羲《明儒學案》言「羸脆骨立，而警悟絕人，總
髮盡屈其師。裹糧數百里，從三山林玭學《易》，得其肯綮。」[10]林玭事見
《福州府志・人物列傳》[11]，上溯學術淵源不詳，蔡清得其《易》學。另外，
蔡清《虛齋蔡先生文集》中有〈送莊先生尹信豐序〉稱「清受業師曰遜庵莊
先生」[12]，可見也曾受業於莊概，但總體而言，蔡清確實是從經典本身入
手，自省自發為多，工夫得力於虛靜之間的體驗，《明儒學案》錄其語要云：

> 靜之一字，更須於動中驗之，動而不失其靜，乃為得力，反覆體驗，
> 又止是虛而已。蓋居嘗一念及靜字，猶覺有待於掃去煩囂之意，唯念
> 個虛字，則自覺便安。目前縱有許多勞擾，而裡面條路元自分明，無
> 用多費力，而亦自不至懈惰也。且靜亦須虛，方是靜本色，不然形靜
> 而心騖於外，或入於禪者何限？
>
> 人心本是萬里之府，惟虛則無障礙，學問工夫，大抵只是要去其障礙
> 而已。此言吾未能盡行之，但彷彿有一二時襲得此光景者，或非意之
> 來，應之若頗閒暇，至寤寐之際，亦覺有甜趣，故吾妄意虛之一字，
> 就是聖賢成終成始之道。[13]

10　黃宗羲：《明儒學案》卷46〈諸儒學案上四〉，頁1096-1097。

11　徐景熹修，魯曾煜、施廷樞等纂：《乾隆福州府志（二）》卷50〈人物列傳〉，頁30b，
　　收入上海書店出版社編：《中國地方志集成》（上海：上海書店出版社，2000年）第2
　　冊，總頁95。

12　蔡清：《虛齋蔡先生文集》（臺北：文海出版社，1970年）卷3〈送莊先生尹信豐序〉，
　　頁309。

13　黃宗羲：《明儒學案》卷46〈諸儒學案上四〉，頁1098-1099。

此段文字出於蔡清〈與黃德馨書〉[14]，蔡清由靜而悟入，以動驗靜，動不失其靜，在動靜體驗當中，拈出「虛」之一字，以見工夫之要。操持之間，以去其蔽障，從而洞悉心體之靈明，只是「虛靜」一詞容易讓人誤解為《老子》「致虛極，守靜篤」[15]，然而相對於道家觀察自然形態的主張，蔡清乃是觀察心念之起，究析意念之動，純乎心體體察結果，必須視為儒學修養工夫。「靜」原就宋代理學家重視的修養方式，更是朱熹承李侗一脈所傳道南指訣，「靜中看喜怒哀樂未發之謂中，未發時作何氣象」所反映的核心要義，從體證當中，統合體用，兼及內外，歸之於靜之一端，以見未發時氣象，原就是道南一系的重點。[16]蔡清學術「崛於希曠之後」，固然無法考其淵源，然而以其性質所近，卻是直接閩學傳統，此於省身法中所見尤明，云：

> 程先生每教人靜坐，李先生亦教人靜坐，以驗夫喜怒哀樂之未發時氣象如何？此法可以養心，可以養氣，可以照萬物，而處之各得其宜，實得造化之機。[17]

蔡清對於道南一脈修養方法並不陌生，不僅清楚其淵源，也有實際有驗之心得，以靜而入的進路，有養心、養氣，映照萬物，觀覽天地氣象，各得其宜的結果，學術其來有自，可以推測原出於朱熹過化所在所產生的學術氛圍，對於朱熹學術之崇信，不僅於心法修養之信仰，更及於學術氣魄與規模的分判，學術宗主所在，原出於閩學的氛圍，〈讀蜀阜存藁私記〉略述其思考，云：

> 宋理學大明，至朱子與陸子，俱祖孔、孟，而其門戶乃不盡同。先生之學，則出自慈湖，楊先生敬仲而宗陸氏者也。其議論有曰：「毫分

---

14 蔡清：《虛齋蔡先生文集》卷2〈與黃德馨書〉，頁118-119。

15 魏源：《老子本義》（《新編諸子集成》第3冊（臺北：世界書局，1983年）上篇，頁12。

16 陳逢源：〈「道南」與「湖湘」──朱熹義理進程〉，《「融鑄」與「進程」：朱熹四書章句集注之歷史思維》（臺北：政大出版社，2013年），頁192-194。

17 黃宗羲：《明儒學案》卷46〈諸儒學案上四〉，頁1101。

縷析較便宜，若个便宜總不知，總是自家家裡事，十分明白十分
疑。」此先生之學也，正所謂尊德性工夫居多者也。……蓋其在萬山
中玩心，高明有日，是以其言論概以六經為吾心註腳，每有引而不發
之意，而其興之所適，軒然宵漢之上，俯視萬有，無一足嬰其懷者，
此可以見陸學之未盡符於大中至正之矩。使當日得究其用，恐於開物
成務之實，終必有疎處。苟其疎也，則其所自受用，亦恐其不覺而近
於佛、老。此朱子之於陸氏，所以每欲周旋以補其欠而不得苟同焉者
也。……自古高明之士，往往有此。在孔門，則曾點之徒是已，夫子
所以欲歸而裁之也，載觀集中亦屢屢以夫子「欲無言」類為說。先生
固亦知夫子斯言為子貢多言設矣，然愚以為又安知其非發於子貢「多
學而識之」之後，學將有得之日乎？故嘗謂自其次致曲以下，無仰鑽
瞻忽之勞，則卓爾之見，或非真無，隨事精察力行之功，則一貫之
命，必不泛及。……夫道也者，萬世無弊，考諸三王而不謬，建諸天
地而不悖，質諸鬼神而無疑，百世以俟聖人而不惑，平平正正，使高
明者不得以獨騖，而其下者可以企及，然後為中庸，而可以主張乎皇
極，詎容一毫有我於其間哉？……此吾道正統所以卒歸之朱子，而陸
氏所就，猶未免為偏安之業也。[18]

朱、陸同尊孔、孟，但門戶不同，道問學與尊德性不同進路，乃就是儒學公
案所在，日後更直接是心與理之分判。然而蔡清以實際之觀察，衡諸事理，
高明與日用之間，如何綜納而通貫，道之所在，必須周遍而無疑，平平正正，
達乎中庸，既不可高而遺下，更要下而可以及上，才是一貫之學，因此認為
朱熹乃是得道之正統，而陸氏說法只得其一偏而已。蔡清以此分判朱熹乃是
圓教法門，說法來自於求其一貫，求其周遍無失，可以有皇極經世之用，蔡
清所言並不涉及理字，純以達用為說，至於高明之所偏，正是自信過度，未
能於虛以待理，隨事精察。然而心之為用，必須在朱熹學術當中，尋求正確
的了解，此於林希元〈南京國子祭酒虛齋蔡先生行狀〉言之頗詳，云：

---

18 蔡清：《虛齋蔡先生文集》卷4〈讀蜀阜存藁私記〉，頁358-361。

先生少而聞道，自幼知學，即悟世儒詞章訓詁之非，而得乎濂、洛、
關、閩之風旨，謂宋儒之道至朱子始集大成，朱子之道不明，則聖賢
之道因之遂晦。故其所學所推，明惟朱子而已。至其用功之要，則求
之心。嘗曰：「吾居閩南，一念及燕北，其神即在燕北；吾居燕北，
一念及閩南，其神即在閩南。此可見天地之神在我，善用之則窮天地
之祕，搜聖賢之蘊，達古今之變，而無所不之也。故其為學必定此心
于靜密以立之本，運此心于思索以致之用，庸能剖析義理入于毫釐，
折衷群言歸于一致。」又其言曰：「東海之士得《論語》讀之，可進于
聖人。西海之士得《大學》讀之，可進于聖人；南海之士得《中庸》
讀之，可進于聖人；北海之士得《孟子》讀之，可進于聖人，蓋
《語》、《孟》、《學》、《庸》之書各自以所見示人，途轍少異，而其歸
則同。士囿于東西南北之風氣，各以其性之相近為學，而皆可以入
道。」聖賢垂世立教，微旨各有攸存，然非先生之真知允蹈，未能發
以示人也。然則先生之學于道深矣，世之支離博雜者，固不敢望其下
風，自謂簡易高明，而中實暗昧者，又不足涉其藩籬也。[19]

蔡清自幼穎悟，在詞章與訓詁當中直接宋代理學統緒，了解濂、洛、關、閩
所傳學術，以朱熹為集大成者，朱熹之道即是聖賢之道，因此以朱熹學術為
宗，對於朱熹的崇敬來自於對宋儒學術綜納的結果，然而有趣的是明朱熹之
學，卻是以求心為用功之要，心是進入朱熹學術的重要關鍵，蔡清有極為形
象的比喻，心之所在，神之所在，心須定於靜密以立其本，更具意義的是以
心契道之餘，更舉出東海有士讀《論語》可以進於聖人，西海有士得《大
學》可以進於聖人，南海有士讀《中庸》可以進於聖人，北海有士得《孟
子》可以進於聖人，可以說是對於陸象山「東海有聖人出焉，此心同，此理
同」的顛覆性說法[20]，心同理同，橫隔宇宙時空，皆有聖人，理為形上存

19 林希元撰，何丙仲校注，廈門市圖書館編：《林次崖先生文集》下冊，卷14，〈南京國
子祭酒盧齋蔡先生行狀〉，頁537。

20 楊簡：《慈湖遺書》（臺北：臺灣商務印書館，景印文淵閣《四庫全書》本1986年），
〈象山先生行狀〉，頁648。

在，心可以妙契洞達，乃是陸象山極富形象的心學宣言，足以激昂儒者向上
之心，然而少了經典的媒介，少了階次的過程，是否可以達致聖人之境，甚
至激揚之後，自信太過，恐亦不利於風教，聖人是儒者企盼的目標，此為應
然；然而是否可以自封為聖人，還是要有下學而上達的過程，此則為實然，
蔡清顯然更加留意如何在實然當中，尋求應然的存在，而朱熹學術體系提供
了完整的進程，四書彰顯了聖人垂教立世的軌範，綰合聖人與朱熹，從而有
完整的儒學系統，朱熹學術地位從中可見，四書的價值亦可得見，有此了
解，蔡清所言之心，必須置於朱熹學術體系當中思考，也必須在四書經典當
中體證觀察，因為有心為樞紐，所以無支離博雜之弊[21]，也因為有聖人經典
為依據，簡易高明者也可以有進程方向，調和化解之用意至為明顯，而回歸
於四書，一以朱熹學術為宗主，成為蔡清學術要義所在，林希元〈南京國子
祭酒虛齋蔡先生行狀〉云：

> 嘗謂：「吾平生所學惟師文公一人而已。文公折衷眾說以歸聖賢本
> 旨，至宋末諸儒割裂妝綴，盡取伊洛遺言以資科舉。元儒許衡、吳
> 澄、虞集輩皆務張大其學術，自謂足繼道統，其實名理不精，而失之
> 疏略。本朝宋潛溪、王華川諸公，雖屢自辨其非文人，其實不脫文人
> 氣習，于經傳鮮有究心。國家以經術取士，其意甚美，但命題各立主
> 意，眾說紛紜。太宗皇帝命諸儒集群書大全，不分同異，攝取成書，
> 遂使群言無所折衷。故吾為《蒙引》，合于文公者取之，異者斥之。
> 使人觀朱注瓏玲透徹，以歸聖賢本旨，如此而已。」謂天下之理以虛
> 而入，亦以虛而應，故號虛齋。好學之心至老不倦，居官出則治事，

---

21 錢穆：《朱子新學案》（臺北：三民書局，1982年）第2冊〈朱子論心與理〉言「最能發
揮心與理之異同分合及其相互間之密切關係者蓋莫如朱子」、「故縱謂朱子之學徹頭徹
尾乃是一項圓密宏大之心學，亦無不可」，頁95。朱熹學術對於心之重視，手錄〈心
箴〉於《孟子集注》「鈞是人也，或為大人，或為小人」一節中，見朱熹：《孟子集
注》卷10〈告子章句上〉，《四書章句集注》（臺北：長安出版社，1991年），頁335。門
人真德秀撰《心經》、明儒陳真晟撰有《心學圖》，皆是純乎朱熹系統學人言及心體工
夫，一秉程朱之教，可見從朱學延伸心學，並不奇異。

入則觀書，或與諸生講論，雖隆冬盛暑不廢。常見其臥榻置燈，思維自得，雖夜半必起而筆之。與諸生講退，即記其難疑答問之語以入《蒙引》。有就問者，即傾倒與語，每自夜分達雞鳴，方辭去。教人以看書思索義理為先，其言曰：「今人看書皆為文詞計，不知看到道理透徹後，詞氣自昌暢，雖欲不文，不可得也。」又曰：「吾為《蒙引》，使新學小生把這正經道理漸漬浸灌在胸中，久後都換了他意趣，則其所成就自別。」先生教人，既不為言語、文字之學士，出其門皆能理學名於時，故教聲振於遠近。[22]

就是因為虛之為要，蔡清對於工夫的肯認，天下之理以虛入，也以虛為應，所以對於朱熹篤實進路也就更為相應，而陸象山過滿之自信，也就不甚相契。蔡清以朱熹為宗主，乃是因為朱熹從宋儒溯及於漢唐諸儒，化解漢、宋分歧，回歸孔、孟精神，融鑄義理與訓詁，折衷群言以歸聖人本旨，重構儒學經典。[23] 由朱熹以至聖人的進路，乃是朱熹後學建構的學術方向[24]，蔡清顯然深味於此，從而檢討宋末諸儒名理不精，明初諸儒不脫文人習氣，實皆未能深契朱熹學術要義，至於《四書大全》立其規模，眾說並陳，也有冗散分歧，無法折衷的缺失，從而有撰成《四書蒙引》的動機，一以朱熹義理為依歸，合則取之，異則斥之，唯有更清楚掌握朱熹旨趣，眾說才能有所分判，聖人要旨，方能得見，這是重回朱熹注解當中思索義理的工程，成為蔡清一生信念所在。因此時時思之，講論補綴，所有心得盡付於《四書蒙引》當中，其中還更大的用意，乃是藉由義理的濡潤薰染，達到變化氣質的作用，從而在科舉當中培養氣度凝練的學人，所謂「漸漬浸灌」，也就是在人才培育方面，改變功利文詞之心，以經典義理陶育士人，進行朱學深化的育

---

22 林希元撰，何丙仲校注，廈門市圖書館編《林次崖先生文集》下冊，卷14，〈南京國子祭酒虛齋蔡先生行狀〉，頁533-534。

23 陳逢源：〈序論——經學與理學交融下的觀察〉，《「融鑄」與「進程」：朱熹四書章句集注之歷史思維》，頁15。

24 陳逢源：〈「傳衍」與「道統」——《四書大全》中黃榦學術之考察〉，《孔學堂》第7卷第23期（2020年6月），頁57-58。

教工作，對於學人而言，才是真正導回原本經術取士的用意，達到經義與制度結合的效果，用心深刻，也就無怪乎夜半書之、答疑書之，敷贊治道，端正士風，一秉於此。《四書蒙引》成為蔡清重建朱熹學術的重要成果，蔡清並不反對科舉，而是結合科舉進行風教改革，以改善士林風氣，回歸朱熹學術的信念，成為蔡清思考的重點，〈四書蒙引原序〉言之甚明，云；

> 國家以經術造士，其法正矣，第士之所以自求於經者淺也，蓋不務實造於理，而徒務取給於文，文雖工，術不正，而行與業隨之矣。舉子業之關於世道也如此，清之始業是也，承父師之教指，自謂頗知用心者，故有三年不作課，而無三日不看書，間以所窺一二語諸同儕，要亦未能脫時文氣味也，然或已訝為迂遠而厭聽之矣。清乃多筆之以備切磋，久之積成卷帙，[25]

蔡清改進科舉的自覺極為清楚，乃是因為舉業關乎世道者大矣，如何回歸於經旨義理建構個人體察心得，具有解開明初皇權威勢治統的重要進展[26]，也有救正世俗風教的意義，既得意於科舉，又期待於時文中超拔而出，成為學術新訴求，也反映成化一朝對於科舉改革的風潮[27]，蔡清用心既堅，歷時既久，於是採取心得彙集方式，以備討論之用，只是原稿在成化十六年（1480）赴京遺失，於是重新撰寫，三年後於家中復得舊稿，新舊兩種材

---

25 蔡清：〈四書蒙引原序〉，《四書蒙引》，頁2。
26 陳逢源：〈四書「官學化」進程：《四書大全》纂修及其體例〉，《東亞漢學回顧與展望》（日本長崎中國學會會刊）第1卷1期（2010年7月），頁100-102。
27 顧炎武撰，黃汝成集釋：《日知錄集釋》（石家莊：花山文藝出版社，1991年）卷16「試文格式」云：「經義之文，流俗謂之八股，蓋始於成化以後。股者，對偶之名也。天順以前經義之文，不過敷演傳注，或對或散，初無定式，其單句題亦甚少。成化二十三年會試『樂天者保天下』，文起講先提三句，即講樂天四股，中間過接四句，復講保天下四股，復收四句，再作大結。弘治九年會試『責難於君謂之恭』，文起講先提三句，即講責難于君四股，中間過接二句，復講謂之恭四股，復收二句，再作大結。每四股之中，一反一正，一虛一實，一淺一深，其兩扇立格，則每扇之中各有四股，其次第之法，亦復如此。故今人相傳，謂之八股。」頁739。科舉影響日深，格式愈密，成化之後，應舉更為複雜。

料，內容相同過半，但也有相歧之處，後學請託之下，無暇於刪正，只能簡單調整，因此稱為《蒙引初稿》，以示非定說，其後林希元在蔡清後人請託之下重新校正刊刻，流傳最廣，然而依然存在相歧的問題，其後莊煦參校兩稿，嘗試於紛雜當中理出頭緒，列出十三條〈凡例〉[28]，削去冗複之處，輯為一書刊行，莊煦〈四書蒙引題辭〉云：「未嘗擅改擅增一字，全書具存可覆也，大率參校二藁輯成一書，其間十去三四，先後既序，脈絡可循，雖知妄意刪次，未必盡合作者，庶或便於觀覽云爾。」[29]比對之下，洵非虛言。[30]檢覈書目著錄情形，《四書蒙引》刊刻者多矣，以現存刊本中，主要有李埏本、林希元本，以及莊煦本三個系統[31]，而以《四庫全書》所錄莊煦本，剔除重複說解之處，取用最為方便，眉目也最為清楚，所以本文以此為據，並參酌其他版本補充，期以有更周延的觀察。

三　修養工夫

　　蔡清《四書蒙引》用意是從《四書大全》而上究朱熹《四書章句集注》義理原旨音讀字義部分並非所重，語意及內容才是分解之重點，因此補入諸多說法的來源，以及名物制度的說明，包括禮制、典故等，更是不厭其煩，詳加舉列，關鍵之處，反覆說解，以《四書蒙引》「大學章句序」一段為

28　莊煦〈凡例十三條〉分別為「卷冊」、「綱領」、「條貫」、「次序」、「芟減」、「裁剪」、「湊合」、「出入」、「摘換」、「分插」、「補遺」、「正誤」、「歸章」等，共十三條，蔡清撰《四書蒙引》，頁4-5。

29　莊煦：〈四書蒙引題辭〉，蔡清撰：《四書蒙引》，頁3。

30　筆者以靜嘉堂文庫藏李時成重訂蔡清《校訂虛齋舊續四書蒙引初稿》相校，以〈大學章句序〉以下一段為例，莊煦《四書蒙引》刪去「原聖賢之所以著是書者……即修道之教也」、「如曰〈詩傳序〉……亦可當重看矣」、「不輟修改……而始序之耳」，以及「按此序東陽許氏分作三節……吾輩更相與詳之」等四段，其餘並未無改動。參見蔡清：《校訂虛齋舊續四書蒙引初稿》（靜嘉堂文庫明刊本）卷1，頁1、2-3。

31　王志瑋：〈蔡清《四書蒙引》的治經態度──以《大學蒙引》的詮釋為例〉，《東亞漢學研究》第10號（2020年9月）頁243-245。

例，分別為說明淵源、解釋名義、澄清〈大學章句序〉讀法以及寫作時間、朱熹與《大學》的關係、個人閱讀方法等[32]，層層而進，逐一釐清，甚至針對諸多說法，也進行深入的檢討，就以澄清讀法與寫作時間為例，云：

> 「大學章句序」此五字當連串看，不必依吳氏謂某段序「大學」，又某段序「章句」也。按：此序作於淳熙己酉二月甲子，距所生紹興庚戌是為六十歲，《中庸》亦序是年之三月戊申，《年譜》註云二書之成久矣，不輟修改，至是以穩惬於心而始序之。又按：朱子於癸酉年二十四歲始受學於延平李先生之門，其學始就平實，乃知向日從事於釋老之說皆非也，蓋是時方得《大學》而業之。又至庚申年七十一歲易簀之前三日，尚修改《大學·誠意章》，而其戊午年〈與廖德明帖〉云：「《大學》又修得一番簡易平實，次第可以絕筆。」以此觀之，信乎是書之成久矣。[33]

蔡清引用《年譜》、《文集》材料，用以證明朱熹撰作《大學》的用心，從〈大學章句序〉撰成時間、《大學章句》乃是朱熹一生以之的堅持，至朱熹從學李侗開始《大學》研究的推測，深入〈大學章句序〉的歷史因緣，以問題深化方式，鉅細靡遺，提供朱熹撰成的了解，的確具有深化了解的作用，確實符合「蒙引」的訴求。蔡清甚至與朱熹進行學術對話，〈大學章句序〉「則既莫不與之以仁義禮智之仁矣」，蔡清則與《大學章句》朱注「明德者，人之所得乎天而虛靈不昧」對讀，云：

> 天與之如何，曰據人所得於天而言，則為天與之矣。得天之元以為仁，得天之亨以為禮，得天之利以為義，得天之貞以為智，吾之所有者，皆得之於天，不謂之天與而何？然元亨利貞，天之四德，一木火土金水之理也，正所謂天以陰陽五行化生萬物，氣以成形，理亦賦焉，不然人性何緣有是仁義禮智四德懸空而來也。陳北溪謂仁義禮智

---

32 蔡清：《四書蒙引》卷1「大學章句序」，頁5-6。

33 蔡清：《四書蒙引》卷1「大學章句序」，頁6。

即木火金水之神也，神字極是精妙。[34]

仁義禮智既是天之所與，乃是從人所得乎天而言之，既是元亨利貞之四德，又是五行所化而成，可見道德並非懸空得來，而是人得於天德所成之性，從而貫串道德秩序與宇宙秩序，完成了宇宙與人性統一的理學體系，此為理學關鍵，天命之性的完成，人人皆具天性，天性有仁義禮智四端，其後進一步分述陰陽五行與各德分配情形，稍為瑣細之處，則為莊煦芟除，從人之所得於天，建構天理人事完整的詮釋，詮釋進路由此可見。蔡清又更進一步針對「仁義禮智四字之義」進行梳理，云：

> 今之說者解仁字，則述朱子曰「心之德，愛之理。」解義字則曰：「心之制，事之宜。」固亦然矣。至於禮字，則述朱子解「禮之用章」曰：「天理之節文，人事之儀則。」此解似於性字上為未切也。且朱子解《孟子》首章「仁」字則先心之德而後愛之理，解《論語》第二章仁字，則先愛之理而後心之德，各有攸當，不容毫髮苟且混淆也，而可以此禮字註遂為諸書禮字之通解乎？如克己復禮之禮字，則解義又別矣。然以天理之節文，人事之儀則二句解此一禮字，猶未甚悖也，以其於天理人事已該得盡，且亦未嘗混乎仁義與智也。若夫智字，雲峰胡氏乃取朱子之意以補之曰：「智則心之神明所妙眾理而宰萬物者也。」此分明是明德之義矣，豈可用以解智字，至於番沈氏則曰：「涵天理動靜之機，具人事是非之鑑」，是亦用朱子解禮字之意而撰出此詞，其解義亦似過於闊大，終不可以與仁義禮對看也。蓋此智字是偏言之智，仁字亦是偏言者，不應解得太重也。按：孟子曰：「惻隱之心，仁也；羞惡之心，義也；恭敬之心，禮也；是非之心，智也。」周子曰：「德愛曰仁，宜曰義，理曰禮，通曰智，守曰信。」此雖是因情以著性，即用以明體，然仁義禮智四字卻排列看得，可見聖賢之見，自真非如後世一二儒者，搜索於文字之末，自附以胸臆之見者所

---

34 蔡清：《四書蒙引》卷1「則既莫不與之以仁義禮智之性也」，頁7。

能到也。按：朱子自有說云：「仁者，溫和慈愛之理；義者，斷制裁割之理；禮者，恭敬撙節之理；智者，分別是非之理。四者，人之性也。」此說載在《大全》中，最為精當，今當據之以為定論。四性不言信者，仁義禮智之實處即信也。[35]

釋義層層而進，說理深入綿密，逐一進入義理關鍵之處，朱熹解「仁」為「心之德，愛之理」，費心多矣[36]，然而其餘諸德釋義尚未全面展開，因此留有不同層次的問題，蔡清以天理人事一貫的義理體系檢視過往說法，元儒的說法，或有偏失，或釋義過重，未能切合經文原旨，無法有效呈現精準切實的內涵，過往取諸儒意見以證朱熹思考的方式，顯然已經無法滿足明儒分判高下的眼光[37]，從而在孟子、周敦頤說法當中，重新檢視體用、性情架構當中德目所具內涵，從而在《四書大全‧大學章句序》所引朱熹注云：「天之生民，各與以性，性非有物，只是一箇道理之在我者耳。仁則是箇溫和慈愛底道理，義則是箇斷制裁割底道理，禮則是箇恭敬撙節底道理，智則是箇分別是非底道理。凡此四者，具於人心，乃是性之本體。」[38]獲得完整的詮釋，既是回歸朱熹詮釋的歷程，也是重新檢視理學義理體系的結果，蔡清蒐尋檢視過程，既建立理學的觀察眼光，也再次確認朱熹詮釋的周密與完整，

---

35 蔡清：《四書蒙引》卷1「仁義禮智四字之義」，頁7-8。

36 陳逢源：〈從「中和」到「仁說」──朱熹《四書章句集注》「愛之理，心之德」之義理進程考察〉，《東吳中文學報》第29期（2015年5月），頁29-31。

37 此乃明儒有以勝出的思考，一如蔡清撰《四書蒙引》卷4「故為政在人一條」云：「新安倪氏以上文仁字兼心之德，下仁字獨指愛之理，言是無定見也。蓋上文雖引《易‧文言》『元者，之長』為證，其實〈文言〉善之長亦對亨利貞言之。仁者天地生物之心而人得以生者，蓋若無那天地生物之心，便應無我這身子，纔有我這身子便自具得那天地生物之心矣。」頁117-118。又如卷5「學而時習之不亦說乎」云：「雲峰、新安二子皆以此節專主行言，是認差了。」頁158。新安學脈四書成果為明儒《四書大全》擷取之底本，於今已成為思索超越的對象。參見陳逢源：〈從《四書集注》到《四書大全》──朱熹後學之學術系譜考察〉，《成大中文學報》第49期（2015年6月），頁78-80。

38 胡廣等纂修：《大學章句大全‧大學章句序》，《四書大全》（《孔子文化大全》本（濟南：山東友誼書社，1989年），頁9。

因此深致贊歎，云：「自古聖賢析理未有如朱子之繭絲牛毛者，且如長短廣狹彼此如一，此數字下得自不苟。蓋廣狹如一而長短不如一非方也；長短如一而廣狹不如一亦非方也，其意義固周匝也，若周、程、張、邵諸先生之解經，則或有未得如此之縝密。」[39] 正是因為義理辨析之密，才能對應文字詮解嚴謹，有此認知對於理學當中承天命之性更有自信，此於莊煦〈四書蒙引別錄〉中特加說明「煦獨念朱子析理之精，虛齋看書之細耳。」[40] 既可見蔡清宗主所在，也可見讀書之仔細，觀察頗為深入，因此在理氣之間，也就有更清楚的進路，蔡清於「然其氣質之稟……而全之也」云：

> 新安陳氏謂氣有清濁，質有粹駁，清者能知，而濁者不能知；粹者能全，而駁者不能全。然愚以為氣之清者，質亦多粹，氣之濁者，質亦多駁，故知之至者，行亦至，知且不能，況於行乎？此清濁粹駁之說，又當貫而一也，故本序亦以知而全之為文，而下文亦曰聰明睿智能盡其性云云。蓋聰明睿智則自能盡其性矣，《中庸》「道其不行矣」《章句》曰：「由不明，故不行。」可見知行二者，元自相須也。凡單言氣自該得質，如云氣稟清明無物欲之累是也，單言質亦兼得氣，如云聰明睿智知之質是也，此云氣質則兼舉而並言之，氣陽而質陰也，氣載於質而理寓於氣也。[41]

氣與質相融，知與行為一，不同於元儒說法，蔡清已啟知行一致的思考，天理與人事一貫，從而也有清濁粹駁一體的觀察，因此提出氣與質相合之說，相對於元儒從理與氣分的角度，標舉理之價值，建構理學體系，蔡清似乎更重視理與氣合，由分殊以見理一，以氣見理的進路，從修養工夫的落實，達致變化氣質的結果。理先氣後是從本原而言，氣先理後是從稟賦言，蔡清「氣載於質而理寓於氣」以求融貫一體的說法，確保由氣見理的進路，乃是回應朱熹理學的重要觀察，莊煦敏銳觀察此為蔡清在宋元諸儒複雜理氣觀中

---

39 蔡清：《四書蒙引》卷2「所惡於上一條」，頁62。
40 莊煦編：〈四書蒙引別錄〉，收蔡清：《四書蒙引》「別錄」，頁730。
41 蔡清：《四書蒙引》卷1「然其氣質之稟至而全之也」，頁8。

所形構的主張[42]，由氣見理以及知行為一，皆有引領後儒思考作用，重點是回歸於心體修養工作的落實，蔡清對於心體的存在更有把握，因此治心之工夫，也就特為重視，《論語‧顏淵篇》「顏淵問仁」乃是儒學修養工夫的關鍵處，蔡清著力多矣，撮舉其要，云：

> 克己己字下得最好，不曰克私、不曰克欲，而曰克己，蓋利心生於物我之相形，人惟知有己，故一向狥私去，註云謂身之私欲也，身對人，私對公，公則物我公共，人所同然，而禮聽言動皆禮矣。性偏難克，此性字兼氣質而言也，或曰專指氣質不兼理，非也。氣質者理之所寓，氣質偏則理亦隨之矣。復禮復反也，所謂欲盡而理還，則滿腔子裡盡天理帶事說。禮者，天理之節文也，猶言天理之當然，下文只用天理字，無節文字，如慶源說節者，其限制等級，文者，其儀章脈理，恐未解得此意，須看朱子解禮之用，則兼人事儀則，而此則專言天理，節文者可見。克己之外，更無復禮，禮是吾本有底物，被己推出去，今既克了，禮便自復。……仁者，本心之全德，此據見在者而言，為仁者所以全其心之德，言復其本心之全德也，克則己私之盡去，復則天理之盡復，如此方是全其本心之德。事皆天理，指視聽言動之類言。[43]

雖然說解頗為複雜，然而何以言克己，又何以有復禮之效用，剖析極為精到，人從自身思考，則落於偏私自我，人從公共著眼，從人事儀則當中，則有人我所同之理，欲盡理還之後，從而得見心中理之充盈，獲致本心之全德，為求彰顯工夫要領，朱熹特別引錄程子「視、聽、言、動」四箴，言「此章問答，乃傳授心法切要之言。非至明不能察其幾，非至健不能致其

---

[42] 莊煦編：〈四書蒙引別錄〉云：「煦謂宋儒分別天地之性與氣質之性為二，遂有先理後氣之說，若張子云：『形而後有氣質之性』是也。竊疑以下虛齋不以為然，故前所鈔，凡單言氣一條有氣載於質而理寓於氣之說，正與此合。」收蔡清：《四書蒙引》「別錄」，頁729。

[43] 蔡清：《四書蒙引》卷7「顏淵問仁」，頁287-288。

決。故惟顏子得聞之，而凡學者亦不可以不勉也。程子之箴，發明親切，學者尤宜深玩。」[44]蔡清於此分別梳理，究其內涵，於〈視箴〉云：

> 心兮本虛，應物無跡，無跡者，出入無時，莫知其鄉，安有形跡。可見應物雖無跡，亦在操之而已，然操之則有要，惟視為之，⋯⋯何以視為之則，蓋凡非禮之色，一接於目，便是一箇蔽也，蔽一交於吾前，其中動而遷矣，所謂物交，物則引之而已，此蔽字作死字看，制之於外，不為所蔽也，制之於外，應蔽交於前以安其內，應其中則遷，克己復禮，此視上之克己復禮也，久而誠矣，此以制外養中說，久則外不待制而自無，內不待養而自存，是為誠。制之於外是克己也，以安其內是復禮也，久而誠矣，謂從容不勉地位，是仁之極致也。[45]

虛以應物，制外以養中，避免非禮之視所產生的障蔽，於〈聽箴〉云：

> 知誘物化，知字從知覺上說，謂知誘於物，而為物所化也。不見了秉彝也，遂亡其正，正即秉彝之性也。人有秉彝，秉彝出於天命。卓彼先覺，知止有定，是於天理人欲之際，已判然了底，閑邪即克己，存誠即復禮，存誠即還其秉彝而不亡其正也。[46]

強調閑邪存誠，避免知誘物化，蒙蔽人心之理，於〈言箴〉云：

> 躁則雜冗，妄則逆理，自人心之動，至內斯靜專，專就理欲上說，是克己復禮正意，剗是樞機，⋯⋯樞機不是謂人之動有善惡，因言以宣之而後見於外為樞機，只下文興戎出好，吉凶榮辱，惟其所召，便是此一句，只云言語是人之樞機所在。[47]

---

44 朱熹：《論語集注》卷6〈顏淵篇〉，《四書章句集注》，頁132。
45 蔡清：《四書蒙引》卷7「視箴」，頁289。
46 蔡清：《四書蒙引》卷7「聽箴」，頁289-290。
47 蔡清：《四書蒙引》卷7「言箴」，頁290。

強調人心之動，至內為靜，言語為人之樞機，要避免言語違禮召禍，於〈動箴〉云：

> 兼誠之於思，守之於為言，思者心之動也，為者跡之動也。朱子曰：思者動之微，為者動之著，本文動字，自兼此。蓋只思處便是動了，所謂跡雖未形，而機則已動也。《中庸》便指一念之萌處為動。順理則裕，裕安也，義中有利也，從欲惟危，利害相因也，造次克念求誠之於思也，戰兢自持求守之於為也。[48]

所謂之動，包括思慮念頭，克己當求於思之誠也，凡此可見成德工夫的思考。蔡清正是透過文句的梳理，檢視天理人事相貫之體系，從克己的工夫，以達全養心德的作用，云：

> 四箴通是制外養中意，視曰制之於外，以安其內；聽曰閑邪存誠；言曰：發禁躁妄，內斯靜專；動曰：造次克念，戰兢自持。都是此意，蓋克己就帶復禮也。此章言聖賢傳授心法，蓋從古堯舜禹湯文武周公其相傳祕指，只是一精一執中，精則察夫二者之間而不雜，所謂至明以察其機也。一則守其本心之正而不離，所謂至健以致其決也。[49]

工夫的深化，來自於心體掌握，視、聽、言、動都有內外之間的思考，以制外養中的方式，達致心體的澄朗的效果，靜可以察動，虛可以應物。蔡清強化心體的操持，從而有了虛、靜工夫的觀察，對於朱熹的說法也特別強調虛、靜的作用，於「所謂修身在正其心者」云：

> 心之所以為心者，只是有這用其靜時特未發耳，故心之不正全是用上累了，而正心工夫全在必察乎此而敬以直之也。或者專以正心為靜存工夫，於《章句》、《或問》俱不合，朱子元有正心兼動靜之說。按《或問》曰：「人之一心，湛然虛明，如鑑之空，如衡之平，以為一

---

48 蔡清：《四書蒙引》卷7「動箴」，頁290。

49 蔡清：《四書蒙引》卷7「動箴」，頁290。

身之主者，固其真體之本然，而喜怒憂懼隨感而應，妍媸俯仰因物賦形者，亦其用之所不能無者也。」此一段言本然道理乃人之性情然也。又曰：「故其未感之時，至虛靜至靜，所謂鑑空衡平之體，雖鬼神有不得窺其際者，固無得失之可議。」此愚所謂未見於用時，雖常人亦未見有不得其正者。又曰：「及其感物之際而所應者，又皆中節，則鑑空衡平之用，流行不滯，正大光明，是乃所以為天下之達道，亦何不得其正之有哉。」此所謂性本善，故順之而無不善者也。……又曰：「惟其事物之來有所不察，應之既或不能無失，又且不能不與俱往，則其喜怒憂懼必有動乎中者，而此心之用，始有不得其正者耳。」此愚所謂心之不得其正，皆是用上累了者也，今即《或問》分為小段而疏之，益見向來有以正心，只為靜存工夫，而不得其正不指心之用言者全非也。[50]

心為修養的主體，原是有未發時的存在，此乃存養之關鍵，順之則無不善，至於忿懥、恐懼、好樂、憂患則是人欲之動的結果，並不是心體本然樣態，而是用上牽累的結果，從而在體用之間，確立心體原本。蔡清對於天理人事一貫的主張，認為心體樣態乃是湛然虛明，鑑空衡平，而唯有虛與靜才能於心體應之無失，此一體會成為個人修養要旨，也是延續朱熹學術重中心之為要的思考。

四　聖賢所傳

相對宋元諸儒強化道統論述，重視朱熹承繼道統的地位[51]，蔡清更加留意朱熹道統論述之周延與意義，以〈大學章句序〉中「伏羲神農黃帝堯舜」，蔡清所留意的是諡與名的問題，從而批評司馬遷所傳諡法多不足信，

---

50 蔡清：《四書蒙引》卷2「所謂修身在正其心者」，頁53-54。

51 陳逢源：〈「傳衍」與「道統」──《四書大全》中黃幹學術之考察〉，《孔學堂》第7卷23期（2020年6月），頁45-46。

云：「今世所傳謚法出於司馬遷多不足信，如《論語》所引『錫民爵位曰文』之說，於理最遠，與夫勸學好問為文者，蓋只是司馬遷取諸《論語》二章之言而附會之，決非周公之舊也，使朱子若得再修《集註》，此皆在所刪矣。」[52] 著重在於引據說法的判斷，並不涉及義理討論，而後文則更及理學家數與道統系譜的檢討，於「於是河南程氏兩夫子出……孟氏之傳」云：

> 按近代道學之盛者，稱周程張朱四家，就四家論之，則張子宜少讓焉，程子所謂非明睿所照，有迫切氣象者也。若周子之博學力行，聞道甚早，〈太極〉一圖發天人之祕，《通書》數章明義理之歸，蓋有蓋世之德，有萬世之功，而二程之學，實其所抽關而啟鑰也，而朱子亦嘗贊之曰：「道喪千載，聖遠言湮，不有先覺，孰開我人矣。」今乃於〈大學序〉及〈中庸序〉及《孟子》末篇所引伊川之言，則皆獨以程氏接孟子之統而全不及周子何邪？間嘗以意度之，或者《大學》體用全備之書，《中庸》聖道極致之言，二書所載，同一理也，所以為天地立心，為生民立命，為往聖繼絕學，為萬世開太平者至矣，盡矣，再無餘法矣。《論》《孟》六經所載，概皆不外乎此，故孟子於《大學》、《中庸》之述作，雖未嘗預其力，而朱子序二書必及之者，則以孟子平日所得於己，所推於人，所注意於來世者，皆二書之蘊也。若周子圖書所著其有功於來學，固無容議，但於《大學》、《中庸》體用極致之理，有未極於發越梯航來學之功，有未極於詳備。二程雖淵源於周子，而其所自得者實多，所發明者尤盛也。故伊川在當時便以為明道先生生乎千四百年之後，得不傳之學於遺經，以興起斯文為己任，孟子之後一人而已。……今伊川序明道先生墓表，獨以明道繼孟氏，後來如胡文定、朱晦庵諸先生遂皆惟二程是推，而不敢有所參評焉。是固愚生之所未安也，若謂周子於道學發越有未盡，則伏羲、神農、黃帝為萬世道學之祖，自畫卦之外，他所發越偶貽來世者有幾，固未嘗見少於後世也。又如顏子初未嘗著書垂訓，其言行見於《魯

---

52 蔡清：《四書蒙引》卷1「伏羲神農黃帝堯舜」，頁9-10。

論》者亦有幾？然朱子固已謂顏氏之傳得其宗矣。如周子之立德，何
所不至；周子之立言，何所不盡，而二程後來發越其要又豈有出於圖
書範圍之外者哉！夫學而至於一貫之地，不容不以道統歸之矣，況吾
道中興之祖乎！姑委記之。[53]

蔡清一方面梳理朱熹道統論述中以二程傳孟子絕學的說法，從義理思考之高
度，以及伊川序明道為孟子後之一人所代表的主張，已是時人之公論，朱熹
援取並無問題，然而另一方面也提出周敦頤未列道統之列的疑惑。首先周敦
頤有理學先導的地位，〈太極圖說〉、《通書》具有引義理深化作用，開展天
人之際的思考，才有後續理學的發展，而周敦頤作為二程的老師，也具有師
承引領的地位，就其貢獻與啟發而言，周敦頤不應於道統之列中缺席，蔡清
認為「愚意周子自是中興吾道之第一人，二程則得其要旨而昌大之者也，安
得以二程昌大之功而遂廢周子開創之功乎？」[54]事實上，朱熹知南康軍撰
〈知南康榜文〉，又牒云：「濂溪先生虞部周公，心傳道統，為世先覺。」[55]
近人張亨更推測朱熹形構「道統」一詞，應與推尊周敦頤作為二程之啟蒙有
關[56]，如今〈大學章句序〉、〈中庸章句序〉言二程傳孟子絕學，道統論述未
列周敦頤而僅及二程，確實存在淵源的缺漏，有違理學傳承現象，蔡清因此
強調周敦頤應該列名其中，相對朱熹強調孟子沒其傳泯焉，二程有應運傳學
的地位，顯然更重視理學在道統系譜的作用。事實上，朱熹一生歷經學術辨
證發展，由義理講論而及於經典重構，追索二程的學術進程與回歸四書文本
的思考習習相關，以建構四書體義證成二程學術地位。[57]只是如此標舉二程

---

53 蔡清：《四書蒙引》卷1「於是河南程氏兩夫子出……孟氏之傳」，頁25-26。

54 蔡清：《四書蒙引》卷1「於是河南程氏兩夫子出……孟氏之傳」，頁26。

55 朱熹撰，陳俊民校編：《朱子文集》（臺北：德富文教基金會，2000年）冊9，卷99，頁
　　4818。

56 張亨：〈朱子的志業——建立道統意義之探討〉，《臺大中文學報》第5期（1992年6
　　月），頁39-40。

57 陳逢源：〈歷史意識與義理詮釋——以朱熹《四書章句集注》中「道統」觀為例〉，《杭
　　州師範大學學報社會科學版》第39卷第3期（總228期）（2017年5月），頁16-17。

地位，卻也造成道統論述與理學淵源不一致的情況，成為蔡清疑問所在，四書文本與理學講論之間，必須進一步縝合銜接之處，蔡清從而檢討伏羲、神農、黃帝的地位，也重新確認顏淵的貢獻，兩相比對，重申周敦頤於學術的啟發作用，對於道統論述的擴展，已由朱熹地位的確認，又擴及理學與道統的重構，因此對於「道統」與「道學」也就視為一體而不同的角度，云：

> 〈中庸序〉說得一箇道統之傳意思甚分明，讀者不必別分節段可也。今提出序中眼目便見首之曰：「子思子憂道學之失傳而作也。」下句便說「蓋自上古聖神繼天立極，而道統之傳有自來矣。」曰：「堯之所以授舜，舜之所以授禹。」授即傳也。曰：「自是以來聖聖相承，既皆以此而接夫道統之傳。」曰：「若吾夫子繼往聖，開來學。」曰「繼」、曰「開」，亦傳也。曰：「唯顏氏、曾氏之傳得其宗。」曰：「及曾氏之再傳。」曰：「自是而又再傳以得孟氏。」曰：「程氏得有所考，以續夫千載不傳之緒。」至於自敘則曰：「雖於道統之傳不敢妄議」云云，然乃所以自見其有不得而辭者矣。但自文武周召而上，則任是道統之傳者皆得以行之於上；自孔子而下，則任是道統之傳者僅得以明之於下。孔子之後，子思繼其微，至孟子而遂泯。孟子之後，程子繼其絕，至朱子而益明。然是道也，雖曰至孟子而遂泯，而此書則不泯也。雖曰至朱子而益明，非此書則不明也。子思之功，於是為大。道學之有成者，始得以與夫道統，道學以講道言，道統以傳道言。[58]

蔡清強調朱熹〈中庸章句序〉語意連貫，一氣呵成，重點在於「傳」之一字，從堯舜以下，聖聖相承，然而相對學人強調德之與位中「道」／「勢」的差別[59]，蔡清以「行之於上」、「明之於下」來區別，主要著眼在於道之所行的層面不同，反而是孔子以下漸微而泯。蔡清顯然缺乏對皇權威勢的反

---

58 蔡清：《四書蒙引》卷3「〈中庸章句序〉」，頁73-74。

59 余英時先生特別留意朱熹「道統」隱藏「道學」與「道統」兩分的思惟，乃是藉以樹立「道」尊於「勢」的價值，事實上，此一思考乃是源於伊川。余英時：《朱熹的歷史世界——宋代士大夫政治文化的研究》（臺北：允晨文化實業公司，2003年）頁42-44。

省，也有違朱熹原本「若吾夫子，則雖不得其位，而所以繼往聖、開來學，其功反有賢於堯舜者」的主張[60]，或許因為明代政治環境缺乏可以參酌思考的方向，也或許與《四書大全》性質有關[61]，對於政教所行更為重視，因此將道學視為道統的基礎，唯有道學有成才能進一步達致道統，從而分出「講道」與「傳道」兩種不同進路，道統是兼有德與位才能完成，傳道是言與事俱行的結果，云：「多是舉其言之見於經者，要之當兼行事論。」[62]說法似乎與朱熹原意有些許的不同，至於道統之傳至孟子而泯焉，至二程才又續傳，主要是《中庸》一篇尚存，遂能於遺經當中重理道統餘緒，再現聖人心法，云：

> 程子惟得有所考以續夫千載不傳之緒，則子思憂失其傳者，今得其傳矣，得有所據，以斥夫二家似是之非，則子思懼失其真者，今不失其真矣，亦所謂獨賴此篇之存者。[63]

對於子思傳道之任，以及二程傳承之功，主要在於《中庸》文本提供道統線索，經典的意義由此可見，因此朱熹特別標舉孔門相傳心法，從而儒學多門當中有了清楚方向，此乃宋明儒學可以稱新儒學的關鍵[64]，也是四書核心要義所在，蔡清對於孔門傳授心法，同樣兼及體用而言之，云：

> 心法二字，鄭氏謂心即中也，乃〈禹謨〉道心之心字。心法謂此書所言者，無非此心之體用也，其說似未安。蓋法字屬人，以學言也。故

---

60 朱熹：〈中庸章句序〉，《四書章句集注》，頁14-15。

61 陳逢源：〈四書「官學化」進程：《四書大全》纂修及其體例〉，《東亞漢學回顧與展望》（日本長崎中國學會會刊）第1卷第1期，頁88-89。

62 蔡清：《四書蒙引》卷3「若成湯文武之為君，皋陶尹傅周召之為臣，既皆以此而接夫道統之傳」，頁74。

63 蔡清：《四書蒙引》卷3「子思之功於是為大」，頁76。

64 牟宗三：《心理與性體》（臺北：正中書局，1968年）〈綜論〉言宋明儒學可稱之為新儒學，乃是對先秦之龐雜集團，齊頭並進，並無一確定之傳法統系，而確定出一個統系，藉以決定儒家生命智慧之基本方向；其次是對於漢人以傳經為儒之為新。頁13。

謂之傳授心法，若心之體用，只是據心而言，未著得一箇法字。愚意
喜怒哀樂之未發，心之體也；存養此心之體者，心法也。喜怒哀樂之
既發，心之用也，省察此心之用者，心法也。且其發也，或為三達
德，或為五達道，或為九經，或為三重，無往而非中庸之道，心法之
所在也。[65]

相對於孔門心法視為心之體用，著力於心之一字可以當體朗現，蔡清有敏銳
的分判，言為心法的重點在於人之可學，所強調的是工夫，在未發時存養心
體，在已發時省察其用，從而得見中庸之道，此乃朱熹中和之辨融通「靜」
與「敬」所獲致的心得，也是深著儒學義理重點所在[66]，於此蔡清饒有觀
察，對於工夫的重視也就極為自然，云：「大抵天下有本然之義理，有當然
之工夫，有自然之效驗，性道教三者皆出於天，本然之義理也。戒懼以致
中，謹獨以致和，當然之工夫也。天地位，萬物育，自然之效驗也。蓋有是
義理，必有是工夫以全是義理，有是工夫則自有是效驗，以應是工夫。」[67]
重視經典與傳承，強調本然之義理、當然之工夫，以及自然之效驗，性道教
三者一貫而同出於天，正是蔡清有以綜納體用的觀點，因此分判極精，云：

性情功效是一樣字，不可分體用，朱子小註謂：「視不見，聽不聞是性
情，體物不可遺是功效。」蓋亦一時答問答，意在人之易曉，而未必其
終身之定論也。抑或者記之誤歟？朱子又曰：「性情便是二氣之良能，
功效便是天地之功用。」信斯言也，則張子所論鬼神僅得其體，而程子
所論鬼神僅得其用歟？故學者於《章句》則當字字精研之，至於小註
所集《語類》之言，多出於門人之所記，亦或其前後之異說，其合於
《章句》者則取之以證佐發明，不合者又自為一例看可也。[68]

---

65 蔡清：《四書蒙引》卷3「此篇乃孔門傳授心法」，頁79。
66 陳逢源：〈從「理一分殊」到「格物窮理」：朱熹《四書章句集注》之義理思惟〉，《朱
熹與四書章句集注》（臺北：里仁書局，2006年），頁350。
67 蔡清：《四書蒙引》卷3「致中和天地位焉萬物育焉」，頁85。
68 蔡清：《四書蒙引》卷3「子曰鬼神之為德其盛矣乎」，頁101-102。

針對《四書大全》引朱熹之語以解《中庸章句》「為德猶言性情功效」[69]，蔡清說明此乃朱熹方便之言，並非的論，特別澄清性情功效是一體，乃是天地二氣之良能功用，不能以體用區分，不僅澄清詮釋的偏差，也提供極為重要的檢視原則，《朱子語類》材料出於門人弟子之手，鈔錄時機不一，說法難免不同，與出於朱熹親撰，仍宜分別，《四書章句集注》才能精準展現朱熹思考方向，從而也檢討過往體用分說的詮釋模式，未必可以呈現道體於不同層面的樣態，尤其天人合德，貫通於一理，原就有由己而及人，知天知人之境，從而反映於聖人日出，同具其理，云：

> 人同此心，心同此理，萬古一理，千聖一心。所謂百世之上有聖人出焉，此心同也，此理同也。百世之下有聖人出焉，此心同也，此理同也。故曰：「百世以俟聖人而不惑，知人也。」曰「知天」曰「知人」，此知非泛泛之知，乃至誠盡性章所謂「察之至於巨細精粗無毫髮之不盡者，以所知無不盡，故其制作無往而不盡善也。」天之理盡於鬼神，人之理盡於聖人，質諸鬼神而無疑，是合於天。其合於天者，知天之理也。百世以俟聖人而不惑，是合於人，其合於人者，知人之理也。此又推本意見，見其所以合於天人者，非偶然也，由知天人而制作也。[70]

心同理同，才有聖聖相傳的可能，心之為要，由此可見，然而必須澄清心可以知人知天的知，並不是泛泛之知，而是至誠盡性之知，因此所謂心理同並不是一蹴可幾，而是至精至察的結果，因工夫之極盡，所知無不盡，制作無不善，才可以達於天人之際，以此分出朱熹學術核心所在，乃是由工夫以見本體，由分殊而見理一，高舉境界，卻又深有階次，因此蔡清重視心之為用，也重視察識究析的工夫，缺略一端，讓人自信過度，皆不免陷於一偏，因此對於心體觀察也就特別仔細，對於心的作用也就特加強調，云：

---

69 胡廣等纂修：《大學章句大全・中庸章句序》，《四書大全》，頁407。
70 蔡清：《四書蒙引》卷4「知天也知人也」，頁146-147。

心體之所以如此其大者，蓋天體物而不遺，其精神之全付於人而為心，故心之神明，上窮蒼穹，下入黃泉，中貫萬物，其於天下之理無所不具，於天下之事無所不應，乃與天同其大也，是則非惟性出於天，心亦出於天也。所謂盡心者，蓋此心本來無一理之不具，無一物之不該，須是盡識得許多道理，無些子窒礙，方是盡心。若不能盡窮得許多道理，則心體為有蔽，而無以充其所以為大者矣。盡心盡性之盡，不是做工夫之之謂，蓋言上面工夫已至，至此方盡得耳。《中庸》言盡性，《孟子》言盡心是也。又曰：「盡心者知之至也，盡性者行之極也。」都是工夫到頭處。雲峰謂知性有工夫，盡心無工夫，盡是大段見功，知是積累用工。愚謂積累用工之言，作推本說則可，若本文知性字，亦是舉成功者說。故《集註》云：「知性則物格之事也。」又曰：「必其能窮夫理而無不知者也。」盡其心者，知其性也，必知其性，然後能盡其心也，知其性則知天矣。語意猶云不知其性則已，既知其性則知天矣，此如云知變化之道者，其知神之所為乎，非知性之外又知天也。[71]

心是天下之理無所不具，天下之事無所不應，與天同其大的存在，性出於天，心亦出於天，心是操存之處，對於心的重視由此可見，然而必須留意此處之心，乃是盡性之後的結果，乃是工夫到頭處的效驗，盡心知性是通貫的過程，由心而性，由性而及天，心之為要是在天理一貫的狀態下成立，蔡清標舉心體的重要在陽明心學之前，然而揣摩之密，則是在「盡」之一字，分出進路之不同，人人皆可盡心知性，心體也都能全幅朗現，然而此乃舉成功為說，前提是格物窮理，存養省察，以達天命之性，才能獲致盡心的結果，萬古一理，千聖一心，聖人也就是能夠盡心知性，體道而不遺，所以可以不世而出，因此直承「聖人之德，極誠而無妄，以其心言本也，當然之實；以其理言用也，同一實理也。」[72]心具實理，誠朗無蔽，成為蔡清觀察聖人的

71 蔡清：《四書蒙引》卷15「盡其心者章」，頁670-671。

72 蔡清：《四書蒙引》卷4「唯天下至誠章」，頁151。

重點，因為洞悉修養進路，掌握心體內涵，對於聖聖相傳的道統也就有不同
的觀察方向，云：

> 先孔子而聖者，非孔子無以明；後孔子而聖者，非孔子無以法。所以
> 子思於《中庸》首章則述所傳之意以立言，所傳之意出於孔子也。第
> 二章便引孔子論「中庸」之言，自第二章以下一書引孔子之言大半
> 焉，而己立言蓋無幾。雖其所立言，亦皆為述所傳於夫子者也。至於
> 此章復以仲尼一身之事終之，其下二章則承此章小德川流，大德敦化
> 而言，皆所以盡此章之旨也。夫序「中庸」而終之以夫子云云者，舉
> 「中庸」之道，盡歸於夫子也，此實子思之意也。蓋道原於天，賦於
> 物，具於人，盡於聖人，而集其大成於夫子。自夫子以前，一世得一
> 聖人而僅足，自夫子而後，千萬世得一聖人而有餘也。祖述堯舜，如
> 惟精惟一者，堯舜之道也，夫子所謂擇善固執，則精一之謂也。允執
> 厥中者，堯舜之道也，夫子所謂君子時中，則執中之謂也，大概言之
> 則如此。憲章文武，蓋上古列聖，創制立法，至周文武而大備，故曰
> 丕顯哉文王謨，丕承哉武王烈，啟佑我後人，咸以正無缺。夫子之憲
> 章者一言以蔽之，則所謂吾從周是已。若考其實，則《詩》、《書》所
> 刪述，備載文武之事，答哀公問，備述文武之政，曰：「文王既沒，
> 文不在茲乎！」則拳拳於文王之文之是承。曰謹權量、審法度、脩廢
> 官之類，則縷縷於武王之烈之是述，斯亦可見其憲章之大略。……凡
> 此祖述憲章，上律下襲者，非可以一端言，非可以一事盡也，或外或
> 內，無不兼該，或本或末，無少欠缺，蓋舉天下之理，一以貫之而無
> 遺，故能如天地之無不持載，無不覆幬，如四時之錯行，如日月之代
> 明也。[73]

嚴以《四書蒙引初稿》，原本文字更多[74]，莊煦於此節「芟八條，減七百九

---

73 蔡清：《四書蒙引》卷4「仲尼祖述堯舜」，頁147-148。

74 蔡清：《校訂虛齋舊續四書蒙引初稿》（靜嘉堂文庫明刊本）卷4，頁92-96。

十三字。」[75]以其刪減之多，可證此乃蔡清反覆致辯，特加留意之處，聖人道統的重點落在於傳之一字，從而標舉孔子的地位，先孔子之聖人，待孔子而後明，後孔子之聖人，尊孔子而有法，聖聖相承的道統系譜聚焦於孔子，相對過往從道統獲致德與位的分野，政與學之不同，乃至於聖聖相承之心法，具有歷史志業的儒者情懷等諸多不同視角[76]，蔡清更關注孔子承前啟後的地位，從孔子集聖人之大成，有承堯舜文武之實蹟，可以舉天下之理一以貫之而無遺等，藉由證成聖人，發揚文化、通貫於理三方面證成孔子的地位，蔡清於聖賢系譜更加留意孔子為聖，乃是道統當中最重要的存在。事實上，《中庸》既是子思表彰孔子之作，而朱熹由此獲致道統的線索，蔡清說法從朱熹道統論述而深入，顯然也有其依據，從而在聖人世出的概念中，高昂孔子為聖乃是繼往聖，開來學，其成就不僅止於一端而已，聖人天理著性，心體朗現，也要有相應歷史、社會、文化的貢獻，承先啟後，內外兼該，本末無缺，以達天人性命之極致，孔子作為道統的核心，於是從道統而道學，從道學而及孔門心法，回歸於孔子地位的衡定，朱熹道統論述遂有更為聚焦的內容，儒學核心價值也有更為清晰的了解。縮合的思考，一如蔡清於〈大學章句序〉言「『大學』二字有以道術言者，如『大學之道』之類；有以學術言者，如『入小學』、『入大學』之類；有以其書言者，如『《大學》之書』之類，三者亦相須而有也。」[77]「道」、「學」、「書」三者相須而成，正可得見蔡清以孔子為核心，而制度、學術、經本一體的見解。

蔡清以朱熹學術為宗，大旨相承，更加深入，卻也有調整的主張，以朱熹《大學章句》所改為例，蔡清引錄方孝孺〈題大學篆書正文後〉[78]，云：「今本以物有本末之物，為明德、新民，其實亦有所未安。故愚竊取方公之

---

75 蔡清：《四書蒙引》卷4「仲尼祖述堯舜」，頁147。

76 陳逢源：〈治道・儒學・心性──朱熹道統論之淵源與脈絡〉，收入《道統思想與中國哲學》（成都：四川人民出版社，2017年），頁356-359。

77 蔡清：《四書蒙引》卷1「〈大學章句序〉」，頁5。

78 方孝孺：〈題大學篆書正文後〉，《遜志齋集》（《景印文淵閣四庫全書》本，臺北：臺灣商務印書館，1983年-1986年）卷18，頁523-524。

論，而私錄之於此，且其言曰：『異於朱子而不乖乎道，亦朱子之所取也。』最見得到。」[79] 於是以方孝孺所改為基礎，調動其中文字順序，以「由粗以及精，先自治而后治人」重訂補傳[80]，云：

> 所謂致知在格物者，物有本末，事有終始，知所先後，則近道矣。知止而后有定，定而后能靜，靜而后能安，安而后後能慮，慮而后能得。子曰：「聽訟，吾猶人也。必也使無訟乎。」無情者，不得盡其辭，大畏民志，此謂知本，此謂知之至也。[81]

落實工夫之序，強化為學次第，乃是蔡清思考重點，「本末」傳既已移入，蔡清對於朱熹《大學章句》傳之四章「釋本末」也就有疑慮，云：

> 朱子所定，是誠可疑。蓋既云「知止而后有定，定而后能靜，靜而后能安，安而后能慮，慮而后能得。」其先後之序，已自說出盡了，其誰不能知，而又曰：「知所先後，則近道矣。」不為重複而有滯乎？況知止內則能知明、新民，知止能得之先後矣。三綱領、八條目之外，又不該別立釋本末一章，且又缺了釋終始之義，是誠可疑者。[82]

蔡清以《大學》原本建構完整義理體系，用意在於避免朱熹自撰補傳舉措，卻也牽動《大學》結構問題，觸發明中葉四書文本爭議風潮[83]，牽涉既廣，留待日後檢討，既非本文主旨所及，茲不再贅。

五　結論

明代儒者從政教而及於心性事理反省，突顯個人對於經典詮釋的見解，

79　蔡清：《四書蒙引》卷1「右傳之四章釋格物致知」，頁35。
80　蔡清：《四書蒙引》卷1「右傳之四章釋格物致知」，頁34。
81　蔡清：《四書蒙引》卷1「右傳之四章釋格物致知」，頁34-35。
82　蔡清：《四書蒙引》卷1「右傳之四章釋格物致知」，頁35
83　參見李紀祥：《兩宋以來大學改本之研究》（臺北：學生書局，1988年）。以及程元敏：〈大學改本述評〉，《孔孟學報》第23期（1972年4月），頁135-168。

蔡清無疑是極具指標人物，回歸朱熹義理思考，證成四書的價值，更是一生
貢獻所在，《泉州府志》載云：

> 自幼好學，長益肆力六經子史及周程張朱性理之書，靡不熟讀精
> 究。……嘗謂文公折衷眾說，以歸聖賢本旨，至宋末諸儒割裂裝綴，
> 盡取伊洛遺言，以資科舉。元儒許衡、吳澄、虞集輩者，皆務張大其
> 學術，自謂足繼道統，其實名理不精，而失之疏略。本朝宋潛溪、王
> 華川諸公，雖屢自辨其非，文人其實不脫文人習氣，於經傳鮮有究
> 心。國家以經術取士，其意甚美，但命題各立主意，眾說紛紜，太宗
> 命諸儒集群書大全，不分異同，撮取成書，遂使群言無所折衷。吾為
> 《蒙引》，合於文公者取之，異者斥之，使人觀朱註玲瓏透徹，以歸
> 聖賢本旨而已，教人以思索義理為先。曰：「今人看書，皆為文詞
> 計，不知看到道理透徹後，詞氣自昌暢，雖欲不文不可得也。」又
> 曰：「吾為《蒙引》，使新學小生把這正經道理，漸漬浸灌在胸中，久
> 後都換了他意趣，則其所成就自別宦轍。……」[84]

蔡清以《四書蒙引》統合科舉與經典、義理與文詞，使得儒學義理濡潤於
心，科舉是士人不可承受之重，然而回歸於經術取士用意，建立經典當中思
索聖人之旨的進路，以回歸於聖人，回歸於朱學，回歸於儒者自覺省察結
果，從而在宋元以來綴合詮釋陷於意見紛擾當中，梳理出切己心得，開啟四
書義理詮釋風氣，蔡清對於四書學發展深有啟發作用，成為閩學精神所在，
日人小島毅比對《閩中理學淵源考》與《明儒學案》，分出福建朱子學與江
浙陽明學，福建朱子學正統正是以蔡清為中心位置展開[85]，以此而論，在明
代陽明心學的光影之下，其實還有以鄉賢與區域儒學所形成的福建朱子學，
始終標舉尊朱立場，蔡清《四書蒙引》成為舉業標準，延伸而出，陳琛《四

---

84 黃任等纂修：《乾隆泉州府志（二）》（收入上海書店出版社編：《中國地方志集成・福
  建府縣志輯》（上海：上海書店出版社，2000年）卷42，〈明列傳〉，總頁332。

85 〔日〕小島毅：《中國近世における礼の言說》（東京：東京大學出版社，1996年），頁
  178-179。

書淺說》、林希元《四書存疑》，成為一組宗朱系譜的四書著作[86]，唐光夔撰〈四書淺說敘〉云：「緗蘊笥中有紫峰陳先生《四書淺說》，伏而誦之，簡捷明快，……較之林次崖先生之《存疑》，蔡虛齋先生之《蒙引》，大指略同，而顯易尤過之，際此破淫未盡消除之日，不啻適海之斗極，覓音之廣陵，人心世道，大有裨焉。」[87]方文〈重訂四書存疑序〉云：「弘正間蔡虛齋先生清作《四書蒙引》，考《集註》之本末，析《大全》之同異，博學而詳說，可謂善教人矣。……六經之道，莫備于四書，四書之理，莫精於朱註，《蒙引》則朱註之孝子，《存疑》則《蒙引》之忠臣。」[88]成為明人普遍的觀點，蔡清對於四書詮釋的貢獻，可得而見矣。本文檢視所及，觀察如下：

一、明代四書學從胡廣《四書大全》以下，科舉主導明儒義理思考，蔡清《四書蒙引》從政教而及於心性事理的反省，突顯個人的經典體會，才有後續四書詮釋的發展，日後陽明心學勃興，也是立基於四書詮釋深化的結果，蔡清具有的階段性發展意義，乃是過往未見而不可輕忽之學術環節。

二、蔡清由靜悟入，在動靜體驗當中，拈出「虛」之一字，從而洞悉心體之靈明，得以有觀覽天地氣象，各得其宜的結果，所言之心必須置於朱熹學術體系當中思考，也必須在四書經典當中體證觀察，唯有聖人經典為依據，簡易高明者也才有進程方向。

三、相對於元儒從理與氣分的角度，標舉理之價值，蔡清重視修養工夫，由分殊以見理一，理先氣後是從本原而言，氣先理後是從稟賦言，強調理與氣合，以氣見理的進路，天理與人事一貫，乃是回應朱熹理學的重要成果，從修養工夫的落實，達致變化氣質的結果，已啟知行一致的思考。

四、相對於朱熹強調二程有繼承孟子絕學的地位，蔡清更重視理學在道

---

86 彭時濟：〈四書存疑原序〉，收入林希元：《四書存疑》（日本承應三年〔1654〕刊本），彭序1。

87 唐光夔：〈四書淺說敘〉，收入陳琛：《陳紫峰先生四書淺說》（明崇禎十年刊本），頁4。

88 方文：〈重訂四書存疑序〉，收入林希元：《四書存疑》（日本承應三年〔1654〕刊本），方序頁1-7。

統系譜的作用，認為周敦頤對於二程學術有啟發作用，也標舉孔子有集聖人大成的地位，蔡清綰合理學與道統，建構聖聖相承中孔子聖人觀察，道統系譜聚焦於孔子，儒學核心遂有更為清晰的了解。

五、科舉是士人不可承受之重，蔡清以回歸於聖人，回歸於朱學，回歸於儒者自覺省察結果，從而在宋元以來綴合詮釋，陷於意見紛擾當中，梳理出切己之心得，成為閩學精神所在，影響之下，陳琛《四書淺說》、林希元《四書存疑》繼之而起，成為明儒宗朱一脈重要成果。

蔡清《四書蒙引》回應士人科舉需求，從政教訴求當中，宗主朱注，化解義理衝突，思索言所未及之處，進而及於義理辨證，證成朱熹四書的價值[89]，開啟明中葉以後儒者思考大方向。只是蔡清《四書蒙引》訓詁所及，內容既多，梳理不易，學術所向，說法不一，諸多環節有待深入檢討。筆者淺陋，撮舉分析，觀察尚有不足，尚祈博雅君子有以教之。

---

89 王素琴：《蔡清及其《四書蒙引》研究》，頁181。

朝鮮儒學的三個層面：
朝鮮朱子學派經世學的新面貌[*]

李昤昊

成均館大學東亞學術院

一　緒論

領導人類精神的思想並非固定不變的。藉由時間與空間的流變，先知者所提倡的思維被許多賢人擴大並深化。如此的思維一方面保持本來的面貌，另一方面不斷地脫胎換骨，成為人類精神文明的主軸。而儒學明顯地體現如此精神文明的面相。儒學是包括「修己」與「治人」的思想體系，在東亞歷史上不僅探討個人的修養，也涉及政治上的經世論領域。

按照朱熹《中庸章句》的〈序文〉，儒學藉由三個時期的發展而完成。領導第一期儒學的人物有堯、舜、禹，第二期有孔子、顏子、曾子、子思、孟子，第三期有程子、朱子等。

第一期儒學以三經為主軸，第二期儒學以四書為中心，第三期儒學藉由《四書章句集注》而完成。第一期儒學以「神」觀念為中心，活潑地探討「心性修養」問題。第二期儒學以人際關係論為主潮，積極地提示「心性修養」的內容。而第三期儒學在整個東亞發揮了最大的影響力，以「心性」與「修養」的本質為中心，進一步探討「神」或人際關係論。

朝鮮儒學兼容了中國儒學的三個面相，而此三面相隨著人物及時代的不同，有時謀面特為突出，有時兩股潮流彼此融合，使得朝鮮儒學欣欣向榮。簡而言之，朝鮮朱子學接受了第一期與第三期以「神」與「心性」中心的中

---

[*]　本文由任洧廷（國立臺灣大學中文所博士生）翻譯。

國儒學而發展，朝鮮實學則受容第一期與第二期以「神」與人際關係為主的儒學而蓬勃。雖然朝鮮儒學兼容中國儒學的三個層面，仍然符合了朝鮮的情況而有所變化或更深化發展，循此，朝鮮儒學有與東亞儒學相同之處，亦佔有其獨特的疆域。

　　既有研究主要考察朝鮮朱子學以「心性」為主的領域以及朝鮮實學人際關係為主的論述。但朝鮮的朱子學與實學也若干受容並發展第一期儒學的「神」中心領域。因此，本論文考察朝鮮朱子學受容「神」中心領域的局面，由此提供考察朝鮮朱子學之新局面的契機。儒學以「修己治人」為標語，其中經世學則是「治人」之領域，而朝鮮朱子學之新局面連結於經世學。因此，本論文首先以經世學為中心，探討儒學經過自第一期至第三期的過程。此後，通過對《洪範衍義》的考察，闡明朝鮮朱子學的「神」中心思維與經世學的接觸點。

二　儒學的發展與儒家的經世學

　　古代儒家的經世學分為記錄經世之事的《春秋》以及記錄經世之言的《書經》。[1]其中，記錄經世之言的《書經》乃是儒家經世學的最古經典，把政治理念表現於語言。《書經》裡面並存儒家經世學的各種層面，以下考察其局面。

（一）《書經》，〈文侯之命〉
王若曰：「惟時上帝，集厥命于文王，亦惟先正，克左右，昭事厥辟，越小大謀猷，罔不率從。肆先祖懷在位。」

（二）《書經》，〈泰誓中〉
惟受，罪浮于桀，剝喪元良，賊虐諫輔，謂己有天命，謂敬不足行，謂祭無益，謂暴無傷。厥鑑，惟不遠，在彼夏王。天其以予，乂民。

1　《漢書》，〈藝文志〉：古者左史記言，右史記事，言為尚書，事為《春秋》。

朕夢協朕卜，襲于休祥，戎商必克。

（三）《書經》，〈咸有一德〉

嗚呼！天難諶，命靡常，常厥德，保厥位，厥德，靡常，九有以亡。

帝王是人間統治的頂點，然則，帝王如何產生？其初可能有強大的武力者成為帝王，或者如丁若鏞（1762-1836）在〈湯論〉中的說法，可能「眾推之而成」。[2]但按照上文的（一）與（二），儒家最古經典《書經》言代行天命的上帝之權能導致帝王的產生，例如周文王、商紂皆自任天命的擔持者。而上帝與帝王之間有兩個切入點，則是（二）的「占卜」與（三）的「德」。

按照《書經》，經營世界的帝王置於上天（上帝）的權能之下，為了保持其帝位並經世，必須把修德之工夫作為前提。恆久保存德性乃是保存帝位的方法，占卜的吉祥展現帝王之資格。如此，上天與帝王是不可分的關係，其媒介即是「德」與「占卜」。以上是以「神」觀念為中心，活潑地談論心性修養的第一期儒學經世論的局面。但如此的第一期儒家經世論，至於孔子《論語》時代面臨轉變。

《論語》，〈為政〉第3章

子曰：「道之以德，齊之以禮，有恥且格。」

《論語》，〈顏淵〉第17章

季康子問政於孔子。孔子對曰：「政者正也，子帥以正，孰敢不正？」

首先，《書經》頻繁論及「天」、「上帝」、「占卜」等，而這些詞在《論語》裡面很少。孔子很少論及「天道」、「本性」等的抽象概念，對此保持

2　《與猶堂全書》，〈湯論〉：夫天子何為而有也。將天雨天子而立之乎？抑涌出地為天子乎？五家為鄰，推長於五者為鄰長，五鄰為里，推長於五者為里長，五鄙為縣，推長於五者為縣長，諸縣長之所共推者為諸侯，諸侯之所共推者為天子。天子者，眾推之而成者也。

「敬而遠之」的態度，尤其是避諱政治論上談起這些抽象概念。[3]《書經》時代的遺產中，孔子受容「修德」，作為為政者的自己修養。上述的引文中可見，孔子論治國的重點不在於有效的政治制度，而在於為政者的「德」。孔子認為政治的要旨乃是具備德性的為政者以身作「正」。至於孔子，對極「天」的論述極為少，「上帝」的領域縮小，雖然耽讀《周易》，但堅持「不占」，循此，為政者所需要的只剩下「修德」。換言之，在《書經》經世學的重要論點──「天（上帝）」、「占卜」、「德」之中，「天」與「占卜」沉沒於水面下，只有人際關係的要素「修德」在孔子的經世學上獲得了重要意義。從以「神」為中心的第一期儒學之中，人際關係論凸顯為主流，此後添加心性修養之內容，此過程乃是第二期儒學經世論的形成局面。而孔子的經世論由於朱子學派再次面臨轉換局面。

《朱子大全》，〈壬午應詔封事〉

是以古者聖帝明王之學，必將格物致知以極天事物之變，使事物之過乎前者，義理所存，纖微畢照，瞭然乎心目之間，不容毫髮之隱，則自然意誠心正，而所以應天下之務者，若數一二，辨黑白矣。苟惟不學，與學焉而不主乎此，則內外本末顛倒繆戾，雖有聰明睿智之資，孝友恭儉之德，而智不足以明善，識不足以窮理，終亦無補乎天下之治亂矣。然則人君之學與不學，所學之正與不正，在乎方寸之間，而天下國家之治不治，見乎彼者如此其大，所繫豈淺淺哉！易所謂差之毫釐，繆以千里，此類之謂也。

《書經集傳》，〈序文〉

二帝三王之治，本於道，二帝三王之道，本於心，得其心，則道與治，固可得而言矣。……至於言天則嚴其心之所自出，言民則謹其心之所由施，禮樂教化，心之發也，典章文物，心之著也，家齊國治而

3　《論語》，〈公冶長〉：「子貢曰：『夫子之文章，可得而聞也，夫子之言性與天道，不可得而聞也。』」

> 天下平，心之推也，心之德，其盛矣乎！二帝，三王，存此心者也，
> 夏桀，商受，亡此心者也，太甲，成王，困而存此心者也，存則治，
> 亡則亂，治亂之分，顧其心之存不存如何耳。

至於孔子時代，混淆「天」、「占卜」以及修養論的《書經》之經世論，被概括為以「德」為中心的修養論。此後，至於朱熹與其門人的時代，朱熹主倡匡正人之內心的修養論，由此修養論的心性論傾向更加強化。朱熹以後，蔡沈《書經集傳・序文》顯示其議論更加內在化。不僅是儒家政治的核心禮樂教化，「天」與百姓的根源也在於「心」，因此帝王必須保存並實踐其「心」。

此後朱子學成為東亞的官學，朱子學派的政治論無論朝野皆被重視。尤其是朝鮮很深刻地接受了重視「心」的朱子學政治論。自朝廷官僚至在野學者，他們皆把朱子學經世論作為絕對的標準。以下退溪李滉的文章顯示此點。

《退溪先生文集》，〈戊辰六條疏〉
> 臣聞帝王之學，心法之要，淵源於大舜之命禹。其言曰：「人心惟
> 危，道心惟微，惟精惟一，允執厥中。」夫以天下相傳，欲使之安天
> 下也。其為付囑之言，宜莫急於政治，而舜之於禹，丁寧告戒，不過
> 如此者，豈不以學問成德，為治之大本也。精一執中，為學之大法
> 也，以大法而立大本，則天下之政治，皆自此而出乎。

由上可見，退溪受容朱熹與蔡沈的說法，把儒家經世學的核心凝縮於君主內面的「一心」，主張天下的政治皆出自於君主的「一心」。此是朝鮮受容朱子學派經世學的代表例子，之後成為以退溪學派為主的朝鮮經世論的主流。以上是體現第三期儒學的典型，主要談論心性的本質與修養的內容。但是，以第三期儒學為主的朝鮮學術中，亦可發現第一期儒學的核心，以「神」為中心的思維。

三　朝鮮朱子學的第一期儒學受容局面

　　眾所周知，儒學的三期發展論中，朝鮮朱子學是把最後一期「心性」中心的儒學深化發展的儒學學說。其思維的篇幅及論點極為廣大、精微，在東亞思想史上構築了前所未有的成果。朝鮮朱子學的核心則在於心性論，但其中亦可見第一期儒學「神」中心思維的反映。《洪範衍義》是存齋李徽逸（1619-1672）與葛巖李玄逸（1627-1704）的合著，在第28卷中可找出其痕跡。

　　《洪範衍義》是代表朝鮮洪範學的著作，約一六五二年開始編纂，在一六八六年完成初本，在一六八八年完成二十卷的整本。在一七二三年經過李栽（1680-1746）的校讎，在一七七二年經過李象靖（1711-1781）的校勘，在十八世紀後半有初刊，在十九世紀中葉有新刊，則是現存的版本，總共有二十八卷。

　　《洪範衍義》綴輯龐大的文獻而完成，但基本上敷衍《書經》的〈洪範〉，以經學的觀點可理解其內容。若以經學的觀點考察《洪範衍義》，需要從《書經》的〈洪範〉找出線索。〈洪範〉是《書經‧周書》的篇名，著者是殷末期的賢人箕子。因《書經》的今文與古文皆有〈洪範〉，所以被承認為真書。殷國滅亡時，箕子把洪範之道轉交給周武王，洪範是禹王從上天接受的治天下之基本道理，此核心內容則是「洪範九疇」。

　　《書經》的〈洪範〉說，箕子從上天接受的道有九個範疇，此被稱為「洪範九疇」，其內容曰：「初一曰五行，次二曰敬用五事，次三曰農用八政，次四曰協用五紀，次五曰建用皇極，次六曰乂用三德，次七曰明用稽疑，次八曰念用庶徵，次九曰嚮用五福，威用六極。」[4]《洪範衍義》乃是藉由龐大資料的收集，演繹「洪範九疇」的書籍。考察此書的特點前，先看李徽逸、李玄逸兩位先生的著述動機以及其內容結構。

4　《書經》，〈洪範〉：初一曰五行，次二曰敬用五事，次三曰農用八政，次四曰協用五紀，次五曰建用皇極，次六曰乂用三德，次七曰明用稽疑，次八曰念用庶徵，次九曰嚮用五福，威用六極。

首先，其著述動機如下：

《洪範衍義》,〈洪範衍義總論〉

又說「洪範」云，今人只管要說治道，這是治道最切緊處。這箇若理
會不通，又去理會甚麼零零碎碎。

引文中可見，「洪範學」是儒學的核心「治道」，就是經世學的寶典。儒學的
兩軸有「修己」與「治人」，其中「治人」經世學的核心內容則在於其內。
若詳細地澄清其內容，或許可呈現儒家經世學的核心。此是李徽逸、李玄逸
兩位先生著述《洪範衍義》的重要理由。

再次，《洪範衍義》的結構如下：看《洪範衍義》二十八卷的目次，編
者把「洪範九疇」分為三個部分，由此解釋並敷衍其內容。目次的前半部有
「五行」、「五事」、「八政」、「五紀」；後半部有「三德」、「稽疑」、「庶徵」、
「五福」、「六極」。而「皇極」是兩者的媒介，人倫的極致。由此而見，《洪
範衍義》以主管政治的人君為中心，說明修己、政事、事神、治人的道理。

審視《洪範衍義》的目次，在前半部中分量最大的部分是「八政」篇，
二十八卷中佔有十九卷。「八政」指稱食、貨、祀、司空、司徒、司寇、
賓、師，顯示編者的關注點在於經世與具體實務上，可說政治經濟書乃是此
書的特性。《洪範衍義》的目次的後半部，「稽疑」一篇的分量等於「三
德」、「庶徵」、「五福」、「六極」篇的兩倍，可見今日被視為迷信的古代占卜
在經世上佔有很大比重。此外，還有自然現象的「五行」、「五紀」與「庶
徵」，個人修養的「五事」，人事的「五福」與「六極」。以其體系方面來
看，《洪範衍義》是混在政治論、經濟論、神學、自然學的經世書。

如此，《洪範衍義》是演繹《書經》〈洪範〉的書，儘管其性質是關於政
治、經濟的經世學典籍，仍然以神學為中心融洽個人修養與自然學。《洪範
衍義》則是一個典型例子，顯示前近代儒學超越分科學問的框架，轉換成統
攝學問的局面。

上文已述，《洪範衍義》以「皇極」為中心，前半部有「五行」、「五
事」、「八政」、「五紀」；後半部有「三德」、「稽疑」、「庶徵」、「五福」、「六

極」。論《洪範衍義》的經世書側面時，需要關注第一期儒學的核心部分，神學經世論的「五行」、「事神」、「占卜」等的理論。

《洪範衍義》中，天（上帝）是對人發揮直接影響的重要存在。因此，帝王依據天命，上台或被逐出。而且，重要的政治行為的背後，天（上帝）總是發揮其作用。換言之，天（上帝），這不可知的領域，卻對帝王的經世發揮莫大的影響。因此，實際政治活動的「八政」中，聯結天與人的「祭祀」佔有重要位置。以下是天子向上天舉辦祭祀時所講的話。

> 《洪範衍義》卷之六，〈祀二〉
> 皇皇上天，照臨下土，集地之靈，降甘風雨，庶物群生，各得其所，靡今靡古。維予一人某，敬拜皇天之祐。

上文出自於《大戴禮》〈公符〉，自稱「一人」的天子向皇天頌祝詞。似乎是應對有生命的人格主體，敬拜並祈禱皇天之祐，使得天地萬物化育。然則，天子如何接觸上天，接受自己經世的根源？

> 《書經》，〈皋陶謨〉
> 天聰明，自我民聰明，天明畏，自我民明威，達于上下，敬哉，有土！

上天以百姓為媒介，與為政者溝通。藉由百姓的耳目，上天觀看人世，聽他們的聲音，讓善人顯彰，讓惡人畏懼。因此，帝王勵精圖治，則是呼應上天的方法。另一方面，不管私事或國家大事，為政者皆詢問天意，決定其方向。由此上天直接介入政治，其媒介乃是「占」。

> 《洪範衍義》卷之二十六，〈稽疑〉
> 以邦事作龜之八命，一曰征，二曰象，三曰與，四曰謀，五曰果，六曰至，七曰雨，八曰瘳。【國之大事待著龜而決者有八，定作其辭，於將卜以命龜也。鄭司農云：「征謂征伐人也。象謂災變雲物，如象赤鳥之屬有所象似。與謂與人物也，謀謂謀議也，果謂事成與否也。至謂至不也，雨謂雨不也，瘳謂疾瘳不也。」玄謂征亦云行，巡守

也。象謂有所浩立也。與謂所與共事也。果謂以勇決為之】以八命
者贊三兆三易之占，以觀國家之吉凶，以詔救政。【鄭司農云：「以此
八事，命卜筮蓍龜，故曰以八命者贊兆易之占。」玄謂贊，佐也。
詔，告也。非徒占其事，吉則為，否則止，又佐明其繇之占，演其
義，以視國家餘事之吉凶，凶則告王救其政。】

引文中可見，《周禮》對八種事情問卜。自征伐等的國家大事，至治病、降
雨的小事，關於帝王的大小事皆如此問卜。因此，接到帝王之命令的筮人，
藉由卜筮觀察國家吉凶，稟告帝王，然後帝王採取救濟國政的措施。不管小
事或大事，上天對帝王的經世行使絕對的影響力。此表示若人無法決定，
需要問卜筮，取得上天的決定。藉由人與天的互相溝通，上天決定最適合的
路線。

　　如此，帝王以「占」為媒介與不可視的天（上帝）溝通，其溝通的結果
對經世發揮直接影響。以後代的觀點來看，如此的方式可能被輕視為迷信。
但考慮《洪範衍義》的母胎《書經》時代的情況，如此的想法毫無道理。儒
學的第一期《書經》時代，天（神）與人互相溝通，人依靠天之力量，若為
政者修德，天（神）的力量會發揮正面作用。因此，「天」、「人」、「修德」
是帝王經世論的三個主軸，其媒介乃是「占」。但是至於孔子與朱子時代，
文明的主軸從以神為中心移植到以人為中心，「天」與「占」隱藏於內在，
只有人際關係的必須要素「修德」留在。至於朱子與退溪時代，修德論更加
精微，主要談人心之修養，其對東亞，特別對朝鮮的修養論與經世有莫大
影響。

　　然而，李徽逸、李玄逸兩位先生越過第二、第三期的儒家經世學，關注
於第一期《書經》時代的經世學，《洪範衍義》乃是其成果。因此，以《書
經》時代的觀點來看，《洪範衍義》中的占卜要素對帝王的經世學非常重
要。占卜至於後世被視為墮落的邪術，但在儒學第一期《書經》時代，占卜
有至高無上的價值，從帝王的私事到國家大事，皆取得了無條件的信任。此
是《洪範衍義》所包涵的占卜成為經世學核心之緣故。因此，把占卜貶低為

迷信，似乎看起來是合理的批判，但實際上，是對儒學第一期時代的無知（或無視）所造成的謬誤。

四　結論

李徽逸、李玄逸兩位先生是退溪李滉的嫡傳。因此，他們的經世論也深刻受到了朱熹與退溪的影響，重視「心」。以下李玄逸的疏文顯示如此的傾向。

> 《葛庵先生文集》卷之四，〈進君德時務六條疏〉
> 其一曰進德，臣聞人主所以正風俗服人心，致於變之化者，在於為政以德，而德之所以進，不過屏去私意，復其本然之善而已。如欲去己私而復天理，亦在乎窮理致其精，居敬致其一。若虞書精一執中之說，實千古聖王相傳心法之要，而後來聖賢千言萬語，究其要歸，皆不出此。

李玄逸對肅宗（朝鮮十九代國王）上疏，規定君德的第一則是「進德」，為了「進德」需要「去己私而復天理」。李玄逸提示「居敬」為其方法，亦提示《書經》十六字心傳為心法的要旨。李玄逸的論旨則是朱子學派以「心」為中心的經世論之重演，其焦點在於內在的心。此外，看李玄逸所編纂的李徽逸的行狀，李徽逸也一輩子進行以「敬」存「心」修行。[5]此表示《洪範衍義》的兩位編者，篤實於朱子以來以「心」為中心的經世論，也顯示他們未脫離以退溪為中心的朝鮮朱子學派經世論傳統。

但兩位先生所闡述的《洪範衍義》所包括的內容，不是第三期儒學的以「心」為中心的經世學，而是第一期儒學以神為中心的經世學。換言之，此

5　《葛庵先生文集》卷之二十六，〈先兄將仕郎慶基殿參奉存齋先生行狀〉：卒能尋思玩繹，晚復有契於心，以為心不存，則無以為養性窮理之本。故號其所居之室曰存齋，蚤夜其間，以自循省，以為顧名思義之地。嘗曰，心不可把捉而存，唯敬是存之法，然不曰以敬，而曰敬以直之，則聖賢開示之旨，可謂要切矣。

兩位學者雖然代表朝鮮的朱子學者，但不僅談他們所屬的第三期儒學，更加集中挖掘第一期儒學的經世論。他們為何做了如此的工作？以下的文章中可看出其理由。

> 《葛庵先生文集》卷之十九，〈愁州管窺錄〉
>
> 余嘗蒐輯群書，足成先兄存齋先生所述洪範衍義未及纂錄者，論者紛然以為洪範是神明之書，其文簡，其義微，不可牽合傅會，以傷其宏深奧雅之體。是誠有理，然惜其於聖賢之旨，得其一而遺其二也。……況我父師八條之教，世遠無徵，至于今泯泯，雖有願治之君好古之士，莫得以效焉。儻有謀國者，幸以是書，謦欬于吾，君之側，得備清閒之燕，而有祭於，聖心使為建極導民之本，俾群臣萬姓無有淫朋，無有比德，以致平平蕩蕩之風，與有錫福保極之美，則豈不為曠世奇事耶？

上文中可看出李玄逸撰述《洪範衍義》的目的有二，分別為：「古道的保存」與「後世的活用」。李玄逸不願意《洪範衍義》被使用為當代政治。自《書經》時代流傳來的「洪範」以及箕子的遺訓「洪範九疇」所內涵的古道泯滅，他感到惋惜。《洪範衍義》撰述的首要目的則是保存古道，遺傳於後代。

另一方面，把第一期儒學的經世論遺傳給後代的更重要理由，則是願意後代君臣把其內容適用於治世。雖然李玄逸與李徽逸屬於第三期儒學的儒者，但他們認為第一期儒學以神為中心的思維對經世也有幫助，由此編纂了此書。

以現代的觀點來看，可能會懷疑何必把「神」、「占卜」適用於經世。「神」歸屬於宗教領域，「占卜」歸屬於迷信領域，一般被認識為與政治無關的領域。但若瞥視歷史，理性為主的現代文明並不能解決所有的問題。人類建構了各種政治制度，努力推進社會發展。二十世紀以後也是如此。而雖然政治制度整備，科學發達，但人類所享有的幸福卻不膨脹，苦惱也未明確解決，卻發生更大的問題，或面臨難以解決的災難。

　　知識的擴張卻讓我們更沉溺於不知道的世界，儘管彌補制度卻造成更嚴重的混亂，人類的理性已至於自我反省的階段。或許只要敬畏超越理性的世界，脫離人類獨尊及理性萬能主義，才可以找出解決問題的線索。不是人類獨尊，而是與其他生命體的並存之中；不是理性萬能主義，而是在對超理性的敬畏之中，可能會找到解決至今社會所面臨患難的鑰匙。朝鮮朱子學把第一期儒學的思維引進至經世學領域，關注天與神，在此點上可能會發現其現代性意義。

朱子的《孟子》詮釋與心性論的建構[*]

藤井倫明

日本九州大學人文科學研究院

一　序言

　　朱子學如被稱為「新儒學」，則其學術風格、思想體系自然與漢唐儒學有所不同，而朱子學與漢唐儒學之間確實存在著很大的差距。但站在朱子本人的立場而言，他追求的並不是脫離先秦儒家（孔孟）的脈絡而來開創全新的儒家思想體系；而是在闡明先秦儒家，亦即孔孟思想之真義，以繼承儒家思想之道統。因此，朱子的學說、思想主張基本上都有經典上的依據，就此點而言，則朱子學的立場也是與漢唐儒學一致的。朱子的思想主要是以「四書」，亦即《大學》、《中庸》、《論語》、《孟子》為理據而建構出來的，其「心性論」的論據也都在「四書」，尤其是《中庸》與《孟子》。毋庸置疑的，朱子最重要的代表性著作就是《四書章句集注》。[1]朱子認為漢唐學者的經注並未完全正確掌握經文（古代聖賢）的真義，所以必須重新註釋，以闡明真正的聖賢之道。朱子所作的「新」注，亦即《四書章句集注》等，不僅在明清時代的中國，在越南、朝鮮、日本等東亞地區也成為「四書」解釋的標準，發揮其巨大之影響。

　　不過，朱子《四書章句集注》雖然發揮如此巨大之影響，但是歷史上卻也出現過徹底反對、批判朱子新注之立場者。誠如眾所皆知的，繼承漢唐訓詁學傳統的清朝考據學，亦即「漢學」系統的學者們就批判朱子新注的恣意

---

[*] 本文為日本科研基盤研究（C）[21 K00050]之研究成果。

[1] 關於《四書章句集注》的撰作過程、詮釋體例、義理思維等，可以參閱陳逢源：《四書章句集注》，臺北：里仁書局，2006年。

性、主觀性。其實不只是「漢學」陣營，若從漢宋之爭的脈絡而言，同樣被歸屬於「宋學」系統的陸王心學，也是對朱子新注抱持批判立場，其指出朱子之詮釋與儒家經典原義之間有其差距。[2]即使到今日，也仍有很許多當代學者研究探討朱子經典詮釋的客觀性問題。筆者認為其中最犀利地批判朱子經典詮釋問題的學者，當推牟宗三先生。

牟先生對朱子思想所作的分析非常細緻而且深入，堪稱現代朱子學研究的重要成果之一。牟先生批判朱子對《孟子》的詮釋脫離《孟子》文本的原義，不合孟子的意思。[3]牟先生認為由於朱子無法正確解讀《孟子》文本，結果朱子所理解的「心」變成與孟子截然不同性質的「心」，進而開展出「他律道德」的立場。關於牟先生的批判，筆者認為朱子《孟子》詮釋中確實有如牟先生所指出的脫離《孟子》文本脈絡之處，但牟先生對朱子《孟子》詮釋的分析中也有值得商榷的地方。[4]也就是在這一問題意識下，本文以牟先生為對話的對象，透過檢討牟先生對朱子《孟子》詮釋的分析、批判這一方式，擬進一步闡明朱子《孟子》詮釋的脈絡以及其心性論的結構。

二　牟先生對朱子《孟子》詮釋的批判

關於朱子對《孟子》的詮釋，牟先生如下批判說：

> 朱子講孟子，心、情屬於氣，氣是形而下的，惻隱之心屬於形而下，這就糟糕了，這是違反孟子的。照孟子義理，心就是性，從心說性，

2　例如王陽明批判朱子對《大學》所謂「親民（新民）」以及「格物致知」的詮釋即是。

3　關於牟先生對朱子《孟子》詮釋的批判，參閱牟宗三：《心體與性體》第3冊（臺北：正中書局，1968-1969年）以及牟宗三：《宋明儒學的問題與發展》（臺北：聯經出版事業公司，2003年）等。

4　杜保瑞先生也批判牟先生對朱子思想的分析、理解有不正確的地方。參閱杜保瑞：《牟宗三儒學評議》（新北市：臺灣商務印書館，2017年）。杜先生在該書第十二章〈對牟宗三詮釋孟子學的方法論反思〉中探討牟先生對朱子《孟子》詮釋的理解上的問題，但杜先生批判的視角與本文有所不同。

所以，心性是一，也就是心理是一。照朱子的體會分解，惻隱之心等
說成心、情，只仁、義、禮、智是性，結果成心、性、情三分，心、
性、情三分是道德地講；形而上地講，就是理氣二分。性即理，情、
心屬氣。這種講法是錯的，不合孟子的意思。朱子的頭腦不能講孟
子，他不了解孟子，也不了解《中庸》、《易傳》，他只能講《大學》。[5]

　　根據牟先生的分析，朱子在《孟子》詮釋中將心、性、情三者加以區
別，從理氣二分的脈絡將「性」歸屬於「理」，將「情」、「心」歸屬於
「氣」。牟先生認為這種理解根本違反《孟子》文本的脈絡，不合孟子的意
思。[6]對牟先生而言，朱子如此違反《孟子》文本脈絡而加以詮釋的結果，
在《孟子》中圓滿「合一」的心與理，在朱子的詮釋中變成了「不能一」。
牟先生敏銳地察覺到朱子從錯誤的脈絡詮釋《孟子》的結果，根本就是開展
出與孟子不同的「心」觀以及倫理學說。關於這一點牟先生進一步詳細說明
如下。

　　　　陸象山所說「心即理」，王陽明說「良知即天理」，以及程明道言「天
　　　　理二字卻是自家體貼出來」。天理動態地講就是道體，從「於穆不
　　　　已」來；靜態地講就是道德法則。總說是道德法則。「心即理」那個
　　　　理是道德法則，「良知即天理」那個天理也是道德法則。道德法則是
　　　　西方的詞語，中國這種抽象的詞語很少。照朱子的分解，仁、義、
　　　　禮、智是理，惻隱、辭讓、恭敬、是非是心是情，情、心屬於氣，這
　　　　不合孟子原意。孟子原意心就是理，惻隱之心就是仁這個理。「心即
　　　　理」就等於意志自律，就是心的立法性。惻隱之心立一個法，立一個
　　　　理，立一個理就是給你一個方向，定方向就是理。這個理由心立，理
　　　　固然是形而上的，心也是形而上的，心不屬於氣，惻隱之心就是一個

5　牟宗三：《宋明儒學的問題與發展》，頁174。
6　暫且不說朱子的頭腦能不能講《孟子》、能不能真正了解《中庸》《易傳》的內容這一
　　問題，牟先生指出的觀點大概是現代學界一般對朱子思想的看法。筆者認為其基本觀
　　點獲得學界大多數學者的支持、肯定。

具體的心，無所謂分兩個概念，朱夫子分解做情、心，這是穿鑿。理是存有義，心是活動義，這就是「即存有即活動」。理從心發，這個活動義的心不一定屬於形而下，不是凡活動就屬於形而下。這一點一定要徹底弄明白。惻隱之心不能分解成兩個概念，要說心就是心，說情就是情，這個情不是形而下的。這個情只能用 feeling，不能用 emotion。Feeling 可高可低，不一定屬形而下。儘管 feeling 有活動義，這個情是本情。本情、本心都是超越的，不屬於感性，這樣才能說心就是理，心理合一。照朱子的分析，心、理不能一。[7]

牟先生認為《孟子》書中本來沒有區別「理」（存有義）與「氣」（活動義），也沒有將心、性、情加以三分的邏輯，心其實等於性（理），心、性、情三者本來是一體的，是無法分解的。在《孟子》，一個心（情）本身作為「理」而決定道德法則，確定其該走的方向，實現道德行為。例如「惻隱之心」本身主動以「仁」為道德法則，確定自己發展的方向，進而實現「惻隱、愛」等道德。根據牟先生的理解，孟子的「心」乃是：作為「情」而具有活動義，且同時作為「理」而可以自發自律設定道德法則的一種超越的道德主體。因此，牟先生認為孟子的倫理學說是「自律道德」的立場，但朱子的《孟子》詮釋卻不符合孟子的原義，以致於朱子所解讀出來的「心」，變成了「實然的心氣之心」，進而導出「他律道德」的立場。牟先生如下說明朱子的詮釋導出了「他律道德」的理路。

伊川朱子所說之心只是實然的心氣之靈之心，其自身常不能凝聚而清明，反常在浮動、昏沉、散亂之中。是以必須敬以涵養使之常凝聚常清明，然後始能發其明理之用。明理是明存在之理，故必須即物以明。[8]

在伊川朱子，性只成存在之理，只存有而不活動，心只是實然的心氣之心，心並不即是性，並不即是理，故心只能發其認知之用，並不能

7　牟宗三：《宋明儒學的問題與發展》，頁180-181。
8　牟宗三：《心體與性體》第1冊，頁104。

表示其自身之自主自決之即是理，而作為客觀存有之「存在之理」（性理）即在其外而為其認知之所對，此即分心理為能所，而亦即陽明所謂析心與理為二者也。[9]

朱子雖然提倡「性即理」，但並非無條件地接受「心即理」這個命題。又在《孟子》詮釋中進一步將「四端」與「四德」嚴格區別，將前者規定為形而下的「情」，再將後者規定為形而上的「性」（理），同時也將心、性、情三者在概念上加以區別。牟先生認為既然「性即理」，從「理氣二元」的脈絡來看，性之外的心、情等應該視為屬於「氣」的存在。因此在朱子思想中，「心」變成「實然的心氣之心」，「理」（性）是存在於「心」之外的。若「心」與「理」割裂開來，「心」無非就是「實然的心氣之心」，此「心」遂變成一個沒有「自發自律地」設定道德法則之能力的存在。換言之，它已經不是一個超越的道德主體。根據牟先生的理解，朱子詮解脈絡中的「心」，頂多就只有「明理之用」、「認知之用」，透過發揮這一作用，以認知外在客觀之理，所以要「使心氣情變之發動漸如理」，才能實現道德。牟先生認為這種立場無非是「他律道德」。而關於「自律道德」的立場與「他律道德」的立場的異同，牟先生如下詳細說明道：

> 吾人不能由反身自證，自證其道德的本心之自發自律自定方向自作主宰以為吾人之性體，以認取性體之為理，而乃是客觀地由「存在之然」逼顯出其所以然之理以為性，主觀地由心氣之靈之凝聚來把握這些理，以使心氣情變之發動漸如理。就客觀地由「存在之然」來逼顯說，是性理之道德意義之減殺；就主觀地由心氣之靈之凝聚來把握這些理說，吾人之實踐之為道德的，是他律道德，蓋理在心氣之外而律之也。（理經由心氣之靈之認知活動而攝具之，內在化之，以成其律心之用以及心之如理，此不得視為心理為一，此仍是心理為二。其為一是關聯的合一，不是本體的即一、自一。本心即性、本體的自一、

是自律道德。關聯的合一是他律道德。[10]

根據牟先生的理解，朱子雖然說「性即理」，但此「性」並不是「心」的本體，也不是實際上存在於「心」中的道理，而是存在於「心」外，用「心」的認知作用，是透過觀察「存在之然」而掌握、闡明出來的「所以然之理」。「心」以這種外在的「所以然之理」為「性」而控制自己，使自己的發動（「情」）可以加以調整而符合規律。在此，「心」與「性理」被分裂開來，「心」雖然作為「心氣之心」具有活動力，但卻無法成為「自主自決」的道德主體，它必須以「心」外之理（性）為依據，才能實現道德。另外，「性理」也因為被視為透過外在的「存在之然」而歸納出來的「所以然」，亦即客觀世界的規律，因此其「活動義」消失，且「道德意義」也消失。

如上所述，牟先生強調在朱子所詮解的「心」論中，「理」不在心「內」而在心「外」。但不爭的事實是：吾人可以發現朱子的言說中多次出現「心具萬理」、「心包萬理」等說明[11]。牟先生當然也注意到這一點，因此牟先生為了避免己見與朱子言說產生矛盾，遂如下解釋朱子所謂「具」或「包」的概念。

> 朱子所謂「具」或「包」是心知之明之認知地具，涵攝地具，「包」亦如之。《大學補傳》所謂「人心之靈莫不有知」是也。即在心知之明之認知作用中把理帶進來，而云「即在吾心」，「心具萬理」，「心包萬理」。（中略）此非《孟子》所謂之「存心」之義，亦非孟子由仁義內在所函之「心即理」義。由《孟子》仁義內在之心即理而說「心具萬理」，此「具」是本心自發自律地具，是本體創生直貫地具，不是認知地具，涵攝地具，是內在之本具、固具，不是外在地關聯地具。此種分別，朱子不察，遂只以「認知地具」說「心具萬理」。[12]

---

10 牟宗三：《心體與性體》第1冊，頁85-86。

11 例如《朱子語類》中有「一心具萬理。」、「心包萬理，萬理具於一心。」等發言。（《朱子語類》卷九，學三，《朱子語類》一，〔北京：中華書局，1986年〕，頁154、155。）

12 牟宗三：《心體與性體》第3冊，頁357-358。

　　牟先生認為朱子所謂「心具萬理」、「心包萬理」等言說，不能按照字面地來理解。因為它不是「心即理」脈絡的真正的「本具」、「內具」；而是「心即氣」脈絡的「認知地具」、「涵攝地具」。對牟先生而言，「心」既然不是「理」，而是「氣」，則「心中」有「理」在邏輯上是不可能的。又雖然「心」是「氣」，但其氣是靈明的，所以具備可以認知「理」的功能。因此，「心」可以認知「理」而將「理」作為知識帶引進來「心中」。這就是朱子所謂的「心具萬理」、「心包萬理」。

　　另外，根據牟先生的分析，朱子詮解脈絡中的「性」是「理・氣」二分下的「理」，它是「只存有而不活動」的。但關於「性・情」之間的關係，朱子卻常說「性發而為情」，朱子此一說明顯然與牟先生對性（理）的理解有所衝突。牟先生為了維護己見，主張朱子所謂「性發」也與「心具理」同樣不能照字面般地來理解。牟先生如下解釋說：

> 伊川朱子亦常不自覺地順習慣說性發而為情，實則嚴格言之，彼所說之性理實不能發也，只是心氣依性理而發，統屬于性，遂謂性之發矣。[13]

　　根據牟先生的理解，「性理」是沒有活動性的存有，所以其本身無論如何是不能「發」的。因此，朱子所謂「性發為情」，其實意味著「心氣」依據「性理」而引發「情」。關於此點，李明輝先生站在牟先生的立場，更清楚地如下說明道：

> 朱子之「理」是只存有而不活動，而性即理，故「性發為情」，並非意謂「性自身發而為情」，而是意謂「情依理而發」。[14]

> 性是理，理無所謂動。故「性之動」非性本身的動，而是情依性而

---

13 牟宗三：《心體與性體》第1冊，頁89-90。
14 李明輝：《四端與七情──關於道德情感的比較哲學探討》（臺北：臺灣大學出版中心，2005年），頁356-357。

動。能動者是氣，故情屬於氣。心則居於性、情之間而統攝之。[15]

朱子所謂「心統性情」，其實只是意謂心依性理引發情，也就是說，心認知地以異層次之性理為依據，而引發同層之情。[16]

心之所以為「虛靈」、為「精爽」、為「神明」，乃是由於它能憑其知覺涵攝理。心之主宰能力即在於依理而禦情，以應萬事；在此意義之下，即可說「心宰萬物」。[17]

再者，朱子將《孟子》所謂「盡心」理解為《大學》脈絡中的「知至」或「誠意」，[18]但牟先生認為朱子這樣的理解並不符合《孟子》「盡心」的原義。牟先生如下指出：

無論以「知至」說盡心，或以「誠意」說盡心，皆非孟子「盡心」之義。「物格而后知至」，以「知至」說盡心，是認知地盡。「知至而后意誠」，以誠意說盡心，是實行地盡。但此實行地盡卻是依所知之理盡心力而為之，心成虛位字，是他律道德，非孟子「盡心」之義。孟子說「盡心」是充分實現（擴充）本心之謂，既非「知至」之認知地盡，亦非「依所知之理、盡心力而為之」之他律式的實行地盡。[19]

如引文所述，牟先生認為《孟子》原本脈絡中的「盡心」，是使「心」本身充分「擴充」（發揮）的意思，在此任何道德根據都在「心」本身，

---

15 李明輝：〈朱子論惡之根源〉，《國際朱子學會議論文集》上冊（臺北：中央研究院中國文哲研究所籌備處，1993年），頁566。

16 李明輝：〈朱子論惡之根源〉，頁571。

17 李明輝：〈朱子論惡之根源〉，頁573。

18 朱子在《孟子集注》中如「《大學》之序言之，知性則物格之謂，盡心則知至之謂也。」（《孟子集注》卷十三，《四書章句集注》〔北京：中華書局，1983年〕，頁356），將「盡心」詮釋為「知至」，但翻閱《朱子語類》，如「盡心者，發必自慊，而無有外之心，即《大學》意誠之事也。」（《朱子語類》卷六十，孟子十·盡心上，《朱子語類》四，頁1425），另外提出將「盡心」解釋為「意誠」的觀點。

19 《心體與性體》第3冊，頁444。

「心」直接成為道德本體、道德動力而展現其道德作用。相對於此，朱子脈絡的「盡心」，因為道德根據不在「心」本身，因此必須先「知至」，亦即向外充分認知「理」（「認知地盡」），繼而以其所認知的「理」為道德根據，進一步「誠意」，亦即充分發揮「心力」（「實行地盡」）。[20]根據牟先生的理解，在朱子的《孟子》詮釋中，「盡心」的「盡」從原來的自律式地「盡」，變成了他律性的「盡」。牟先生將朱子「他律式」的「盡心」這一過程，也就是說從「知」到「行」的過程，具體說明如下。

> 「進學」者即是即物以明存在之理、以致其心知之明也。（中略）然後心氣之發動始能完全依其所以然之理而成為如理之存在，此即所謂全體是「天理流行」也。（中略）是故「即物窮理」以致知並不是留住于物自身之曲折之相上而窮究其形構之理以成經驗知識（見聞之知、科學之知），乃是即之而越過其曲折之相以窮究其超越的、形而上的「所以然」之「存在之理」，以便使吾人之心氣全凝聚于理上，使其發動全如理。故此知仍是「德性之知」，其目標仍在指向于道德行為上，使吾人之行為皆如理。（中略）蓋此理本為存在之理，故吾人知之而依之，即可發動如理之行為以成其德行。有德行（如理的行為）始可說有德性。[21]

誠如上述，總括牟先生所理解的朱子「心性論」之結構，大概如下：心、性、情三者是個別獨立的存在。其中「心」與「情」屬於「氣」，「性」屬於「理」。「心」中沒有「理」的成份，「理」在心外。雖然「心」是「氣」，但卻具有認知「理」的功能（「知」）。「心」能認知「理」而將「理」引進來當作「性」（道德原理），「心」依據其「性」而來控制心氣之發動（「情」）。這就是牟先生所理解的「心統性情」。相較於此，朱子提倡的

---

20 換個角度來看，這意味著在朱子思想中「知」（「知至」）與「行」（「誠意」）分而為二。誠如眾所皆知的，陽明從「知行」分裂的脈絡而來批判朱子學，進而提倡「知行合一」。筆者認為牟先生批判朱子思想的視角相當接近陽明學。

21 牟宗三：《心體與性體》第1冊，頁104-105。

「格物窮理」就是由「心」認知外在之「理」的工夫。若「心」不認知「理」，則「心」本身就沒有可以依據的道德原理，因此無法控制其發動（「情」），結果也就無法實現道德。此即朱子所以重視「格物窮理」的理由之所在。

三　《孟子》文本的脈絡與朱子的詮釋

如上所述，牟先生強調朱子的《孟子》詮釋不合孟子的意思。那麼我們就要問：牟先生此番理解到底合不合理？筆者認為朱子對《孟子》的詮釋中確實有脫離《孟子》原義的地方，因此牟先生的指摘也有其一定之道理。孟子在談「心」時沒有特別將「心」與「性」、「情」加以區別，看似籠統地視為一物。但朱子在《孟子·公孫丑上》〈四端〉章中開展如下之詮釋。

> 惻隱、羞惡、辭讓、是非，情也。仁、義、禮、智，性也。心，統性情者也。[22]

誠如牟先生所指出的，朱子確實有心、情、性三分的觀點。關於「四端」（惻隱、羞惡、辭讓、是非）與「四德」（仁、義、禮、智）的關係，若從《孟子》原文的脈絡來看，應該理解為：「四端（之心）」本身擴充的結果就是成為「四德」，「四端」是起點、基礎，「四德」是到達點、成果。關於此點，《孟子》原文如下：

> 惻隱之心，仁之端也；羞惡之心，義之端也；辭讓之心，禮之端也；是非之心，智之端也。人之有是四端也，猶其有四體也。……凡有四端於我者，知皆擴而充之矣，若火之始然，泉之始達。苟能充之，足以保四海，苟不充之，不足以事父母。[23]

---

22 朱熹：《孟子集注》卷三，《四書章句集注》，頁239。
23 朱熹：《孟子集注》卷三，《四書章句集注》，頁239。

　　孟子認為惻隱之心、羞惡之心等「四端」是仁、義等四德之「端」。若從其後文所提到的「擴而充之」的脈絡來解讀的話，《孟子》所謂的「端」是「開端」之「端」，亦即出發點或根基的意思。也就是說使「四端」擴充、發揮的結果，就可成為「四德」。因此，若談先後關係，「四端」在先，「四德」在後，但兩者之間並沒有形上、形下等存在層次上的差異，按《孟子》原文看來，就只是表示發展的不同階段。作為從《孟子》書中原本之脈絡而來詮釋「四端」章的例子，吾人可以參考日本德川時代古學派學者伊藤仁齋如下之解釋。

> 端，本也。言惻隱、羞惡、辭讓、是非之心，乃仁義禮智之本。能擴而充之，則成仁義禮智之德。故謂之端也。先儒以仁義禮智為性，故解「端」為「緒」，以為仁義禮智之端緒見於外者，誤也。[24]

　　在引文後段所謂「先儒以仁義禮智為性，故解端為緒」的「先儒」，指的就是朱子。朱子確實如仁齋所指出的，乃是將「端」解釋為「緒」，亦即端緒、頭緒的意思。朱子《孟子集注》如下註解曰：

> 端，緒也。因其情之發，而性之本然可得而見，猶有物在中而緒見於外也。[25]

　　根據朱子的此種詮釋，「四端」是從心中顯現出來的「情」，「四德」是潛在於心中的「性」（理）。因此，「四端之情」就是「四德之性」的展現、表露。吾人透過外露（看得見）的「四端之情」，可以確認內在（看不見）的「四德之性」的存在。從朱子的詮解脈絡而言，因為人具有「四德之性」，所以才有「四端之情」。朱子顯然是以四德之性為「因」（本），以四端之情為「果」（末）。而此「四德之性」無非是天所賦予的純粹至善之「理」。換個角度來說，具有「四端之情」這一現象，吾人可以確認人心中

24　伊藤仁齋：《孟子古義》，關儀一郎編：《日本名家四書註釋全書‧孟子部　壹》（東京：東洋圖書刊行會，1926年），頁69。

25　朱熹：《孟子集注》卷三，《四書章句集注》，頁239。

有「四德之性」（理），進而可以證明「性善」的事實。在朱子此種詮解脈絡中，《孟子》原來的「四端」→「四德」這一關係顯然被顛倒了，變成「四德」→「四端」。再加上，「四德」作為形而上的「性」，「四端」作為形而下的「情」，「四端」與「四德」之間產生存在層次上的差異。顯而易見的，若從《孟子》原文的脈絡來看，誠如仁齋所指出的：朱子的詮釋確實有「誤」。而牟先生批判朱子的詮釋不合孟子的意思，當然也有其道理。

然而，若要理解孟子的「心」，則吾人不可忽視《孟子‧盡心上》中所謂的：「盡其心者，知其性也。知其性，則知天矣。」一句。這一句在朱子「心」論中也發揮重要之意義。從《孟子》文本的脈絡來看，「盡心」與「知性」的關係，其意涵主要有以下兩種理解：

（1）能夠「盡心」，才可以「知性」，或是能夠「盡心」的人才會「知性」。

（2）「盡心」等於「知性」，或是「盡心」的人就是「知性」的人。

關於第一種理解，我們可以在趙歧的《孟子》注中得見。趙歧說：

> 性有仁義禮智之端，心以制之。惟心為正。人能盡極其心，以思行善，則可謂知其性矣。[26]

此趙注雖然邏輯上存在著不夠清楚、明確之處，但趙歧以「盡心」為「知性」的條件、前提這一，則是相當明確的。第二種理解在伊藤仁齋《孟子古義》以及焦循《孟子正義》中看到。首先仁齋如下解釋。

> 盡心者，謂擴充四端之心，而至于其極也。知性者，謂自知己性之善而無惡也。言自能盡其心者，知其性之善可以擴充也。苟能知其性之善，則知天亦自在其中矣。蓋性則天之所命，善而無惡。故曰知性則知天矣。[27]

---

26 焦循：《孟子正義》下（北京：中華書局，1987年），頁943。

27 伊藤仁齋：《孟子古義》卷七，頁283。

　　仁齋將「盡心」章與「四端」章的內容結合，將「盡心」解釋為「擴充四端之心」，認為之所以如此主動「盡心」（＝擴充四端之心）的原因，就在其「知性」，亦即「知其性之善可以擴充」。另外，焦循《孟子正義》雖然以敷衍趙注的方式而來註解此章，但根據「惟不知己性之善，遂不能盡極其心，是能盡極其心以思行善者，知其性之善也」[28]這一註解來判斷的話，焦循的理解應該是比較接近仁齋的，其亦認為：「盡心」的理由就在「知性」。以上兩種詮釋雖然理解的視角完全不同，但無論是哪一種詮釋，其所要表達的重點就在「盡心」的重要性以及結果，而不是在如何實現「盡心」這種方法論。筆者認為從《孟子》文本的脈絡來看，這兩種詮釋都能成立。但朱子卻從如何實現「盡心」這種工夫論的脈絡而來解讀《孟子》此句原文，開展其自身所謂：以「知性」為「盡心」之必要條件的這種獨特詮釋。朱子在《孟子集注》中如下附註曰：

> 心者，人之神明，所以具眾理而應萬事者也。性則心之所具之理，而天又理之所從以出也。人有是心，莫非全體，然不窮理，則有所蔽而無以盡乎此心之量。故能極其心之全體而無不盡者，必其能窮夫理而無不知者也。既知其理，則其所從出，亦不外是矣。以《大學》之序言之，知性則物格之謂，盡心則知至之謂也。[29]

　　根據朱子的註釋，這世界的一切「理」都在心中，而吾人心中所具有的這些「理」，就是《孟子》所謂的「性」。因此，就本體的層面而言，人之「心」是「全體」，亦即十全十美的。但若沒有向外「窮理」，就無法向內「知性」，結果當然也就無法完全發揮心之「全體」（「心之量」），也就是說，無法「盡心」。很清楚的，在朱子的詮釋中，「知性」成為「盡心」的必要條件，為了「盡心」就必須要「知性」（「窮理」）。關於這一點，吾人透過《朱子語類》的記載又可以更清楚地加以確認。朱子如下說道：

28　焦循：《孟子正義》下，頁943。
29　朱熹：《孟子集注》卷十三，《四書章句集注》，頁356。

「盡其心者，知其性也。」「者」字不可不仔細看。人能盡其心者，只為知其性，知性卻在先。[30]

人往往說先盡其心而後知性，非也。心性本不可分，況其語脈是「盡其心者，知其性」。心只是包著這道理，盡知得其性之道理，便是盡其心。若只要理會盡心，不知如何地盡。[31]

盡其心者，由知其性也。先知得性之理，然後明得此心。知性猶物格，盡心猶知至。[32]

知性，然後能盡心。先知，然後能盡。未有先盡而後方能知者。蓋先知得，然後見得盡。[33]

　　如上述引文所示，朱子是從工夫論的脈絡，而來理解《孟子》「盡其心者，知其性也」一句，強調「知性」在先，「盡心」在後這一順序。朱子為了補強此詮釋的妥當性，將《大學》八條目的結構引進來，開展其「知性」相當於《大學》所謂「物格」，「盡心」相當於《大學》所謂「知至」。若就《大學》文本的脈絡而言，毋庸置疑地，「物格」的結果可達到「知至」，所以「物格」被視為「知至」的條件。朱子此種《孟子》詮釋確實將《大學》「格物致知」理論，以及《中庸》首章「天命之謂性」的詮釋，互相關聯起來，可以建構比較完整的心性論體系。但若從《孟子》文本的脈絡來看，則不得不說朱子的詮釋脫離《孟子》的原義。因此，牟先生批判說朱子的《孟子》詮釋「不合孟子的意思」，此說乃是事實。但是，關於牟先生進而導出孟子倫理學說屬於「自律道德」，相較於此，朱子倫理學說屬於「他律道德」的這番結論，卻有值得商榷的地方，吾人無法全盤接受。筆者認為牟先生對朱子言說的分析中，也可能有脫離朱子本人詮解脈絡的地方。以下筆者

30　黎靖德編：《朱子語類》卷六十，《朱子語類》四，頁1422。
31　黎靖德編：《朱子語類》卷六十，頁1422。
32　黎靖德編：《朱子語類》卷六十，頁1422。
33　黎靖德編：《朱子語類》卷六十，頁1423。

擬從朱子本人的詮解脈絡，而來闡明朱子心性論之結構。

四 朱子言說脈絡上的「心」以及其心性論結構

誠如牟先生所指出的，朱子對《孟子》的詮釋確實有不合《孟子》原義的地方。但這種詮釋上的差錯，真的使得朱子所謂的「心」，變成「實然的心氣之心」嗎？雖然說朱子所詮解的「四端」與「四德」之間的關係，有所顛倒，但是朱子的倫理學說真的變成了「他律道德」嗎？其實如果我們仔細解讀朱子的言說，就可以理解到：朱子所謂「心」，其實很難斷定其為「氣心」，而且也很難將其倫理學說歸類為「他律道德」。且讓我們再看朱子《孟子集注》中對「四端」章的註解，朱子如下總結說道：

> 此章所論人之性情，心之體用，本然全具，而各有條理如此。[34]

如引文所言，朱子將「性」、「情」關係，從「體用論」的脈絡來加以理解，認為「性」是「心之體」，「情」是「心之用」。朱子之詮解雖然脫離《孟子》文本的脈絡，將心、性、情三者加以區別，而且強調「性即理」。但是，關於心、性、情三者的關係，朱子顯然不是從「理氣論」的脈絡；而從「體用論」的脈絡而來掌握、理解。關於這一點，由以下筆者所舉多條例證可以證明。

> 心之為物，實主於身，其體則仁義禮智之性，其用則有惻隱、羞惡、恭敬、是非之情，渾然在中，隨感而應，各有攸主，而不可亂也。[35]

> 孟子言：「惻隱之心，仁之端也。」仁，性也。惻隱，情也，此是情上見得心。又曰：「仁義禮智根於心」，此是性上見得心。蓋心便是包得

---

34 朱熹：《孟子集注》卷十三，《四書章句集注》，頁240。
35 朱熹：《大學或問》下，《朱子全書》6（上海：上海古籍出版社、安徽：安徽教育出版社，2010年），頁527。

那性情，性是體，情是用。心字只是一個字母，故性、情字皆從心。[36]

且如仁義自是性，孟子則曰「仁義之心」，惻隱、羞惡自是情，孟子則曰「惻隱之心、羞惡之心」。蓋性即心之理，情即性之用。[37]

心兼體用而言。性是心之理，情是心之用。[38]

　　據上述引文我們可以確認：雖然牟先生認為在朱子思想中「性」屬於「理」，「心」、「情」屬於「氣」，目前學界一般的理解也多是如此。[39]但是，若從「體用論」的脈絡來理解心、性、情三者之間的關係的話，則誠如上述引文所示，朱子清楚地說明道：「性」是「心之體」；「情」是「心之用」。而若限定性、情兩者的關係來說，「性」是「情之體」，「情」是「性之用」。若是如此，則吾人不能單純地將心、情歸屬於「氣」。首先，關於「心」的屬性，朱子既然明白指出「心之本體」是「性」，亦即「理」，那麼「心即氣」的觀點在理論上是很難成立的。那是因為若以「心之本體」為「性」（理），再以其心為「氣」，則朱子的立場將淪為以「理」為「氣」的本體，將導致違背「理氣二元」、「理氣不雜」的原則。

　　筆者認為既然朱子明確地說「心之本體」是性（理），那麼吾人就不得不承認朱子所謂的「心」概念中，確實含有「理」的成份。[40]再者，關於

36　黎靖德編：《朱子語類》卷五，《朱子語類》一，頁91。

37　黎靖德編：《朱子語類》卷五，《朱子語類》一，頁91。

38　黎靖德編：《朱子語類》卷五，《朱子語類》一，頁96。

39　關於心、性、情的屬性，「以性為理，以情為氣」這一理解圖式，基本上目前應該可以視為學界的共識。但陳來先生質疑以心為氣的觀點，認為：「心性系統是一個功能系統，而不是存在實體」，因此不能用理氣觀念規定。（陳來：〈朱子哲學中「心」的概念〉，《中國近世思想史研究》，北京：商務印書館，2003年）筆者也贊同陳來先生這一觀點。關於歷來學界對「心」的定位有各種不同的理解，請參閱吳震：〈心是做工夫處：關於朱子心論的幾個問題〉（收入吳震：《朱子思想再讀》，北京：生活・讀書・新知三聯書店，2018年）。

40　當然這並不意味著需要接受「心即理」的觀點。因為所謂的「心即理」與「心之本體是理」，兩者並不一樣。誠如筆者於後文所闡明的，朱子將「心」分為「本體」層次與「作用」層次，前者相當於「性」，後者相當於「情」。若看心的本體層次（「性」），它

「情」的屬性，既然「情」是本體之「性」（理）的「作用」，則依據「體用一源、顯微無間」的原則，[41]吾人亦無法將「性」、「情」兩者視為個別獨立的存在，而是需要連續性、整體性地來加以理解掌握之。若使「情」歸屬為「氣」，性情之間將產生不能跨越的存在層次上的「斷絕」，也就無法成立朱子所謂的「體用」關係。總之，若從「體用論」這一脈絡來看，心、性、情三者雖然在概念上可以區別，但實際上卻不是個別獨立的存在，而是同一物的不同面向或者說是不同階段，筆者認為我們應該如此理解才是。關於這一點，我們由朱子根據《中庸》而將性情關係，解釋為「未發」與「已發」的關係這一事實亦可得到證明。而朱子對《中庸》首章所謂：「喜怒哀樂之未發，謂之中；發而皆中節，謂之和」一句，其如下詮釋曰：

> 喜怒哀樂，情也。其未發，則性也。無所偏倚，故謂之中。發皆中節，情之正也，無所乖戾，故謂之和。[42]

又，朱子在〈太極說〉中也從《中庸》的脈絡如下說明性、情兩者之間的關係。

> 情之未發者，性也，是乃所謂中也，天下之大本也。性之已發者，情也，其皆中節，則所謂和也，天下之達道也。皆天理之自然也。[43]

另外，《朱子語類》中也有如下之說明。

> 心有體用。未發之前是心之體，已發之際乃心之用，如何指定說得。[44]

是十全十美的「理」，但若看心的作用層次（「情」），則它未必能展現出十全十美的理想狀態。既然「心」概念中包涵體、用兩方面，當然也就無法無條件地將「心」認定為「理」。

41 眾所皆知的，「體用一源、顯微無間」乃是程頤提倡的命題，而朱子將這一命題套用在其「心性論」中。朱子就這一命題如下解釋道：「體用一源者，自理而觀，則理為體，象為用，而理中有象，是一源也。顯微無間者，自象而觀，則象為顯，理為微，而象中有理，是無間也。」（〈答何叔京〉，《朱子文集》卷四十，《朱子全書》22，頁1841）

42 朱熹：《中庸章句》，《四書章句集注》，頁18。

43 朱熹：〈太極說〉，《朱子文集》卷六十七，《朱子全書》23，頁3274。

44 黎靖德編：《朱子語類》卷五，《朱子語類》一，頁90。

> 性是未動，情是已動，心包得已動未動。蓋心之未動則為性，已動則
> 為情，所謂「心統性情」也。[45]

如上所述，朱子明確地將「情」之「未發」（「未動」）的階段，視為
「性」；而將「性」之「已發」（「已動」）的階段視為「情」。若「性」、
「情」之間的關係，就是「未發」、「已發」的關係，則吾人不應該將兩者視
為個別獨立之存在，而是應該將兩者視為連續的「一物」。果不其然，如以
下引文所述，朱子乃是將「性」與「情」視為「一物」。

> 性、情一物，其所以分，只為未發、已發之不同耳。若不以未發已發
> 分之，則何者為性，何者為情耶？[46]

朱子認為「一物」的「未發」階段，稱為「性」：「已發」的階段則稱為
「情」，而統合這兩個階段，從「一物」的視角來掌握的概念就是「心」。因
此，對朱子而言，心、性、情三者並不是個別獨立的存在，而是同一存在
（「一物」）的不同面向而已。我們在《朱子語類》中之可看到朱子如下之
說明。

> 心之全體湛然虛明，萬理具足，其流行該遍，貫乎動靜，而妙用又無
> 不在焉。故以其未發而全體者言之，則性也；以其已發而妙用者言
> 之，則情也。然「心統性情」，只就渾淪一物之中，指其已發、未發
> 而為言爾；非是性是一個地頭，心是一個地頭，情又是一個地頭，如
> 此懸隔也。[47]

在此，朱子提醒我們不可以使心、性、情三者互相「懸隔」而將三者視為個
別獨立的存在！

由以上的例證我們可以確定：朱子雖然在概念上區別心、性、情，但其

---

45 黎靖德編：《朱子語類》卷五，《朱子語類》一，頁93。

46 朱熹：〈答何叔京〉，《朱子文集》卷四十，《朱子全書》22，頁1830。

47 黎靖德編：《朱子語類》卷五，《朱子語類》一，頁94。

實際上是將三者視為「一物」的這一事實。朱子確實套用「理氣論」來說明這個世界，若只依據「理氣論」的脈絡來思考，除了「理」之外的事物，理論上都需要將之歸屬於「氣」。因此，若從「理氣論」的脈絡來分析「心」的結構，則除了朱子規定為「理」的「性」之外，凡「心」、「情」等都需要被歸屬於「氣」。而設若「心」、「情」是「氣」，則確實「性」與「心」、「情」之間將有所「懸隔」，「心」自身也就無法成為道德主體，需要以外在的「性理」為其道德依據。

但是，由以上本文所徵引的例文看來，朱子的言說相當清楚，朱子的心性論並不是套用「理氣論」來建構的；而是套用「體用論」來建構的。[48]因此，筆者認為吾人應該從「體用論」的脈絡來解讀朱子的心性論，如此方才符合朱子的意思。關於這一點，陳來先生也如下指出：

> 朱子拒絕把「形而上／形而下」這樣的分析模式引入對「心」的討論，這也意味著「理／氣」的分析方式不適用於朱子自己對「心」的了解。……而朱子認為在心性論中只能性情為體用，心則統心情。[49]

也就是說，牟先生似乎完全忽視「體用論」的脈絡，只聚焦於「理氣論」的脈絡而來理解朱子的心性論。因此，牟先生以「心」、「情」為「氣」，將心、性、情三者視為個別獨立的存在，進而認為朱子脈絡的「心」無法成為道德主體，但這種理解顯然也脫離了朱子《孟子》詮釋的脈絡，可能並不符合朱子的意思。

另外，牟先生對朱子所謂「心具理」所作的詮釋，也有值得商榷的地

---

48 當然「性即理」這一命題，應將之視為屬於「理氣論」脈絡中的命題，因此，不能說朱子「心性論」中完全沒有「理氣論」的要素。但是，朱子「心性論」主要是從「體用論」的脈絡而來建構的這一點，則是相當明確的。筆者比較關注的是，在朱子思想中「理氣論」與「體用論」並存，但因為這兩種理論堪稱是完全不同性質的理論，那麼這兩種性質不同的理論到底在朱子思想中能不能會通、協調？彼此有無互相衝突、矛盾？這一問題其實有進一步探究之必要。關於此點恐須另外撰文檢討，本文在此暫不討論。

49 陳來：〈朱子哲學中「心」的概念〉，《中國近世思想史研究》，頁194。

方。牟先生將此「具」字，理解為「認知地具」，認為朱子想要表達的真確意思是「心」具有認知外在之「理」的功能，是用其功能而將「理」引進來當作內在之「知識」。因為牟先生將「心」規定為「氣」，故若站在「心即氣」的立場，當然理路上「心」無法具「理」。因為牟先生是從「理氣論」的脈絡而來解讀朱子言說，所以不得不導出這樣的解釋。但是誠如筆者於上文所作的確認，朱子原本是將心、性、情三者視為「一物」，再加上朱子言說中明確地是以「性」（理）為「心之本體」，所以筆者認為：「心具理」應該可以照字面的意思而來加以理解。而關於朱子認為「心」具有實體意義上的「理」這一點，吾人透過朱子對《孟子》所作的如下詮釋又可進一步獲得確認。首先朱子對《孟子・盡心上》所謂：「求則得之，舍則失之，是求有益於得也，求在我者也。」的「在我者」一句，如下解釋曰：

> 在我者，謂仁義禮智，凡性之所有者。[50]

無庸置疑地，朱子認為「仁義禮智」等實體意義上的「理」，其作為「性」而內在於我。再者，針對《孟子・盡心上》所謂「萬物皆備於我矣。反身而誠，樂莫大焉」一句，朱子如下註釋曰：

> 此言理之本然也。大則君臣父子，小則事物細微，其當然之理，無一不具於性分之內也。……誠，實也。言反諸身，而所備之理，皆如惡惡臭、好好色之實然，則其行之不待勉強而無不利矣。其為樂，孰大於是。[51]

朱子將《孟子》所謂「備於我」的「萬物」，理解為「理之本然」、「當然之理」，明確指出一切的「理」，皆「具」「備」於我的「性分之內」。而朱子認為這一我所具備的「理」乃來自於「天」，也就是說我所具有的「理」，乃是「天」所賦予的。自不待言地，朱子這些觀點無非是根據《中庸》而開

---

50 朱熹：《孟子集注》卷十三，《四書章句集注》，頁357。
51 朱熹：《孟子集注》卷十三，《四書章句集注》，頁357。

展的。朱子對《中庸》首章所謂「天命之謂性，率性之謂道，修道之謂教」一句，如下詮釋說：

> 命，猶令也。性，即理也。天以陰陽五行化生萬物，氣以成形，而理亦賦焉，猶命令也。於是人物之生，因各得其所賦之理，以為健順五常之德，所謂性也。率，循也。道，猶路也。人物各循其性之自然，則其日用事物之間，莫不各有當行之路，是則所謂道也。[52]

朱子根據《中庸》的脈絡，認為人所具備的「性」就是天所賦予的「理」，於是提倡「性即理」這一命題。我們從朱子將作為「理」而具備的「性」，視為「健順五常之德」這一點，也可以再次確認朱子所謂「心具理」的「具」，其意義絕對不是「認知地具」；而是「實體地具」。而朱子將此「理」（「性」、「五常之德」）視為「心之本體」，進而認為《孟子》所謂「仁義禮智」的「四德」，相當於此「性」。也可以說，朱子為了使《孟子》所謂「四端」與「四德」符合《中庸》的脈絡，故將「四端」解釋為已發之「情」，將「四德」解釋為未發之「性」（理），結果導致《孟子》中原來的「四端」與「四德」的關係顛倒，「四德」被理解為「心之本體」，「四端」被理解為「心之作用」。換言之，朱子為了使《孟子》與《中庸》在理論上可以貫通，故刻意脫離《孟子》文本脈絡，而從「體用」或「未發已發」的脈絡，來詮釋「四端」與「四德」之關係。

又關於「盡心」與「知性」的關係，誠如上文所作的探討，若從《孟子》原文的脈絡來看，「盡心」的結果就是「知性」，或說「知性」等於「盡心」，基本上這兩種詮釋應該才可能符合孟子的意思。但朱子卻脫離《孟子》文本脈絡，開展其所謂以「知性」為「盡心」之必要條件的這種詮釋。朱子這一作法也是為了促使《孟子》中的「盡心」理論，能夠符合《中庸》脈絡中所謂「心」的結構，亦即「性」是心之「體」，「情」是心之「用」，性的「已發」是「情」，情的「未發」是「性」，以性情為「一物」，而從

---

[52] 朱熹：《中庸章句》，《四書章句集注》，頁17。

「一物」的視角來理解「性情」的話，那就是「心」。設若「心」的結構是
如此的話，為了「盡心」需要先能「知性」，亦即正確認知其「本體」的整
體內容。能如此正確認知本體之「性」的整體內容，才能使其本體之「性」
圓滿發揮，成為作用之「情」。朱子認為此「本體之性」圓滿發揮，而成為
作用之情的狀態，就是《中庸》所謂：「誠者不勉而中，不思而得，從容中
道」的「誠」[53]，也就是《孟子》所謂「反身而誠」[54]，以及《大學》所謂
「意誠」[55]的境界。設若朱子所理解的「心」的結構，包含體用、未發已發
兩種層面，則必須完全發揮「本體之性」（理）並達到「誠」的境界，如此
才能說是「盡心」。故朱子在〈盡心說〉中如下說道：

> 蓋天者理之自然，而人之所由以生者也。性者理之全體，而人之所得
> 以生者也。心則人之所以主于身而具是理者也。天大無外，而性稟其
> 全。故人之本心，其體廓然，亦無限量。惟其梏于形器之私，滯于聞
> 見之小，是以有所蔽而不盡。[56]

對《孟子‧盡心上》所謂：「盡其心者，知其性也」一句，朱子如下解釋說：

> 心者人之神明，所以具眾理而應萬事者也。性則心之所具之理而天又
> 是理之所從以出者也。人有是心，莫非全體。然不窮理，則有所蔽，
> 而無以盡乎此心之量。故能極其心之全體而無不盡者，必其能窮天理
> 而無不知者也。既知其理，則其所從出，亦不外是矣。以《大學》之
> 序言之，知性則「物格」之謂，盡心則「知至」之謂也。[57]

　　根據這些言說，吾人可以清楚地理解朱子談「心」這一問題的意識所
在。朱子認為：凡是人，無有例外地皆具備完全無缺的「理」，這就是

53　朱熹：《中庸章句》，《四書章句集注》，頁31。

54　朱熹：《孟子集注》，《四書章句集注》，頁357。

55　朱熹：《大學章句》，《四書章句集注》，頁4。

56　朱熹：〈盡心說〉，《朱子文集》卷六十七，《朱子全書》23，頁3273。

57　朱熹：《孟子集注》，《四書章句集注》，頁357。

「心」之本體，亦即所謂的「性」。因此，若要探討「心」，就「本體」層次而言，根本沒有需要解決的問題，問題就在「作用」層次。也就是說，到底能不能圓滿順利發揮其「本體之性」這一點。人雖然具備完整的本體之性，但實際上往往被「形器之私」、「聞見之小」等原因所蒙蔽，故無法完全發揮其「無限量」的整體內容，結果出現了不能適當地「應外事」，也就是所謂作用之情「不中節」等狀況，[58]而這就是朱子所理解的沒有實現「盡心」的狀態。

雖然朱子將「知性」解釋為《大學》所謂的「物格」，將「盡心」解釋為《大學》所謂「知至」，乃是脫離《孟子》原意的詮解。但是，作為「盡心」的條件，朱子要求的「知性」（藉由「格物窮理」的「物格」），乃是以完全發揮「本體之性」，而使作用之情「中節」，進而正確地「應萬事」為目的的。換言之，朱子所理解的「盡心」，並不是牟先生所說的「『知至』之認知地盡」或「『依所知之理、盡心力而為之』之他律式的實行地盡」，而是除掉遮蔽「本體之性」的各種障礙，同時明確掌握「本體之性」的整體面貌，使其得以圓滿順利地顯現而成為作用之情，進而適當地「應萬事」的意思。

也就是說朱子所理解的「盡心」，其意思無非就是使「心」發揮其本性、潛力，或者使「心」復原其本來面目，使其成為真正的道德主體。朱子確實以「格物窮理」，亦即認知外在之理的工夫為「盡心」的必要條件，但這工夫不是為了使「屬於氣的心」依據「外在之理」而調適其活動；而是為了使「以理為本體的心」順利顯現、發揮其「內在之理」而成為道德主體。又，朱子確實提倡「他律」式的工夫，但那是為了回復「自律」式的實現道德的「心」之本來面貌。朱子的「心性論」既然是以「性善」與「體用論」

---

58 關於「至善」的本體之性，變成「為不善」的作用之情的這一結構，朱子在《孟子·滕文公上》首章的註解中如此說明道：「性者，所稟於天以生之理也，渾然至善，未嘗有惡。人與堯舜初無少異，但眾人汨於私欲而失之，堯舜則無私欲之蔽，而能充其性爾。……程子曰：性即理也。天下之理，原其所自，未有不善。喜、怒、哀、樂未發，何嘗不善。發而中節，即無往而不善；發不中節，然後為不善。故凡言善惡，皆先善而後惡；言吉凶，皆先吉而後凶；言是非，皆先是而後非。」朱熹：《孟子集注》卷五，《四書章句集注》，頁254。

為基礎而成立的,則朱子所謂的「心」,在結構上本來就可以「自律」式地實現道德。以是,筆者認為牟先生可能忽略「體用論」的脈絡,一味關注從「理氣論」脈絡而來解讀朱子的言說,所以才會在理路上導出所謂:朱子的倫理學說屬於「他律道德」的這種評價,但誠如本文的研究爬梳,牟先生這一評價可能值得商榷。

四 結語

總結本文之論述,可以整理出如下之要點。牟先生認為朱子的《孟子》詮釋不合孟子之原義。原因在於朱子脫離《孟子》原文脈絡而來理解「心」,結果導致朱子所理解的「心」與「性」(理)兩者分裂,變成「實然的心氣之心」。這意味著「心」中「理」的成份消失,「心」無法成為道德主體。因此在朱子的思想脈絡中,若要實現道德行為,首先必須認知「心」外之「理」(「格物窮理」),將所認知的「理」當作道德規律,使「心氣」之發動(情)依據「理」才有可能。換言之,使道德行為能夠成立的根據,乃在「心外」之「理」,若不依靠心外之理,則人無法實現道德。這也就是牟先生將朱子的倫理學說界定為「他律道德」的原因所在。

筆者認為朱子的《孟子》詮釋確實如牟先生指出的,有不合《孟子》原義的地方。但牟先生對朱子心性論的分析、理解,也可能脫離了朱子言說的脈絡,有不合朱子原義的地方。朱子主要依據《中庸》而從「體用論」的脈絡來建構其心性論。因此,朱子首先以「性」為「理」,進而將「性」(理)視為「心之體」;將「情」視為「心之用」。朱子雖然將「心」區別為「性」與「情」,但這並不是從「存在論」,亦即「理氣論」的脈絡而來加以區別的;而是只將「心」的結構分為「本體」的層次與「作用」的層次而已。此「本體」與「作用」的關係,若根據「體用一源」的原則,不能將兩者視為互相「懸隔」獨立的,而是應該將兩者視為連接成一體的。關於這一點,我們從朱子換個角度將此「體・用」關係,解釋為「未發・已發」或「未動・已動」的關係這點,也可以獲得確認。因此,對朱子而言,心、性、情三者

本來是「一物」。若朱子所理解的「心」的結構是如此,則道德行為的根據當然是在作為「心之體」的「性理」。因此對朱子而言,道德根據不在「心之外」,而在「心之內」。朱子提倡向外「格物窮理」的目的,其實就在向內促使「心之體」的「性理」圓滿顯現,使「心」復原其作為「道德主體」的本來面貌這一點。

朱子心性論的基本結構,主要是依據《中庸》而建構的。因此,朱子詮解《孟子》而使其內容符合《中庸》之脈絡,結果其詮釋中因而出現不合《孟子》原義的地方。雖然如此,朱子的道德理論並未淪為牟先生所說的「他律道德」。若要說孟子與朱子二人的說法有何異同,那就是其兩者都將「心」理解為「道德主體」,但孟子將「心」視為「已完成」的道德主體,從如何使其發揮這一脈絡而來談「心」。相對於此,朱子則將「心」視為「未完成」的道德主體,從如何使其完成這一脈絡而來談「心」。故我們或許可以說,朱子將孟子原本脈絡中理解為「出發點」或「前提」的心的真相,視為「到達點」或「目標」。雖然兩人談「心」的立足點稍微不同,但孟子與朱子所理解的道德成立的結構,以及方向是一樣的。故筆者認為孟子談「心」的脈絡,或許可以說比較接近陸王心學的立場。

理學與經學的交融：
陳淳蒙學著作探析

李蕙如

淡江大學中國文學學系

一　前言

　　《易‧蒙卦》：「匪我求童蒙，童蒙求我」，注云：「童蒙之來求我，欲決所惑也。」[1]一般視幼兒啟蒙教育階段從識字開始，到十五歲入大學為止。[2]宋代小學教育的發展，是配合整體教育改革而來，隨著太學及地方州縣學的發展，過去未受重視的小學教育，亦開始逐步發展。設置的地點，由中央深入地方；招收的對象，由宗室貴冑擴及平民子弟。加之朱熹等人積極參與，社會對童蒙師資的需求與日俱增，蒙學讀物也大量湧現，宋代的蒙學教育因而出現普及化的盛況，亦奠定明清蒙學的基本面貌。

　　關於以朱熹為核心的宋代理學家對於小學教育的貢獻及影響，學界已有豐富的討論。以專書而言，集中討論朱熹及門人的教化理念，如孟淑慧《朱熹及其門人的教化理念與實踐》[3]，論及門人的「教化理念」，實踐對象並非限於童蒙，在「童蒙教育思想的發展」上，考察程端蒙與陳淳所編教材。涉及陳淳部分約三頁，主要討論〈訓蒙雅言〉、〈啟蒙初誦〉，另納入《北溪字

1　〔魏〕王弼注：《周易》，臺北：藝文印書館，1997年。

2　程頤曾言：「古者八歲入小學，十五歲入大學，擇其才可教者聚之，不肖者復之田畝。」主張以八歲作為入小學的年齡，相關資料見《河南程氏遺書》，收於《二程全書》，卷16〈伊川先生語一〉（河南：河南人民出版社，2018年）。

3　孟淑慧：《朱熹及其門人的教化理念與實踐》（臺北：臺灣大學出版委員會，2003年），頁200-250。

義》。文中指出《北溪字義》雖不是為兒童而寫，但在《程氏家塾讀書分年日程》中把該書視為小學教材，有助於孩童涵養心性修養，至於陳淳〈暑示學子〉、〈訓兒童八首〉、〈小學詩禮〉等蒙學著作，書中未見探析；周愚文《宋代兒童的生活與教育》[4]則集中討論張載、二程、呂本中、呂祖謙、朱熹六位理學家的兒童教育理念；李宏《宋代私學發展略論》則舉呂祖謙、事功學派、胡瑗、張載、邵雍等人為例[5]，闡明宋代私學的教育思想；苗春德主編的《宋代教育》[6]提及的人物更多，有胡瑗、范仲淹、王安石、周敦頤、邵雍、張載、程顥、程頤、張栻、朱熹、呂祖謙、陸九淵、陳亮、葉適；另有松野敏之《朱熹「小學」研究》[7]，就小學編纂討論朱熹的編纂意圖，也涉及元明清時代的小學盛行及衰退情況；學位論文有陳俞志《朱熹童蒙教育思想及其影響之研究》[8]，分類剖析了朱熹童蒙教育思想及其後世影響。通論古代童蒙教育的如池小芳《中國古代小學教育研究》[9]、吳洪成《中國古代小學教育史》[10]。

朱熹系統地構建完成小學教學體系[11]，著有《訓蒙絕句》、《論語訓蒙口義》《易學啟蒙》、《小學》、《童蒙須知》等童蒙讀物。曾對小學、大學的區分表述如下：

> 小學是直理會那事，大學是窮究那理，因甚恁地。小學者，學其事。

4　周愚文：《宋代兒童的生活與教育》（臺北：師大書苑有限公司，1996年），頁249-274。

5　李宏：《宋代私學發展略論》（北京：中央編輯出版社，2014年），頁116-122。其中，〈五、宋代私學的教育思想〉分為以下五個部分：呂祖謙的「經史兼重」和「務實致用」的教育思想、事功學派提倡「經世致用」的教育思想、胡瑗的「分齋教學」的教育思想、張載的人性論與「盡人之材」的教育思想、邵雍「別為一家」的先天象數學。

6　苗春德：《宋代教育》（河南：河南大學出版社，1992年），頁241-514。

7　松野敏之：《朱熹「小學」研究》，汲古書院，2021年。

8　陳俞志：《朱熹童蒙教育思想及其影響之研究》（臺北：臺灣師範大學教育學系碩士論文，2007年），頁83-193。

9　池小芳：《中國古代小學教育研究》（上海：上海教育出版社，1998年），頁159-202。

10　吳洪成：《中國古代小學教育史》（太原：山西教育出版社，2006年），頁60-113。

11　相關資料可參考余英時：《朱熹的歷史世界》（北京：生活・讀書・新知三聯書店，2004年），頁191-198。

　　　　大學者，學其小學所學之事之所以。小學是事，如事君，事父，事兄，處友等事，只是教他依此規矩做去。大學是發明此事之理。[12]

小學學做何事？朱熹有清楚的表述：「古者初年入小學，只是教之以事，如禮樂射御書數及孝弟忠信之事」。[13]事分兩類：一為六藝，一為孝弟忠信，而且，小學「教之以事」的依據是「古者」，與理學「言必稱三代」一致。有關朱熹小學思想，研究頗豐，如葉國良《禮學研究的諸面向》中的〈捌、從小學論述看朱子禮學思想的轉變〉[14]，書中提到朱熹將「禮樂射御書數之習」全都壓縮在十五歲以前，似乎不切實際。因《禮記·內則》載：

　　　　十年，出就外傅，居宿於外，學書計。衣不帛襦褲。禮帥初，朝夕學幼儀，請肄簡諒。十有三年，學樂、誦詩、舞勺。成童舞象，學射御。二十而冠，始學禮，可以衣裘帛，舞大夏，惇行孝弟，博學不教，內而不出。[15]

據此，兒童朝夕學幼儀，十三以後學樂舞射御，二十而冠以後始學禮，亦即開始學習所謂經禮。另外，林美惠《朱子〈學禮〉研究》[16]、楊治平〈由

12　〔宋〕朱熹：〈學一·小學〉，《朱子語類》，收入《朱子全書》（上海：上海古籍出版社，2010年）（第14冊），卷7，頁269。

13　朱熹把學校教育劃分為小學與大學兩個階段，他說：「人生八歲，則自王公以下，至於庶人之子弟皆入小學。」「及其十有五年，則自天子之元子眾子，至於公卿大夫，元士之適子，與凡民之俊秀皆入大學。」朱熹認為，小學教育是打基礎的教育，是大學教育的「基本」。他說：「古者小學，教人以灑掃、應對、進退之節，愛親、敬長、隆師、親友之道，皆所以為修身、治國、平天下之本。而必使其講而習之於幼稚之時，使其習與知長，化與心成，而無扞格不勝之患也。」又說：「古人之學，固以致知格物為先，然其始也，必養之於小學。」相關資料可參考〔宋〕朱熹：〈學一·小學〉，《朱子語類》，收入《朱子全書》（第14冊），卷7，頁268。

14　葉國良：《禮學研究的諸面向》（新竹：清華大學出版社，2010年），頁160-161。

15　〔漢〕鄭玄：《禮記》，臺北：藝文印書館，1997年。

16　林美惠：《朱子〈學禮〉研究》（新北：花木蘭文化出版社，2008年），頁67-84。書中考出三代小學年齡八至十五歲之說沿自《大戴禮·保傳》、《公羊傳·僖公十年》何休注、《白虎通義·辟雍》、《漢書·食貨志》等典籍，且多限於貴族子弟。同時也指出

《儀禮經傳通解》學禮編探討朱子格物工夫的理論與實踐》[17]、M. Theresa Kelleher, "Back to basics: Chu Hsi's Elementary learning (Hsiao-hsüeh)"[18]、馮達文〈簡論朱熹之「小學」的教育理念〉[19]、牟堅〈灑掃應對，便是形而上學之事？——朱子對小學與大學關係的詮釋〉[20]、唐紀宇〈事與理——朱子〈小學〉概說〉[21]，分別以不同視角關注朱熹的「小學」思想，將研究推向更深層面。

就已有成果觀之，對於朱熹等理學大家的蒙學思想給予足夠關注，朱子門人相對來說討論較少。今以訓蒙為業的朱門高弟——陳淳為研究對象，討論其人蒙學著作。跟本文研究有高度密合的為陳林〈論陳淳的蒙童教育思想〉[22]一文，陳文闡釋童蒙教育的目的是要引導兒童成聖成賢，教育的內容是學習儒家的倫理道德，教育的方法是引導兒童在實踐中踐行儒家小學工夫，可惜全文僅三頁，無法深入探析，各標目只能點到為止，文中也多就〈啟蒙初誦〉及〈訓蒙雅言〉加以分析，其餘蒙學教材則討論不足；另有吳文文：〈從陳淳《啟蒙初誦》用韻看南宋漳州啟蒙教育中的教學語言〉[23]，在五頁的篇幅中，歸結陳淳〈啟蒙初誦〉是以漳州方言誦讀，為地方教材，

「所謂學制，蓋是朱子自古籍史料通修融化而成，史料背後之真偽可信與否並不重要……蓋其本意重於史料本身立法意義之美」，頁8、40。

17 楊治平：〈由《儀禮經傳通解》學禮編探討朱子格物工夫的理論與實踐〉，《臺大中文學報》第61期（2018年6月），頁147-190。

18 M. Theresa Kelleher, "Back to basics: Chu Hsi's Elementary learning (Hsiao-hsüeh)", in *Neo-Confucian Education,* ed. Wm.Theodore De Bary / ed. John W. Chaffee (Oakland: University of California Press, 1989), pp.219-251.

19 馮達文：〈簡論朱熹之「小學」的教育理念〉，《中國哲學史》第28卷（1999年1月），頁49-56。

20 牟堅：〈灑掃應對，便是形而上學之事？——朱子對小學與大學關係的詮釋〉，《中國哲學與文化》第3輯（2008年11月），頁311-340。

21 唐紀宇：〈事與理——朱子〈小學〉概說〉，《中國哲學史》第1期（2019年），頁78-86。

22 陳林：〈論陳淳的蒙童教育思想〉，《無錫商業職業技術學院學報》2016年第1期，頁106-108。

23 吳文文：〈從陳淳《啟蒙初誦》用韻看南宋漳州啟蒙教育中的教學語言〉，《現代語文》2020年第1期，頁105-109。

就語音特點上，今日漳州方言和陳淳所處南宋時期的漳州方言仍有許多相同之處。此研究也給本文若干啟發與幫助，可惜討論內容僅限於〈啟蒙初誦〉，未及其他蒙學教材。綜上，有關陳淳蒙學思想仍有許多亟待開展之處，本文欲討論陳淳在實踐蒙學教育時有何具體考量？設計教材的內在理路為何？呈現何種面貌？凡此，皆為本文撰作動機。

二 陳淳蒙學作品

陳淳由於家窮空甚，因此在鄉村以訓蒙為生，曾為詩自言：「負米慚子路，殺雞愧茅容。汗顏戴履間，子職何以供？」[24]，也因此延緩求教朱子的時程，直到朱子守漳州，才有機會見面。陳淳生平不以文章名，其文質樸，如紀昀在《北溪大全集》的提要中評價：「淳於朱門弟子之中，最為篤實，故發為文章，亦多質樸真摯，無所修飾。」[25]平淡沖和的文字特色，對於孩童而言，極易接受且妥貼的。陳淳主要著作有《北溪字義》及其子陳榘所編《北溪先生全集》，由宋至清，歷代均有對《北溪先生全集》進行補輯整理，本文採用《漳州文庫》編委會於二〇二一年出版的《北溪先生全集》[26]，該書以福建省圖書館藏乾隆四十八年陳文芳刻本《北溪先生全集》為點校底本，此刻本是現存版本中最為完備的，具有較高的文獻價值。另以國家圖書館線上古籍本、《四庫全書》本、明鈔本、明清《漳州府志》《龍溪縣志》《朱子大全集》等為主要參校本。陳淳蒙學著作計有〈訓蒙雅言〉、〈啟蒙初誦〉、〈暑示學子〉、〈訓兒童八首〉、〈小學詩禮〉等，均收錄於《北溪先生全集》，以下依序說明：

---

24 〔宋〕陳淳，《漳州文庫》編委會整理：《北溪先生全集》（北京：國家圖書館出版社），2021年，頁481。

25 〔宋〕陳淳：《北溪大全集・北溪外集》（臺北：臺灣商務印書館），1983年。

26 〔宋〕陳淳，《漳州文庫》編委會整理：《北溪先生全集》（北京：國家圖書館出版社，2021年）。

（一）〈訓蒙雅言〉

〈訓蒙雅言〉成於宋寧宗慶元五年（1199），陳淳時年四十歲，曾自敘其撰著經過：

> 人自嬰孩，聖人之質已具，皆可以為堯舜，如其禁之以豫，而養之以正，無交俚談邪語，日專以格言至論薰聒於前，使盈耳充腹，久焉安習，自與中情融貫，若固有之，則所主定而發不差，何患聖徒之不可適乎？予得子，今三歲，近略學語，將以教之，而無其書，因集《易》《書》《詩》《禮》《語》《孟》《孝經》中明白切要四字句，協之以韻，名曰《訓童雅言》，凡七十八章，一千二百四十八字。[27]

據其自序，成書之因有二：其一是由於他認為人自嬰孩開始便具有聖人之質，如果加上後天的薰陶教導，則可以為堯舜。其二乃直接動機，由於陳淳之子當時剛滿三歲、初學語卻苦於《小學》「文艱而字澀」，因此，沒有合適的書以教之，亦可見當時並沒有規定的訓蒙教材。為此，陳淳選擇《周易》、《尚書》、《詩經》、《禮記》、《論語》、《孟子》和《孝經》中「明白切要」的內容，全篇四字一句，四句一章，凡七十八章，計一千二百四十八字。

全文自「惟皇上帝，降衷於民。元亨利貞，道不遠人」始，至「誨爾諄諄，皆雅言也。自暴自棄，民斯為下」止。四言一句的句式，短小便讀，協以聲韻，兩句一韻，每章共一韻。如第二章的「民之秉彝，有物有則。性無不善，好是懿德」，韻腳為「則」和「德」，為入聲二十五德韻。句子短小，整齊押韻，能引發兒童閱讀的興趣，也容易記憶。至於內容義理方面，除了講述堯舜周孔之道外，亦論必須遵守的道德禮儀，且有「盡心知性，知性知天。理義悅心，秉心塞淵」[28]等理學色彩。然而，精深的義理與廣博的內容

---

27 〔宋〕陳淳，《漳州文庫》編委會整理：《北溪先生全集》（北京：國家圖書館出版社，2021年），頁198。

28 〔宋〕陳淳，《漳州文庫》編委會整理：《北溪先生全集》（北京：國家圖書館出版社，2021年），頁200。

對於智識未開的孩童是難以接受的，因此，雖說輯錄的主要是儒家經典中的語句，但都經過了作者較大幅度的改編。如述及孔子的部分：

> 孔集大成，信而好古，祖述堯舜，憲章文武。下學上達，好古敏求，發憤忘食，樂以忘憂。進禮退義，溫良恭儉，若聖與仁，為之不厭。宗廟便便，鄉黨恂恂，私覿愉愉，燕居申申。立不中門，行不履閾，不正不坐，不時不食。出事公卿，入事父兄，罕言利命，不語怪神。毋意毋必，毋固毋我，從心所欲，無可不可。[29]

以類似性質的《性理字訓》相比，該書為南宋程端蒙撰，程若庸增補而成，按照朱熹倡導的童蒙教育理學化、知識化、通俗化的標準和要求所編。分為六門，每門有若干條字訓，內容主要依據《大學》、《中庸》、《論語》、《孟子》四書和朱熹的《四書章句集注》，及《周易》、《荀子》、宋儒如周敦頤、二程、張載等人的著述，按太極、陰陽、道器、格物、致知、天理、人欲、生知、安行、大順、小康等一百八十三個範疇，許多抽象而深奧的道德範疇和理學基本概念，全文用三千二百八十字進行通俗詮釋，並和以聲韻。元儒程端禮曾說此書「銓定性理，語約而義備，如醫家脈訣，最便初學者。」[30]然而，過於抽象的內容其實難使兒童獲得直覺印象，此書置於小學書畢後所讀之書，不如陳淳〈訓蒙雅言〉親切易懂。另則，陳淳對於教材的使用採取開放態度，嘗言：「恐或可以先立標的，而同志有願為庭訓之助者，亦所不隱也。」[31]此也顯現陳淳在訓蒙方面的自信。

---

29 〔宋〕陳淳，《漳州文庫》編委會整理：《北溪先生全集》（北京：國家圖書館出版社，2021年），頁200。

30 〔元〕程端禮：《程氏家塾讀書分年日程　附綱領》，叢書集成初編本（北京：商務印書館，1936年），頁6。

31 〔宋〕陳淳，《漳州文庫》編委會整理：《北溪先生全集》（北京：國家圖書館出版社，2021年），頁198。

（二）〈啟蒙初誦〉

〈訓蒙雅言〉編成之後，作者「又以其未能長語也，則以三字先之，名曰〈啟蒙初誦〉，凡十九章二百二十八字」[32]，此篇後來被元儒熊大年[33]收錄在《養蒙大訓》中，並被改名為《經學啟蒙》，以下則針對原文，一一檢覈引文出處，列表如下：

〈啟蒙初誦〉原文	引用文句
天地性，人為貴	天地之性，人為貴。人之行，莫大於孝。——《孝經‧聖治》
無不善，萬物備	公都子曰：「告子曰：『性無善無不善也。』——《孟子‧告子上》 萬物皆備於我矣。——《孟子‧盡心上》
仁義實，禮智端	「惻隱之心，仁之端也；羞惡之心，義之端也；辭讓之心，禮之端也；是非之心，智之端也。——《孟子‧公孫丑上》 孟子曰：仁之實，事親是也；義之實，從兄是也。智之實，知斯二者弗去是也；禮之實，節文斯二者是也——《孟子‧離婁上》
聖與我，心同然	至於心，獨無所同然乎？心之所同然者何也？謂理也，義也。聖人先得我心之所同然耳。——《孟子‧告子上》
性相近，道不遠	子曰：「性相近也，習相遠也。」——《論語‧陽貨》 子曰：道不遠人，人之為道而遠人，不可以為道——《中庸13章》

---

32 〔宋〕陳淳，《漳州文庫》編委會整理：《北溪先生全集》（北京：國家圖書館出版社，2021年），頁198。

33 熊大年，字元誠，江西進賢人，生卒年不詳。舉進士、諸科不第。集先儒格言成歌詩，以訓弟子。

〈啟蒙初誦〉原文	引用文句
君子儒，必自反	有人於此，其待我以橫逆，則君子必自反也：我必不仁也，必無禮也，此物奚宜至哉？其自反而仁矣，自反而有禮矣，其橫逆由是也，君子必自反也──《孟子·離婁下》
學為己，明人倫	子曰：「古之學者為己，今之學者為人。」──《論語·憲問》 設為庠、序、學、校以教之；庠者，養也；校者，教也，序者，射也。夏曰校，殷曰序，周曰庠；學則三代共之。皆所以明人倫也。──《孟子·滕文公上》 聖人有憂之，使契為司徒，教以人倫──《孟子·滕文公上》
君臣義，父子親	父子有親，君臣有義──《孟子·滕文公上》
夫婦別，男女正	家人，女正位乎內，男正位乎外，男女正，天地之大義也。──《易經·彖傳·家人》 夫婦有別──《孟子·滕文公上》
長幼序，朋友信	長幼有序，朋友有信──《孟子·滕文公上》
日孜孜，敏以求	「禹拜曰：『都帝予何言，予思日孜孜。』」──《書經·益稷》 子曰：「我非生而知之者，好古，敏以求之者也。」──《論語·述而》
憤忘食，樂忘憂	子曰：「女奚不曰，其為人也，發憤忘食，樂以忘憂，不知老之將至云爾。」──《論語·述而》
訥於言，敏於行	子曰：「君子欲訥於言，而敏於行。」──《論語·里仁》
言忠信，行篤敬	子曰：「言忠信，行篤敬，雖蠻貊之邦行矣。」──《論語·衛靈公》
思毋邪，居處恭	「思無邪，思馬斯徂。」──《詩經·魯頌·駉》「詩三百，一言以蔽之，曰：『思無邪。』」──《論語·為政》

〈啟蒙初誦〉原文	引用文句
	樊遲問仁。子曰：「居處恭，執事敬，與人忠。雖之夷狄，不可棄也。」──《論語·子路》
執事敬，與人忠	樊遲問仁。子曰：「居處恭，執事敬，與人忠。雖之夷狄，不可棄也。」──《論語·子路》
入則孝，出則弟	子曰：「弟子入則孝，出則弟，謹而信，汎愛眾，而親仁。行有餘力，則以學文。」──《論語·學而》
敬無失，恭有禮	司馬牛憂曰：「人皆有兄弟，我獨亡。」子夏曰：「商聞之矣：死生有命，富貴在天。君子敬而無失，與人恭而有禮。四海之內，皆兄弟也。君子何患乎無兄弟也？」──《論語·顏淵》
足容重，手容恭	「足容重，手容恭，目容端，口容止，聲容靜，頭容直，氣容肅，立容德，色容莊，坐如屍。」──《禮記·玉藻》
目容端，色容莊	「足容重，手容恭，目容端，口容止，聲容靜，頭容直，氣容肅，立容德，色容莊，坐如屍。」──《禮記·玉藻》
口容止，頭容直	「足容重，手容恭，目容端，口容止，聲容靜，頭容直，氣容肅，立容德，色容莊，坐如屍。」──《禮記·玉藻》
氣容肅，立容德	「足容重，手容恭，目容端，口容止，聲容靜，頭容直，氣容肅，立容德，色容莊，坐如屍。」──《禮記·玉藻》
視思明，聽思聰	孔子曰：「君子有九思：視思明，聽思聰，色思溫，貌思恭，言思忠，事思敬，疑思問，忿思難，見得思義。」──《論語·季氏》
色思溫，貌思恭	孔子曰：「君子有九思：視思明，聽思聰，色思溫，貌思恭，言思忠，事思敬，疑思問，忿思難，見得思義。」──《論語·季氏》

〈啟蒙初誦〉原文	引用文句
正衣冠，尊瞻視	子曰：「君子正其衣冠，尊其瞻視，儼然人望而畏之，斯不亦威而不猛乎？」——《論語‧堯曰》
坐毋箕，立毋跛	「立毋跛，坐毋箕。」——《禮記‧曲禮上》
惡旨酒，好善言	孟子曰：「禹惡旨酒而好善言。」——《孟子‧離婁下》
食無飽，居無安	子曰：「君子食無求飽，居無求安，敏於事而慎於言，就有道而正焉，可謂好學也已。」——《論語‧學而》
進以禮，退以義	孟子曰：「否，不然也。好事者為之也。於衛主顏讎由。彌子之妻與子路之妻，兄弟也。彌子謂子路曰：『孔子主我，衛卿可得也。』子路以告。孔子曰：『有命。』孔子進以禮，退以義，得之不得曰『有命』。」——《孟子‧萬章上》
不聲色，不貨利	「惟王不邇聲色，不殖貨利。」——《尚書‧商書‧仲虺之誥》
通道篤，執德弘	子張曰：「執德不弘，信道不篤，焉能為有？焉能為亡？」——《論語‧子張》
見不善，如探湯	孔子曰：「見善如不及，見不善如探湯。」——《論語‧季氏》
不遷怒，不貳過	哀公問：「弟子孰為好學？」孔子對曰：「有顏回者好學，不遷怒，不貳過。不幸短命死矣！今也則亡，未聞好學者也。」——《論語‧雍也》
毋意必，毋固我	子絕四：毋意，毋必，毋固，毋我。——《論語‧子罕》
道積躬，德潤身	「允懷于茲，道積于厥躬。惟斅學半，念終始典于學，厥德脩罔覺。」——《尚書‧商書‧說命下》 富潤屋，德潤身，心廣體胖，故君子必誠其意。——《大學章句》
敬日躋，新又新	帝命不違、至于湯齊。湯降不遲、聖敬日躋。——《詩經‧頌‧商頌‧長發》

〈啟蒙初誦〉原文	引用文句
	湯之盤銘曰：「苟日新，日日新，又日新。」——《大學章句》
祖堯舜，憲文武	仲尼祖述堯、舜，憲章文、武；上律天時，下襲水土。——《中庸》
如周公，學孔子	子曰：「甚矣吾衰也！久矣吾不復夢見周公。」——《論語·述而》
禮三百，儀三千	禮儀三百，威儀三千，待其人然後行。——《中庸》
溫而厲，恭而安	子溫而厲，威而不猛，恭而安——《論語·述而》
存其心，養其性	孟子曰：「盡其心者，知其性也。知其性，則知天矣。存其心，養其性，所以事天也。殀壽不貳，修身以俟之，所以立命也。」——《孟子·盡心上》
終始一，睿作聖	五事：一曰貌，二曰言，三曰視，四曰聽，五曰思。貌曰恭，言曰從，視曰明，聽曰聰，思曰睿。恭作肅，從作乂，明作哲，聰作謀，睿作聖。——《尚書·洪範》

　　根據上表統計，照次數多寡，〈啟蒙初誦〉所引用的經書依序為《論語》20次、《孟子》13次、《禮記》9次、《尚書》4次、《詩經》1次、《周易》1次、《孝經》1次，主要集結儒家經書文句，特別選擇那些「明白切要」的，以宣揚儒家思想。從選擇的經書中，可看到以《論語》、《孟子》、《禮記》所占比重為多，這與經書性質相關。《論語》、《孟子》為語錄體，內容以孔、孟兩人言行為主，對生命的安頓為其主要關懷；《禮記》內容龐雜，涉及許多具體禮樂制度，綜而觀之，《論》、《孟》、《禮》內容多為在實際生活中的體會與實踐，較其他經書更具實踐性。〈啟蒙初誦〉所教習的大多是日常生活中的規範，是切近的灑掃應對之類的具體事情，適合蒙童的理解能力，體現了小學「只是教之以事」[34]的特點。

　　另外，〈啟蒙初誦〉三字一句，四句一章。與朱熹同時的項安世（1129-

---

34 〔宋〕朱熹：〈學一·小學〉，《朱子語類》。

1208）曾說：「古人教童子，多用韻語，如今《蒙求》、《千字文》、《太公家教》、《三字訓》之類，欲其易記也。《禮記》之〈曲禮〉、《管子》之〈弟子職〉、史游之〈急就篇〉，其文體皆可見。」[35]可見三字一句的形式在南宋已廣泛地運用於啟蒙教育。另則，由「初誦」一詞可知，〈啟蒙初誦〉的重點並非「認識字的閱讀學習」，更精確地說，該書應該是「不識字的誦讀學習」[36]，「以聲音為主的記誦學習」無疑是更適合年幼的孩童。

此外，陳淳一向強調「聖賢所謂道學者，初非有至幽難窮之理，甚高難行之事也，亦不外乎人生日用之常耳。蓋道原於天命之奧，而實行乎日用之間。」[37]因此，〈啟蒙初誦〉主要是對於灑掃應對之儀有所介紹外，但是，身為理學家，陳淳編寫蒙童日常生活規範之餘，亦帶入聖學要旨。全文始於「天地性，人為貴。無不善，萬物備」，止於「存其心，盡其性。終始一，睿作聖」。由「性」始，由「性」終，前後呼應，論題也結合外部行為的規範與道德發展。陳淳認為凡是人「無不善」，這種善良的本質與聖賢的本性一致，凡聖同質，眾人皆具若能存心盡性，則能恢復天性的本來面目。由此可知，陳淳以傳統儒家的性善論為論題重心教導蒙童。

總的來說，〈訓蒙雅言〉和〈啟蒙初誦〉揭櫫聖學始終大略，並將儒學思想融入訓蒙之中。

（三）〈暑示學子〉

〈暑示學子〉附於〈訓蒙雅言〉之後，四字一句，四句一章，一共三

35　〔宋〕項安世：《項氏家說》，百部叢書集成（臺北：藝文印書館，1968年），卷7。

36　關於「認識字的閱讀學習」與「不識字的誦讀學習」兩方面的討論可參見楊師晉龍：〈兒童讀經法效益研究：朗讀與聽讀的初步分析〉，收錄於人間電視公司：《中華文化經典國際學術研討會論文合輯》（臺北：人間電視公司，2006年），頁61-74；楊師晉龍：〈論兒童讀經的淵源及從理想層面探討兩種讀經法的功能〉，《國文學報》第8期（2008年6月），頁71-120。

37　陳淳：《嚴陵講義・道學體統》，收於《北溪字義》（北京：中華書局，1983年），頁75。

章，計有四十八字，簡短的篇幅涉及日常生活的穿衣戴帽、說話言談，文字
淺顯易懂，原文如下：

> 冠以莊首，衣以庇躬，裳為脛飾，屨為趾容。
>
> 非人之制，乃天之常，君子奉之，寒暑一同。
>
> 語必表給，禮毋褻裳，先民有訓，嗚呼敬恭。[38]

陳淳認為穿衣戴帽、說話行走等日常雜細事宜是蒙童之學的基本要求，因
此，著重兒童道德行為方式的訓練。若與朱熹《童蒙須知》比而觀之，兩篇
皆是談論蒙童日常生活，重點皆在規範蒙童對於日常生活所應該遵行的事
項。朱熹《童蒙須知》全篇分為五個部分：衣服冠履、語言步趨、灑掃清
潔、讀書與寫字、雜細事宜，做了非常細密的規定；陳淳著作篇幅較少，只
針對衣裳冠履、言語禮節等說明，並認為這些都是「天之常」，因此必須
「嗚呼敬恭」。從現代心理學的觀點來看，重視兒童的行為訓練，也是合乎
兒童身心發展的客觀規律的。在感知─運動階段，兒童的表象和模仿能力特
別強，所以對行為的模仿與習得有重要意義。[39]若以宋代當時氛圍來看，由
於科舉制度的利誘，以致多數家長只注重知識教育，而忽略品德問題與生活
教育。然而，童蒙教育仍有涉及現實訓練的一面，由此看來，陳淳等理學家
的蒙學理念可謂寓意深遠，目標崇高。

　　順帶一提，此篇後有〈暑月喻齋生〉，講述對象非蒙童，主要為參加科
舉考試者，以為人之所以必具衣裳冠履，乃「天之命於人者然也」，並以
《禮記》、《論語》之言為證，舉孟子、管寧、呂榮公等古代聖賢為例，揭示
所有致其敬，完全是因為「畏天命」所致。比起蒙童作品，則更偏重天命等
形上思想的討論。

---

38 〔宋〕陳淳，《漳州文庫》編委會整理：《北溪先生全集》（北京：國家圖書館出版社，
　　2021年），頁202。

39 相關討論可見朱永新：《中國教育思想史》（上）（上海：上海交通大學出版社，2011
　　年），頁235-236。

（四）〈訓兒童八首〉[40]

篇名分別為：〈孔子〉、〈弟子〉、〈顏子〉、〈曾子〉、〈人子〉、〈灑掃〉、〈應對〉、〈進退〉。依內容來分，前四首可視為孔門相關介紹，後四首則針對儀節進行說明：

〈孔子〉孔子生東魯，斯文實在茲。六經垂訓法，萬世共宗師。

〈弟子〉洙泗三千眾，何人得正傳。省身有曾子，克己獨顏淵。

〈顏子〉賢哉顏氏子，陋巷獨幽居。簞食與瓢飲，蕭然樂有餘。

〈曾子〉敬謹曾參氏，臨深履薄如。平生傳聖訓，要具《孝經》書。

前四首蘊含至聖先師孔子的出生、成就及曾參、顏淵二人的貢獻，亦顯示儒學傳承脈絡。顏淵為復聖公，曾參為宗聖公，兩人皆名列四配[41]，配祀孔廟。另則，詩中也含括了儒學核心概念，諸如六經、省身、克己、樂、敬、孝經，也可看出修身與傳經的重要性。後四首內容如下：

〈人子〉人子勤於孝，無時志不存。夜來安寢息，早起問寒暄。

〈灑掃〉奉水微微灑，恭提帚與箕。室堂須淨掃，几案亦輕麾。

〈應對〉應對須恭謹，言言罔不祇。父呼唯無諾，長問遜為辭。

〈進退〉進退須恭敬，時時勿敢輕。先生趨拱立，長者後徐行。

接續曾子傳孔子遺訓乃在《孝經》一書，〈人子〉一詩一開頭即言孝的必

---

40 〔宋〕陳淳，《漳州文庫》編委會整理：《北溪先生全集》（北京：國家圖書館出版社，2021年），頁502。

41 四配中另有述聖公子思、亞聖公孟軻。就始配之年而言，顏淵為三國魏齊王正始二年，曾參為唐睿宗太極元年，孟軻則始配於宋神宗元豐七年（1084），子思為宋度宗咸淳三年（1267）。

要。為人子者，行孝首要晨昏定省，亦為《禮記》中的基本禮儀。至於「灑
掃應對進退」，語出《論語・子張》：

> 子游曰：「子夏之門人小子，當灑掃、應對、進退，則可矣！抑末
> 也，本之則無，如之何？」子夏聞之曰：「噫！言游過矣！君子之
> 道，孰先傳焉？孰後倦焉？譬諸草木，區以別矣。君子之道，焉可誣
> 也？有始有卒者，其唯聖人乎！」[42]

子夏主張傳君子之道應從細節入手，而後循序漸進，以把握道之大體。此
外，張載（1020-1077）〈正蒙〉有言：

> 若灑掃應對，乃幼而遜弟之事，長後教之，人必倦弊。惟聖人于大
> 德，有始有卒。故事無大小，莫不處極。今始學之人，未必能繼。妄
> 以大道教之，是誣也。[43]

張載同樣同意「灑掃應對」是基礎，不可欺妄曲解君子之道。朱熹〈題小
學〉亦言：「古者小學，教人以灑掃、應對、進退之節，愛親敬長、隆師親
友之道，皆所以為脩身、齊家、治國、平天下之本，而必使其講而習之於幼
稚之時，欲其習與知長，化與心成，而無扞格不勝之患也。」

　　〈訓兒童八首〉主要是介紹兒童日常行為的規範。由於陳淳素來崇尚孔
孟之道，因此將儒家至聖先師和弟子作為兒童人生追求的典範，且多所稱
頌，希望能藉由認識先儒之行使蒙童知曉聖賢之理，也能在潛移默化中受到
聖賢思想影響，有所改變。而關於灑掃應對的儀則說明，也使蒙童能夠習誦
並按此去做，以便達到教育目的。與朱熹〈訓蒙絕句〉[44]九十八首比較，

---

42 〔三國・魏〕何晏注，〔宋〕邢昺疏，朱漢民整理：〈子張〉，《論語注疏》卷19（北
　京：北京大學出版社，2015年），頁258。

43 〔宋〕張載：〈中正篇〉，《正蒙》，收入《張載集》（北京：中華書局，1978年），卷8，
　頁31。

44 〔宋〕朱熹：〈訓蒙絕句〉，收於束景南：《朱熹佚文輯考》（南京：江蘇古籍出版社，
　1991年）。

〈訓兒童八首〉不像朱子詩作有許多宋代理學的內容。或許因受限於篇幅，因此只能對蒙童述說最重要的小學之道，至於大學之理則略而不談。然而，以宋代理學家所關注的知行問題看來，先賦予蒙童道德知識與實踐，使之能夠回歸心性本體及天理等意義，這種循序漸進的教學方式也正是朱子所提倡的大學小學分別之處。

（五）〈小學詩禮〉

陳淳根據《禮記》中的〈曲禮〉、〈少儀〉、〈內則〉等儒家經典中涉及道德行為規範的內容，選擇當知而易見、適合兒童的內容改編，俾童子時時諷誦而服習焉，題之曰《小學詩禮》。之所以選擇《禮記》文句，除了因書中思想義涵外，或許也是受到朱熹影響，《朱子語類》中有一段陳淳所錄朱熹之語：

> 每嘗疑〈曲禮〉「衣毋撥，足毋蹶；將上堂，聲必揚；將入戶，視必下」等協韻處，皆是古人初教小兒語。《列女傳》孟母又添兩句曰：「將入門，問孰存。」[45]

〈小學詩禮〉成書的確切年代不詳，五言一句，四句一首，凡四十三首，計有八百六十字。全篇分四部分：「事親」佔最多數，共十四首、「事長」十首、「男女」十一首、「雜儀」八首，共四十三首，明確闡述蒙童日常生活中的應對進退，並使其合禮中節。清儒陳弘謀（1696-1771）認為該書「蓋歌詠所以養其性情，而步趨因以謹儀節。過庭之訓，殆於兼之」[46]，今檢覈原文，列出引用《禮記》篇章如下：

45　《朱子語類》卷7，〈學一·小學〉，頁126。
46　〔清〕陳弘謀：《五種遺規·陳北溪小學詩禮》（臺北：中華書局，1962年），頁9。

事親

【其一】凡子事父母，雞鳴咸盥漱。櫛縰冠紳履，以適父母所。

【其二】及所聲氣怡，燠寒問其衣。疾痛敬抑搔，出入敬扶持。

【其三】將坐請何向？長席少執床。懸衾篋枕簟，灑掃室及堂。

【其四】長者必奉水，少者必奉盤。進盥請沃盥，盥卒授以巾。

【其五】間所欲而進，甘飴滑以隨。柔色以溫之，必嘗而後退。

子事父母，雞初鳴，咸盥漱，櫛縰笄總，拂髦冠緌纓，端韠紳，搢笏。左右佩用，左佩紛帨、刀、礪、小觽、金燧，右佩玦、捍、管、遰、大觽、木燧，偪，屨著綦。婦事舅姑，如事父母。雞初鳴，咸盥漱，櫛縰，笄總，衣紳。左佩紛帨、刀、礪、小觽、金燧，右佩箴、管、線、纊，施縏袠，大觽、木燧、衿纓，綦屨。以適父母舅姑之所，及所，下氣怡聲，問衣燠寒，疾痛苛癢，而敬抑搔之。出入，則或先或後，而敬扶持之。進盥，少者奉盤，長者奉水，請沃盥，盥卒授巾。問所欲而敬進之，柔色以溫之，饘酏、酒醴、芼羹、菽麥、蕡稻、黍粱、秫唯所欲，棗、栗、飴、蜜以甘之，堇、荁、枌、榆免薨薧滫瀡以滑之，脂膏以膏之，父母舅姑必嘗之而後退。——《禮記·內則》

【其六】養則至其樂，居則致其敬。昏定而晨省，冬溫而夏清。

子曰：「孝子之事親也，居則致其敬，養則致其樂。」——《孝經·紀孝行》

凡為人子之禮：冬溫而夏清，昏定而晨省，在醜夷不爭。——《禮記·曲禮上》

【其七】三日則具沐，五日則請浴。燂潘請靧麵，燂湯請濯足。

五日，則燂湯請浴，三日具沐，其間面垢，燂潘請靧；足垢，燂湯請洗。——《禮記·內則》

【其八】其有不安節，行不能正履。飲酒不變貌，食肉不變味。

父母有疾，冠者不櫛，行不翔，言不惰，琴瑟不御，食肉不至變味，飲酒不至變貌。——《禮記·曲禮上》

【其九】立不敢中門，行不敢中道；坐不敢中席，居不敢主奧。

為人子者，居不主奧，坐不中席，行不中道，立不中門。——《禮記·曲禮上》

【其十】父召唯無諾，父呼走不趨。食在口則吐，手執業則投。

父命呼，唯而不諾，手執業則投之，食在口則吐之，走而不趨。親老，出不易方，復不過時。親癠色容不盛，此孝子之疏節也。——《禮記·玉藻》

【其十一】父立則視足，父坐則視膝。應對言視面，立視前三尺。

若父，則遊目，毋上於面，毋下於帶。若不言，立則視足，坐則視膝。——《儀禮·士相見禮》

【其十二】父母或有過，柔聲以諫之。三諫而不聽，則號泣而隨。

父母有過，下氣怡色，柔聲以諫。諫若不入，起敬起孝，說則復諫；不說，與其得罪於鄉黨州閭，寧熟諫。父母怒、不說，而撻之流血，不敢疾怨，起敬起孝。——《禮記·內則》

為人臣之禮：不顯諫。三諫而不聽，則逃之。子之事親也：三諫而不聽，則號泣而隨之。——《禮記·曲禮下》

【其十三】父在不遠遊，所遊必有常。出不敢易方，復不敢過時。

子曰：「父母在，不遠遊。遊必有方。」——《論語·里仁》

【其十四】舟焉而不遊，道焉而不徑。身者父母體，行之敢不敬？

故君子一舉足不敢忘父母，一出言不敢忘父母。一舉足不敢忘父母，故道而不徑，舟而不游，不敢以先父母之遺體行殆也。——《大戴禮記·曾子大孝》

事長

【其一】君子容舒遲，見尊者齊遬。足重而手恭，聲靜而氣肅。

君子之容舒遲，見所尊者齊遬。足容重，手容恭，目容端，口容止，聲容靜，頭容直，氣容肅。——《禮記·玉藻》

【其二】始見於君子，辭曰願聞名。童子曰聽事，不敢與並行。

聞始見君子者，辭曰：「某固願聞名於將命者。」不得階主。敵者曰：「某固願見。」罕見曰：「聞名」。亟見曰：「朝夕」。瞽曰：「聞名」。適有喪者曰：「比」。童子曰：「聽事」。適公卿之喪，則曰：「聽役於司徒」。──《禮記·少儀》

【其三】尊年不敢問，長賜不敢辭。燕見不將命，道不請所之。

尊長於己逾等，不敢問其年。燕見不將命。遇於道，見則面，不請所之。──《禮記·少儀》

長者賜，少者賤者不敢辭。──《禮記·曲禮上》

【其四】年倍事以父，年長事以兄。父之齒隨行，兄之齒雁行。

年長以倍，則父事之；十年以長，則兄事之；五年以長，則肩隨之。群居五人，則長者必異席。──《禮記·曲禮上》

父之齒隨行，兄之齒雁行，朋友不相逾。──《禮記·王制》

【其五】見父之執者，不問不敢對。不謂進不進，不謂退不退。

見父之執，不謂之進不敢進，不謂之退不敢退，不問不敢對。此孝子之行也。──《禮記·曲禮上》

【其六】侍坐於長者，必安執而顏。有問讓而對，不及毋讒言。

坐必安，執爾顏。長者不及，毋儳言。正爾容，聽必恭。毋勦說，毋雷同。必則古昔，稱先王。──《禮記·曲禮上》

【其七】君子問更端，則必起而對。欠伸撰杖履，侍坐可請退。

侍坐於君子，君子欠伸，撰杖屨，視日蚤莫，侍坐者請出矣。侍坐於君子，君子問更端，則起而對。侍坐於君子，若有告者曰：「少間」，願有復也；則左右屏而待。──《禮記·曲禮上》

【其八】侍飲於長者，酒進則拜受。未釂不敢飲，未辯不虛口。

侍飲於長者，酒進則起，拜受於尊所。長者辭，少者反席而飲。長者舉未釂，少者不敢飲。──《禮記·曲禮上》

【其九】侍燕於君子，先飯而後己。小飯而亟之，毋齧骨刺出。

燕侍食於君子，則先飯而後已；毋放飯，毋流歠；小飯而亟之；數噍毋為口容。客自徹，辭焉則止。──《禮記·少儀》

毋摶飯，毋放飯，毋流歠，毋吒食，毋齧骨，毋反魚肉，毋投與狗骨。毋固獲，毋揚飯。飯黍毋以箸。毋嚃羹，毋絮羹，毋刺齒，毋歠醢。──《禮記·曲禮上》

【其十】從長上丘陵，必向長所視。群居有五人，長者席必異。

從長者而上丘陵，則必鄉長者所視。──《禮記·曲禮上》

群居五人，則長者必異席。──《禮記·曲禮上》

男女

【其一】男正位乎外，女正位乎內。男女無相瀆，天地之大義。

家人，女正位乎內，男正位乎外，男女正，天地之大義也。《易經·彖傳·家人》

【其二】男十年出外，就傅學書計，學樂學射御，學禮學孝悌。

【其三】女十年不出，姆教婉娩從。執麻治絲繭，觀祭納酒漿。

十年出就外傅，居宿於外，學書計，衣不帛襦褲，禮帥初，朝夕學幼儀，請肄簡諒。十有三年學樂，誦《詩》，舞《勺》，成童舞《象》，學射御。二十而冠，始學禮，可以衣裘帛，舞《大夏》，惇行孝弟，博學不教，內而不出。三十而有室，始理男事，博學無方，孫友視志。四十始仕，方物出謀發慮，道合則服從，不可則去。五十命為大夫，服官政。七十致事。凡男拜，尚左手。女子十年不出，姆教婉娩聽從，執麻枲，治絲繭，織紝組紃，學女事以共衣服，觀於祭祀，納酒漿、籩豆、菹醢，禮相助奠。──《禮記·內則》

【其四】女子不出門，出門必擁蔽。夜行必以燭，無燭則必止。

女子出門，必擁蔽其面，夜行以燭，無燭則止。──《禮記·內則》

【其五】男女不雜坐，嫂叔不通問。內言不出閫，外言不入閫。

男女不雜坐，不同椸枷，不同巾櫛，不親授。嫂叔不通問，諸母不漱裳。外言不入於梱，內言不出於梱。──《禮記·曲禮上》

【其六】男不言內事，女不言外事。非祭不交爵，非喪不受器。

男不言內，女不言外。非祭非喪，不相授器。其相授，則女受以篚，其無

籩則皆坐奠之而後取之。外內不共井，不共湢浴，不通寢席，不通乞假，男女不通衣裳，內言不出，外言不入。——《禮記·內則》

【其七】始姊妹女子，已嫁而返室，弗與同席坐，弗與同器食。

已嫁而反，兄弟弗與同席而坐，弗與同器而食。——《禮記·曲禮上》

【其八】娶妻不同姓，寡子弗與友。主人若不在，不入其門戶。

娶妻不娶同姓。故買妾不知其姓則卜之。寡婦之子，非有見焉，弗與為友。——《禮記·曲禮上》

寡婦之子，不有見焉，則弗友也，君子以辟遠也。故朋友之交，主人不在，不有大故，則不入其門。以此坊民，民猶以色厚於德。——《禮記·坊記》

【其九】婦人伏於人，無所敢自遂。令不出閨門，惟酒食是議。

婦人，伏於人也。是故無專制之義，有三從之道——在家從父，適人從夫，夫死從子，無所敢自遂也。教令不出閨門，事在饋食之閒而正矣，是故女及日乎閨門之內，不百里而奔喪，事無獨為，行無獨成之道。參之而後動，可驗而後言，宵行以燭，宮事必量，六畜蕃於宮中，謂之信也，所以正婦德也。——《大戴禮記·本命》

【其十】迎客不出門，送客不下堂。

婦人迎客送客不下堂，下堂不哭；男子出寢門見人不哭。其無女主，則男主拜女賓於寢門內；其無男主，則女主拜男賓於阼階下。子幼，則以衰抱之，人為之拜；為後者不在，則有爵者辭，無爵者人為之拜。在竟內則俟之，在竟外則殯葬可也。喪有無後，無無主。——《禮記·喪大記》

見卑不逾閾，吊喪不出疆。

不踐閾。——《禮記·曲禮》

【其十一】婦人不二斬，烈女不二夫。一與之齊者，終身不改乎。

為父何以期也？婦人不貳斬也。婦人不貳斬者，何也？婦人有三從之義，無專用之道。故未嫁從父，既嫁從夫，夫死從子。——《儀禮·喪服·子夏傳》

烈女不二夫-此句無原典，但《史記·田單列傳》及《說苑·立節》中

「有忠臣不事二君，貞女不更二夫」之語，似為俗諺。

一與之齊，終身不改，故夫死不嫁。——《禮記‧郊特牲》

雜儀

【其一】喜怒必中節，周旋必中禮。淫惡不接心，惰慢不設體。

喜怒哀樂之未發，謂之中；發而皆中節，謂之和；中也者，天下之大本也；和也者，天下之達道也。致中和，天地位焉，萬物育焉。——《禮記‧中庸》

動容周旋中禮者，盛德之至也——《孟子‧盡心下》

是故君子反情以和其志，比類以成其行。奸聲亂色，不留聰明；淫樂慝禮，不接心術。惰慢邪辟之氣不設於身體，使耳目鼻口、心知百體皆由順正以行其義。——《禮記‧樂記》

【其二】目不視惡色，耳不聽惡聲。非法不敢道，非德不敢行。

孟子曰：「伯夷，目不視惡色，耳不聽惡聲；非其君不事，非其民不使。」——《孟子‧萬章章句下》

非先王之法服不敢服，非先王之法言不敢道，非先王之德行不敢行。是故非法不言，非道不行；口無擇言，身無擇行。言滿天下無口過，行滿天下無怨惡。三者備矣，然後能守其宗廟。蓋卿、大夫之孝也。——《孝經‧卿大夫》

【其三】執虛如執盈，入虛如有人。使民如承祭，出門如見賓。

取俎進俎不坐。執虛如執盈，入虛如有人。凡祭於室中堂上無跣，燕則有之。未嘗不食新——《禮記‧少儀》

仲弓問仁。子曰：「出門如見大賓，使民如承大祭。己所不欲，勿施於人。在邦無怨，在家無怨。」——《論語‧顏淵》

【其四】並坐不橫肱，共飯不擇手。揖人必違位，尊前不叱狗。

并坐不橫肱。授立不跪，授坐不立。——《禮記‧曲禮上》

侍食於長者，主人親饋，則拜而食；主人不親饋，則不拜而食。共食不飽，共飯不澤手。——《禮記‧曲禮上》

見同等不起。燭至起,食至起,上客起。燭不見跋。尊客之前不叱狗。讓食不唾。——《禮記‧曲禮上》

【其五】入國不敢馳,入裏必致式,入戶必奉扃,入門不踐閾。

故君子式黃髮,下卿位,入國不馳,入里必式。——《禮記‧曲禮上》

入戶奉扃,視瞻毋回;戶開亦開,戶闔亦闔;有後入者,闔而勿遂。毋踐屨,毋踖席;摳衣趨隅。必慎唯諾。大夫士出入君門,由闑右,不踐閾。——《禮記‧曲禮上》

【其六】入境必問禁,入國必問俗。入門必問諱,與人不問欲。

入境而問禁,入國而問俗,入門而問諱。——《禮記‧曲禮上》

賜人者不曰來取。與人者不問其所欲——《禮記‧曲禮上》

【其七】臨喪則不笑,臨祭則不惰。當食則不歎,讓食則不唾。

臨喪不笑。揖人必違其位。望柩不歌。入臨不翔。當食不歎。鄰有喪,舂不相。里有殯,不巷歌。適墓不歌。哭日不歌。送喪不由徑,送葬不辟涂潦。臨喪則必有哀色,執紼不笑,臨樂不歎;介冑,則有不可犯之色。故君子戒慎,不失色於人。——《禮記‧曲禮上》

臨祭不惰。祭服敝則焚之,祭器敝則埋之,龜策敝則埋之,牲死則埋之。凡祭於公者,必自徹其俎——《禮記‧曲禮上》

見同等不起。燭至起,食至起,上客起。燭不見跋。尊客之前不叱狗。讓食不唾。——《禮記‧曲禮上》

【其八】君子正衣冠,儼然尊瞻視。即之容也溫,聽之言也屬。

君子正其衣冠,尊其瞻視,儼然人望而畏之,斯不亦威而不猛乎?——《論語‧堯曰》

子夏曰:「君子有三變:望之儼然,即之也溫,聽其言也厲。」——《論語‧子張》

內容主要取材自《禮記》中的〈曲禮〉、〈少儀〉、〈內則〉,其中,取自〈曲禮〉有20首、〈內則〉11首、〈少儀〉4首,另有〈玉藻〉2首、〈曾子大孝〉、〈王制〉、〈坊記〉、〈本命〉、〈喪大記〉、〈郊特牲〉、〈中庸〉、〈樂記〉各1

首；除《禮記》外，另出自《儀禮》的有〈士相見禮〉、〈喪服〉各1首、《論語》3首、《孟子》2首、《易經》1首、《孝經》1首。〈曲禮〉指禮的微文細節，據孫希旦《禮記集解》所載：「此篇所記，多禮文細微曲折，而上篇尤致詳於言語、飲食、灑掃、應對、進退之法。蓋將使學者謹乎其外，而致養乎其內、循乎其末，以漸及乎其本。故朱子謂小學之支與流裔。」〈內則〉所述多為家庭必須遵守的規範準則，《禮記・內則》題注、孔穎達疏：

> 鄭玄目錄云：「名曰內則者，以其記男女居室事父母舅姑之法，此於《別錄》屬子法。」以閨門之內，軌儀可則，故曰內則。

至於「少儀」則有細部禮儀規矩之意。呂祖謙（1137-1181）[47]著有《少儀外傳》[48]，此書又名《辨志錄》，共二卷，訓課幼學，取《禮記・少儀》之名。書中摘錄諸儒懿行嘉言，及於立身行己、應世為官之道，亦有各種儀節禮俗，但不與《禮記》經義相比附，猶韓嬰引事說詩，故自題為「外傳」。書首自言其旨：

> 後生學問，且須理會〈曲禮〉、〈少儀〉、〈儀禮〉等學，灑掃應對進退之事，及先理會爾雅訓詁等文字，然後可以語上，下學而上達，自此脫然有得，度越諸子也。不如此，則是躐等、犯分、陵節，終不能成。孰先傳焉，孰後倦焉，不可不察也。

此段文字引自其伯祖呂本中《童蒙訓》內容，多數人在面對灑掃應對進退往往掉以輕心，因此，為學須在平日行履、灑掃應對、進退多理會，然亦先須有文字、訓詁的訓練，而後可以語上，在實踐中「脫然有得」，自然度越諸子。類似的蒙學讀物尚有真德秀（1178-1235）[49]的《家塾常儀》，又稱《教

---

47 呂祖謙（1137-1181），字伯恭，婺州人，世稱東萊先生。
48 〔宋〕呂祖謙：《少儀外傳》，《呂祖謙全集》第2冊（杭州：浙江古籍出版社，2008年）。
49 真德秀（1178-1235），字景元，號西山，後世稱西山先生。南宋建寧浦城（今福建）人，歷官太學博士、校書郎、禮部侍郎等職，著有《大學衍義》、《西山甲乙稿》等書。

子齋規》[50]，為鄉塾教學活動所做，內容分為學禮、學坐、學行、學立、學言、學揖、學誦、學書，規範學生坐立言動、衣冠服履、視聽容貌、飲食揖讓等行為舉措，培養學生誦讀、歌詩等具體細節，浸潤濡染，然內容並非從經書採擇，而是以淺近言語提供蒙童易行法則。

陳淳等理學家皆看重力行工夫，正所謂「道之浩浩，何處下手？聖門用功節目，其大要亦不過曰致知與力行而已」，若是不加以力行，「則雖精義入神，亦徒為空言，而盛德至善竟何有於我哉？」[51]重視踐履篤實的行為訓練，學習由近及遠，這也符合孩童認知發展的規律。從〈啟蒙初誦〉到〈訓蒙雅言〉、〈小學詩禮〉可觀陳淳用心所在，且依年齡不同，分別編寫的三言、四言及五言詩體教材，確實適合蒙童閱讀。

三　結語

本文撮舉分析，對陳淳蒙學著作有如下的觀察：

其一，從〈啟蒙初誦〉到〈訓蒙雅言〉、〈暑示學子〉、〈訓兒童八首〉、〈小學詩禮〉可觀陳淳編寫的三言、四言及五言詩體教材。陳淳嘗言：「若小學灑掃應對進退之儀則，又其中始進之條也，固朝夕次第從事，而其端亦不外乎初誦矣！但其詳見欲遺經者，多或字艱而文涉，非幼習之便，此須五六年外，語音調熟，然後可以為之訓焉。」[52]由此可知，〈啟蒙初誦〉做為預備性的教材，之後則是〈訓蒙雅言〉；至於〈暑示學子〉、〈訓兒童八首〉、〈小學詩禮〉雖未明確定出適讀年齡，但以篇名及內容觀之，乃是陳淳運用深入淺出的方式，讓兒童學習，並能培養基本的理性認識，為進一步深造奠定基礎。長期的訓蒙生活，使陳淳在編寫蒙學著作時，得以充分表現兒童年齡特徵的可受性與循序漸進的教學原則。而且，不論是〈啟蒙初誦〉或是

---

50 〔清〕陳弘謀編：《五種遺規》，臺北：德志出版社，1961年。

51 陳淳：《嚴陵講義‧用功節目》，收於《北溪字義》（北京：中華書局，1983年），頁77。

52 〔宋〕陳淳，《漳州文庫》編委會整理：《北溪先生全集》（北京：國家圖書館出版社，2021年），頁198。

〈訓兒童八首〉皆提及灑掃之事，也可見讓蒙童身體力行乃是實踐儒家思想的關鍵。

其二，經書作為中國傳統思想的載體，陳淳如何融攝經書內容於蒙學之中？陳淳的方式為串接經書：有的是串接同本經書的不同篇章，像是〈啟蒙初誦〉「無不善，萬物備」即是連繫《孟子》的〈告子上〉與〈盡心上〉而來，〈小學詩禮〉的「事長」其九即是連繫《禮記》的〈少儀〉與〈曲禮上〉而來；有的則是串接不同經書的篇章，像是〈啟蒙初誦〉「學為己，明人倫」即是取材自《論語》與《孟子》而來，〈小學詩禮〉的「雜儀」其一即是連繫《禮記》、《孟子》而來。雖是相異經書，卻同樣皆為儒家思想的具體展現，因此並不違和。

其三，陳淳以《論語》、《孟子》、《禮記》為蒙學教材主要來源，有一實踐的嚮往，也可發現他對待《四書》類文獻與五《經》類文獻確實有差異。雖亦取材自《周易》、《尚書》、《詩經》、《孝經》等經書，然比例則不如《論語》《孟子》等書。縱使宋代以降，以《孝經》做為教育讀本的情形日益明顯，[53]然而，宋時《孟子》升格取代《孝經》，教學教材有所轉向，地方庶民教化的擇取或許也因此受到影響。從陳淳蒙學教材編寫採擇內容觀之，非純知識的探索，而是發揮儒家傳統重禮實踐的精神，取捨之間，可見用心。

---

53 相關資料可參見呂妙芬：〈做為蒙學與女教讀本的《孝經》——兼論其文本定位的歷史變化〉，《臺大歷史學報》第41期（2008年6月），頁1-64。

南宋段昌武《詩義指南》研究[*]

侯美珍

成功大學中國文學系

一　前言

　　宋代朝臣對科舉取士制度有過不少討論，變更及調整也相當頻繁。考試應重詩賦或重經義，是朝野頗關注的課題。[1]王安石（1021-1086）熙寧變法，對取士偏重經義，產生關鍵影響，此外，科目獨存進士科，且揚棄唐以來專注於背誦的帖經、墨義，頒布「大義式」，以論說體裁闡釋經義，改善以往經書考試為人詬病之積弊，此皆是熙寧變法對科舉的重要改革。

　　因時代湮遠，史料留存有限。且科舉用書、舉業文章，常只是敲門磚，不斷推陳出新，當時堆滿几案的青雲利器，時過境遷，往往難逃遭到取代、棄置的命運。以致宋代士子傾盡心力、耳熟能詳的經義考試，今人認識模糊。要勾勒當時考試經義之種種，不免囿於文獻流傳之局限。

　　足供今人瞭解宋代考試經書的文獻，除王安石《三經新義》曾為功令所尊廣為人知外，宋人奏疏、議論等史料，對制度得失、考試變革也有所記載。至於舉業「經義」文本的流傳，只有少數別集及若干總集、類書收錄。如：呂祖謙（1137-1181）《宋文鑑》、陳傅良（1137-1203）《止齋論祖》，明代則有編者佚名大約正德、嘉靖時所刻《經義模範》，[2]清康熙中俞長城[3]

---

* 本文已刊於《中國學術年刊》第44期（秋季號）（2022年9月），頁1-34。

1 可參祝尚書：〈宋代進士科的考試〉，《宋代科舉與文學》（北京：中華書局，2008年），頁43-65。文分四節，論述考試詩賦、經義之利弊得失，及兩派主張由對立到調和的過程。

2 正德9年（1514）進士王廷表（1490-1554）作序，言嘉靖26年（1547）訪楊慎（1488-

《可儀堂一百二十名家制義》，以及陳夢雷（1650-1741）所編類書《古今圖書集成‧文學典》，皆收有宋人經義，但或不免真偽夾雜。

經義之題，「大概是從《周易》等九經及《論語》、《孝經》等儒家經典中抽出一句話或幾句話作為題目」，「答卷則是根據命題而作的論說文」。[4]這是一種以經書為題，令考生闡發、論述的舉業文體，故論者常言，此乃明、清八股文之前身。由於宋代科目頻有調整，且考試經書從初期沿襲唐制，考帖經、墨義，後改成大義，再到經義，[5]隨著考試制度調整的過程，出題及文體的遞嬗，也會出現與時俱變的現象。加上後人對經義文體認定寬嚴、標準不一，真偽考辨有出入，以致當今學界對於宋代經義流傳、現存情形的考察，雖有交集，但部份論述仍未能一致。

2002年方笑一〈「經義」考〉言：「傳世宋代經義中比較可靠的，除了王安石文集中的篇什外，尚有《劉左史集》載十七篇，《宋文鑑》載兩篇，《經義模範》載十六篇，以及陸九淵二十五篇，陳傅良《止齋論祖》十七篇。」[6]2005年黃強教授研究所得，以為確切可考的宋代經義含：「《宋文鑒》所收的張庭堅兩篇，劉安節、劉安上從弟兄兩人文集中共收入的25篇，陸九淵文集中收入的22篇，典籍俱在，且標明經義或程文，其真實性無可懷疑。」也以為《經義模範》所收張庭堅等四人經義共十六篇，本源清楚，應予採信。而俞氏所輯宋代七名家經義，「只有從陸九淵《象山集‧外集》卷4所收22篇中

1559）於滇，「得《經義模範》一帙，乃同年朱良矩所刻」云云。〔明〕王廷表：〈經義模範原序〉，收入〔明〕佚名編：《經義模範》，收入〔清〕紀昀等編：《景印文淵閣四庫全書》第1377冊（臺北：臺灣商務印書館，1983-1986年），卷前，頁1。

3　俞長城，生卒年不詳，康熙24年（1685）進士。

4　張希清：〈命題與答卷制度〉，《中國科舉制度通史‧宋代卷》（上海：上海人民出版社，2017年），頁404。

5　張希清：〈宋朝貢舉科目沿革示意圖〉，《中國科舉制度通史‧宋代卷》，頁82。宋代貢舉變更頻仍，此以圖示呈現諸科、進士科等之遞嬗，頗為明晰。在王安石熙寧變法前，對諸科試帖經、墨義已嘖有煩言，故范仲淹（989-1052）改革貢舉，於慶曆、皇祐、嘉祐年間，都曾下諸科試大義之詔令。參張書〈明經、諸科考試內容〉，頁384-402。

6　方笑一：〈「經義」考〉，《華東師範大學學報（哲學社會科學版）》第34卷第6期（2002年11月），頁35。

選輯七篇，其為經義體無疑，但也僅此而已」。餘則多偽託，將宋人論議改頭換面之作。而將這些經義「汰去重複者，共有十三家108篇」。[7] 2008年祝尚書教授《宋代科舉與文學》，歷數蘇軾（1037-1101）、黃裳（1044-1130）、劉安節（1068-1116）、劉安上（1069-1128）、張庭堅（1074-1131）、陸九淵（1139-1193）諸人文集所錄，並以為《經義模範》可信，而俞長城所選編，「真偽尚待研究」，以為「可靠的宋人經義（包括大義），傳世的只有九十多篇；若考慮零篇搜採或未窮盡，蓋不過百餘篇」。[8]

　　從以上三位學者之論著，可見對宋經義的界定和辨識，雖多有共識，但仍存在出入、不一致處，[9]綜觀之，所流傳以《論語》經義較多，間有各經之經義文，而宋代經義最膾炙人口的當屬張庭堅《尚書》義〈自靖人自獻于先王〉，深獲胡寅（1098-1156）、朱熹（1130-1200）之肯定，《朱子語類》載：「張才叔《書》義好，〈自靖人自獻於先王〉義，胡明仲醉後每誦之。」[10]此文也深受呂祖謙青睞，《宋文鑑》僅收二篇經義，都是張庭堅之作，亦包含此文。[11]然宋代《詩經》義，目前僅見一篇傳世，[12]對於考察宋代考試

7　黃強：〈現存宋代經義考辨〉，《揚州大學學報（人文社會科學版）》第9卷第2期（2005年3月），頁40-46。

8　祝尚書：〈宋代的科舉時文：經義〉，《宋代科舉與文學》，頁321-349。

9　如祝尚書教授，將宋經義分期，〈慶曆嘉祐時代的經義：以蘇軾為例〉節，舉東坡〈南省講三傳十事〉中〈《左傳》三事〉第二篇〈問〈小雅〉周之衰〉為例，其形式以「對」起，以「謹對」結，見祝尚書：《宋代科舉與文學》，頁328-332。此文章體式和後來的經義體顯然有別，另兩位學者，並未將〈南省講三傳十事〉計入經義。

10　〔宋〕黎靖德編：《朱子語類》，收入〔清〕紀昀等編：《景印文淵閣四庫全書》第702冊（臺北：臺灣商務印書館，1983-1986年），卷139，頁17；卷101，頁40，又載：胡寅「議論英發，人物偉然，向嘗侍之坐，見其數盃後，歌孔明〈出師表〉、誦張才叔〈自靖人自獻于先王〉義」云云，兩筆文獻，自前後文觀之，應是朱子見聞之轉述。王廷表序云：「夫經義盛於宋，張才叔〈自靖人自獻于先王〉之義，呂東萊取之入《文鑑》，與古文並傳。朱文公每醉後口誦之，至與諸葛武侯〈出師〉二表同科。」有誤解。〔明〕王廷表：〈經義模範原序〉，收入〔明〕佚名編：《經義模範》，收入〔清〕紀昀等編：《景印文淵閣四庫全書》第1377冊，卷前，頁1。

11　另一篇乃〈惟幾惟康其弼直〉，兩文見〔宋〕呂祖謙編，齊治平點校：《宋文鑑》（北京：中華書局，1992年），卷111，頁1546-1548。

《詩經》義的情形，線索過少。幸得《昌武段氏詩義指南》此部科舉用書，尚得存世，可藉以作為探究宋代《詩經》學出題、備考的史料。

此書在乾隆末收入《知不足齋叢書》印行前，流傳有限，書目著錄、文獻述及者亦不多。今日《詩經》學、科舉學，雖咸為興盛之顯學，但僅見一些書目、提要簡單述及，未見學界有專文研究。[13]今結合《詩經》學、科舉學兩視角，以「南宋段昌武《詩義指南》研究」為題，使用統計法及歷史文獻考察法，試加探討。首先考察其書之著錄流傳，續論此書纂成體例，在科場之作用，並藉此書以略窺南宋代《詩經》義的出題及備考。

二　段昌武《詩義指南》之著錄與流傳

段昌武，字子武，江西吉州永新縣人，南宋寧宗嘉定元年（1208）鄭自誠（1172-1254）榜進士。所作《叢桂毛詩集解》30卷，較廣為人知，然編纂《四庫全書》時，《集解》已佚失不全，可參《四庫全書總目》概介。[14]

12　〔宋〕佚名：〈我見舅氏，如母存焉〉，收入〔明〕佚名編：《經義模範》，不分卷，頁26-28。此題出自〈秦風·渭陽〉之〈小序〉，而非經文。此書共收16篇經義，獨此文篇題下，未署作者。

13　黃忠慎教授是《詩經》研究之前輩，尤專攻宋代《詩經》學之領域，曾以「段昌武《詩經》學研究」為題，申請通過科技部計畫，執行期間：2018年8月至2019年7月，結案報告因篇幅局限，所述較簡。見黃忠慎：〈「段昌武《詩經》學研究」結案報告〉網址：https://terms.naer.edu.tw/detail/1682202/?index=4（最後瀏覽日期：2021.10.20）。

14　「其書舊本題《叢桂毛詩集解》，蓋以所居之堂名之。其書首為〈學詩總說〉，分〈作詩之理〉、〈寓詩之樂〉、〈讀詩之法〉三則。次為〈論詩總說〉，分〈詩之世〉、〈詩之次〉、〈詩之序〉、〈詩之體〉，〈詩之派〉五則。餘皆依章疏解，大致仿呂祖謙《讀詩記》，而詞義較為淺顯。原書三十卷，明代惟朱睦㮮萬卷堂有宋槧完本，後沒於汴梁之水。此本為孫承澤家所鈔，僅存二十五卷。」〔清〕紀昀奉敕纂：〈毛詩集解〉，《四庫全書總目》（臺北：藝文印書館，1989年），卷15，頁29。按：經查文淵閣本，此書雖迄止於卷25，卷26至卷30〈三頌〉全缺，然其中卷5〈衛風〉、卷10〈唐風〉、卷22、23自〈小雅·魚藻〉至〈大雅·文王有聲〉亦缺，實則只存21卷。考察〔宋〕段昌武：《毛詩集解》，收入田國福主編：《歷代詩經版本叢刊》第8冊（濟南：齊魯書社，2008年，影印清抄本），亦只存21卷。

另有《昌武段氏詩義指南》1卷，疑入清傳本已罕少，館臣未獲其書，不曾寓目，故《總目》並未著錄。[15]《經義考》另著錄段昌武尚有「《讀詩總說》一卷，存」，[16]《四庫》館臣曾加辨析，疑為《集解》卷首〈學詩總說〉、〈論詩總說〉云云。[17]

段昌武生卒年不詳，其生平事蹟，留存甚少。劉克莊（1187-1269）曾因徐僑「謀筦記之士於余，余薦段君昌武，公亦喜其文」，[18]所言「段君昌武」不知是否為同一人。姪子段維清曾於淳祐8年（1248）7月任會昌縣丞時上書國子監，稱段昌武「刻志窮經」，平生精力畢於《叢桂毛詩集解》一書，「羅氏得其繕本，校讎最為精密」，由羅氏姪子羅樾「鋟梓印行以廣其傳」，[19]申明權利，故上此狀，乞禁「其他書肆嗜利翻板」。狀中約略述及段昌武生平：

> 維清先叔朝奉昌武以《詩經》而兩魁秋貢，以累舉而擢第春官，學者咸宗師之。印山羅史君瀛嘗遣其子姪來學，先叔以毛氏《詩》口講指畫，筆以成編，本之東萊《詩記》，參以晦菴《詩傳》，以至近世諸儒一話一言，苟足發明，率以錄焉，名曰《叢桂毛詩集解》。[20]

---

15 為省篇幅，後文《昌武段氏詩義指南》簡稱《詩義指南》或《指南》；《叢桂毛詩集解》簡稱為《集解》。

16 〔清〕朱彝尊撰，林慶彰等主編：《補正點校經義考》（臺北：中央研究院中國文哲研究所籌備處，1997年），卷109，頁91。

17 《四庫》館臣云：《經義考》別載《讀詩總說》一卷，注曰存。《讀詩總說》今未見傳本，而《集解》「卷首〈學詩總說〉、〈論詩總說〉，在原目三十卷之外，疑即所謂《讀詩總說》者，或一書而彝尊誤分之，或兩書而傳寫誤合之，則莫可考矣」。〔清〕紀昀奉敕纂：〈毛詩集解〉，《四庫全書總目》，卷15，頁30。

18 〔宋〕劉克莊：〈曹夢祥《石巖集》〉，《後村先生大全集》，收入《四部叢刊》第63冊（臺北：臺灣商務印書館，1979年，影印涵芬樓藏舊鈔本），卷109，頁5。〔宋〕鄭瑤、方仁榮同撰：〈名宦〉，《景定嚴州續志》，收入〔清〕紀昀等纂：《景印文淵閣四庫全書》第487冊（臺北：臺灣商務印書館，1983-1986年），卷2，頁10，載：「徐僑，字崇父，號毅齋，婺之義烏人。從東萊、晦庵二先生游。」

19 段維清、羅樾生卒年不詳。「羅氏」疑是當時出版商、坊刻主，名字及生卒年不詳。

20 〔宋〕段昌武：《毛詩集解》，收入田國福主編：《歷代詩經版本叢刊》第8冊，卷前，總頁397。

用「先叔」一詞，可見段昌武淳祐8年已去世。又，明、清鄉試中式之舉人，會試不第亦不必再應鄉舉。而宋制舉人應禮部試不中，仍須再應鄉舉，方得再試禮部。故文獻中偶有宋人「四魁鄉舉」、「鄉試兩魁」之類的記載，就是因宋制赴禮部試，每次皆需再應鄉舉之故。[21] 段狀云：「昌武以《詩經》而兩魁秋貢，以累舉而擢第春官」，即反映此現象。指出段氏選考《詩經》，在多次鄉舉中，曾「兩魁秋貢」的佳績，經「累舉」才考中進士。

此外，在段狀中，又言因「印山羅史君瀛嘗遣其子姪來學」，積累成編。[22] 可見《集解》乃教授羅氏子弟而纂教材。羅氏為廬陵之科舉世家，「三世登科者七人」，[23] 段維清之敘述，亦有藉此以推重段昌武《詩經》學造詣之意。段維清言《集解》以呂祖謙《呂氏家塾讀詩記》為本，參考了朱熹《詩集傳》，並佐以「近世諸儒」之解說而編。但在此狀中，並未述及《指南》一書。

南宋末年黃震（1213-1281）《黃氏日抄》載：

> 南渡後，李迂仲集諸家為之辯而去取之。南軒、東萊止集諸家可取者，視李氏為徑。而東萊之《詩記》獨行，岷隱戴氏遂為《續詩記》，建昌段氏又用《詩記》之法為《集解》，華谷嚴氏又用其法為《詩緝》，諸家之要者多在焉。[24]

黃震亦只言《集解》而未言及《指南》，且《黃氏日抄》中解〈大車〉「穀則異室」一章及〈小戎〉之〈序〉「矜其車甲」，所引段氏之說，皆出自《集

---

21 〔清〕趙翼：〈舉人〉，《陔餘叢考》，收入《續修四庫全書》第1151冊（上海：上海古籍出版社，2002年，影印清乾隆55年〔1790〕湛貽堂刻本），卷28，頁3-5。

22 按：「史君」，應作「使君」，是對縣令、男子之尊稱。羅瀛之曾祖羅紳（1076-1141），字天文，號印山，此應以「印山」泛稱羅紳家族後代。

23 〔宋〕楊萬里：〈與新隆興府張尚書 定夏〉，《誠齋集》，收入〔清〕紀昀等編：《景印文淵閣四庫全書》第1161冊（臺北：臺灣商務印書館，1983-1986年），卷105，頁22。按：楊萬里妻羅氏，為羅紳之女，故兩家關係密切。

24 〔宋〕黃震：〈讀毛詩〉，《黃氏日鈔》，收入〔清〕紀昀等編：《景印文淵閣四庫全書》第707冊（臺北：臺灣商務印書館，1983-1986年），卷4，頁1。

解》。[25]

　　《指南》之著錄，首見於明楊士奇（1365-1444）所纂官方藏書目錄《文淵閣書目》中。此書卷1，著錄了多部《詩經》科舉用書，其中就含「段氏《詩義指南》一部一冊」，[26]這是目前所見較早的著錄。又正德《建昌府志·典籍》，除錄朝廷頒降書外，又載收貯書，頗多科舉用書，亦著錄「《詩義指南》段氏著」。[27]

　　入清後，傅維鱗（1608-1667）所編《明書》，著錄「段氏《詩義指南》」，[28]與許多元末、明初的《詩經》著作編排在一起，恐對其時代未有正確認識。黃虞稷（1629-1691）《千頃堂書目》著錄段氏《毛詩集解》後，又「《詩義指南》一卷」。[29]朱彝尊（1629-1709）《經義考》云：「《詩義指南》一卷，存。」又錄：「黃震曰：建昌段氏用《詩紀》之法為《集解》。」[30]本自前引《黃氏日抄》所載，此乃對《集解》之評論，與《指南》較無關。杭世駿（1695-1773）云：

　　　逮後科舉之途闢，經學愈晦，經義漸失。段昌武為《毛詩指南》，指科
　　　舉之南也；林泉生為《詩義矜式》，矜科舉之式也；劉青田為《春秋明
　　　經》，明科舉之經也。聖天子懸《五經》之科，以屬天下之實學，士方
　　　樂其美名之可飾，務為僥倖捷得之術，以求合於有司，刺取發問之題，
　　　轉相習誦。試質以全經之奧義，張口而不能翕者比比矣。[31]

25　〔宋〕黃震：〈讀毛詩〉，《黃氏日鈔》，卷4，頁20、29。

26　〔明〕楊士奇：《文淵閣書目》，收入〔清〕紀昀等編：《景印文淵閣四庫全書》第675
　　冊（臺北：臺灣商務印書館，1983-1986年），卷1，頁20。

27　〔明〕夏良勝等纂：〈典籍〉，《（正德）建昌府志》，收入《天一閣藏明代方志選刊》第
　　11冊（臺北：新文豐出版公司，1985年，影印明正德刻本），卷8，頁2。

28　〔清〕傅維鱗：〈經籍志一〉，《明書》，收入《叢書集成新編》第119冊（臺北：新文豐
　　出版公司，1985年，影印清末王灝《畿輔叢書》本），卷75，頁21。

29　〔清〕黃虞稷：《千頃堂書目》，收入〔清〕紀昀等編：《景印文淵閣四庫全書》第676
　　冊（臺北：臺灣商務印書館，1983-1986年），卷1，頁56。

30　〔清〕朱彝尊撰，林慶彰等主編：《補正點校經義考》，卷109，頁92。

31　〔清〕杭世駿：〈長沙周雪舫壽序〉，《道古堂文集》，收入《清代詩文集彙編》第282冊

批評科舉用書助人僥倖捷得，使人不讀全經，並引段氏等科舉用書為例，反映向來兔園冊雖為考生所必備，而大雅之士不免對其抱持負面評價，此亦是《指南》在南宋、元代，未能留下較多線索供後人考索的原因之一。元代經義猶沿南宋發展，至明初以後，則更加強調經義的形式，講究破承、股對等格套，束縛愈趨嚴格，經義形式已不同宋、元，新的科舉用書層出不窮，《指南》已不再是青雲利器、舉業南針，能偶被收藏、著錄，多因宋代文獻能流傳至明，已屬難能可貴之故。

　　此書經康熙朱彝尊之收藏，約百年後，乾隆末鮑廷博（1728-1814）據以收入《知不足齋叢書》刊印流傳，收在第12集中首冊，書末有朱彝尊識語：

> 《詩義指南》一卷，《宋史・藝文志》暨諸家藏書目俱未之載，康熙甲子五月購之慈仁寺。按：段氏，字子武，廬陵人，官朝奉郎。有《叢桂毛詩集解》三十卷，惜未見其全書。此則為舉業發題作也，竹垞識。[32]

（上海：上海古籍出版社，2010年，影印清乾隆41年〔1776〕刻清光緒14年〔1888〕汪曾唯增修本），卷16，頁5-7。〔清〕陳兆崙：〈分司嘉松轉運周君雪舫傳〉，《紫竹山房文集》，收入《清代詩文集彙編》第293冊（上海：上海古籍出版社，2010年，影印清乾隆刻本），卷13，頁24-26，言周氏「十有七以文冠邑士，受餼學宮，壬子舉於鄉，明年成進士」，「卒年六十有一」。周宣猷（1708-1768），字雪舫，雍正11年（1733）進士。杭文中有「今方佐都轉運使經畫鹽筴」語，周氏乃乾隆8年（1743）任兩浙鹽運司判官，杭世駿在此時所作壽序中已提及《指南》，而此時鮑氏《知不足齋叢書》尚未刊印。

32 識語見〔宋〕段昌武：《昌武段氏詩義指南》（臺北：藝文印書館，1966年，影印清乾隆末鮑廷博校刊《知不足齋叢書》本），頁52。按：本論文後文所引，未另標註出處、版本者，皆據此本。段書又收入中國詩經學會編：《詩經要籍集成》第8冊（北京：學苑出版社，2003年，影印「民國10年上海古書流通處影印清鮑氏刊《知不足齋叢書》本」），版式、內容相同，唯此本頁7、8兩頁版心下署「道光辛巳重刊」。按：此兩種版本，皆被歸為鮑氏家塾所刻印之「原刻本」，見蔡斐雯：〈叢書的版本〉，《鮑廷博《知不足齋叢書》研究》，收入潘美月、杜潔祥主編：《古典文獻研究輯刊》第8編第1冊（臺北：花木蘭文化出版社，2009年），頁30。又，朱氏識語，《知不足齋叢書》本咸見諸卷末，《宛委別藏》本置於卷前。

「諸家藏書目俱未之載」，不確，前引明楊士奇《文淵閣書目》等曾著錄。朱彝尊於康熙22年（1683）入直南書房，康熙23年（1684）甲子5月購此書於京師慈仁寺，[33]時地頗為吻合。《經義考》乃朱彝尊晚年辭官後所作，著錄「《詩義指南》一卷，存」，洵為親見之實。

鮑廷博之收書、購書，「益多且精，遂蔚然為大藏書家」，乾隆修《四庫》，鮑氏以「進書受知，名聞當世」，「多刻所藏古書善本，公諸海內」，所刻即《知不足齋叢書》，至27集未竣即病篤，「遺命子士恭繼志續刊」，共刻30集。[34]鮑氏所刊《叢書》，為後世所重，屢次重刊。[35]其刊書凡例自云：或「取其羽翼經傳、裨益見聞，供學者考鏡之助，方為入集」，或刊印「僅有傳鈔而無刻本者」，「行世久遠，舊板散亡者」云云，[36]《指南》不足以推尊為羽翼經傳、足供考證之作，乃屬傳本罕少、有散亡之虞的古籍，故被收入、刻印。

《叢書》所收書刊成後，或有鮑氏、阮元等作牌記、題識、校刊記等，為刊刻時間留下了線索。同收在第12集中的《北山酒經》題識時間為乾隆50年（1785）、《鬼董》51年（1786）、《佐治藥言》51年、《江淮異人錄》52年（1787），[37]於此可知，《指南》刊成時間亦大約在此際。30集中，《詩經》類只收了兩種，其一為收於第11集的謝枋得（1226-1289）《詩傳注疏》，刊刻於乾隆50年，另一即為《指南》。

---

33 〔清〕陳康祺撰，晉石點校：〈京師書攤〉，《郎潛紀聞》（北京：中華書局，1984年），卷8，頁162，載慈仁寺長年有書攤，康熙時王士禎（1634-1711）等人來此買書：「京師書攤，今設琉璃廠火神廟，謂之廟市。攷康熙朝諸公，皆稱慈仁寺買書，且長年有書攤，不似今之廟市僅新春半月也。相傳王文簡，晚年名益高，海內訪先生者，率不相值，惟於慈仁寺書攤訪之，則無不見，亦一佳事。」

34 〔清〕阮元：〈知不足齋鮑君傳〉，《揅經室集二集》，收入《清代詩文集彙編》第477冊（上海：上海古籍出版社，2010年，影印清道光阮氏文選樓刻本），卷5，頁12-14。

35 蔡斐雯：〈叢書的版本〉，《鮑廷博《知不足齋叢書》研究》，頁29-35。作者僅據在臺灣所見，就羅列了三十餘種原刻本、補刊本、重刊本，可見其風行，為世所重。

36 〔清〕鮑廷博：〈知不足齋叢書凡例〉，《知不足齋叢書》第1集（臺北：興中書局，1964年），卷前，頁1。

37 蔡斐雯：〈叢書刊刻年表〉，《鮑廷博《知不足齋叢書》研究》，頁27。

《指南》續又經阮元（1764-1894）編入《宛委別藏》印行，筆者曾將
《知不足齋叢書》、《宛委別藏》兩部叢書所收《指南》，加以比對，內容幾
乎全同，較大的差異是朱彝尊之識語，原在卷末，後署「竹垞識」；《宛委別
藏》將之移到卷前，改「竹垞朱彝尊識」，版心作「詩義指南跋」。[38]

　　見諸阮元為鮑氏所作傳文，可見惺惺相惜的情誼：

> 元在浙，常常見君，從君訪問古籍。凡某書美惡所在、意惼所在，見
> 于某代、某家目錄，經幾家收藏、幾次鈔栞，真偽若何、校誤若何，
> 無不矢口而出，問難不竭。[39]

《桐鄉縣志》又記鮑、阮切磋論學、校讎刊書：

> 阮文達公與公契合最深，視浙學時，每於按試嘉、湖之便，棹小舟造
> 其居，觀所藏書。後撫兩浙時，邀公至節署談論校讎，於文達所刊各
> 書為功最多。[40]

兩人交情匪淺，《宛委別藏》乃阮元集結鮑廷博等藏書家之力，刻意搜集《四
庫全書》所遺漏未收之宋、元善本，予以影寫。《指南》雖非善本，但確為
宋末罕見流傳之書，故為阮元影鈔收錄《宛委別藏》中。阮元又仿《四庫全
書總目》，為所收書撰寫提要，「凡所考論，皆從采訪之處先查此書原委，繼
而又屬鮑廷博、何元錫諸君子參互審定」。[41]觀此，不難理解兩套叢書所收
《指南》內容相同，因為皆本自鮑氏所獲之竹垞藏本。阮元所作提要：

> 是編諸家目錄均未收錄，惟見朱彝尊《經義考》。昌武又有《叢桂毛

---

38 〔清〕朱彝尊：〈詩義指南跋〉，收入〔宋〕段昌武：《昌武段氏詩義指南》（臺北：臺
　　灣商務印書館，1981年，影印清嘉慶《宛委別藏》寫本），卷前，頁1。
39 〔清〕阮元：〈知不足齋鮑君傳〉，《揅經室集二集》，卷5，頁14。
40 〔清〕嚴辰等纂修：〈人物下‧寓賢〉，《桐鄉縣志》，收入《中國方志叢書》第77號
　　（臺北：成文出版社，1970年，影印清光緒13年〔1887〕刻本），卷15，頁12。
41 〔清〕阮元：《揅經室外集》，收入《清代詩文集彙編》第477冊（上海：上海古籍出版
　　社，2010年，影印清道光阮氏文選樓刻本），卷前，頁1，該頁首行，上署「四庫未收
　　書提要」，下署「揅經室外集」。

詩集解》、《讀詩總說》二書。此冊彝尊謂為舉業發題而作。自〈關
雎〉以至〈鳧鷖〉，或取詩中一章一節發其義，語簡而深，義約而
盡，自〈篤公劉〉以下，惜未之及耳。[42]

按：「諸家目錄均未收錄」，不確。如前所述，收錄者雖不多，但楊士奇等之
書目中均載。所言「自〈篤公劉〉以下，惜未之及耳」，亦不確。〈大雅〉之
排序，〈鳧鷖〉後有〈假樂〉，再接〈公劉〉詩，此書只到〈鳧鷖〉止，未見
〈假樂〉以下與〈三頌〉，應言「自〈假樂〉以下」，且亦不能言「惜未之及
耳」，並非段氏未及撰寫，疑〈假樂〉以下之缺佚，應為流傳過程之遺佚，
此應非完書，因科舉考試向來偏重富涵義理之〈大雅〉、〈三頌〉（詳後），此
書既是「為舉業發題而作」，自不能缺少這些重要的出題範圍。

　　民國以來，拜鮑、阮之賜，獲睹此書不再困難，但對此書予以關注者極
少，獨有一些簡單的介紹。民初倫明（1875-1944）所撰提要甚簡：「諸家藏
書，亦無此目。……昌武有《叢桂毛詩集解》三十卷，未見傳本，此當是其
中之一卷。蓋為舉業發題而作，語至簡略，了無精義。以其撰自宋人，故傳
者亦以罕見為珍也。」[43]多參朱彝尊識語，且頗有錯誤。《集解》並非無傳
本，揣測《指南》是《集解》三十卷中的一卷，流於臆測、毫無根據。劉毓
慶《歷代詩經著述考》，則只纂錄了朱氏識語及阮元、倫明之提要。[44]又有
唐子恒所撰提要，見收於《詩經要籍提要》一書中，又錄於《詩經要籍集
成》第8冊《指南》一書之卷前。[45]雖內容較前倫明、劉書所載更豐富，更
多是自己的觀察、心得，但所言或知其然而不知其所以然，不夠深入，甚或
有誤解（詳後）。

---

42 〔清〕阮元：〈《詩義指南》一卷提要〉，《揅經室外集》，卷5，頁4。

43 倫明：〈昌武段氏詩義指南一卷〉，收入中國科學院圖書館整理：《續修四庫全書總目提
　要》（北京：中華書局，1993年），頁315。

44 劉毓慶：《歷代詩經著述考（先秦——元代）》（北京：中華書局，2002年），頁324。

45 唐子恒：〈昌武段氏詩義指南提要〉，收入夏傳才、董治安主編：《詩經要籍提要》（北
　京：學苑出版社，2003年），頁99-101；又同時見錄於〔宋〕段昌武：《昌武段氏詩義
　指南》，收入中國詩經學會編：《詩經要籍集成》第8冊，卷前，總頁413-414。

三　段昌武《詩義指南》編纂體例

　　朱彝尊云此書「為舉業發題作也」，洵為事實。何謂「發題」？「發題」一詞常與試士、校士、考試連用，即出題之意。如朱彝尊云：明代「學使者校士，以及府州縣試，專以《四書》發題」。[46]所作詩話中又載萬曆7年（1579）應天鄉試主考「以〈舜亦以命禹〉發題」；[47]鄺露（1604-1650）應試，提學「以〈恭寬信敏惠〉發題」等。[48]

　　據筆者考察，此書的編撰，乃依《詩經》原來詩篇的次第，從《詩經》篇章中，擇錄經文段落，從兩句到八句的長度皆有，[49]但最常見的是一章四句。所擬經文，頂格排列，如頁1〈國風・關雎〉之「關關雎鳩，在河之洲。窈窕淑女，君子好逑」；及〈葛覃〉之「葛之覃兮，施于中谷，維葉萋萋。黃鳥于飛，集于灌木，其鳴喈喈」。經文下以小字

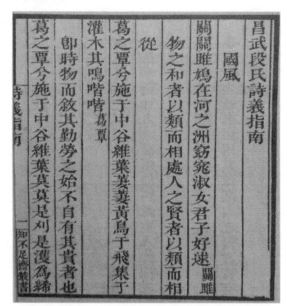

圖一　《詩義指南》，頁1

46　〔清〕朱彝尊：〈經書取士議〉，《曝書亭集》，收入〔清〕紀昀等編：《景印文淵閣四庫全書》第1317冊（臺北：臺灣商務印書館，1983-1986年），卷60，頁7。

47　〔清〕朱彝尊著，黃君坦校點：〈高承祚〉，《靜志居詩話》（北京：人民出版社，1990年），卷16，頁484。

48　〔清〕朱彝尊著，黃君坦校點：〈鄺露〉，《靜志居詩話》，卷16，頁484；卷21，頁645-646。

49　兩句者，〈大雅・鳧鷖〉「鳧鷖在涇，公尸來燕來寧」；八句者，〈小雅・皇皇者華〉「皇皇者華，于彼原隰。駪駪征夫，每懷靡及。我馬維駒，六轡如濡。載馳載驅，周爰咨諏」。見〔宋〕段昌武：《昌武段氏詩義指南》，頁51、11。

標示篇名，若同一詩有多道擬題，不再重複標示篇名。而擬題的次行，低一格排列者，則是對所擬題目之「破題」，如：〈關雎〉題之「物之和者以類而相處，人之賢者以類而相從」；〈葛覃〉題之「即時物而敘其勤勞之始，不自有其貴者也」。今人所撰提要云：

> 該書於《詩經》原文，並不盡列，僅選錄某些章節片斷，下加闡說。……其闡說不釋語辭字聲，只述大意。……段氏選擇所釋經文，蓋有所側重，可能所錄者必於吟讀時體會較深，心有所得。[50]

所述不確。擬題經文後所加，不是一般的「闡說」、注解，而是「破題」，故本「不釋語辭字聲」；破題應立足於詩篇、經文，但卻不是段落「大意」的概括，而是寫作此篇經義之「立意」。少數擬題，《指南》還附兩個破題，如〈小雅・魚麗〉「魚麗于罶，鱨鯊。君子有酒，旨且多」，經文後有：

> 人之取物，固所以備燕禮之盛；人之有德，斯足以為燕禮之美。
> 知禮之因物而後行，當知物之因人而後重。[51]

此乃分行排列的兩個破題，由於不熟悉此書之性質、作用及編纂體例，學者引用時竟串連作：

> 段氏云：「人之取物，故所以備燕禮之盛；人之有德，斯足以為燕禮之美。如禮之因物而後行，當知物之因人而後重。」[52]

除串連不妥外，還將「固」、「知禮」誤作「故」、「如禮」，委實非為知音。再如《叢書集成初編》本據《知不足齋叢書》本排印，其中就有多處排版之誤，皆因未諳此書體例之故。如〈衛風・淇奧〉處，將本應分行區別的經文

---

50 唐子恒：〈《昌武段氏詩義指南》提要〉，〔宋〕段昌武：《昌武段氏詩義指南》，收入中國詩經學會編：《詩經要籍集成》第8冊，卷前，頁413。

51 〔宋〕段昌武：《昌武段氏詩義指南》，頁15。

52 唐子恒：〈《昌武段氏詩義指南》提要〉，〔宋〕段昌武：《昌武段氏詩義指南》，收入中國詩經學會編：《詩經要籍集成》第8冊，卷前，頁414。

擬題和經義破題串連：「瑟兮僩兮，赫兮咺兮。有匪君子，終不可諼兮！君子之德既有以著於身，則君子之德常有以在乎人。」已非文獻本色，豈能解讀？又〈秦風・渭陽〉「我送舅氏，曰至渭陽。何以贈之？路車乘黃」題，後附兩道破題，也誤遭串連：「愛親之情見於愛親之似，故餞之之禮厚也。愛其親者既不厭其勞，故贈其親者亦不計其費。」[53]亦是淆亂了文獻，令讀者頓覺莫名。

再者，此書既為備考而編，自應扣緊科場的需要。其編撰乃依《詩經》原有詩篇先後次序，從經文中擇錄可能出題經文段落，再附破題。而學者對「該書於《詩經》原文，並不盡列，僅選錄某些章節片斷」的現象，解釋為：「段氏選擇所釋經文，蓋有所側重，可能所錄者必於吟讀時體會較深，心有所得。」[54]洵非實情，因《指南》既是「為舉業發題作也」，則當為應試之需著想，所擬之題，必為科場所常出、慣出的範疇，不關乎編者個人愛憎和心得。

四　從《詩義指南》推論南宋《詩經》義出題

因科舉是國家重要盛典，乃為拔擢人才而設，故科場出題，常有特殊考量。拙作《明代鄉會試詩經義出題研究》曾統計並探討鄉、會試常見出題的詩篇，[55]綜觀熱門出題詩篇，其內容常包含以下五類：一為祝福、頌美、吉祥者。詩句有「天子萬年」、「以介眉壽」、「受天百祿」、「詒爾多福」、「萬壽無疆」等祝頌、吉祥語者。二為關乎聖君、賢臣者。如與文王相關的〈周

---

53 〔宋〕段子武：《詩義指南》，收入《叢書集成初編》第1726冊（北京：中華書局，1985年，據《知不足齋叢書》本排印），頁3、6。按：此叢書本用其字號，將作者題作「段子武」。

54 唐子恒：〈《昌武段氏詩義指南》提要〉，〔宋〕段昌武：《昌武段氏詩義指南》，收入中國詩經學會編：《詩經要籍集成》第8冊，卷前，頁413。

55 侯美珍：〈鄉會試常見出題的詩篇〉，《明代鄉會試詩經義出題研究》（臺北：臺灣學生書局，2014年），頁93-110。並參頁163-165，〈結論〉處對常出題與罕見出題之概括。

南〉、〈召南〉,〈大雅・文王之什〉等詩作。又如〈豳風〉記述周公,〈大雅〉之〈崧高〉、〈烝民〉、〈江漢〉描寫宣王時的賢臣申伯、仲山甫、召穆公等。三為祭拜祖先、神明的詩篇。祭祀詩多見於〈周頌〉、〈商頌〉,祈福之故。特多祝頌、吉祥語。或為祭祀文王、武王、殷高宗等祖先、聖君的內容,常包含頌揚祖先之濬哲、聖君之德行和功業的描寫。四為關乎軍事、農事等政教者。科舉乃為國掄才,故常試以與政教有關的內容,戰爭詩則取同心作戰、獲得凱旋之作,如宣王時的〈六月〉命尹吉甫帥師伐玁狁,〈采芑〉命方叔南征蠻荊等。民以食為天,〈甫田〉、〈大田〉〈生民〉、〈臣工〉、〈載芟〉等,涉耕種、豐收等農事也常見出題。五為關乎德行修養、蘊含義理者。如〈淇奧〉美衛武公之德,為修養之圭臬;〈鳲鳩〉美君子用心均一,〈伐檀〉詠歎君子「不素餐」。〈抑〉詩「白圭之玷,尚可磨也;斯言之玷,不可為也」,強調要謹言。「相在爾室,尚不愧于屋漏」,言獨處也要持心端正,都是儒家所推崇的德行、涵養。反之,不關乎國政,負面不吉,無嘉言義理可闡發之詩篇,則罕見出題。

　　以上筆者考察明代《詩經》試題所得,可以用以作為探究《詩義指南》擬題之參照、比較。將《指南》的擬題,以《詩經》篇次為序,統計從〈關雎〉到〈鳧鷖〉詩篇之擬題數,與元至順元年(1330)[56]庚午科進士林泉生(1299-1361)《明經題斷詩義矜式》,[57]及明永樂年間舉人孫鼎(1392-1457)[58]《新編詩義集說》[59]之各詩篇纂錄擬題的統計並列,並佐以明鄉、

---

56 按:至順元年即天曆三年,故文獻或云林氏為天曆中登進士、天曆庚午進士。然或因漫漶、校對之疏等原因,或作「天曆二年」,有誤,該年並非會試年。

57 〔元〕林泉生:《明經題斷詩義矜式》,收入《中華再造善本・金元編》(北京:北京圖書館出版社,2006年,影印元刻本),此書多簡稱作《詩義矜式》。

58 〔明〕何三畏:〈督學使宜鉉孫公傳〉,《雲間志略》,收入《四庫禁燬書叢刊》史部第8冊(北京:北京出版社,2000年,影印明天啟刻本),卷1,頁12云:「孫鼎,字宜鉉,江西廬陵人。永樂甲子舉于鄉,授江浦縣學教諭。宣德甲寅年,陞松江府教授。滿考,諸生具疏乞留,以楊文定公溥薦為監察御史,總南畿學政。」有筆誤,永樂無「甲子」年。其他文獻多概言為孫鼎永樂舉鄉薦云,〔明〕顧清:《(正德)松江府志》(臺北:成文出版公司,1983年,影印明正德7年〔1512〕刊本),卷24,頁13,言孫

會試出題次數比較，纂成附錄〈《指南》、《矜式》、《集說》擬題與明鄉會試《詩經》出題比較〉，藉以考察由南宋到明之《詩經》義出題傾向，並觀察科場對各詩篇的忽略與偏重。

從附錄可見，雖《詩經》擬題、出題統計數據，分別來自南宋、元、明，時代不同，所統計文獻多寡、繁簡也不同，但仍約略可窺見出題傾向的一致。雖《指南》只到〈鳧鷖〉，但就其現存所錄詩篇擬題來看，也顯見與元、明近似的出題傾向。前文概括熱門的出題詩篇，詩作的內容，常包含五類，除第三類祭拜祖先、神明的詩篇，因祭祀詩多見於〈周頌〉、〈商頌〉，無法從佚失後半部份的《指南》得到印證外，其他四類皆頗為相符。

再從附錄的考察中可見，通觀三百零五篇中，將近一半詩篇未被出題、擬題，這些為考場所忽略的詩篇，多見於〈國風〉、〈小雅〉中，或被朱熹歸為淫詩，或為言情、怨刺之作。從各類出題、擬題的情形來觀察，顯然科場重〈雅〉、〈頌〉甚於〈國風〉；重〈大雅〉甚於〈小雅〉；於〈三頌〉中，考官則最重〈商頌〉。[60]張祝平等曾據元劉貞所編《類編歷舉三場文選詩義》，[61]研究元代《詩經》試題，言元代出題「重〈雅〉〈頌〉而輕〈國風〉」，[62]元末李祁[63]亦云：

鼎「永樂甲午舉于鄉」，乃永樂12年（1414）中舉。

59 〔明〕孫鼎：《新編詩義集說》，收入《續修四庫全書》第58冊（上海：上海古籍出版社，2002年，影印「1935年商務印書館影印《宛委別藏》影鈔明刻本」）。此書多簡稱作《詩義集說》。

60 各類出題之偏重，常見出題、罕見出題的情形及原因分析，詳參侯美珍：《明代鄉會試詩經義出題研究》，第六章〈鄉會試常見出題的詩篇〉，頁93-110；第七章〈鄉會試罕見出題的詩篇〉，頁111-134。

61 劉貞此書的介紹，可參張祝平等所撰文（詳下），及劉毓慶：《歷代詩經著述考（先秦——元代）》，頁382-383。

62 張祝平、蔡燕、蔣玲：〈元代科舉《詩經》試卷檔案的價值〉，《中國典籍與文化》2007年第1期（2007年1月），頁79-86。

63 李祁，生卒年不詳，元順帝元統元年（1333）進士，「元亡，自稱不二心老人，年七十餘乃卒」。參〔元〕李祁：《雲陽集》，收入〔清〕紀昀等編：《景印文淵閣四庫全書》第1219冊（臺北：臺灣商務印書館，1983-1986年），卷前提要。

自科場以通經取士，有司命題多出〈雅〉、〈頌〉，出〈國風〉者十無二三，由是而習是經者，亦惟〈雅〉、〈頌〉是精，〈國風〉則自〈二南〉之外，罕有能究其情而得其趣者，此學《詩》者之大患也。[64]

〈雅〉、〈頌〉佔七、八，〈國風〉佔二、三的敘述，只是一個粗估，但也反映出元代明顯偏重〈雅〉、〈頌〉的現象。李祁又說到〈國風〉獨重〈二南〉，考察明代鄉、會試《詩經》出題，確實存在〈國風〉中偏重〈二南〉的傾向，而《指南》擬題亦略呈現此傾向，〈二南〉擬題較頻見。此外，〈衛風・淇奧〉、〈曹風・鳲鳩〉因富涵義理，皆有4道擬題，〈豳風・七月〉尤其不遑多讓，在《指南》中與〈大雅・文王〉同居第一，擬題多達9道，〈七月〉篇幅頗長，又為周公輔成王之詩，不類一般〈風〉詩而近〈雅〉，由宋至明，一直是出題位居前列的詩作。[65] 然而，總體來看，〈國風〉詩篇多達160首，絕多數在《指南》中皆未有擬題，不為科場所重，輕〈國風〉的現象，甚為明顯，這些《指南》擬題的現象，與元、明亦相同。

〈小雅〉共有74篇，但有29篇《指南》未有擬題；〈大雅〉共有31篇，《指南》雖只存錄前14篇：〈文王〉、〈大明〉、〈緜〉、〈棫樸〉、〈旱麓〉、〈思齊〉、〈皇矣〉、〈靈臺〉、〈下武〉、〈文王有聲〉、〈生民〉、〈行葦〉、〈既醉〉、〈鳧鷖〉，然而每篇皆有擬題，且擬題數偏多，如〈生民〉、〈行葦〉各多達8道，〈皇矣〉、〈文王有聲〉也各有7道之多，顯見〈大雅〉在科場出題重要性，遠非〈小雅〉所能及。這種重〈大雅〉甚於〈小雅〉的傾向，亦與元、明不異。

---

64 〔元〕李祁：〈顏省原詩序〉，《雲陽集》，卷5，頁4。

65 除正文所言原因，明鄉試〈七月〉出題竟高達86次，遙遙領先，這還因為明《五經》義各出四道，在明初後，考官漸形成默契，多在〈國風〉、〈小雅〉、〈大雅〉、〈頌〉各出一題。而〈國風〉中可出題詩句本有限，故常自篇幅長、義理豐富的〈七月〉取材。且明代試錄多賴天一閣之保存，而范欽（1506-1585）在世所收集，多為時代相近的成弘、嘉隆至萬曆初年之試錄。因種種緣故會聚使然，使〈七月〉在鄉試出題數的總量統計上，呈現一枝獨秀。

由附錄之數據所見及以上的分析，可見從南宋《詩經》出題到元、明，其出題傾向相承，極為近似。由此，也可進一步類推，〈大雅〉、〈三頌〉，在元、明咸為科場出題、備考之重點，南宋段氏《指南》也不會遺漏這些熱門出題詩篇、擬題。《指南》未見〈大雅·假樂〉以下與〈三頌〉之詩篇，應非如阮元所言是段氏「未之及耳」，沒有編者或書坊會出版一本遺漏重要經文擬題的科舉用書，此應是在流傳過程中遺佚所致。

五 結論

本文使用統計法及歷史文獻考察法，以南宋末年段昌武所作《詩義指南》為研究對象。〈前言〉略述熙寧變法後科舉制度的調整，及考試經書採「經義」體裁的變遷，以作為論述基礎並說明研究動機。在第二、三節中，概介段昌武其人，及《指南》在文獻之著錄、流傳，且析論此書編纂體例、科場之作用。因《指南》是為應南宋《詩經》經義考試而編，而作為敲門磚的科舉用書，本不為大雅之士所重，故文獻載錄的訊息有限，後人的理解和論述，難免流於簡略、有所不足，筆者在梳理中，也或加補充、商榷。

隨著科舉制度、舉業文體的調整，應試、備考用書，也跟著與時俱變、層出不窮。旋生旋滅，常是科舉用書之宿命。《指南》幸為朱彝尊所購得，並於清乾隆末年為鮑廷博收入《知不足齋叢書》中，又被阮元集結於《宛委別藏》裡，因此才得以廣泛流傳。然因今人對南宋考試經義制度本陌生，但見節錄數句、成段經文，經文後所附的是經義之「破題」，今人多不知、不識。甚至將宜分列的兩筆破題，串連成一段。從今人對此書簡要論述中，反映出對此書性質、體例的不解或誤解。

筆者續將《指南》與元林泉生《詩義矜式》、明孫鼎《詩義集說》於各詩篇纂錄擬題的數量，加以整理，並參明鄉、會試出題次數之統計，纂成附錄，作為考察由南宋到明，《詩經》義出題傾向之依據。第四節乃立足於附錄，加以考察、論述，可見向來《詩經》出題傾向、偏重，大致是

近似的,皆輕〈國風〉而重〈雅〉、〈頌〉,皆擇吉祥頌美,關乎政教及聖君賢臣等富有義理的段落出題。而據此以反推,《指南》止於〈大雅・鳧鷖〉,〈鳧鷖〉後還有〈大雅〉詩 17 首以及〈三頌〉,有太多重要的經文,是常出的考題,也是《指南》等應試用書,所不可或缺的。

故筆者推論,應是《指南》流傳過程中,佚失〈鳧鷖〉後的擬題和破題,以這佚失部份的重要和篇幅來看,今所見之《指南》,大約只留存約原書六成餘。到清代仍考經書、試八股,出題也仍多取吉祥冠冕、富涵義理之經文為題。阮元說段氏「未之及耳」,可能未加深思、考察,且過於相信所得為全本所致。

附錄

《指南》、《矜式》、《集說》擬題與明鄉會試《詩經》出題比較

編輯說明

　　科舉用書的編纂受到考官出題傾向、偏重影響。本附錄統計在《詩經》三〇五篇中，南宋段昌武《詩義指南》、元林泉生《詩義矜式》、明孫鼎《詩義集說》於各詩篇纂錄擬題的情形，並與明鄉、會試出題次數比較，藉以考察由南宋到明，《詩經》義出題傾向的依據，並觀察科場對各詩篇的忽略與偏重。

類別	詩　篇	《指南》擬題數	《矜式》擬題數	《集說》擬題數	明會試出題次數	明鄉試出題次數
周南	關雎	1	0	1	1	4
	葛覃	2	0	3	1	8
	卷耳	0	0	0	0	0
	樛木	0	0	0	0	15
	螽斯	0	0	0	2	3
	桃夭	0	0	1	0	0
	兔罝	3	0	2	1	3
	芣苢	0	0	0	1	18
	漢廣	0	0	0	1	1
	汝墳	0	0	0	0	0
	麟之趾	1	1	1	2	5
召南	鵲巢	0	0	0	0	4
	采蘩	1	0	1	0	3

類別	詩　篇	《指南》擬題數	《矜式》擬題數	《集說》擬題數	明會試出題次數	明鄉試出題次數
	草蟲	0	0	0	0	1
	采蘩	1	0	0	1	5
	甘棠	1	0	2	0	1
	行露	0	0	0	0	0
	羔羊	1	1	1	2	4
	殷其靁	0	0	0	0	0
	摽有梅	0	0	0	0	0
	小星	0	0	0	0	1
	江有汜	0	0	0	0	0
	野有死麕	0	0	0	0	0
	何彼襛矣	0	0	0	0	6
	騶虞	1	1	2	0	5
邶風	柏舟	0	0	0	0	0
	綠衣	0	0	0	0	0
	燕燕	0	0	0	0	0
	日月	0	0	0	0	0
	終風	0	0	0	0	0
	擊鼓	0	0	0	0	0
	凱風	0	0	0	0	0
	雄雉	1	0	0	0	1
	匏有苦葉	0	0	0	0	0
	谷風	0	0	0	0	0
	式微	0	0	0	0	0
	旄丘	1	0	0	0	0

類別	詩　篇	《指南》擬題數	《矜式》擬題數	《集說》擬題數	明會試出題次數	明鄉試出題次數
	簡兮	0	0	0	0	0
	泉水	0	0	0	0	0
	北門	0	0	0	0	0
	北風	0	0	0	0	0
	靜女	0	0	0	0	0
	新臺	0	0	0	0	0
	二子乘舟	0	0	0	0	0
鄘風	柏舟	0	0	0	0	0
	牆有茨	0	0	0	0	0
	君子偕老	0	0	0	0	0
	桑中	0	0	0	0	0
	鶉之奔奔	0	0	0	0	0
	定之方中	1	0	3	2	8
	蝃蝀	0	0	0	0	0
	相鼠	0	0	0	0	0
	干旄	1	0	1	1	4
	載馳	0	0	0	0	0
衛風	淇奧	4	3	7	5	20
	考槃	3	0	1	0	0
	碩人	0	0	0	0	0
	氓	0	0	0	0	0
	竹竿	0	0	0	0	0
	芄蘭	0	0	0	0	0
	河廣	0	0	0	0	0

類別	詩　篇	《指南》擬題數	《矜式》擬題數	《集說》擬題數	明會試出題次數	明鄉試出題次數
	伯兮	0	0	0	0	0
	有狐	0	0	0	0	0
	木瓜	0	0	0	0	0
王風	黍離	0	0	0	0	0
	君子于役	0	0	0	0	0
	君子陽陽	0	0	0	0	0
	揚之水	0	0	0	0	0
	中谷有蓷	0	0	0	0	0
	兔爰	0	0	0	0	0
	葛藟	0	0	0	0	0
	采葛	0	0	0	0	0
	大車	0	0	0	0	0
	丘中有麻	0	0	0	0	0
鄭風	緇衣	1	0	1	0	4
	將仲子	0	0	0	0	0
	叔于田	0	0	0	0	0
	大叔于田	0	0	0	0	0
	清人	0	0	0	0	0
	羔裘	3	0	1	1	12
	遵大路	0	0	0	0	0
	女曰雞鳴	0	0	0	0	11
	有女同車	0	0	0	0	0
	山有扶蘇	0	0	0	0	0
	蘀兮	0	0	0	0	0

類別	詩　篇	《指南》擬題數	《矜式》擬題數	《集說》擬題數	明會試出題次數	明鄉試出題次數
	狡童	0	0	0	0	0
	褰裳	0	0	0	0	0
	丰	0	0	0	0	0
	東門之墠	0	0	0	0	0
	風雨	0	0	0	0	0
	子衿	0	0	0	0	0
	揚之水	0	0	0	0	0
	出其東門	0	0	0	0	0
	野有蔓草	0	0	0	0	0
	溱洧	0	0	0	0	0
齊風	雞鳴	2	0	1	0	6
	還	0	0	0	0	0
	著	0	0	0	0	2
	東方之日	0	0	0	0	0
	東方未明	0	0	0	0	0
	南山	0	0	0	0	0
	甫田	0	0	0	0	1
	盧令	0	0	0	0	0
	敝笱	0	0	0	0	0
	載驅	0	0	0	0	0
	猗嗟	0	0	0	0	0
魏風	葛屨	0	0	0	0	1
	汾沮洳	0	0	0	0	0
	園有桃	0	0	0	0	1

類別	詩　篇	《指南》擬題數	《矜式》擬題數	《集說》擬題數	明會試出題次數	明鄉試出題次數
	陟岵	0	0	0	0	0
	十畝之間	0	0	0	0	0
	伐檀	1	0	0	2	9
	碩鼠	0	0	0	0	0
唐風	蟋蟀	1	0	1	1	7
	山有樞	0	0	0	0	0
	揚之水	0	0	0	0	0
	椒聊	0	0	0	0	0
	綢繆	0	0	0	0	0
	杕杜	0	0	0	0	0
	羔裘	0	0	0	0	0
	鴇羽	0	0	0	0	0
	無衣	0	0	0	0	0
	有杕之杜	0	0	0	0	3
	葛生	0	0	0	0	0
	采苓	1	0	0	0	0
秦風	車鄰	1	0	0	0	0
	駟驖	0	0	1	0	1
	小戎	1	0	0	3	13
	蒹葭	0	0	0	1	4
	終南	2	0	0	0	1
	黃鳥	0	0	0	0	0
	晨風	0	0	0	0	0
	無衣	1	0	0	0	3

類別	詩　篇	《指南》擬題數	《矜式》擬題數	《集說》擬題數	明會試出題次數	明鄉試出題次數
	渭陽	2	0	0	0	1
	權輿	0	0	0	0	0
陳風	宛丘	0	0	0	0	0
	東門之枌	0	0	0	0	0
	衡門	1	0	0	0	0
	東門之池	0	0	0	0	0
	東門之楊	0	0	0	0	0
	墓門	0	0	0	0	0
	防有鵲巢	0	0	0	0	0
	月出	0	0	0	0	0
	株林	0	0	0	0	0
	澤陂	0	0	0	0	0
檜風	羔裘	1	0	0	0	0
	素冠	0	0	0	0	0
	隰有萇楚	0	0	0	0	0
	匪風	0	0	0	0	0
曹風	蜉蝣	0	0	0	0	1
	候人	0	0	0	0	0
	鳲鳩	4	0	1	4	15
	下泉	1	0	0	0	0
豳風	七月	9	6	9	8	86
	鴟鴞	1	0	0	1	5
	東山	0	0	0	0	5
	破斧	0	0	0	0	0

類別	詩 篇	《指南》擬題數	《矜式》擬題數	《集說》擬題數	明會試出題次數	明鄉試出題次數
	伐柯	0	0	0	0	1
	九罭	0	0	2	0	2
	狼跋	0	0	1	0	1
小雅	鹿鳴	4	2	3	0	9
	四牡	0	0	1	0	0
	皇皇者華	2	1	3	1	5
	棠棣	2	1	1	0	1
	伐木	7	1	1	1	2
	天保	8	3	8	7	41
	采薇	1	0	1	0	10
	出車	4	0	3	2	14
	杕杜	0	0	0	0	0
	魚麗	2	1	1	0	2
	南有嘉魚	3	0	2	1	1
	南山有臺	8	1	1	0	9
	蓼蕭	3	2	6	2	8
	湛露	4	1	3	1	3
	彤弓	2	1	1	1	2
	菁菁者莪	4	2	3	1	11
	六月	3	1	7	6	18
	采芑	3	0	4	1	14
	車攻	8	3	10	2	11
	吉日	2	1	4	0	2
	鴻雁	0	0	0	1	0

類別	詩　篇	《指南》擬題數	《矜式》擬題數	《集說》擬題數	明會試出題次數	明鄉試出題次數
小雅	庭燎	1	1	1	1	8
	沔水	1	0	0	0	0
	鶴鳴	2	2	1	1	16
	祈父	0	0	0	0	0
	白駒	4	1	3	1	5
	黃鳥	0	0	0	0	0
	我行其野	0	0	0	0	0
	斯干	3	0	4	7	12
	無羊	2	0	3	2	9
	節南山	2	0	0	0	2
	正月	0	0	0	0	1
	十月之交	0	0	0	0	0
	雨無正	0	0	0	0	0
	小旻	0	0	0	0	2
	小宛	1	0	0	0	1
	小弁	0	0	0	0	0
	巧言	0	0	0	0	0
	何人斯	0	0	0	0	0
	巷伯	0	0	0	0	0
	谷風	0	0	0	0	0
	蓼莪	0	0	0	0	0
	大東	1	0	0	0	1
	四月	0	0	0	0	0
	北山	0	0	0	0	0

類別	詩 篇	《指南》擬題數	《矜式》擬題數	《集說》擬題數	明會試出題次數	明鄉試出題次數
	無將大車	0	0	0	0	0
	小明	1	0	0	1	1
	鼓鍾	0	0	0	0	0
	楚茨	8	5	6	1	21
	信南山	6	2	5	3	5
	甫田	4	4	6	1	16
	大田	4	3	5	1	11
	瞻彼洛矣	2	1	2	2	11
	裳裳者華	2	1	3	2	7
	桑扈	4	5	5	1	2
	鴛鴦	3	0	0	0	5
	頍弁	3	1	2	0	1
	車舝	0	0	2	0	0
	青蠅	0	0	0	0	0
	賓之初筵	6	2	2	3	8
	魚藻	1	0	1	1	1
	采菽	8	4	5	1	13
	角弓	1	0	0	1	0
	菀柳	0	0	0	0	0
	都人士	1	0	0	0	0
	采綠	0	0	0	0	1
	黍苗	5	1	2	0	2
	隰桑	2	2	2	3	3
	白華	0	0	0	0	0

類別	詩　　篇	《指南》擬題數	《矜式》擬題數	《集說》擬題數	明會試出題次數	明鄉試出題次數
	緜蠻	0	0	0	0	1
	瓠葉	1	0	0	0	2
	漸漸之石	0	0	0	0	0
	苕之華	0	0	0	0	0
	何草不黃	0	0	0	0	0
大雅	文王	9	7	13	6	21
	大明	3	1	11	6	13
	緜	4	7	16	1	7
	棫樸	5	5	7	2	11
	旱麓	6	3	10	1	6
	思齊	3	4	9	2	14
	皇矣	7	3	15	4	19
	靈臺	4	4	6	3	3
	下武	6	3	9	4	18
	文王有聲	7	7	13	6	20
	生民	8	3	8	2	16
	行葦	8	4	5	1	6
	既醉	5	2	10	4	20
	鳬鷖[66]	2	0	1	0	1
	假樂		6	7	3	24
	公劉		4	11	1	8
	泂酌		1	2	0	4

---

66 段昌武《詩義指南》所錄僅到〈大雅・鳬鷖〉，以下缺佚。

類別	詩　　篇	《指南》擬題數	《矜式》擬題數	《集說》擬題數	明會試出題次數	明鄉試出題次數
大雅	卷阿		5	14	6	40
	民勞		0	2	0	1
	板		1	7	2	6
	蕩		0	0	0	0
	抑		5	18	5	15
	桑柔		0	0	0	0
	雲漢		0	0	1	2
	崧高		7	12	2	14
	烝民		6	22	3	27
	韓奕		0	5	2	2
	江漢		1	14	5	28
	常武		0	7	0	8
	瞻卬		0	0	0	0
	召旻		0	0	0	0
周頌	清廟		1	2	0	4
	維天之命		1	1	1	4
	維清		1	1	1	1
	烈文		2	5	2	9
	天作		1	2	0	1
	昊天有成命		1	1	1	13
	我將		2	5	2	16
	時邁		3	5	1	14
	執競		5	6	1	4
	思文		0	5	1	11

類別	詩　篇	《指南》擬題數	《矜式》擬題數	《集說》擬題數	明會試出題次數	明鄉試出題次數
	臣工		5	5	3	11
	噫嘻		0	1	0	2
	振鷺		2	2	0	3
	豐年		1	1	0	5
	有瞽		2	3	3	5
	潛		1	1	1	0
	雝		3	6	2	14
	載見		2	5	1	12
	有客		0	4	1	1
	武		1	2	0	2
	閔予小子		1	4	1	3
	訪落		1	2	0	4
	敬之		4	4	4	13
	小毖		0	1	0	0
	載芟		5	12	3	13
	良耜		2	6	0	9
	絲衣		1	1	0	2
	酌		2	3	0	4
	桓		2	2	2	5
	賚		1	2	1	3
	般		2	1	1	1
魯頌	駉		2	4	1	2
	有駜		4	9	1	3
	泮水		6	12	2	18

類別	詩　　篇	《指南》擬題數	《矜式》擬題數	《集說》擬題數	明會試出題次數	明鄉試出題次數
	閟宮		4	17	4	17
商頌	那		5	9	4	12
	烈祖		4	7	2	11
	玄鳥		4	11	1	21
	長發		4	16	6	37
	殷武		2	4	10	29

清初心學家視域下的朱陸異同論爭
——論李紱《朱子晚年全論》

田富美

臺北教育大學語文與創作學系

一　前言

在理學發展史中，朱熹（字元晦，號晦庵、考亭，紫陽先生1130-1200）與陸九淵（字子靜，象山先生，1139-1192）學術的異同論辯，可說是「數百年未了底大公案」。[1]這場源於宋孝宗淳熙二年（1175）鵝湖之會的論辯，後有朱子揭示為「道問學」與「尊德性」的不同側重，以及著名的無極、太極之辯；以及雙方弟子或有遊走二師之門、或有捍衛師說而互爭長短等繁複往來，進一步呈現了朱、陸之別，遂使門戶派別逐步形成。至元、明時期，出現了試圖消融朱、陸之異的聲音：由元代吳澄（1249-1333）提出袞多益寡的主張，有意將朱、陸二家共冶一爐；趙汸（1319-1369）則轉而形構出朱、陸年歲與學思趨變的「早異晚同」之論；此後，明代程敏政（1445-1499）撰輯《道一編》賡續為朱陸學術有早年勢同冰炭、中年疑信相半、晚年若輔車相倚等三階段之說，[2]這些評述、論說，不僅提供探索理學演變的線索，同時蘊藏的是各時代儒者面對所處時代的學術氛圍以及自我

1　陳建：〈學蔀通辨總序〉，《學蔀通辨》（收入陳建撰，黎業明點校：《陳建著作二種》，上海：上海古籍出版社，2015年），頁77。

2　有關朱陸異同論爭的發展情形，參見吳長庚：〈鵝湖之會與朱陸異同「早晚論」的歷史演變〉，《朱子學刊》1999年第1輯，頁78-98；陳林：〈義理與考據之間：「朱陸異同」學術史的內在發展理路〉，《求索》2015年第4期，頁150-154；徐公喜：〈朱陸異同論的歷史形態考察〉，《江淮論壇》2015年第6期，頁109-115。

問學立場等複雜意識投入此一場域中的辨析成果。

接續發展出現一重要變化，即王陽明（1472-1529）於正德年間選錄朱子論學往來書信而成的《朱子晚年定論》。龍場悟道後的陽明，最初論學思想未獲認同，面對「攻之者環四面」的窘況，企圖以「取朱子晚年悔悟之說，集為《定論》」作為「解紛」的方式，[3]命為「定論」以形塑朱子思想最終意旨與心學終趨一致，藉此間接證成自身所倡之學「不謬於朱子」、並且「喜朱子之先得我心之同然」，[4]冀望獲得有效敷陳與認可。換言之，陽明的初衷並不在於作為與朱學對立的論爭者，甚至更傾向是置身於朱門後學的脈絡中，以朱學的後繼者自居。[5]然而有趣的是，《朱子晚年定論》不僅未能顯豁陽明學派最初建構過程中與朱子間的關係，反而因著所形塑「晚歲固已大悟舊說之非，痛悔極艾」的朱子形象，受到明清以來朱子後學的強烈抨擊，且將陽明置入朱陸異同論爭中與朱學頡頏的陣營；最後，《朱子晚年定論》中意圖傳遞「朱陸異同」中的「同」非但沒有達成，而是引發更多攻訐，於是陸學與王學一再被聯繫起來，「陸—王」一脈系譜隱然成型，並與朱學形成對峙。[6]

3　王守仁著，王曉昕、趙平略點校：〈與安之〉，《王陽明集・文錄一》（北京：中華書局，2016年，下冊），卷4，頁156。

4　陽明追憶纂輯之動機：「其後謫官龍場，居夷處困，動心忍性之餘，恍若有悟。……及官留都，復取朱子之書而檢求之，然後知其晚歲固已大悟舊說之非，痛悔極艾，至以為自誑誑人之罪不可勝贖。…………予既自幸其說之不繆於朱子，又喜朱子之先得我心之同然，且慨夫世之學者徒守朱子中年未定之說，而不復求其晚歲既悟之論，竟相呶呶以亂正學，不自知其已入於異端。輒采錄而裒集之，私以示夫同志。庶幾無疑於吾說，而聖學之明可冀矣。」參見王守仁著，王曉昕、趙平略點校：《朱子晚年定論・序》，卷3，頁118。

5　有關朱子學在陽明成學歷程之影響的相關討論，參見唐君毅：〈陽明學與朱子學〉（收入氏著：《哲學論集》，臺北：臺灣學生書局，1990年），頁508-521；〔日〕岡田武彥著，吳光、錢明，屠承先譯：《王陽明與明末儒學》（上海：上海古籍出版社，2000年），頁17-32；李紀祥：〈理學世界中的「歷史」與「存在」：「朱子晚年」與《朱子晚年定論》〉，《佛光人文社會學刊》第4期（2003年6月），頁31-73。

6　參見田富美：〈朱陸異同論爭下的「陸—王」學術史脈——從陽明《朱子晚年定論》談起〉，《北市大語文學報》第21期（2019年12月），頁17-38。

　　值得注意的是，即使程敏政《道一編》與王陽明《朱子晚年定論》在纂作目的、內容的襲取上頗有差異，[7]但二書同樣均涉及了朱子學思的變趨問題，並且都是訴諸於朱子書信中的論說作為立論根據。特別是王陽明在編錄《朱子晚年定論》時的引據失誤，以及錯置了部分朱子書信年代，致使發生「年歲早晚」的編年謬誤，成為明、清學者如程瞳（1480-1560）《閑闢錄》、陳建（1497-1569）《學蔀通辨》、孫承澤（1592-1676）《考證朱子晚年定論》、朱澤澐（1666-1732）《陽明輯朱子晚年定論》等糾彈的重點；[8]此後，朱、陸論爭的問題從初始的義理辨析，轉向了朱、陸學思早晚異同的爭訟，焦點集中於朱子「晚年論學」的解讀，在方法上則逐步走向側重於文獻考訂之途。

　　這樣的發展，正如余英時先生（1930-2021）所論清代學術興起的脈絡是從哲學論證到歷史考據的推移，尤其「回向原典」（return to sources）的

7　程敏政《道一編》主要以朱學為尊，發揮朱、陸「早異晚同」論，在體例上，主要擇錄朱、陸二人論說進行參照，並於文後附加按語以明己見；而陽明《朱子晚年定論》則是僅選錄朱子之言，且「不加一辭」，企圖以朱子「自言」的方式緩解時人對自身與朱子的不同所引起的攻詰。陽明雖受程敏政啟發，但二者所引錄之書信頗有差異，程書意在凸顯朱、陸互相認識彼此學問的過程，陽明所選錄的則在於彰顯朱子所闡述不應耽溺於書冊文字有關。相關論說，參見田富美：〈朱陸異同論爭下的「陸-王」學術史脈——從陽明《朱子晚年定論》談起〉，頁39；何威萱：〈程敏政《道一編》與王陽明《朱子晚年定論》關係考辨〉，《思想史》（臺北，聯經出版公司，2019年12月），第9期〉，頁427-483。

8　事實上，當陽明纂輯《朱子晚年定論》後，旋即有羅欽順（1465-1547）提出書信時間錯置的質疑，然陽明自言：「其為《朱子晚年定論》，蓋亦不得已而然。中間年歲早晚誠有所未考，雖不必盡出於晚年，固多出於晚年者矣。然大意在委曲調停，以明此學為重，平生於朱子之說如神明蓍龜，一旦與之背馳，心誠有所忍，故不得已而為此。」換言之，陽明一方面自承失諸於考訂；另一方面強調纂輯此書的目的乃在「委曲調停」，扭轉當時人對朱學掌握的偏失。參見羅欽順：〈與王陽明書〉，《困知記·附錄》（收入《景印文淵閣四庫全書》，臺北：臺灣商務印書館，1983-1986年，第714冊），頁3-4。王守仁著，王曉昕、趙平略點校：〈答羅整庵少宰書〉，《傳習錄》（收入《王陽明集》上冊），卷2，頁72。

現象，普遍呈顯於清初《大學》、《周易》、《尚書》等經書的考證成就。[9] 按此一考察視角，不難發現，所謂「回向原典」實不僅止於儒家原始經典；在朱陸異同論爭的議題上，則是「回向」了朱子論著：現代學者譽為清初陸王之學「巨擘」[10] 的李紱（字巨來，號穆堂，1673-1750）廣蒐朱子論學相關書信輯錄《朱子晚年全論》，可說是最具代表性之作，該書企圖彌補陽明在「年歲早晚」編排上的疏誤，力主「朱子晚同於象山」。基本上，李紱的目的並不在於調和朱陸紛爭，[11] 而是企圖在朱學興起的氛圍下，為心學爭得一席之地。本文的撰寫，不在於考究朱、陸義理思想的分殊，而是嘗試藉由梳理《朱子晚年全論》，論析李紱的心學立場與編纂動機，尤其有關朱子與陸九淵交往互動相關文獻的判讀所呈現的改鑄和理解，據此所形塑的朱子圖像以及其所寄寓深義。首先，本文將就李紱《朱子晚年全論》的撰作目的進行分析，指出所持之立場及面對朱、陸異同論爭之態度；其次，就其所引錄朱子書信的理解，以鵝湖會後朱、陸二人互動為主要內容，考究李紱在解讀、評述間所蘊含之意圖；最後，依據前述論析，指出此一考辨的轉向在朱、陸異同論爭史中之意義。

---

9 余英時先生曾指出，朱、陸的義理之爭在明代以至清初仍持續發展，這種思想理論上的衝突最後不免要牽涉到經典文獻之中，這是清初儒學發展轉移向經典考證的「內在理路」，即所謂從「德性之知」到「聞見之知」，或者說是由「尊德性」轉入「道問學」。參見氏著：〈清代思想史的一個新解釋〉、〈從宋明儒學的發展論清代思想史——宋明儒學中智識主義的傳統〉，《歷史與思想》（臺北：聯經出版公司，1976年），頁87-119、121-156；〈清代學術思想史重要觀念通釋〉，《中國思想傳統的現代詮釋》（臺北：聯經出版事業公司，1987年），頁405-468。

10 張舜徽：「清初為陸王之學而能不附虛實者，必推斯人為巨擘矣！」氏著：《清人文集別錄》（武漢：華中師範大學出版社，2004年），卷4，頁106。又：錢穆則稱李紱為「有清一代陸王學者第一重鎮。」氏著：《中國近三百年學術史》（臺北：臺灣商務印書館，1995年），頁312。

11 參見李光埭、李光型〈朱子晚年全論跋後〉所言：「《朱子晚年全論》者，非為朱、陸兩賢調停也。」收入李紱著，段景蓮點校：《朱子晚年全論》（北京：中華書局，2000年），頁2。

二　考辨目的：朱、陸異同議題之攻防

　　清初，朝廷將原居於孔廟東堂廡的朱子移入大成殿配享、興建紫陽書院以褒美朱學，此舉形構了程朱理學再興，影響所及，包括儒者對於「朱陸異同」問題的回應。

　　李紱論學歸宗於陸王，自言「早歲即知嚮往」，[12] 視陸王為遠紹聖人之學而倡明躬行實踐之功者，[13] 除了纂輯《陸子學譜》、《陸子年譜》、《陽明學錄》之外，在其諸多論述中屢屢捍衛陸王學說，尤其駁斥長久以來視陸王為禪學、異端之論，強調象山乃襲自程顥（號明道，1032-1085）之學，乃儒門正傳。[14] 相較於對象山學術的竭力推尊，李紱雖然亦認同朱子「足以衍孔孟之傳」，但就道體踐履工夫來看，他認為篤信程頤（號伊川，1033-1107）的朱子，在現實生活中以「格物窮理自命」，將難以行事，且中年以讀書、講論為工夫，[15] 所作《大學》格致補傳造成了古人為學之法「乃一變尋章摘句

12　李紱：〈陸子學譜序〉，《穆堂初稿》（收入《清代詩文集彙編》，上海：上海古籍出版社，2010年，第232冊，清道光11年奉國堂刻本），卷32，頁387。

13　李紱言：「自象山陸子之教不明，士墮於章句訓詁者三百餘年，洎王陽明先生倡明絕學，然後士知有躬行實踐之功。」「聖人之學在於躬行心得，由小學以至大學，齊治均平之業，咸出乎其中，此學之名與實也。……自周程二子始為身心之學，陸子昌其說，陽明子益大昌之，然後知學不為求富貴也。」氏著：〈文學劉先生墓誌銘〉、〈來復堂集序〉，《穆堂初稿》，卷26，頁311；卷36，頁455。

14　如〈心性說〉反駁陽明非禪學，〈發明本心說〉辨陸子書中絕無「頓悟」二字；又言：「程朱之稱，亦當分別：就伊川言稱程朱可也，就明道言當稱程陸。陸子之言與明道若合符節，無絲毫之異；朱子與明道則相背而馳。」氏著：〈心性說〉、〈發明本心說〉、〈答雷庶常閱《傳習錄》問目〉，《穆堂初稿》，卷18，頁209；卷18，頁210；卷43，頁560。按：有關李紱學術思想相關討論，參見錢穆：《中國近三百年學術史》，頁285-314；楊朝亮：《李紱與〈陸子學譜〉》（北京：中國社會科學出版社，2005）；龔書鐸主編，李帆著：《清代理學史》（廣州：廣東教育出版社，2007年），中冊，頁165-181；黃進興：《十八世紀中國的哲學、考證和政治：李紱與清代陸王學派》（南京：江蘇教育出版社，2010年）等書。

15　李紱：〈心體無善惡說〉、〈書東見錄後〉、〈書朱子語類後〉，《穆堂初稿》，卷18，頁216；卷45，頁576、頁577-578。〈古訓考〉，《穆堂別稿》（收入《清代詩文集彙編》，第233冊），卷9，頁73-74。

之弊，流為玩物喪志」，泯滅了躬行實踐之旨，致使「孔孟之學乃失傳」，[16]
這是李紱認為朱子不及象山之處。

是以，面對朱、陸之學異同的問題，李紱有意以梳理朱子一生學思變化
來表達對於陳建《學蔀通辨》痛詆陸王之學、力主朱陸「早同晚異」立場的
不滿，除了編撰《朱子晚年全論》外，事實上李紱曾輯錄朱子31歲至40歲間
論學之說而成《朱子不惑錄》（按：現已佚），前有序文指出朱子之學有「四
變」：其一是三十歲前，專主於佛老之學；其二是三十一歲至四十歲間，此
時恪遵其師李侗（延平先生，1093-1163）之教，「不雜於二氏，不溺於章
句」，故而李紱將此時之論學抄錄成編，定名為「不惑」，用以駁斥《學蔀通
辨》將朱子四十歲以前之論學全歸諸為出入佛老的「早年未定之論」；[17]其
三是四十歲後至五十九歲，期間歷程可說是李紱最為重視之階段，其載言：

> 四十歲以後始棄延平之教，專意著述，欲擬孔子刪定纂修之業，偏重
> 於語言訓詁，此又一變也。四十六歲為鵝湖之會，陸子指其學為支
> 離，而朱子守其說不變；又六年，五十歲，陸子相訪於南康軍講義利
> 之章，始有悔心，親題講義之末，欲守陸子所講為入德之方；五十四
> 歲〈答項平甫書〉自謂持守不得力，當兼取陸子所長，漸有向裏切己
> 意；五十九歲，與陸子論「無極」不合，因力詆陸子之學。[18]

李紱對於朱子此一階段論學變化的記述，包括宋孝宗淳熙二年乙未（1175）
的鵝湖之會、八年辛丑（1181）的南康之會、十年癸卯（1183）與項平甫之
書信、十五年戊申（1188）論辯無極、太極等，這些無一不是圍繞著與陸九
淵交往論學相關，透顯出朱子擺盪於持守章句訓詁與反諸身心踐履工夫間的

---

16 李紱言：「古未有以學為知之事者，至朱子始以學問、思辨俱屬知，因以窮致事務之理
 為格物；又以《大學》未詳言格致之事也，因疑其義亡而為傳以補之。於是古人為學
 之法，乃一變尋章摘句之弊，流為玩物喪志，斷斷於口耳之間，舉古人躬行實踐之學
 不得而見之矣。」「蓋自《大學》補格致傳文，而孔孟之學乃失傳矣。」氏著：〈原學
 上〉、〈原學下〉，《穆堂初稿》，卷18，頁206-208。
17 李紱：〈朱子不惑錄序〉，《穆堂初稿》，卷32，頁389。
18 李紱：〈朱子不惑錄序〉，《穆堂初稿》，卷32，頁389。

情形；換言之，在李紱看來，此一階段的朱子面對陸學，有過幾番的負隅抗衡，並有逐步受其影響之跡。李紱論朱子學思變化的第四變是六十歲以後至終身：

> 自六十歲以後至於終身，所以為學與所以教人者，悉依陸子尊德性、求放心之說。……其詳見答呂子約、鄭子上諸人之書，至終身不改。此一變則朱子之定論也。余既全鈔朱子五十一歲以後論學之說為《朱子晚年全論》一書，其論說合於陸子，而年無可考者，亦附見於後矣。……《朱子大全集》百有十二卷，又卷帙重大倍於古人，能讀而卒業者，吾見亦罕矣。四變之說，世之人未能信也，敬取明李恕公默所定朱子年譜，稍加增益，以附於後，庶初學之士知端末無聽瑩焉。[19]

李紱判定，朱子於晚年後之論學悉轉向與象山一致，此即其後所撰《朱子晚年全論》一書之宗旨。這段引文中值得注意的是，李紱所勾勒朱子一生學思「四變」之說，除了參酌朱子書信之論說外，並言增附了明代李默（字古沖，1494-1556）所訂朱子年譜為鑑據。按李默論學傾向陸王，故雖承朱子後人輾轉所託而修纂《紫陽文公先生年譜》一書，[20] 但對於朱陸異同的問題，李默依循的是王陽明《朱子晚年定論》所主「早異晚同」而進行刪訂，故而該《年譜》在清初以降受到諸多訾議，如《四庫全書總目》即評之為「源出姚江，陰主朱、陸始異終同之說，多所竄亂，彌失其真」，[21] 王懋竑（1668-1741）作《朱子年譜》亦以駁斥李默為主要目的之一。[22] 而李紱在

---

19 李紱：〈朱子不惑錄序〉，《穆堂初稿》，卷32，頁389-390。

20 有關李默學術思想，參見佐藤仁：〈論李默本《朱子年譜》──與明代學術的展開相關聯〉，收入吳震、吾妻重二編：《思想與文獻：日本學者宋明儒學研究》（上海：華東師範大學出版社，2010年），頁101-112。又關於李默纂訂《紫陽文公先生年譜》，參見李默：〈紫陽文公先生年譜序〉、朱凌：〈紫陽文公先生年譜後敘〉，收入王懋竑撰，何忠禮點校：《朱熹年譜》，頁5、6。

21 永瑢等撰：《四庫全書總目》（北京：中華書局，2020年重印），卷57，史部傳記類〈王懋竑《朱子年譜》〉，頁517。

22 參見王安國：〈朱子年譜序〉，收入王懋竑撰，何忠禮點校：《朱熹年譜》（北京：中華書局，1998年），頁1-2。

釐訂朱子學思歷程即引李默《年譜》為據,無疑是再次顯豁了所主「晚同」之立場。

　　李紱雖自認生平著述「最用力、最得力」者為《陸子學譜》,又視之為「生平一知半解,立身居官」之本,自然以闡揚陸學為職志;[23]然而處於朱子之學居主流的學術氛圍中,李紱再三強調的卻是朱子晚年論學與象山同轍,[24]其以二十年時間所彙輯《朱子晚年全論》於雍正十年(1732)完稿,三年(1734)後由門人校刊付梓,[25]其於書前序言:

> 朱子與陸子之學,早年異同參半,中年異者少同者多,至晚年則符節之相合也。朱子論陸子之學,陸子論朱子之學,早年疑信參半,中年疑者少信者多,至晚年則冰炭之不相入也。……晚年所學者符節相合,而所論者冰炭不相入,何耶?蓋早年兩先生未相見,故學有異同而論有疑信。中年屢相見,故所學漸同而論亦漸合。……《朱子晚年定論》……中間因詞語相類而誤入中年之論者,特何叔京一人耳。羅整菴摘以相辨,而無知之陳建遂肆狂詆,其實晚年相論皆然,雖百條不能盡也。……謂朱子晚年之論盡與陸子合,則雖有意為學,而粗涉其涯涘者,亦不能無疑焉。今詳考《朱子大全集》,凡晚年論學之書,確有年月可據者,得三百五十七條,共為一編。其時事出處,講解經義與牽率應酬之作,概不採入,而晚年論學之書,則片紙不遺,即詆陸子者亦皆備載,名曰《朱子晚年全論》。曰「晚」,則論之定可知;曰「全」,則無所取舍以遷就他人之意。庶陳建之徒無所置喙,

---

23 李紱:〈再與龐副使書〉,《穆堂別集》,卷35,頁338。

24 如言:「朱子晚年之教,盡合於陸子」;「至於晚年,知駁雜不可為學,則日與學者講尊德性、求放心」;「若謂朱子無一字合於陸子,是無一字合於孔孟也,而可乎自悔為學問進境?朱子之賢正在於此,何必諱之?」參見〈陸子年譜序〉、〈書朱子語類後〉、〈書孫承澤考正朱子晚年定論後〉,《穆堂初稿》,卷32,頁390;卷45,頁578、頁582。

25 李光埰、李光型〈朱子晚年全論跋後〉:「夫彙其說至數百條之多,可以為案矣;歷時二十年,至於蓋棺,可以為斷矣。」《朱子晚年全論》,頁2。

而天下之有志於學者，怳然知兩先生之學之同，而識所從事不墮於章
句口耳之末，或亦有小補乎！夫天下惑於朱陸異同之說也久矣。欲天
下人學陸子，必且難之；欲天下人學晚年之朱子，宜無不可。學朱子
即學陸子，陸子固不必居其名也。[26]

在這段文字中，首先李紱將「朱陸異同」分成兩個不同的層面，且此二層面
均經歷了早、中、晚階段：一是「朱子與陸子之學」，即承襲程敏政《道一
編》、王陽明《朱子晚年定論》的論析模式，其中的晚年「符節相同」，即是
李紱纂述之目的；二是「朱子論陸子之學，陸子論朱子之學」，指朱、陸二
人論學交往過程中互動所致的主觀態度。易言之，李紱認為晚年所謂「冰炭
之不相入」指的是朱、陸個人「感受」問題，無礙於雙方論學漸趨一致的事
實。[27] 按李紱尊陸抑朱的態度而言，所謂朱子晚年與陸學「符節相同」，自
當是考辨朱子之學晚年轉向以歸陸學了。其次，李紱認為即使陽明《朱子晚
年定論》在書信的編次上偶有疏誤，卻不能因此而抹除朱子晚年學術轉同於
陸學的事實，故而仍循陽明以朱子「晚年」為書題名，命名為「全論」。按
李紱自訂〈凡例〉，《朱子晚年全論》編錄朱子51歲至71歲之論著，排除了
「門人所記」的「語類」之外，其餘則廣泛蒐羅朱子親撰書信、序跋、題
記、祭文等所涉及與陸九淵之學相關者條列三百七十五條，並於各條後附加
按語為證，藉由文獻的薈蕞、校讎的縝密，以示完備且足資辨「朱、陸所學

---

26 李紱著，段景蓮點校：〈朱子晚年全論序〉，《朱子晚年全論》，頁1-2。

27 姜義泰指出，李紱將朱陸間學說的實際性質，與朱陸對彼此的評價分成兩部分，是
以，晚年縱使朱陸兩人彼此不合亦不妨礙兩人學說之相同、相通，此一分割，迴避了
許多棘手問題。氏著：〈李穆堂對陸、王學術之維護述論〉，《興大中文學報》第22期
（2007年12月），頁339-370。蔡龍九論析李紱《朱子晚年全論》，即從「朱子與陸子的
思想異同」與「朱子陸子互論」二方面進行考察：前者為「思想上的調和」，指書中所
羅列朱子兼融象山之論述；後者為「情感上的調和」，則是指雙方「互論」下的差異，
這一部分並不影響前者所宣稱的「晚年則符節相合」。該文認為李紱力主「朱陸調
和」，但對於朱陸思想根源問題沒有直接下手處理而略顯保守，故蔡龍九稱之為「保守
調和模式」。氏著：〈「朱陸異同論爭史」中的保守調和模式——李紱《朱子晚年全論》
評析〉，《東吳哲學學報》第27期（2013年2月），頁1-32。

之同」。[28]最後，李紱點出其揭示朱陸「晚同」之意義：即在於諭知天下論學之典範實乃為「不墮於章句口耳之末」的象山之學；然而由於身處朱子學風再次盛行之際，所謂「學朱子即學陸子」，顯然是企圖藉朱學之名以彰揚陸學，而「陸子固不必居其名」罷了。其終極的目的與編修《陸子學譜》可說是相輔相成。[29]

三 考辨內容：朱陸之同轍

《朱子晚年全論》取資於朱子在五十一歲後與陸九淵、友人論學交遊往返書信為主要論據，揭示對於朱陸異同的立場。李紱指出幾個朱、陸交往、啟釁幾個關鍵事端，包括鵝湖會後陸九齡（字子壽，號復齋1132-1180）訪於鉛山、陸九淵訪於南康；遊走二家師門的曹建（字立之，？-1183）卒逝後，朱子作〈曹立之墓表〉述說曹氏學問的轉向歷程；朱子致書陸九淵稱其〈輪對五劄〉為「蔥嶺帶來」；以及著名的「無極」、「太極」之辯。[30]現依時間次序及相關事件，梳理如下表：

年號與干支	西元	朱子時年	朱陸交會事件
宋孝宗 淳熙2年乙未	1175	46	鵝湖之會
淳熙6年己亥	1179	50	三月，鉛山之會：陸九齡訪朱熹於鉛山觀音寺

---

28 李紱著，段景蓮點校：〈凡例〉，《朱子晚年全論》，頁1。李紱言：「其《語類》一百四十卷，則皆門人所記。此書（按：《朱子晚年全論》）所錄止於《文集》，不及《語類》……不兼采《語類》，固謹遵朱子之教。且亦取其出於朱子親筆，確然無復可疑，異於門人記錄，有得而有失也。」

29 楊朝亮即言李紱輯錄《朱子晚年全論》「是將朱子學作為輔線，旨在通過朱子來彰顯陸九淵學術，並不是突出朱子學。這是李紱編修《朱子晚年全論》的真正意圖所在，可謂二書互為表裡。」氏著：《李紱與《陸子學譜》》，頁80。

30 參見李紱著，段景蓮點校：《朱子晚年全論》，卷3，〈答吳伯豐一〉附語，頁130；卷8，〈曹立之墓表〉附語，頁344；〈跋金谿陸主簿白鹿洞書堂講義後〉附語，頁336。

年號與干支	西元	朱子時年	朱陸交會事件
淳熙7年庚子	1180	51	張栻、陸九齡逝
淳熙8年辛丑	1181	52	二月，南康之會：象山於白鹿洞書院以〈君子小人喻義利〉章發論
淳熙10年癸卯	1183	54	二月，曹建卒；五月，朱子作〈曹立之墓表〉
淳熙12年乙巳	1185	56	朱子評象山〈輪對五劄〉為「蔥嶺帶來」
淳熙13年丙午至淳熙16年己酉	1186	57	無極、太極之辯
	1189	60	
宋光宗紹熙3年壬子	1192	63	十二月，象山辭世

以下即考察李紱摘引朱子書信為證的解讀與判別，以及據此所勾勒朱子論學的轉向及其圖像。

（一）鵝湖會後之互動

朱、陸二人的交會始於鵝湖之會，爾後的異同論爭亦當由此而展開。李紱論定朱子的「晚年」始自五十一歲，首要評述的便是朱子在鵝湖會後的情形，涉及的重要時事包括陸九齡辭世、陸九淵訪朱子於南康。以下選取李紱《朱子晚年全論》摘述朱子於淳熙二年（1175，45歲）鵝湖會後至十年（1183，54歲）前的書信共九則進行探析，並依時間先後編序。[31]首先有關陸九齡定位：

（1）淳熙七年庚子二月（1180，51歲）〈答呂伯恭〉（人至辱手書）

---

31 以下有關各書信撰寫詳細時間，參考陳來：《朱子書信編年考證》，北京：生活·讀書·新知三聯書店，2011年。

子壽學生又有興國萬人傑字正純者，亦佳。見來此相聚，云子靜卻教人讀書講學，亦得江西朋友書，亦云然，此亦皆濟事也。[32]

（2）淳熙七年庚子春（1180，51歲）〈答曹立之〉（伊川先生）

錄示陸兄書，意甚佳。近大冶萬正淳來訪，亦能言彼講論曲折，大概比舊有間矣。但覺得尚有兼主舊說，以為隨時立教，不得不然之意。……恐不若直截剖判，便令今是昨非，平白分明，使學者各洗舊習，以進於日新之功，不宜尚復疑貳秘藏，以滋其惑也。[33]

（3）淳熙七年庚子六月（1180，51歲）〈答呂伯恭〉（元範人回）

子壽兄弟得書，子靜約秋涼來由廬阜，但恐此時已換卻主人耳。渠兄弟今日豈易得？但子靜似猶有些舊來意思。聞其門人說，子壽言其雖已轉步而未曾移身，然其勢之久亦必自轉。回思鵝湖講論時是甚氣勢，今何止什去七八耶？[34]

（4）淳熙七年庚子歲末（1180，51歲）〈答呂伯恭〉（久不拜狀）

子壽云亡，深可痛惜。近遣人酹之。吾道不振，此天也，奈何！奈何！[35]

（5）淳熙十年癸卯（1183，54歲）〈祭陸子壽教授文〉

學匪私說，惟道是求，苟誠心而擇善，雖異序以同流。念昔鵝湖之下，實云識面之初，兄命駕而鼎來，載季氏而與俱。……別來幾時，兄以書來，審前說之未定，曰子言之可懷。……自是以還，道合志同，何風流而雲散，乃一西而一東。[36]

---

32 朱熹撰，陳俊民校編：〈答呂伯恭三十一〉，《朱子文集》（臺北：德富文教基金會，2000年），第4冊卷34，頁1368。李紱引錄於《朱子晚年全論》，卷1，頁1-2。

33 朱熹撰，陳俊民校編：〈答曹立之一〉，《朱子文集》，第5冊卷51，頁2371。李紱引錄於《朱子晚年全論》，卷3，頁127。

34 朱熹撰，陳俊民校編：〈答呂伯恭三十三〉，《朱子文集》，第4冊卷34，頁1372。李紱引錄於《朱子晚年全論》，卷1，頁2-4。

35 朱熹撰，陳俊民校編：〈答呂伯恭四十〉，《朱子文集》，第4冊卷34，頁1380。李紱引錄於《朱子晚年全論》，卷1，頁4。

36 朱熹撰，陳俊民校編：〈祭陸子壽教授文〉，《朱子文集》，第9冊卷87，頁4296-4297。李紱引錄於《朱子晚年全論》，卷8，頁340-341。

李紱在《朱子晚年全論》中除了考辨朱、陸之學「晚同」，另一方面將朱子對陸九淵的訾議歸於互動過程的主觀情緒，上引文（1）中〈答呂伯恭〉即是全書首篇摘錄的書信，李紱於信後附言：

> 書末云聞「子靜卻教人讀書講學」，則知彼此相譏，皆因傳言之誤，而未可為據也。[37]

李紱將全書所引錄書信中有關朱子對陸九淵的批評定調為「傳言之誤」所致，且置於全書評斷之首，揭示此後朱子所論象山之非皆「未可為據」，足見李紱迴護陸學之意。在鵝湖會後，李紱描繪的是朱子對陸九淵「學有異同而論有疑信」（前揭〈朱子晚年全論序〉）的逐步鬆動，因此他在引文（2）、（3）後評言：「雖稱『陸兄書意甚佳』，然尚屬疑信相半」、「稱陸子兄弟『今日豈易得』，又云『鵝湖氣勢十去七八』，所謂漸趨於同。」[38]以此暗喻朱子學術在鵝湖與陸九淵謀面之後，將有所轉變的跡象。誠然，朱子於鵝湖會後確實曾就陸九淵所指責的「支離」之病進行省思，[39]但是否即等同於朱子由此走向認同象山之學，恐怕是不足為據的；且引文（3）書信中言及

---

37 李紱著，段景蓮點校：《朱子晚年全論》，卷1，〈答呂伯恭八十〉附語，頁2。

38 李紱著，段景蓮點校：《朱子晚年全論》，卷3，〈答曹立之一〉附語，頁127-128；卷1，〈答呂伯恭八十二〉附語，頁4。按，相近之文，可見於李紱引朱子〈與吳茂實〉：「近來自覺向時工夫止是講論文義，以為積集義理久，當自有得力處，卻於日用功夫全少點檢。……今方深省而痛懲之……陸子壽兄弟近日議論，與前大不同，卻方要理會講學，其徒有曹立之、萬正淳者相來見，氣象皆儘好，卻是先於情性持守上用力，此意自好，但不合自主張太過，又要得省發覺悟，故流於怪異耳。若去其所短，集其所長，自不害為入德之門也。」李紱評曰：「此書已覺所學之非，又難於自屈，已知陸學之好，又怪其主張何耶？」參見《朱子晚年全論》，卷2，頁66-67。

39 如朱子言：「至於文字之間，亦覺向來病痛不少。蓋平日解經最為守章句者，然亦多是推衍文義，自做一片文字，非惟屋下架屋，說得意味淡薄，且是使人看者將注與經作兩項功夫做了，下稍看得支離，至於本旨，全不相照。」朱熹撰，陳俊民編：〈答張敬夫十八〉，《朱子文集》，第3冊卷31，頁1196。按：現代學者束景南即指出鵝湖會中陸氏兄弟「留情傳注翻蓁塞」、「支離事業竟浮沉」的批評，促使朱子「經學思想發生新的變化發展的動力」。參見束景南：《朱子大傳：「性」的救贖之路》（上海：復旦大學出版社，2016年增訂版），頁292。

「子靜似猶有些舊來意思。聞其門人說，子壽言其雖已轉步而未曾移身」，顯示鵝湖會後有所自省甚至改變者，絕非僅朱子而已。而李紱慣以書信中短句、片語為考辨理據，則已可預見其論斷的偏頗之虞。是以，對於引文（4）、（5）朱子記述有關陸九齡之卒，李紱除了指出「以為『吾道不振』，知其交之親；歸其數於天，知其待之重。」[40]肯定朱子與陸九齡情誼之外，又言：

> 復齋之卒，謂「比來見得子靜之學甚明」，是兄弟之學同也。而朱子祭子壽文，謂「道合志同」，既與子壽同，豈與子靜異乎？[41]

在此，李紱藉由朱子所言「道合志同」一語，論證朱子既與陸九齡「道合志同」，則自然與陸九淵無異。李紱此見，在所撰《陸子學譜》中有更詳細的論說：

> 朱子祭陸文達公，既云「志同道合」，又先之以前說未定，予言可懷，似文達晚從朱子之說。然嚴松記陸子語云：「先兄復齋臨終言：『比來見得子靜之學甚明，恨不及與更相切磋，見此道之大明。』」是文達（按：陸九齡謚號）、文安（按：陸九淵謚號）之學，始終無異同也。此豈朱子與文安各引文達以為重，必其學實相同耳。三君子者，固皆不妄語者也。文達既與朱子志同道合，又與文安始終無異，是朱陸之學實無同異也，其彼此未能相信，實由兩家門人傳語之誤，而後人又逞其偏心，必欲歧而二之耳。[42]

陸九齡卒逝於鵝湖會後五年（淳熙七年庚子，1180），在其生平文獻十分有限的情況下，目前實難以斷言其治學轉變的情形及時程。[43]然而在李紱看

---

40 李紱著，段景蓮點校：《朱子晚年全論》，卷1，〈與呂伯恭八十九〉附語，頁5。

41 李紱著，段景蓮點校：《朱子晚年全論》，卷8，〈祭陸子壽教授文〉附語，頁341。

42 李紱：《陸子學譜》（收入《續修四庫全書》，上海：上海古籍出版社，2002年影印清雍正無怨軒刻本，第950冊）卷5，〈家學〉，頁436。

43 陳峰即考證陸九齡治學經歷了由禪學向儒學的轉變，至於鵝湖會前與陸九淵相異之

來，陸氏兄弟之學當屬同轍無疑。他先以《象山語錄》中所載陸九齡臨終前曾言「比來見得子靜之學甚明」等語，[44]證明陸九齡與陸九淵之學並無二致；接著再由朱子自言「道同志合」，論證出朱子與象山之學「實無同異」。由此來看，在李紱的論述中，朱子所言的「道同志合」意指朱子同於陸氏兄弟；於是，陸九齡成了李紱論證朱、陸之學「晚同」的中繼角色。有意思的是，李紱引《象山語錄》中象山弟子記言為證，恰恰牴觸了自己編錄《朱子晚年全論》中為強調採錄「親筆」而訂下排除「門人記錄」的體例，足見，即使此時論析朱陸異同的方法標揭以文獻為論據，但在其學問序列中，尊陸、援朱入陸的理路仍居於先導地位，而非真正依循所建構的考核原則所開展的史料考證。

其次來看淳熙八年（1181年）二月，陸九淵與朱子的南康會晤，最相關的書信有四：

（6）淳熙八年辛丑春中（1181，52歲）〈答呂伯恭〉（便中伏奉）

子靜到此數日，所作〈子壽埋銘〉已見之，敘述發明，此極有功，卒章微婉，尤見用意深處，歎服！歎服！子靜近日講論比舊亦不同，但終有未盡合處。幸其卻好商量，亦彼此有益也。[45]

（7）淳熙八年辛丑夏（1181，52歲）〈答呂伯恭〉（自傾謀歸）

子靜舊日規模終在，其論為學之病，多說「如此即只是意見，如此即只是議論，如此即只是定本。」某（熹）因與說：「既是思索，即不容無意見；既是講學，即不容無議論；統論為學規模，亦豈容無定本？但隨人材質病痛而救藥之，即不可有定本耳。」渠卻云正為多是邪意見、閑議論，故為學者之病。……子靜之病，恐未必是看人不看理，

處，究竟是指禪學或儒學，尚難斷言。參見氏著：《清儒王懋竑學術思想研究》，頁149。

44 此語兩見，分別於《象山語錄》上、袁燮等：《陸象山年譜》（俱收入陸九淵撰，鍾哲點校：《陸九淵集》），卷34，頁428；卷36，頁492。

45 朱熹撰，陳俊民校編：〈答呂伯恭四十三〉，《朱子文集》，第4冊卷34，頁1382-1383。李紱引錄於《朱子晚年全論》，卷1，頁6。

自是渠合下有些禪底意思，又自主張太過，須說「我不是禪，而諸生
錯會了」。……然其好處自不可掩覆，可敬服也。[46]

（8）淳熙十年癸卯（1183，54歲）〈答項平父〉（所喻曲折）

大抵子思以來，教人之法，惟以「尊德性」、「道問學」兩事為用力之
要。今子靜所說，專是「尊德性」之事，而熹平日所論，卻是問學上
多了。所以為彼學者，多持守可觀，而看得義理全不子細，又別說一
種杜撰道理遮蓋，不肯放下；而熹自覺雖於義理上不敢亂說，卻於緊
要為己為人上，多不得力。今當反身用力，去短集長，庶幾不墮一邊
耳。[47]

（9）淳熙十一年甲辰（1184，55歲）〈答陳膚仲〉（所論詩序）

陸學固有似禪處，然鄙意近覺婺州朋友專事聞見，而於自己身心全無
功夫，所以每勸學者兼取其善，要得身心稍稍端靜，方於義理知所決
擇，非欲其兀然無作，以冀於一旦豁然大悟也。吾道之衰，正坐學者
各守己偏，不能兼取眾善，所以終有不明不行之弊，非是細事。[48]

　　這場會晤，最為著名的便是陸九淵受朱子之邀至白鹿洞書院登堂講論君
子小人義利之辨一事。[49]前文曾述及，李紱認定南康會後的朱子「由支離而
反之身心」（前揭引文）；現更進一步來看，其在《朱子晚年全論》所錄〈跋
金谿陸主簿白鹿洞書堂講義後〉另加按語，又再次以「語錄」為證，其引
《象山年譜》中所記在場僚友諸生深受感動之場景、《朱子語類》中朱子與
楊道夫提及象山講論「說得好」，最後總結言：

46 朱熹撰，陳俊民校編：〈答呂伯恭四十四〉，《朱子文集》，第4冊卷34，頁1384。李紱引
　　錄於《朱子晚年全論》，卷1，頁6-7。

47 朱熹撰，陳俊民校編：〈答項平父二〉，《朱子文集》，第6冊卷54，頁2550。李紱引錄於
　　《朱子晚年全論》，卷4，頁170。

48 朱熹撰，陳俊民校編：〈答陳膚仲一〉，《朱子文集》，第5冊卷49，頁2235。李紱引錄於
　　《朱子晚年全論》，卷2，頁96-97。

49 參見袁燮等：《陸象山年譜》，《陸九淵集》，卷36，頁492-493。據載，聽者甚受感動而
　　「流涕」，朱子則「汗出揮扇」、「復請先生書其說，先生書講義，尋以講義刻於石」，
　　朱子並撰跋文於後。李紱亦引錄朱子跋文於《朱子晚年全論》，卷8，頁335。

　　朱子之題〈跋〉如此,朱與道夫言又如此,亦可謂傾倒之至矣。自此
　　會而後,朱子與人言學,必言立志,必言辨義利,反身深察,豈虛語
　　哉!……今之謬附於尊朱者,視陸子如水火,悖亦甚矣。[50]

李紱強調朱子在「傾倒」於象山講論之餘,論學也開始有了轉變。若細繹這
幾封書信,不難發現,容或在書院講習間二人在部分論題(如君子小人義利
之辨)有一定程度上的共識,但基本上終究如引文(6)朱子所言「未盡合
處」、(7)「子靜舊日規模終在」、「有些禪底意思」、(9)「固有似禪處」,均可
看出二人的爭論,然而在李紱看來,卻是「雖覺議論未合,然必稱其好處不
可掩」、「疑者少,信者多,而漸趨于同」、「正勸學者兼用陸學」,[51]顯然仍
是依循著「晚同」的脈絡,力闡此時朱子受象山影響、且已逐漸認同的情
形。事實上,李紱這種對文獻斷章摘句式的詮解,疏誤是無法避免的。引文
(7)朱、陸討論讀書講學有「意見」「議論」等問題,以及引文(8)這段
朱子以道問學、尊德性來標幟自身與象山學術之別的著名論述,涉及的討論
層面深廣,朱子言「學者多持守可觀,而看得義理全不子細」一語暗諷象山
對經典閱讀態度,其實這是正是朱、陸治學論爭的癥結所在;在理學家尊崇
德性之知的立場下,[52]即使朱子自省後言「去短集長」,但絕非意味著朱子
放棄由讀書入手轉向本心之啟發;然而在李紱的解讀下,南康之會卻成了朱
子晚年自悔的起始點,引文(8)則是用來證明分門朱、陸二家學術且要求
「去短集長」者乃肇始於朱子,李紱言:「世俗淺學無知,遇此等議論,即
怪為調停二家,蓋皆未讀朱子書也。」[53]此說批評的顯然是清初許多「獨

50　李紱著,段景蓮點校:《朱子晚年全論》,卷8,〈跋金谿陸主簿白鹿洞書堂講義後〉附
　　語,頁336。

51　李紱著,段景蓮點校:《朱子晚年全論》,卷1,〈答呂伯恭九十三〉附語,頁7;〈答呂
　　伯恭九十二〉附語,頁6;〈答陳膚仲一〉附語,卷2,頁97。

52　關於「尊德性」與「道問學」的理學進路討論,現今研究成果豐碩,基本上大致同意
　　理學家以「尊德性」首出。參見余英時:〈清代思想史的一個新解釋〉,《歷史與思
　　想》,頁87-119;林維杰:〈朱陸異同的詮釋學轉向〉,《中國文哲研究集刊》第31期
　　(2007年9月),頁235-261。

53　李紱著,段景蓮點校:《朱子晚年全論》,卷4,〈答項平父二〉附語,頁170。

尊」朱子學、反對調停朱陸爭論者，[54]未能真正掌握朱子論學轉向。由此可見，李紱論朱子轉向陸九淵，實是為心學爭取認同，措意所在仍是謀求陸王之學在儒門道統之席。

（二）〈曹表〉、「蔥嶺」之釁

有關朱、陸相互攻訐的衝突點，傳統說法有二。其一是朱子撰〈曹立之墓表〉：曹建一生轉益問學於張栻（1133-1180）、陸氏兄弟、朱子等多師，在淳熙十年癸卯（1183）卒逝後，朱子為其撰〈曹立之墓表〉，文中讚揚曹氏「苟心有所未安，雖師說不曲從，必反覆以歸於是而後已」，又載有曹氏所言「學必貴於知道，而道非一聞可悟，一超可入」、「今必先期於一悟，而遂至於棄百事以趨之，則吾恐未悟之間，狼狽已甚」[55]等慣用於批評心學等文，引發陸九淵不滿。其二，則是淳熙十二年乙巳（1185）朱子評論陸九淵上殿輪對奏札，一方面稱譽陸文「語圓意活，渾浩流轉，有以見所造之深、所養之厚，益加歎服」；另一方面又譏戲曰：「但向上一路，未曾撥轉處，未免使人疑著，恐是蔥嶺帶來耳！」[56]文中的「蔥嶺」乃是崑崙山外西域，頗有隱喻陸九淵近禪之意。這二事件被視為朱、陸陷於冰炭的先導，[57]現將最

---

54 如陸隴其即是反對調和程朱、陸王者中極具代表性的清初儒臣，其言：「必使考亭、姚江如黑白之不同，勿有所調停其間，則大指可得，而世道其庶幾矣。」參見氏著：〈答秦定叟書又〉，《三魚堂文集》（收入張天杰編：《陸隴其全集》，北京：中華書局，2020年，第1冊），卷5，頁137。

55 朱熹撰，陳俊民校編：〈曹立之墓表〉，《朱子文集》，第9冊卷90，頁4398-4400。李紱引錄於《朱子晚年全論》，卷8，頁341-344。

56 朱熹撰，陳俊民校編：〈寄陸子靜一〉，《朱子文集》，第4冊卷36，頁1436。按：陸九淵答書言：「奏札獨蒙長者褒揚獎譽之厚，懼無以當之。深漸疏愚，不能回互藏匿肺肝悉以書寫。而兄尚有『向上一路未曾撥著』之疑，豈待之太重、望之太過，未免金注之昏耶？」袁燮等：《陸象山年譜》，《陸九淵集》，卷36，頁497。

57 如明儒程瞳言：「啟陸學之膏肓而救藥之，所謂不屑之教誨也。惜其諱疾忌醫，反不能平，以為病己。」陳建稱有關「蔥嶺」之譏為「朱陸異同之始，後此方冰炭日深。」現代學者束景南：「朱熹和陸九淵關係出現裂痕，是淳熙十年朱熹作〈曹立之墓表〉所引

相關資料摘錄於下：

（1）淳熙十年癸卯（1183，54歲）〈答劉晦伯〉（示喻文字）

　　立之墓文已為作矣，而為陸學者以為病己，頗不能平。鄙意則初無適莫，但據實直書耳。[58]

（2）淳熙十二年乙巳七月（1185，56歲）〈與劉子澄〉（諸輸今歲）

　　子靜寄得對語來，語意圓轉渾浩，無凝滯處，亦是渠所得效驗。但不免有些禪底意思。昨答書戲之云：「這些子恐是蔥嶺帶來」，渠定不伏。然實是如此，諱不得也。近日建昌說得動地，撐眉努眼，百怪俱出，甚可憂懼。渠亦本是好意，但不合只以私意為主，更不講學涵養，直做得如此狂妄。世俗滔滔，無話可說，有志於學者，又為此說引去，真吾道之不幸也。[59]

（3）淳熙十三年丙午（1186，57歲）〈答諸葛誠之〉（示諭競辯）

　　示喻競辯之端，三復惘然。愚意比來深欲勸同志者，兼取兩家之長，不可輕相詆訾。就有未合，亦且置勿論，而姑勉力於吾之所急。不謂乃以曹表之故，反有所激，如來喻之云也。不敏之故，深以自咎。……子靜平日所以自任，正欲身率學者一於天理，而不以一毫人欲雜於其間，恐決不至如賢者之所疑也。……而向來講論之際，見諸賢往往皆有立我自是之意，屬色忿詞，如對仇敵，無復長少之節、禮遜之容。蓋嘗竊笑，以為正使真是仇敵，亦何至此！[60]

起。墓表激化了朱陸弟子的學派對立情緒，為後來的太極之辨直接準備了意氣相攻的土壤。」參見程瞳撰，丁小明校點：《閑闢錄》（收入嚴佐之、戴揚本、劉永翔主編：《歷代「朱陸異同」典籍萃編》，上海：上海古籍出版社，2018年，第2冊），卷5，頁58；陳建撰，黎業明點校：《學蔀通辨》，前編卷中，頁101；束景南：《朱子大傳：「性」的救贖之路》，頁480。

58　朱熹撰，陳俊民校編：〈答劉晦伯〉，《朱子文集》，第10冊續集卷4上，頁4972。

59　朱熹撰，陳俊民校編：〈與劉子澄十二〉，《朱子文集》，第4冊卷35，頁1421-1422。李紱引錄於《朱子晚年全論》，卷1，頁13-14。

60　朱熹撰，陳俊民校編：〈答諸葛誠之一〉，《朱子文集》，第6冊卷54，頁2548。李紱引錄於《朱子晚年全論》，卷4，頁167-168。

（4）淳熙十三年丙午（1186，57歲）〈答諸葛誠之〉（所論子靜）

　　所喻子靜「不至深諱」者，不知所諱何事？又云「銷融其隙」者，不
　　知隙從何生？[61]

（5）淳熙十三年丙午（1186，57歲）〈答陸子靜〉（昨聞嘗有）

　　子淵去冬相見，氣質剛毅，極不易得，但其偏處亦甚害事，雖嘗苦
　　口，恐未必以為然。[62]

（6）淳熙十四年丁未五月（1187，58歲）〈答陸子靜〉（稅駕已久）

　　區區所憂，卻在一種輕為高論，妄生內外精粗之別，以良心、日用分
　　為兩截，謂聖賢之言不必盡信，而容貌詞氣之間不必深察者。此其為
　　說乖戾狠悖，將有大為吾道之害者，不待他時末流之弊矣。不審明
　　者，亦嘗以是為憂乎？此事不比尋常小文義異同，恨相去遠，無由面
　　論，徒增耿耿耳。[63]

　　依引文（1）、（3）所示，對於〈曹表〉內容有異議的是諸葛千能（字誠
之，？-？）等「為陸學者」，而陸九淵即使不見得完全認同朱子所敘內容，
但確實未見有批駁或攻詰之語。[64]因此，引文（3）、（4）朱子辯解對象是諸
葛千能，而非針對陸九淵。李紱於〈曹立之墓表〉、引文（6）後所評言：

61　朱熹撰，陳俊民校編：〈答諸葛誠之二〉，《朱子文集》，第6冊卷54，頁2549。李紱引錄
　　於《朱子晚年全論》，卷4，頁168-169。

62　朱熹撰，陳俊民校編：〈答陸子靜二〉，《朱子文集》，第4冊卷36，頁1437。李紱引錄於
　　《朱子晚年全論》，卷1，頁24-25。

63　朱熹撰，陳俊民校編：〈答陸子靜三〉，《朱子文集》，第4冊卷36，頁1437-1438。李紱
　　引錄於《朱子晚年全論》，卷1，頁25-26。

64　朱子曾致書象山：「〈立之墓表〉今往一通，顯道甚不以為然，不知尊意以為何如？」
　　象山答書：「〈立之墓表〉亦好，但敘履歷，亦有未得實處。某往時與立之一書，其間
　　敘述立之平生甚詳，自謂實錄，謂之尊兄曾見否？」參見袁燮等：《陸象山年譜》、
　　陸九淵：〈與朱元晦〉，《陸九淵集》，卷36，頁495；卷7，頁94-95。按：目前文獻中未
　　見象山書信中有「敘述立之平生」之內容者，故亦無法判定朱、陸對於曹建生平之見
　　的差異為何，但考察現所存象山〈與曹立之〉內容，雖可見象山曾有指責曹建為學轉
　　變之意，但未就朱子〈墓表〉內容有反詰之語。參見陳來：《朱子哲學研究》（上海：
　　華東師範大學出版社，2000年），頁378。

「皆門人之見耳，兩先生未嘗異也」、「蓋指陸子門人傅子淵、包顯道等」，[65]頗符文獻實情；又言：

> 朱子與陸子書，謂立之墓表，包顯道不以為然，而陸子答書，直以為好。蓋顯道疑「先期一悟」等語，為譏陸子而棄百事以趨之。則陸子之教，並不如是。陸子自謂在人情、事勢、物理上做工夫，故亦喜其語也。……此〈表〉作於淳熙十年，朱子年五十四歲，是時未辯「無極」，意亦和平。故與諸葛誠之書謂釁何由起，而深怪門人之競辨者，所謂聞流言而不信也。[66]

在此，李紱特意進一步闡釋陸子之學不僅非如〈曹表〉所指「棄百事以趨之」的空談虛言，且是重視經驗世界的具體踐履者，而所謂「先期一悟」絕不類於「發明本心」；在李紱看來，陸九淵諳於此中殊別，故而未有激憤之意，惟不解其中之異的朱子遂與後學門人有一番議論。[67]引文（3）、（4）即是朱子回覆諸葛千能對〈曹表〉的質疑，朱子於信中表達「兼取兩家之長」、「就有未合，亦且置勿論」，且陸九淵不至於如諸葛千能所言之諱，李紱認為，朱子此時並無意升高彼此衝突，故有諫戒後學門生擱置異議之言。李紱在引文（3）後附言：

> 誠之二書，蓋欲調停其間。朱子之論，若盡如此書之平心和氣，則亦終無不合之理也。……舉此書所云，笑諸賢者，而躬自犯之，乃至終身不忘，甚矣，克己之難也。[68]

---

65 李紱著，段景蓮點校：《朱子晚年全論》，卷8，〈曹立之墓表〉附語，頁344；卷1，〈答陸子靜三〉附語，頁26。

66 李紱著，段景蓮點校：《朱子晚年全論》，卷8，〈曹立之墓表〉附語，頁344-345。

67 朱子此信應是就遊走於朱、陸二門學子因〈曹表〉而「競辨」的發論。此一時期轉益多師之學者頗多，雖不應嚴格區分所屬學門，且師徒之論學有所差異，亦屬常見；但本文則是就當時書信發論而言，故在此將諸葛氏、包氏視為陸學門人。相關討論參見黃寬重：〈師承與轉益：以孫應時《燭湖集》中的陸門學友為中心〉《中央研究院歷史語言研究所集刊》第85本第1分（2014年3月），頁105-166。

68 李紱著，段景蓮點校：《朱子晚年全論》，卷4，〈答諸葛誠之一〉附語，頁168。

自南康會後，朱、陸書信往來氣氛平和，朱子答書仍延續癸卯的「去短集長」原則。李紱雖正面肯定朱子「平心和氣」，但也感嘆其未能貫徹至終。這樣的評論未嘗不是將日後朱、陸關係陷於水火歸咎於朱子的態度，同時也嘲諷朱子日後與陸九淵論辯之貌，即如引文（３）朱子自己所批評「厲色忿詞，如對仇敵」的嘵嘵辯者一般，徒令人訕笑罷了。於此，可看出李紱在〈曹表〉事件的處理原則，雖藉由文本釐析，將之歸諸於門人「競辨」，在仿若調停朱、陸啟釁的背後，[69]實則深植著貶朱之意。至於「蔥嶺帶來」事件，據引文（２）看來，朱子回應的對象仍是陸門建昌弟子（傅子淵、包顯道均為江西建昌人），文中諷「撐眉努眼，百怪俱出」的狂妄之態與引文（３）的批判如出一轍，李紱認為朱子所擔憂的即是這些弟子，在引文（６）後評言：「『不審明者，亦嘗以是為憂』，蓋指陸門人如傅子淵、包顯道等，持論太高，此正日後互譏之根」。[70]此外值得一提的是李紱對於朱子再三批評陸九淵為禪一事，在此並未有太多反駁之語，僅逕言「考陸子對語，現在本集，並無禪意」，並將陸九淵五則劄子附錄於引文（２）後，指出「學者平心觀之，無庸置辨」，[71]可見清初陸王心學家關照的已非元、明以來本體、心性論涉禪與否的課題，轉而彰揚陸學在人情、事態中「做工夫」的實踐層面。

（三）「無極」、「太極」之辯

歷來論究朱陸論爭者，大多認同最為鮮明的莫過於「無極」、「太極」之辯。對於此一議題相關之過程、形上體系、影響等問題，現今學者論析成果

---

69 蔡龍九即認為李紱對〈曹表〉事件展現出調和之意。參見氏著：〈「朱陸異同論爭史」中的保守調和模式——李紱《朱子晚年全論》評析〉，頁1-32，尤其頁15-17。按，依本文所見，恐值得商榷。實際上李紱僅就文獻所見進行論說，未有調和朱、陸之意。

70 李紱著，段景蓮點校：《朱子晚年全論》，卷1，〈答陸子靜三〉附語，頁26。

71 李紱著，段景蓮點校：《朱子晚年全論》，卷1，〈與劉子澄十二〉附語，頁14。按：李紱曾以《象山文集》中絕無「頓悟」二字為其辨証，仍是就文獻考辨立論。參見氏著：〈發明本心說〉，《穆堂初稿》，卷18，頁210-211。

斐然。[72]而本文所關注的，則是李紱如何書寫、評述這場辯論。在朱子書信中，除了與陸九淵論辯的內容外，相關書信如下：

（1）淳熙十四年丁未[73]（1187，58歲）〈答程正思〉（所謂皆正）

祝汀州見責之意，敢不敬承！蓋緣舊日曾學禪宗，故於彼說雖知其非，而不免有私嗜之意。亦是被渠說得遮前揜後，未盡見其底蘊。……去冬因其徒來此，狂妄凶狠，手足盡露，自此乃始顯然，鳴鼓攻之，不復為前日之唯阿矣。浙學尤更醜陋，如潘叔昌、呂子約之徒，皆已深陷其中，不知當時傳授師說，何故乖訛便至於此？深可痛恨！[74]

（2）淳熙十五年戊申正月十四日（1188，59歲）〈答陸子靜〉（學者病痛）

學者病痛，誠如所論，但亦須自家見得平正深密，方能藥人之病；若自不免於一偏，恐醫來醫去，反能益其病也。所論與令兄書，辭費而理不明，今亦不記當時作何等語，或恐實有此病。[75]

（3）淳熙十五年戊申十一月（1188，59歲）〈答程正思〉（熹再辭之）

臨川之辨，當時似少商量，徒然合鬧，無益於事也。其書近日方答之，所說不過如所示者，而稍加詳耳。此亦不獲已而答，恐後學不知

---

72 相關研究成果，如牟宗三：《心體與性體（一）》（新北：正中書局，2012年），頁404-410；劉述先：《朱子哲學思想的發展與完成》（臺北：臺灣學生書局，1995年），頁459-460；束景南：《朱子大傳：「性」的救贖之路》，頁554-572；陳來：《朱子哲學研究》，頁390-395。

73 李紱以此書信為淳熙十三年丙午（1186，57歲）所作，恐有誤。陳來依信中祝懷任官時程，推定為丁未。參見氏著：《朱子書信編年考證》，頁268-269。按：依文意，若「鳴鼓攻之」在丙午，則同年朱子〈答陸子靜書〉不僅未體現爭訟之言，甚至有「所幸邇來日用工夫頗覺有力，無復向來支離之病，甚恨未得從容面論」等自謙語，明顯不符情理；因此由文意判斷，亦不當為丙午所作。參見朱熹撰，陳俊民校編：〈答陸子靜三〉，《朱子文集》，第4冊卷36，頁1438。

74 朱熹撰，陳俊民校編：〈答程正思十六〉，《朱子文集》，第5冊卷50，頁2307-2308。李紱引錄於《朱子晚年全論》，卷3，頁109-110。

75 朱熹撰，陳俊民校編：〈答陸子靜四〉，《朱子文集》，第4冊卷36，頁1438。李紱引錄於《朱子晚年全論》，卷1，頁26。

為惑耳，渠則必然不肯回也。[76]

（4）淳熙十六年己酉（1189，60歲）〈答趙子欽〉（自反研幾）

子靜後來得書，愈甚於前。大抵其學於心地工夫不為無所見，但便欲恃此陵跨古今，更不下窮理細密功夫，卒并與其所得者而失之。人欲橫流，不自知覺，而高談大論，以為天理盡在是也，則其所謂心地工夫者，又安在哉？[77]

（5）淳熙十六年己酉（1189，60歲）〈答邵叔義〉（子靜書來）

子靜書來，殊無義理，每為閉匿，不敢廣以示人。不謂渠乃自暴揚如此。然此事理甚明，識者自當知之。當時若便不答，卻不得也。所與左右書，渠亦錄來，想甚得意。大率渠有文字，多即傳播四出，唯恐人不知。此其常態，亦不足深怪。吾人所學，卻且要自家識見分明，持守正當，深當以此等氣象舉止為戒耳。[78]

這場「無極」、「太極」之辯，原先是朱子與陸九韶（陸九淵四兄，字子美，號梭山，1128-1205）對「太極」、〈西銘〉詮解的爭論；陸九淵於淳熙十五年戊申（1188）四月作書接續論戰，朱子與之復書入對，至十六年己酉（1189）為止，雙方共有六封往來書信：前二回的四封是朱、陸二人對於無極、太極的辯駁，並旁及他書相關義理；後二封書信則是宣告論辯結束。現將書信略整理於下表：[79]

---

76 朱熹撰，陳俊民校編：〈答程正思十八〉，《朱子文集》，第5冊卷50，頁2310。李紱引錄於《朱子晚年全論》，卷3，頁111。

77 朱熹撰，陳俊民校編：〈答趙子欽四〉，《朱子文集》，第6冊卷56，頁2672。李紱引錄於《朱子晚年全論》，卷5，頁203。

78 朱熹撰，陳俊民校編：〈答邵叔義四〉，《朱子文集》，第6冊卷55，頁2655。李紱引錄於《朱子晚年全論》，卷5，頁200。

79 參見朱熹撰，陳俊民校編：〈答陸子靜五〉、〈答陸子靜六〉，《朱子文集》，第4冊卷36，頁1439-1451；袁燮等：《陸象山年譜》、陸九淵：〈與朱元晦〉，《陸九淵集》，卷36，頁507；卷2，頁21-31。

陸九淵致書時序與內容大要		朱子復對時序與內容大要	
淳熙15年戊申4月（1188） 淳熙15年戊申12月（1188）	1.「無極」之說非儒家所有，出於老子 2. 朱子訓「極」為「中」，則「無極」猶言「無中」，於理不通	淳熙15年戊申11月8日（1188） 淳熙16年己酉正月（1189）	1. 不應以周敦頤之前未曾有聖賢言「無極」而否定「無極」之說 2.「極」，是「明此理之至極」，非訓為「中」
淳熙16年己酉7月4日（1189）	（《朱子文集》未收）對朱子欲休戰之言感到失望	淳熙16年己酉8月6日（1189）	（《朱子文集》未收）表達之前書信詞氣不佳，「既發即知悔之」，無意再就此議題進行論說

李紱既認定二人衝突乃在於「無極」之辯，因此，對於引文（1）中朱子於此辯前的「鳴鼓攻之」，李紱解釋：

> 此書據《年譜》（按：指明代李默《紫陽文公先生年譜》）在丙午年，朱子年五十七歲，乃陳建諸人所據以為「朱子晚年詆陸」之證者。然細按，此書詞意忿怒未安，必非朱子平心之語。……「去冬其徒」云云，指傅子淵。……朱子自言生平病在忿懥，此書前有祝汀州見責之語，以忿懥之性，忽蒙譙責之詞，發之也暴，語無倫次，故予謂此書一時忿怒而作，斷然無疑。蓋晚年議論，冰炭之尤者也。……其第十八書云：「臨川之辨，當初似少商量，徒然合鬧，無益於事」。蓋已悔爭論之過矣。而陳建輩猶執以為異同之證，所謂「鳳凰已翔於寥廓，而羅者猶眎乎藪澤」，何其陋哉！[80]

顯然，這一段發論乃為反駁陳建《學蔀通辨》所主「朱子晚年詆陸」之說。[81]

---

80 李紱著，段景蓮點校：《朱子晚年全論》，卷3，〈答程正思十六〉附語，頁110-111。
81 陳建論此封書信，言：「（朱子）晚年，益覺象山改換遮掩之弊，自此乃始直截說破，

對於朱子所欲「攻之」對象，李紱直指陸門弟子；同時李紱以朱子自承其氣
質之病「多在忿懥」為據，[82]說明這封書信的措辭激憤之因，乃是由於朱子
遭「祝汀州見責」而怫鬱所致。換言之，李紱將「鳴鼓攻之」視為朱子針對
傅子淵為學之弊的「一時忿怒」之言，這是有意切割「攻之」與陸九淵的連
繫，用以譏誚陳建等人看似尊崇朱子，卻未能真正理解朱子。但事實上，對
於朱子丁未（1187）五月書信中批評傅子淵之弊，陸九淵並非沒有回應，其
同年十月回覆朱子信時言：「傅子淵前月到此間，聞其舉動言論，類多狂
肆。渠自云：『聞某之歸，此病頓瘳。』比至此，亦不甚得切磋之。渠自謂
刊落益至，友朋視之，亦謂其然。……大抵學者病痛，須得其實，徒以臆
想，稱引先訓，文致其罪，斯人必不心服。縱其不能辯白，勢力不相當，強
勉誑服，亦何益之有？豈其無益，亦以害之，則有之矣。」[83]在此，陸九淵
並非完全認同朱子的批評，且他認為此前朱子所指責「輕為高論」、「謂聖賢
之言不必盡信」（前揭引文）等說法，只是強引後學曲從，無法達到誨人之
效的。從陸九淵的對文，頗能看出此時對朱子恐已有了不懌之情。再者，李
紱提及朱子致門人程端蒙（字正思，1143-1191）信中「臨川之辨，當初似
少商量，徒然合鬧，無益於事」等言，即引文（3）之書，係指程端蒙致書
譴責陸九淵作書論太極，進而引發陸氏焚書之事，[84]朱子寬慰程端蒙此舉
「徒然合鬧，無益於事」，而李紱卻將此書信誤讀為朱子「已悔爭論之過」，
言：「『臨川之辨』數語，蓋指丙午諸書，朱子固已悔為『少商量』矣。」[85]

顯然攻之矣。此朱陸始同終異之關要。」陳建撰，黎業明點校：《學蔀通辨》，前編卷
中，頁104。

82 朱子言：「某氣質有病，多在忿懥。（閩祖錄）」朱熹撰，黎靖德編：《朱子語類》（濟
南：山東友誼書社，1989年），卷104，頁56。

83 陸九淵：〈與朱元晦〉，《陸九淵集》，卷13，頁181。

84 無極之辯頗受當時學者關注，包括朱子與林栗、羅點與陸九淵皆就此事有書信往來。
朱子門人程端蒙則因此事致書指責陸九淵，陸怒而焚書。引文「臨川之辨……其書近
日方答之。」文中「其書」指戊申十一月八日所答陸子靜論太極第一書；「無益於事」
指程正思曾移書責象山之事。參見陳來：《朱子書信編年考證》，頁283；《朱子哲學研
究》，頁393。

85 李紱著，段景蓮點校：《朱子晚年全論》，卷1，〈答程正思十八〉附語，頁111。

可見李紱在「晚同」前提下，先是有意消解了爭訟前雙方積累的不滿情緒，藉此縮短此番爭論時程；並曲解書信內容，逐步形塑出朱子「易怒」、「自悔」之形象。

引文（2）為朱子戊申正月再復陸九淵之書，當下朱子逐批其「不免於一偏」，則已是挑明了攻擊。李紱於此封書信後附評曰：「兩先生『無極』、『太極』之辨始此。」[86]宣告論辯自此展開。《朱子晚年全論》逐錄了這場論辯書信內容，除了朱子答書，更附載陸九淵致書於前，有意完整呈現論辯始末，他在朱子第一封答書後，說明了此舉用意：

> 是編專輯朱子論學之書，凡辨析經書義理者，俱不載入。以其不勝載，且非專為學術異同之所關也。「無極」、「太極」之辨，亦係論經書義理，不當編入。然兩先生異同之端，實由此數書往復而起。……又今時科舉之士，止知有爛時文俗講章，凡儒先之書，概未寓目。《陸子全書》固未甚流布，即《朱子大全集》，藏者亦稀。其有好名之士，偶購一部，亦庋之高閣而已，求其能全閱一過者，千不得一。道聽塗說，矢口云朱陸辨「太極」、「無極」，試扣以朱子所論如何，陸子所論如何，則皆暗而莫能答也。故特編入數書，俾世俗學者得覽觀焉。其議論之孰得孰失，則覽者自知。[87]

李紱解釋編錄這些書信雖然不符「講解經義與率率應酬之作，概不採入」（前揭引文）之原則，然而慮及這場論辯事涉朱陸異同之端，故而納此以供後人評議；隨後話鋒轉而感嘆時下士人侷限於科舉時文，道聽塗說，未能通盤考察文獻全貌，更遑論真正理解此論辯意涵。這番看似公允的評判背後，實暗指懸為功令的程朱理學掌握了更多的話語權，如此立場的偏頗已然難以「客觀」呈現論爭原貌；是以，即使李紱曾指爭論「無極」、「太極」乃「不急之辨」，[88]但卻在此完整編錄朱、陸書信，背後的用意應是呈顯陸九淵在這場

---

86 李紱著，段景蓮點校：《朱子晚年全論》，卷1，〈答陸子靜四〉附語，頁26。

87 李紱著，段景蓮點校：《朱子晚年全論》，卷1，〈答陸子靜五〉附語，頁36-37。

88 李紱：〈朱子晚年全論序〉，《穆堂初稿》，卷32，頁388。按：段景蓮點校本將「始啟爭

論辯中的視角,並且呼應朱子晚同於陸子之宗旨。李紱評論這場論辯言:

> 朱、陸兩先生辨「無極」、「太極」數書,余嘗謂兩先生可以無辨,蓋
> 非辨其理,乃辨其辭耳。如謂「太極之上,別有無極」,雖朱子不能
> 以為是。如謂「太極無形而有理」,即陸子未嘗以為非,是兩先生所
> 見之理,固皆同也。[89]

在李紱看來,朱、陸均認同在形上形下等有關形上學範疇的區分,對於「太
極」屬形上且無形的理解並無不同,因此,兩造的爭論恐怕只是在用語概念
上的辯駁而已,實無涉於思想體系之爭。[90]他專就朱陸前二回的往返書信中
的辯辭作對照,如象山謂「無形而有理」與朱子「莫之為而為,莫之致而
致」等言,[91]用語不同但意義並無二致,惟朱子往往不願曲從象山之說,而
言辭的爭執由此而生。李紱言:

> 陸子引書謂「有言逆於汝心,必求諸道」,而朱子謂「以來書求之於
> 道而未之見,但見其詞義差舛,氣象粗率」,無乃過乎?然陸子書末
> 數行,稍傷峻急,亦忠告而道之本善,此異同之端所以日滋,而附和
> 者愈轉而愈失,幾於不可合併,豈不惜哉![92]

朱、陸二人嫌隙的擴大,一方面在於論辯過程中遣詞用語激切,雙方均有失

無極不急之辨」依文意校改為「始啟爭無極太極之辨」,這是按朱陸爭論內容而誤改李
紱用語,未能通察李紱對此爭議之評述。李紱評論這場論辯為「可以無辨」,即是證明。

89 李紱著,段景蓮點校:《朱子晚年全論》,卷1,〈答陸子靜五〉附語,頁44。

90 現代研究者就朱陸的論說而比較兩造思想體系的異同,雖也包括朱、陸爭辯本身的文
獻,但亦擴及二人在論辯中未及處理、或日後思想進一步發展等問題,並將其他思想
材料納入必然的對立而進一步討論,甚至更加上研究者所建構的詮釋系統,進而發揮
自身哲學創見,此類研究應屬朱陸哲學比較,如牟宗三、劉述先等前賢即屬之。而李
紱對於這場爭訟則僅就書信內容論之,係為朱陸之爭的評論。誠如陳來曾言:「無極之
辨並未直接涉及二人多年來的重大分歧。朱陸在無極太極上的爭論並不是朱陸主要分
歧的根由,而是朱陸之爭的一個副產物。」參見氏著:《朱子哲學研究》,頁393。

91 李紱著,段景蓮點校:《朱子晚年全論》,卷1,〈答陸子靜五〉附語,頁44-45。

92 李紱著,段景蓮點校:《朱子晚年全論》,卷1,〈答陸子靜五〉附語,頁45。

氣度，然而李紱不免仍以「忠告而道之本善」迴護陸九淵詞氣的「峻急」之過；另一方面，這場論戰中，兩造各自有朋舊門人附和，亦助長了水火之勢；引文（4）（5）即是論爭過程中朱子致書趙彥肅（字子欽，1148-1196）談及陸九淵放言高論、且肆意將論書遍寄他人的情形，對此，李紱反擊言：「今既謂陸子有見於心學，又欲其別為窮理工夫，不知與大程子之說相合否？且陸子《年譜》稱其自幼讀書便著意，伯兄夜分起，嘗見其檢書，非不窮究者也」、「蓋欲互相講明此理耳。」[93] 按，朱子對陸九淵的批評從問學工夫擴及人格訾議（「人欲橫流，不自知覺」），固然不符實情，然而李紱從陸氏個人問學成長歷程作回應，這是分屬不同層面的表述，同樣是無法有效澄清問題。然李紱更為重視的，應是最後二封休戰的書信。朱子在第二封論「太極」信中最後言：「各尊所聞，各行所知，亦可矣，無復可望於必同也。」[94] 顯示朱子自知已難以說服陸九淵，無意再論。《朱子文集》所收錄書信止於前此二回往返的四封，最後的二封僅見於《陸九淵集》。李紱則將最後這二封書信引錄於《朱子晚年全論》，主要內容是陸九淵收到朱子己酉正月第二封欲休戰之答書後，「為之憮然」，故遲至當年七月復書言：「不謂尊兄遽作此語，甚非所望」，以及八月朱子答書：「聞象山墾闢架鑿之功益有緒，來學者亦益甚，恨不得一至其間，觀奇攬勝。某春首之書，詞氣粗率，既發即知悔之，然已不及矣。」[95] 基本上，這兩封書信已無關乎「無極」、「太極」義理的討論，李紱摘引於論辯之後，乃是刻意深化朱子「悔之」形象；同時李紱特別指出：「此書見《象山年譜》，而《朱子大全集》不載。蓋凡朱子自悔之語，編《朱子文集》者，必削而去之。」[96] 顯見李紱對於學界

---

93 李紱著，段景蓮點校：《朱子晚年全論》，卷5，〈答趙子欽四〉附語、〈答邵叔義〉附語，頁203-204、頁201。

94 朱熹撰，陳俊民校編：〈答陸子靜六〉，《朱子文集》，第4冊卷36，頁1451。李紱引錄於《朱子晚年全論》，卷1，〈答陸子靜五〉附語，頁52。

95 陸九淵：〈與朱元晦〉、袁燮等：《陸象山年譜》，《陸九淵集》，卷2，頁31；卷36，頁507。李紱引錄於《朱子晚年全論》，卷1，〈答陸子靜六〉附語，頁53。按：李紱引錄的文字略異，「聞象山墾闢架鑿之功」作「聞象山開闢架造之功」。

96 李紱著，段景蓮點校：《朱子晚年全論》，卷1，〈答陸子靜六〉附語，頁54。按：李紱

長期尊朱抑陸的學風不滿,而有意為陸學發出不平之鳴。

　　具體而言,李紱無意探究這場無極之辯背後所可能關涉兩造思想體系的異同問題,對於抽象形上之學的消解與所處清初學術淡化本體、心性論述轉向「厲實行」、「濟實用」[97]趨勢有著高度的一致性。在李紱看來,這場辯論只是雙方語意表達上無法取得共識的一種境況,因此「兩先生可以無辨」,這是為「晚同」的觀點張本,自不待言;若僅從朱、陸兩造論辯內容而論,這樣的說法亦未悖離實情。但是,他藉引文(3)戊申年(1188)書信所塑造的朱子「自悔」形象,則頗可商榷。引文(4)、(5)兩封繫於己酉年(1189)書信,在時序上晚於引文(3),可視為朱子對於二人爭訟的最終定論,似乎亦未見朱子有所謂「悔爭論」之意。又,陸九淵於宋光宗紹熙三年壬子(1192)十二月辭世,朱子隔年癸丑(1193)春致書陸門弟子趙師雍(字然道,?-?),在信中朱子對於自身學術有著極其堅定的自信,即使因著陸九淵之逝而有意放下昔日論學爭辯,但並不表示認同其學術,甚至「嘗笑其陋而譏其僭」,又譏評陸學為「道聽塗說於佛老之餘而遽自謂有得者」。[98]對此,李紱評言:

隨後又引錄朱子於宋光宗紹熙三年壬子(1192)致書讚譽陸九淵「政教並流,士民化服」、「為道自重,以幸學者」等文,再次批評:「此書亦未收入《大全集》……編錄《文集》者,門戶鄙見,務持勝心,凡推許陸子者,亦必削而不存。」按:事實上,不只朱子文集的編錄有意佚缺,陸九淵文集的編纂同樣有類似的情形。主要佚缺的內容、文句,大都含有表彰、服膺對方學說,或觀照對方論點而反思、自省己說的文字。相關討論,參見顧宏義:〈朱陸之爭與朱熹陸九淵往來書信的佚缺〉,《中原文化研究》2019年第4期,頁47-52。

97　參見錢穆:〈述清初諸儒之學〉,《中國學術思想史論叢(八)》(臺北:素書樓文教基金會,蘭臺出版社,2000年),頁1。按,李紱曾言:「學者苟有志於聖賢之學,躬行實踐可矣,何必言心性?」氏著:〈心體無善惡說〉,《穆堂初稿》,卷18,頁248。

98　朱熹撰,陳俊民校編:〈答趙然道〉,《朱子文集》,第6冊卷55,頁2651-2652。李紱引錄於《朱子晚年全論》,卷5,頁198-199;王懋竑引錄於《朱子年譜》,卷3,頁156。按,信中言:「荊門之訃,聞之慘怛。故舊凋落,自為可傷,不計平日議論之同異也。……蓋老拙之學,雖極淺近,然其求之甚艱,而察之甚審,視世之道聽塗說於佛老之餘而遽自謂有得者,蓋嘗笑其陋而譏其僭,豈今垂老,而肯以其千金易人之弊帚者哉!」

> 陸子之存也,則率寮友諸生聽其講,又請筆之於簡而受藏之,以祈不
> 迷於入德之方,〈鹿洞講義題跋〉可考也。迨陸子之沒,則詆為「道
> 聽塗說於佛老之餘」,「嘗笑其陋而譏其僭」,與從前〈跋〉語不嫌稍
> 牴牾乎?蓋論「太極」、「無極」,正在陸子沒前一二歲間,憤怒之
> 餘,故其言如此。[99]

李紱指出朱子既稱譽陸子講論,卻又在其辭世之後嚴詞抵斥,如此反覆的態
度,或許正是由於無極之辯後的「憤怒之餘」所致。李紱這樣的說法,明顯
是為了符合朱子「晚同」陸學的脈絡而作的權宜之解,然而卻也同時與先前
所言朱子對這場論辯已有悔悟之情的預設不符了。

四 結語

　　朱、陸異同論爭發展至清初,李紱《朱子晚年全論》基本上已擺脫明代
參與論爭者「善罵」[100]之流,在理學發展史中有較高的評價,其主要的特
徵,便是在方法上由義理辨析轉向了文獻考辨。尊崇陸王心學的李紱,力辨
朱子晚年論學與陸九淵並無二致。本文考察李紱所評述鵝湖會後的交往互
動,在理學發展史的意義是多面性的。
　　首先,從義理思想的「歷史性」[101]來看。李紱將朱子五十一歲後論學
的書信解讀成逐步轉向陸學靠攏終至相同:鵝湖會後陸九齡的鉛山之會、陸
九淵的南康講論都成為朱子悔悟前非,認肯陸學的發端;為縮減朱、陸的衝

99　李紱著,段景蓮點校:《朱子晚年全論》,卷5,〈答趙然道〉附語,頁199。

100　《四庫全書總目‧閑闢錄提要》:「其說不為不正,而門戶之見太深。詞氣之間,激烈
　　已甚,殊非儒者氣象,與陳建《學蔀通辨》均謂之善罵可也。」永瑢等撰:《四庫全書
　　總目》,卷96,頁810。

101　在此轉用黃俊傑論經典以及經典的解釋者之「歷史性」的討論。所謂經典解讀者的
　　「歷史性」,「包括解經者所處的時代的歷史情境和歷史記憶,以及他自己的思想系
　　統。」參見黃俊傑:〈從儒家經典詮釋史觀點論解經者的「歷史性」及其相關問題〉,
　　收入氏編:《中國經典詮釋傳統(一)通論篇》(臺北:臺灣大學出版中心,2004
　　年),頁337-366。

突時程,切割了〈曹立之墓表〉與「蕙嶺」之譏所引發爭辯、「鳴鼓攻之」
與陸九淵的關係;直至「無極」之辯及其後朱子對陸學的嚴詞抨擊,則成了
一時主觀憤懣之情,在李紱看來,這無礙於朱子晚年同於陸學的事實。李紱
如此詮釋史料,遭致後人非議是無法避免的,如乾嘉時期的夏炘(1789-
1871)即批評《朱子晚年全論》「但見書中有一『心』字,有一『涵養』
字,有一『靜坐收斂』等字,便謂之同於陸氏,不顧上下之文理,前後之語
氣,自來說書者所未有也」,[102]這是指出李紱有偏頗、疏誤,所呈顯的是自
身學術立場下的囿限。錢穆亦曾評論李紱《朱子晚年全論》與王懋竑《朱子
年譜》在義理思想上均未得朱、陸之全,並總括言:

> 朱陸當時雖有異同,然同有涵養未發一層工夫,而清儒爭朱陸者,則
> 大率書本文字之考索為主耳,此則穆堂、白田自為其同,而與朱陸轉
> 為異。[103]

錢穆指出李、王二人參與朱陸異同論爭所展現的共同「歷史性」特質:除了
都是運用輯錄、校訂等考據學的方式撰作,且在詮解義理思想上均疏略了所
謂「涵養未發」工夫,此一有意消解形上、抽象層面的論述,在本文中即具
體表現於對無極之辯的處理態度,同樣都已有別於朱、陸學術全貌,實可見
一斑。

其次,對朱子圖像的形塑。事實上,「此亦一述朱,彼亦一述朱」[104]的
現象不僅存在於理學思想論說中,同時也可見於朱陸論爭中所勾勒的朱子圖
像。李紱在構作朱子論學轉向陸學的過程裡,不時潛藏著謫抑朱子之意,夏
炘言:

---

102 夏炘:〈與詹小澗茂才論《朱子晚年全論》書〉,《述朱質疑》(收入《續修四庫全
　　書》,上海;上海古籍出版社,2002年影印清咸豐三年景紫山房刻本,第952冊),卷
　　10,頁96。

103 錢穆:《中國近三百年學術史》,頁327。

104 黃宗羲著,沈芝盈點校:《明儒學案‧姚江學案》(北京:中華書局,2008年),卷
　　10,頁178。

此書為之說曰：朱子晚年論陸子之學，如「冰炭之不相入」；而朱子
晚年與陸子之學，則「符節之相合」。夫學則全同而論則全背，是陰
竊其實，陽避其名，此乃反覆變詐之小人，鄉黨自好者不為，而謂朱
子為之乎？[105]

夏炘的評論，即指出李紱這種二分的策略恐將使朱子流於表裡不一的「變詐
小人」。細疏李紱這段朱、陸交往書信的評述，先是藉由白鹿洞書院講論勾
勒朱子「傾倒」於陸九淵，此即反襯了朱子此前論學有所疏謬；又於〈曹
表〉、「蕙嶺」事件中描述朱子的辯解及勸諭，以及「鳴鼓攻之」中爭勝、易
怒等負面人格特質，[106]無疑都是一次次的說明，朱子不僅論學不及陸子，
且面對陸學，往往陷於自悔前學、汲汲爭辯之中。對照清初推崇朱學的學術
氛圍，李紱在看似尊朱的背後，潛藏著拉抬陸學之意，不啻為清初心學家的
一種亟欲抗衡卻又有所顧忌的情態。

再者，對於此一考辨轉向的意義而言，過去學者多有指出李紱與清代考
據學風的興起關係，[107]鮮明地闡發了余英時先生所論清代儒學發展的「內在
理路」之說。《朱子晚年全論》係延續了明代以來朱、陸早晚異同爭訟的議
題，而採取的策略是上訴「最高法院」，[108]即朱子的書信史料，從這一角度
來看，實與「回向原典」有著共同的趨向。這種專注於原始文獻的考索，發

---

105 夏炘：〈與詹小澗茂才論《朱子晚年全論》書〉，卷10，頁96。
106 除本文所討論之書信，另李紱在朱子〈答葉正則〉後評曰：「朱子晚年既詆陸，又詆
呂，皆譏切極量，故葉正則、陳止齋皆不與辯論，而朱子必欲其辨，誠可謂好辨者
矣。」在〈答孫敬甫〉後評曰：「朱子晚年為學，與所以教人，皆用陸子之說。而其議
論，則詆之不已，蓋勝心之為害如此。」李紱著，段景蓮點校：《朱子晚年全論》，卷
5，頁208；卷7，頁299。
107 如黃進興指出李紱《朱子晚年全論》是當時考證學家使用實證法的典型代表。參見黃
進興：《十八世紀中國的哲學、考證和政治：李紱與清代陸王學派》，頁102。
108 在此轉用余英時先生論及「回向原典」之語。余先生指出，明末清初以來「性即理」
與「心即理」的爭論日趨激烈，這場心性官司的兩造最後只剩下唯一的最高法院可以
上訴，那便是儒學的原始經典。參見氏著：〈清代學術思想史重要觀念通釋〉，《中國
思想傳統的現代詮釋》，頁412。

掘字詞章句中的時序先後、人物互動關係的取徑模式，確實近似於稍晚的乾嘉學者治學方法。然而，若單就此一面向作為的判準，自然難以滿足考據之學興起的複雜情形，這也是現今研究者仍持續探析之因；而在這逐漸擴大的視野中，業已確認以考據著稱的乾嘉儒者自有其義理典範可循，其大本並不在宋明理學，所謂「由字以通其詞，由詞以通其道」、「故訓明則古經明，古經明則賢人聖人之理義明」，[109]其中的「道」、「理義」與宋明儒者並非同一內涵，而學問論述的方式亦擺脫了理學家「義理先行」的模式。[110]準此以觀李紱，儘管在治學方法上有蛻變性的發展，但畢竟仍不失傳統理學家以學派義理為先導的原則，史料的編纂是為了義理思想（或可說是學術立場），考辨與判讀之間的聯繫是以學派為先導，這樣的研治模式與乾嘉時期所發展的工具性知識，以及由此開展出各類專門之學，實是不同學術體系。不過，即使《朱子晚年全論》難以視為純粹考據之作，但「回向原典」的方式可說是使朱陸異同論爭走向了極端形式，從原始史料入手，意欲以未經加工、反思的初始論據，尋求朱陸異同的答案。在此過程中，朱陸學術的形上層面被消解的結果，一方面呈顯了清初理學走向實用、實踐的特質，但也同時失去了理學思想中原有的整體意義，此一足以與乾嘉新興義理抗衡的資源遂隱而不彰，這恐怕是理學逐漸被遣出主流之因；而李紱所揭櫫傾向形下經驗世界的治學方向，反而成為了儒者接續的治學趨勢。

---

109 戴震：〈與是仲明論學書〉、〈題惠定宇先生授經圖〉，《戴震集》（臺北：里仁書局，1980年），文集卷9，頁183；文集卷11，頁214。

110 張壽安以程頤所言讀《春秋》應「先識得個義理，方可看《春秋》」為例，指出理學家治《春秋》得以義理為先導，這與戴震所說「志存聞道，必空所依傍」大異其趣。參見氏著：〈清儒的「知識分化」與「專門之學」萌芽：從幾場論辯談起〉，《嶺南學報》第三輯（2015年6月），頁59-94。

圖像、譜牒、世系

——論《授經圖》、《傳經表》與經學史傳述範式的建構

程克雅

東華大學中文系

一 前言

　　「授經圖」一名有兩義，一則如字面上意思，是圖象繪畫；一則是圖表，兩種媒介不同，但題旨意趣皆以展現儒家經典承師傳授為主。〔南宋〕鄭樵《通志》：「置圖於右，置書于左，索象于圖，索理於書。」[1]可知圖與書二者相輔相成，為學者所並重。「傳經表」則是繼圖表相輔相成的形製，在早期史書中即可經見於世系、譜表，皆以表為之。例如：《史記·五帝本紀》、《史記·三代世表》、《史記·漢興以來將相名臣年表》與《漢書·百官公卿表》等，或以傳記為準據；或以世系排列論次；或以時代為序列出重大事件；或以人物事蹟依時序加以譜錄。「傳經表」、「授經圖」等著述，沿用以上史家譜表的形製，卻意在建立認知經學傳授的軌跡。茲先就圖象意旨為本文楔子，依序陳述傳經、授經、講經相關畫作、文本與本論文采擷為研究對象的文獻分析。首先剖述圖像的形成、複擬與再現；再就映像的兩重呈現探看「圖象的學術史」、「圖表的學術史」二者之定位；繼而從研究對象與文獻回顧析論研究方法與步驟，並帶入譜牒與世系方法學貫串於圖表敘事的現象。

---

[1] 〔南宋〕鄭樵《通志·圖譜略》，上海：上海古籍出版社，1987年。

（一）圖像的形成、複擬與再現

從題名為「授經圖」的畫作可知其具有形象特徵，常見於漢世的圖繪與畫象石每以「孔門傳經」、「孔門弟子」為主題，[2]文翁（B.C.187-B.C.110）於西漢景帝末年為蜀郡守，建立石室講議經學，興教育、舉賢能；又於石室設周公禮殿。[3]蜀郡文翁石室於東漢安帝永初中遭火災焚燬，獻帝時，太守高朕重修設立，並製壁畫周公禮殿圖，《隋書・經籍志》著錄〔宋〕天門太守郭緣生撰〈蜀文翁學堂像題記〉二卷。[4]西晉潘尼〈釋奠頌〉謂：「掃壇為殿，懸幕為宮。夫子位于西序，顏侍于北埔。」呈現孔子傳授之圖象。[5]〔明〕曹學佺《蜀中廣記・畫苑記》錄〈成都周公禮殿聖賢圖考〉云：

> 殿在子城內南門之東，前漢文翁學宮故址。後漢獻帝興平元年甲戌太守高朕重立，舊號周公禮殿，殿制甚古。低屋方柱，柱上狹下廣，與今異制。殿有板龕，護先聖像。……殿之壁高下三方悉圖畫上古以來君臣及七十二弟子像，世傳晉太康中太守張收之筆。即銘劍閣張載父也。宋嘉祐中王素命摹寫為七卷，凡一百五十五人，為〈成都禮殿聖賢圖〉。[6]

2　例如東漢山東嘉祥武氏祠畫象石之「孔門弟子晨誦圖」，見方清剛：〈武氏祠左石室東壁畫像石〉，收入：方清剛編著《魯迅藏漢畫珍賞》，瀋陽：遼寧美術出版社，2020年3月。

3　見〈漢書・卷八十九・循吏傳〉載；又見程元敏撰：《漢經學史》，臺北：臺灣商務，2018年3月。

4　見《隋書・卷三十三・經籍志》第二十八〈史部・經籍・第二〉、《舊唐書・經籍志》、《新唐書・藝文志》並有著錄，作：《益州文翁學堂圖》，俗稱《文翁孔廟圖》《文翁禮殿圖》，參見胡蘭江：〈文翁禮殿圖小考〉《中國典籍與文化》，2002年3期，頁31-34。

5　見（西晉）潘尼〈釋奠頌〉，〔唐〕房玄齡等撰：《晉書》卷五十五〈潘岳傳〉附；北京：中華書局，2016年3月。

6　〔明〕曹學佺撰《蜀中廣記・卷一百五・畫苑記》第一錄〈成都周公禮殿聖賢圖考〉；又參：胡蘭江：〈文翁禮殿圖小考〉《中國典籍與文化》，2002年03期。以及馬楠：〈《歷代名畫記》「古之秘畫珍圖」的兩種文獻來源〉《歷史文獻研究》第46輯，2021年第1期，頁177-184。

此圖左方寫錄人名上自盤古、伏羲、神農、蒼頡，下至張華、杜預、王浚、夏侯湛等人。孔門師授的圖像繪製代無絕蹤，諸如：元代時南宗孔子第五十三世孫孔津《三聖圖》、元代趙孟頫《三聖圖》、明佚名畫者《聖圖殿記》、《聖跡圖記》、《顏子隨行像》等，又有《漢高祖祀孔圖》、《宋真宗祀孔圖》等，皆重其承傳。至明清之人由張楷至焦秉貞繪製；孔憲蘭合刻《孔子聖跡圖》，其事由二十九事敷演為百一十五幅，悉取材自《史記・孔子世家》、《論語》、《孟子》與《孔子家語》，可說是將孔門授受學習與孔子一生行歷展現無遺，其中以同治刊本第八十五幅《杏壇禮樂》為例，亦為孔門師授寫照。[7]

　　繼歷來重製稱盛的孔子師授圖像外，又有「伏生授經圖」，一樣仿繪複擬，傳播不絕。從舊題〔唐〕王維〈伏生授經圖〉始，同樣以西漢大儒伏生為主體人物，「授經」為事義的主題之作又繼有〔宋〕李公麟（1049-1106）、〔明〕杜堇（144?-1521）、〔明〕陳洪綬（1598-1652）、〔明〕黃慎（1687-1772）、〔清〕陳焰（1838-1896）皆繪有《伏生授經圖》[8]。另〔清〕吳榮光（1773-1843）《授經圖卷》則繪當時阮元與弟子吳榮光、何紹基之坐像，並有題識曰：「敬繪公像，附以弟子，作《授經圖》，以志淵源之自。」[9]由是以觀，授經圖卷的繪製與再現在明清以來益發興盛，承載著內在蘊含的尊經崇師，重視經學淵源的意識，更奠下了以圖像意象轉為文字敘述授經師承的基礎。

7　見國學網編修：《孔子聖蹟圖》（綫裝）北京：國家圖書館出版社，2014年12月。

8　《伏生授經圖》歷代繪畫圖象從2018年日本阿部房次郎（1868-1037）紀念展揭出其所捐日本大阪博物館藏舊題王維（傳）《伏生授經圖》外，歷代畫師以伏生傳授晁錯《今文尚書》事為主題作畫亦所在多有，亦有學者逐一撰文賞析其藝術價值，例如：金愛民、金銳：〈從崔子忠《伏生授經圖》看其人物畫成就〉《藝術探索》2010年第5期。吳笠穀：〈《伏生授經圖》非王維或唐人作品〉《中國書畫》2020年第9期。海玉愛：〈杜堇《伏生授經圖》中「伏生」人物形象研究〉《收藏與投資》2022年第5期。以上諸篇主要以繪畫藝術為主要角度分析與考辨，然而此一主題同時也反映學術史上的尊崇經籍、敬重師法的意味。

9　見張雪蓮：〈從吳榮光《授經圖卷》看阮元思想影響〉《嶺南文史》2011年第1期，頁48-55。吳榮光《授經圖卷》今藏廣東佛山博物館。

（二）映像的兩重呈現：圖象的學術史、圖表的學術史

　　圖象呈現對於「授經圖」的傳述、仿擬、再製和複現，除了前述壁畫、圖卷的繪製之外，藉學者紀傳與著作圖書的脈絡，後人將經學傳授之作繪制為圖表，可上溯及於〔南朝宋〕王儉《七志》（452-489）之著錄，其中將《圖譜志》獨立出來為一類，為鄭樵《通志‧圖譜略》所稱道。在漢魏間著錄有〔漢〕鄭玄、〔晉〕阮諶《三禮圖》，今雖散佚，但後人仍重視追溯其禮器與圖譜載錄的樣貌，並思輯佚。南宋四川遂寧人士楊甲（約1110-1184），係南宋孝宗乾道二年進士，於紹興年間撰《六經圖》，包括：〈易有太極圖〉、〈尚書軌範撮要圖〉、〈毛詩正變指南圖〉、〈禮記制度示掌圖〉、〈周禮文物大全圖〉、〈春秋筆削發微圖〉，在各篇末附有各部經典之傳授流圖，將各經傳授製為寶塔式樹狀圖，附於各經圖示之卷末。[10]明人吳繼仕依楊甲之舊例，在六經而外，益以《儀禮》為七經，重編而為《七經圖》，同樣也備具各經傳授之圖表。在楊甲與吳繼仕之書流傳之際，各種翻編纂輯今傳題名為《六經圖》、《七經圖》亦所在多有，所附的各經傳授表內容卻由采取繪製圖象的體式，轉變而成為以樹狀圖表的模式，呈現各經師承系譜。《欽定四庫全書‧經部七‧五經總義類‧六經圖》〈提要〉收錄楊甲《六經圖》評論有謂：

> ……《六經圖》十卷。〔宋〕楊甲撰，毛邦翰補。甲字鼎卿，昌州人，乾道二年進士。成都文類載其數詩而不詳其仕履。其書成於紹興中。邦翰不知何許人，嘗官撫州教授，其書成於乾道中。據王象之《輿地紀勝‧碑目》甲《圖》嘗勒碑昌州郡學。今未見拓本，無由考其原目。陳振孫《書錄解題》引《館閣書目》載邦翰所補之本，

---

10 〔南宋〕楊甲撰《六經圖》，據毛邦翰補本或謂書成於乾道年間，《四庫全書總目‧提要》謂曾勒石昌州郡學，今存明版六種，金應春、丘富科著：《中國地圖史話‧年表》（北京：科學出版社，1984年）則據《四庫全書總目‧提要》謂：「1155年（南宋紹興二十五年）楊編著的《六經圖》中之〈十五國風地理之圖〉，是目前世界上最早刊印的地圖」。在內容中所製圖象以地理圖為最受重視。楊甲「以圖釋經」的學術史評價也就此可見其重要性，其所建立的傳經表譜系亦然。

《易》七十圖、《書》五十有五圖、《詩》四十有七圖、《周禮》六十
有五圖、《禮記》四十有三圖、《春秋》二十有九圖，合為三百有九
圖。此本惟《易》、《書》二經圖與《館閣書目》數相合。《詩》則四
十有五、《禮記》四十有一，皆較原數少二；《周禮》六十有八，較原
數多三；《春秋》四十有三，較原數多十四，不知何人所更定。考
《書錄解題》載有「東嘉葉仲堪字思文重編毛氏之書」定為〈易圖〉
六十三、〈周禮圖〉六十一、〈禮記圖〉六十三、〈春秋圖〉七十二。
惟〈詩圖〉無所增損，其卷則增為七，亦與此本不符。然則亦非仲堪
書；蓋明人刊刻舊本。……[11]

由南宋至清，楊甲《六經圖》不僅受到地方郡學的重視，也得有藏書家和目
錄學者的認同及著錄，其流傳源委在毛邦翰、葉仲堪重刊；陳騤、陳振孫之
目錄著錄及題記中皆有申說，直至《四庫全書・六經圖・提要》中回溯其源
流衍變軌跡。

其後，到明代萬曆年間，又有吳繼仕以楊甲之書為基礎，纂成《七經
圖》。《四庫全書總目・卷三十四・經部三十四・五經總義類存目・七經圖》
七卷【副都御史黃登賢家藏本】亦予評論謂：

〔明〕吳繼仕編，繼仕字公信，徽州人，是書刊於萬曆己卯前，有繼
仕自序，云得舊本摹校舊圖三百有九，今加校正為三百二十有一。又
增《儀禮圖》二百二十有七，共為圖五百四十有八。所謂舊本，即毛
邦翰之書；所謂《儀禮圖》即楊復之書，均非繼仕所自撰也。[12]

楊甲、吳繼仕各經之末所附傳授圖表，除了延伸宋人「歐式」、「蘇式」的族
譜形式和概念外，從其內容也值得進行對比。這幾種源自於族譜圖式的經學

---

11 見《欽定四庫全書・經部七・五經總義類・六經圖》〈提要〉；關於楊甲一書之體例與
內容，亦可參見喬輝：〈楊甲《六經圖》說略〉，《新西部・中旬刊》2018年第02期。

12 《四庫全書總目・卷三十四・經部三十四・五經總義類存目・七經圖》〈提要〉，（臺
北：臺灣商務印書館據《文淵閣四庫全書》景印），1986年，頁一上至三上。

傳授圖表，具有以下五個不同層面的問題意識，約可從以下五個面向加以梳理：其一是學術授受世系的勘定；其二是學說流派與兼掌不同經籍的授受源流；通一經、兼通二經、兼通三經、兼通四經、兼治五經等會通多部經籍的狀況；其三是不同經典源流授受脈絡的先後參差；其四是學說流派傳授與學說內容對比勘證的差異；其五是經學傳授流派與先後序列反映的問題。

繼楊甲《六經圖》繪成各經傳源流圖之後，復又有明代宗室朱睦㮮（1518-1587）纂輯《授經圖》，今亦可見其流傳有不同的板本，《欽定四庫全書・史部十四・目錄類一・經籍之屬・授經圖義例》〈提要〉就其所收錄來自藏書家黃虞稷增刪校訂重刊《授經圖義例》加以評述，有謂：

> 〈臣〉等謹案，《授經圖義例》二十卷，〔明〕朱睦㮮撰。睦㮮有《易學識疑》已著錄。是編所述經學源流也。
>
> 案《崇文總目》有《授經圖》三卷，敘《易》、《詩》、《書》、《禮》、《春秋》、《三傳》之學，其書不傳。〔宋〕章俊卿《山堂考索》嘗溯其宗派，各為之圖，亦未能完備，且頗有舛訛。睦㮮乃因章氏舊圖而增定之，首敘授經世系、次諸儒列傳、次諸儒著述、歷代經解名目卷數、每經四卷，五經共為二十卷。睦㮮〈自序〉稱釐為四卷，疑傳寫有脫文也。舊無刊板，惟黃虞稷家有寫本。康熙中虞稷乃同錢塘龔翔麟校而刻之。……睦㮮之作，是書大旨，病漢學之失傳，因溯其專門授受，欲儒者飲水思源，故所述列傳止於兩漢。其子勤羹跋〈案羹字原本誤作羹今改正〉亦稱：「秦爐之餘，六經殘滅，漢興諸儒頗傳不絕之緒，於是專門之學甚盛，至東京則授受鮮有次第，而經學亦稍稍衰矣。故是編所列，多詳於前漢。」云云。其著書之意，犖然明白。虞稷等乃雜採諸家以補之，與睦㮮所見，正復相反。然朱彝尊《經義考》未出以前，能條晰諸經之源流者，此書實為之嚆矢，正不以有所點竄，併其原書而廢之矣。[13]

---

13 《欽定四庫全書・史部十四・目錄類一・經籍之屬・授經圖義例》〈提要〉（臺北：臺灣商務印書館據《文淵閣四庫全書》景印），1986年，頁一上至三上。

關於以上〈提要〉之評論，喬衍琯《書目續編敘錄·授經圖》[14]與林慶彰：〈朱睦㮮及其《授經圖》〉[15]二篇皆對於朱睦㮮《授經圖》茲編有詳細解析，前者喬衍琯一文承繼《四庫全書》《授經圖義例》〈提要〉之說，分辨朱氏家藏本與黃虞稷重刊本兩種不同版本的內容和價值；後者林慶彰一文更就朱睦㮮其人其書進行多面向的細膩梳理，不僅羅列朱睦㮮《授經圖》編纂體例、各經排列順序、各經傳授家派順序與譜系細節；更從而考述繪製明宗室周定王朱橚以下六世至朱睦㮮的世系表，再就其體例、內容、各經傳授源流一一予以分析說釋，契合於序與刊行跋文中所述「慮漢學失傳，所述傳記至漢末而止」編纂旨趣；並評議其影響和價值。不可諱言，吳繼仕與焦竑等學人也活躍於萬曆年間相同時代，同屬於著重當時典籍文獻流傳與士子培養的知識人階層，各家《授經圖》、《六經圖》、《七經圖》的撰著，雖然一時蠭出，但也有許多未必受到後代官刻叢書的采進和青睞。而朱睦㮮《授經圖》則以其考辨尚稱精到，且具有學術眼光，因而啟迪與影響後來《經義考》中的經學師授流傳部份也令人稱道。

清人朱彝尊撰有《經義考》，在《欽定四庫全書·史部十四·目錄類一·經籍之屬·經義考》〈提要〉中有謂：

〈臣〉等謹案經義考三百卷

國朝朱彝尊撰。彝尊字錫鬯，號竹垞，秀水人，康熙己未薦舉博學鴻詞。

召試授檢討入直內廷。彝尊文章淹雅，初在布衣中，已與王士禎聲價相齊。博識多聞，學有根柢，復與顧炎武、閻若璩頡頏上下，凡所撰述，具有本原。

是編統考歷朝經義之目，初名《經義存亡考》惟列存亡二例，後分例曰存、曰闕、曰佚、曰未見。因改今名。凡御注勅撰諸書一卷，《易》七十卷、《書》二十六卷、《詩》二十二卷、《周禮》十卷、《儀

14 喬衍琯：《書目續編敘錄》，臺北：廣文書局，1968年4月。
15 林慶彰：〈朱睦㮮及其《授經圖》〉，《中國文哲研究集刊》第3期，頁455-485。

禮》八卷、《禮記》二十五卷、《通禮》四卷、《樂》一卷、《春秋》四
十三卷、《論語》十一卷、《孝經》九卷、《孟子》六卷、《爾雅》二
卷、《群經》十三卷、《四書》八卷、《逸經》三卷、《怨緯》五卷、
《擬經》十三卷、《承師》五卷、《宣講立學》共一卷、《刊石》五卷、
《書壁》、《鏤版》、《著錄》各一卷、《通說》四卷、《家學》、《自述》
各一卷。……。[16]

提要中詳細列述《經義考》編排體例，其中《承師》五卷則以朱睦㮮《授經
圖》為嚆矢，相承纂輯，已然形成一傳述的依據。

（三）研究對象與文獻回顧：譜牒與世系貫串於圖表敘事

圖譜、譜牒在統宗譜、家族譜中的呈現和其背後的概念，與經學流派師
承博授譜系密切相關。今所通行之世系譜牒形式，在陳捷先撰《中國的族
譜》中列舉了四種常見的基本記述格式：一是歐式、二是蘇式、三是寶塔
式、四是牒記式。[17]其中允推歐陽修所撰「歐式」圖譜為主流。其次又以蘇
洵所改造的「蘇式」圖譜，亦頗受接納采用。

〔北宋〕歐陽修（1007-1072）所撰《歐陽氏譜圖》五世一圖的「譜
圖」，在其〈歐陽氏譜圖序稿〉中陳述其得自於經學譜系的原理：

自唐末之亂，士族亡其家譜。今雖顯族名家，多失其世次，譜學由是
廢絕。而唐之遺族往往有藏其舊譜者，時得見之。而譜皆無圖，豈其
亡之？抑前世簡而未備歟？因採太史公《史記》表、鄭玄《詩譜》，
略依其上下旁行作為《譜圖》。上自高祖，下止玄孫，而別自為世。
使別為世者，上承其祖為玄孫，下系其孫為高祖。凡世再別，而九族
之親備。推而上下之，則知源流之所自；旁行而列之，則見子孫之多

---

16 見《四庫全書‧史部十四‧目錄類一‧經籍之屬‧經義考》〈提要〉（臺北：臺灣商務
印書館據《文淵閣四庫全書》景印），1986年，頁一上至三上。

17 陳捷先：《中國的族譜》（增修版）；臺北：文建會，藝術家出版社印行，1999年6月。

少。夫惟多與久，其勢必分，此物之常理也。故凡玄孫別而自為世者，各系其子孫，則上同其出祖，而下別其親疏。如此則子孫雖多而不亂，世傳雖遠而無窮。此譜圖之法也。[18]

《歐陽文忠公集・七十一・外集・卷第二十一・譜》收錄〈石本《歐陽氏譜圖》序〉亦實踐其編排族譜上述世系之原理，有謂：

> 歐陽氏之先本出於夏禹之苗裔，自帝少康封其庶子於會稽，使守禹祀，歷夏商周以世相傳，至於允常子曰句踐，是為越王。越王句踐傳五世至王無疆，為楚威王所滅，其諸族子分散爭立，皆受封于楚。而無疆之子蹄封于烏程歐餘山之陽，為歐陽亭侯，其後子孫遂以為氏。當漢之初，有仕為涿郡太守者，子孫遂居於北，或居青州之千乘，或居冀州之渤海；千乘之顯者，曰生，字和伯，為漢博士，以經名家，所謂歐陽《尚書》者是也。
>
> 渤海之顯者，曰建，字堅石，所謂渤海赫赫歐陽堅石者是也。建遇趙王倫之亂見殺，其兄子質以其族南奔，居於長沙，其七世孫曰景達，仕于齊，不顯。至其孫子紇仕于陳，紇子詢，詢子通，仕于唐，四世有聞遂顯。自通三世生琮，為吉州刺史，子孫家于吉州，自琮八世，生萬，又為吉州安福令，其後世或居安福、或居廬陵、或居吉水。而脩之皇祖始居沙溪，至和二年，分吉水置永豐縣，而沙溪分屬永豐。譜雖著廬陵而實為吉州永豐人也。蓋自亭侯蹄因封命氏，自別於越；其後子孫散亡，不可悉紀。其可紀者，千乘、渤海而已。……安福府君之九世孫曰脩，當皇祐至和之間，以其家之舊譜，問于族人，各得其所藏諸本，以考正其同異，列其世次為譜圖一篇。自景達以後，始得其次敘譜圖。……惟歐陽氏自得姓以來，子孫眾多，而譜隨親疏宜有詳略，其上世遠而支分踈者，事或具于史，或各見其家譜，今自吉

---

18 遼寧省博物館所藏：《歐陽氏譜圖序稿》；歐陽修《譜圖序稿》，紙本，縱30.5釐米，橫66.2釐米，遼寧省博物館藏。

州府君而下具列如左……。[19]

由以上歐陽修自述家譜流傳與世系脈絡，可以以下面的世系表簡單表示之：

夏禹之苗裔→少康……→允常→句踐……（歷經五世）→王無疆→歐
陽亭侯（無疆之子蹄）→

→居青州之千乘→歐陽生（和伯）→……歐陽歙（七世）→歐陽復
（八世）。

→居冀州之渤海→歐陽建（堅石）→徙長沙……→七世孫歐陽景達→
孫歐陽子紀→歐陽詢→歐陽通

……→歐陽琮……→歐陽萬（八世，安福府君）……→九世孫歐陽脩
→……→

歐陽修在此本序言中歷述家族世系的流衍和遷移，序列世次，以五世為一板
（亦即一頁）是其特色。藉以下附圖例示：

圖一　歐陽氏類型族譜實例　　圖二　眉山蘇氏族譜實例

---

19 〔宋〕歐陽修：《歐陽文忠公集》，四部叢刊本，臺北：台灣商務印書館，1979年。

在歐陽修建立族譜形製之後，蘇洵稍改其法式，編為蘇氏族譜。並撰〈蘇氏族譜引〉一文明其特徵，敘其涵義，曰：

> 蘇氏之《譜》，譜蘇氏之族也。蘇氏出自高陽，而蔓延於天下。唐神龍初，長史味道刺眉州，卒於官，一子留於眉。眉之有蘇氏自此始。而譜不及焉者，親盡也。親盡則曷為不及？譜為親作也。凡子得書而孫不得書，何也？以著代也。自吾之父以至吾之高祖，仕不仕，娶某氏，享年幾，某日卒，皆書，而他不書，何也？詳吾之所自出也。自吾之父以至吾之高祖，皆曰諱某，而他則遂名之，何也？尊吾之所自出也。《譜》為蘇氏作，而獨吾之所自出得詳與尊，何也？《譜》，吾作也。嗚呼！觀吾之《譜》者，孝悌之心可以油然而生矣。情見乎親，親見於服，服始於衰，而至於緦麻，而至於無服。無服則親盡，親盡則情盡，情盡則喜不慶，憂不弔。喜不慶，憂不弔，則途人也。吾之所以相視如途人者，其初兄弟也。兄弟，其初一人之身也。悲夫！一人之身分而至於途人，此吾譜之所以作也。其意曰：分而至於途人者，勢也。勢，吾無如之何也已。幸其未至於途人也，使之無至於忽忘焉可也。嗚呼！觀吾之《譜》者，孝悌之心可以油然而生矣。……[20]

由以上歐陽修和蘇洵的譜牒世系建立家族譜系的核心意旨來看，推尊學術，崇尚經學師法家法傳授，以至於推尊家族世系，相互擬類，成為尊祖敬宗的共同意識。於是後人旁采其體例，借重為授經圖表繪示的來源，不可忽視。

---

20 見〔北宋〕蘇洵：〈蘇氏族譜引〉收入《唐宋八大家文鈔‧老泉文鈔卷十》卷一百十六，頁十二下至頁十三上。臺北：臺灣商務印書館據文淵閣四庫全書景印，1983年。

二　即方法即體例：師法家法譜系與圖表的傳述法則

（一）從圖像到圖表：譜牒世系的形塑

　　從譜牒與世系圖延伸於經學傳授圖表的展現，楊甲《六經圖》[21]各經之末所采傳授源流圖表，采取寶塔或的樹狀譜表形式，此一形式亦為明人吳繼仕的《七經圖》[22]所沿用，朱睦㮮《授經圖》[23]則是兼采寶塔式表示經學傳授，以類牒記式表示各師承經師小傳；朱彝尊《經義考・承師》[24]則是采類牒記式表示經學傳授；至於題名畢沅實為洪亮吉所撰《傳經表》、《通經表》[25]則采用歐陽修「歐式」與蘇洵「蘇式」之圖譜，加以改造。

　　楊甲《六經圖》龔廸吉、毛邦翰刊印版，有苗昌言序申說其書旨要云：

> 陳大夫為撫之暮年，樂民之安於其政，思所以富之、教之之敘，既已創闢試院，以奉聖天子三年取士之制，又取《六經圖》命泮宮職講肄者編類為書，刊之於學，以教諸生……。既逾月，諸經論各以其圖，就議於余，且曰：「六藝之文浩博，若欲別加編摩，非積以歲月，有不能是圖，集諸家所長，願因其舊庶，得以亟稱賢大夫善教之意。」余韙其說，無敢去取。惟傳寫詮次，有舛誤者，是正之而已。凡得

21　〔宋〕楊甲《六經圖》，臺北：臺灣商務印書館，人人文庫據道光己亥（1839年）惜陰軒本排印，1978年。

22　〔明〕吳繼仕撰：《七經圖》七卷，《四庫全書存目叢書・經部・五經總義類》冊152；《四庫全書總目》提要經部，據東北師範大學圖書館上海圖書館藏明萬曆刻本影印。

23　〔明〕朱睦㮮：《授經圖》據清道光十九年李氏刻惜陰軒叢書本影印。臺北：廣文書局，1991年再版。

24　〔清〕朱彝尊；林慶彰等編審；馮曉庭等：《點校補正經義考》（八冊），臺北：中研院中國文哲研究所，1999年。

25　舊題為〔清〕畢沅撰：《傳經表》《通經表》，收入〔清〕章壽康輯《式訓堂叢書》一集，清光緒四年（1878）會稽章氏重刻本；光緒三十年孫谿槐廬家塾本。實應訂正為〔清〕洪亮吉撰，洪用勲編：《傳經表》二卷、《通經表》二卷，收入《授經堂遺集》與清光緒三至五年洪氏授經堂重刊本《洪北江全集》。

> 《易》七十，《書》五十有五，《詩》四十有七，《周禮》六十有五，
> 《禮記》四十有三，《春秋》二十有九，合為《圖》三百有九。蓋嘗
> 論之，自漢儒章句傳註之學行，而士之道學益不明。逮本朝以經術取
> 士，大儒繼出，講解一新，而後天下之士皆知淵原之歸。今是圖之作
> 凡六籍之制度名數粲然可一、二數，使學者因是求其全書而讀之，則
> 造微詣遠，茲實其指南也。……乾道元年……苗昌言序。

在此一序中可見楊甲之書不僅載籍中述其勒石刊於郡學，又為當時南宋學官
取士之講學援據，在講述傳注之餘，得到淵原之歸，是當時此書受到推重的
一項重要因素。

明人吳繼仕刊《六經圖》，論述《六經始末源流》，並自言前代廢壞不講
《儀禮》之失；故附益〔南宋〕楊復《儀禮圖》而成為《七經圖》，吳繼仕
《七經圖》書前有焦竑《序》云：

> 古之學者，左圖右書，索理於書，索象於圖。如輔車相依，不可偏廢
> 也。蓋理或千言而未了，象則一見而可知。雖秦人蔑古，敢於棄書，
> 而不敢於棄圖。亦以興事成務，必有藉焉。非空言比耳。蕭何入秦，
> 先取圖籍，我高皇帝於大將軍定燕首，命叔祕監圖書及太常法服、祭
> 器、儀象、版籍，蓋英雄之見，其所重若此。成祖以經術造士，脩
> 《五經大全》，每帙率冠以圖象，良得此意。而學者不能因類以求
> 之，甚者束而不觀，游談無根，宜其異日涖官，臨事倀倀然，其靡從
> 也。新安吳君繼仕，少即志於用世，博聞好古，學無不通而經術尤
> 邃。見宋刻《六經圖》而奇之，手自摹畫，考校授之梓人，與好學者
> 共焉。又念《儀禮》為朱子所定，其徒楊復篤為之圖，並加編纂。合
> 為《七經圖》以傳，學者得而讀之，可謂粲然明備，無復造憾矣。古
> 有圖譜一家，後世罕傳。然任宏《兵書圖》四十卷，王儉《七志圖》
> 居其一。阮孝緒《七錄》總內外篇，猶存八百餘卷。其多如此。今不
> 惟不見其書，亦不知其名者有矣夫。詞章之學靡，義理之學微，圖譜
> 之學實。圖譜之學不傳，則學問化為虛文，心力盡歸烏有。欲其成天

下之務，定天下之亹亹，豈不難哉。余以為學者不思以經世，則圖或可緩藉，令其有志於用也。圖譜之學，決不可不講，而以此而編為嚆矢可也。萬曆乙卯（明神宗萬曆四十三年1615）夏日石渠舊史瑯琊焦竑撰。[26]

明人焦竑（1540-1620）南京人，明代著名學者，於明神宗萬曆十七年（1589年）會試北京，中一甲第一名進士，官翰林院修撰，後曾任南京司業。其著作豐贍，為當世學人所宗仰，纂《明史經籍志》。故對於楊甲《六經圖》的傳播和重視，洵非一般序言稱美。在此述吳繼仕《七經圖》的賡續與纂編，有「詞章之學靡，義理之學微，圖譜之學實。」的肯定。而吳繼仕之〈自序〉有謂：

> 古聖制治，爰建六經，後世樂闕，是稱為五。《禮經》有三，故曰七焉。夫河出圖洛出書，聖人則之，左有圖，右有書，史傳記之。經文既闕而圖亦不復見，學者取象觀理，物色無從，循時考事，上下乖隔，蓋書載道也。圖準書也，書與圖相錯，而為兩者也。禹之告成功而見於書者，若鍾若瑁戈，若岣嶁之石，至於悉取九牧之貢金為鼎。而見於圖者，若州邑山川，若百物神姦之象，而置之魏闕之上，不亦略於書而詳於圖哉。何則聖人之立言，與圖相表裡者也。言無體以圖為體，今夫百官以治，萬民以察，八荒以同，六籍以紀，皆圖為之也。書之用員而通圓之用；方而變圖之時義大矣。六經有圖。按鄭樵《通志》，《宋・藝文志》，雖顯載記，傳流未聞。
>
> 國家頒《五經大全》於學宮，抑其少者。家傳宋刻《六經圖》，羲義既精，圖制俱古，成六籍之至寶，儒林之達道也。不敢私藏，以公賢哲。敬嚴釐正詳略，因於舊刻，考校本於古文。並籍據前修，以濟厥

---

26 收入〔明〕吳繼仕撰：《七經圖》七卷，《四庫全書存目叢書・經部・五經總義類》冊152；《四庫全書總目》提要經部，據東北師範大學圖書館上海圖書館藏明萬曆刻本影印。

美王教之要。國典之源，粲然大備，可得而知矣。朱子晚年欲正《三禮》，奏劄乞修事抑不行，賚志以沒。《三禮》者，《儀禮》其經，《周禮》其綱，《禮記》其傳。《周禮》、《禮記》既有其圖，《儀禮》闕焉，心甚病之。乃取往說，為補《七經》。接繼舊書，通其流貫。序致膚約，總歸體裁。弗能罷意。考亭之言彌深，乞修之感矜緩。殺青竟成，全璧既解。工創非更搜求，借楊復之見章為三千之故，實徒懷纘緝，理懟鈞遠，願學者在所取焉。求於齊工，匪曰作始，比茲闕恨庶賢乎已。此圖成，而《易》之絜淨精微、《書》之疏通致遠、《詩》之溫柔敦厚、《春秋》之屬辭比事、《禮》之恭儉莊敬、《樂》之廣博易良，於此悉備。是故圖之用，錯於書而體不讓者也。……圖譜之載湮散。學者甄明疑略，度數節奏未必無旁通詳審者，復正於今云。萬曆歲次乙卯（明神宗萬曆四十三年1615）五月五日新安吳繼仕序[27]

吳繼仕字公信，生卒年不詳，明徽州休寧人，為當世知名經學家、藏書家。生平以貢生授耀州判官。長於易學，著作流傳甚尠。直至近年方有學者江日新抉發其著作《六經始末原流》見藏於德國華裔學志與日本內閣文庫者，重新編校面世。[28]如此相關著述參互發明，方能一洗《四庫全書存目‧提要》中對於吳繼仕一書貶抑不彰的評騭。圖譜之傳，夾帶對經學授授源流的講求，仍然是自宋以迄於元明清這一段漫長的時間中，學者孜孜於是必欲求實證的議題。至清人吳寶謨校刻《經義圖說》，則申說自楊甲以來各家重刊傳述相關圖籍的是非當否，考辨誤以為朱子之圖的誤謬。

27 同上註，〔明〕吳繼仕撰：《七經圖》七卷。

28 見〔明〕吳繼仕撰、江日新編校：《六經始末源流》，臺北：中央研究院中國文哲研究所，2007年。以及江日新撰：〈吳繼仕的生平、著作及其經學史書寫──《六經始末原流》導言〉《中國文哲研究通訊》第16卷第1期（2006年3月）。

（二）意義的傳述──師法家法譜系與圖表敘說

1 以「序」敘說學術脈絡的涵義

　　清初萬斯同撰《儒林宗派》〔清〕焦袁熹撰《儒林譜》，也都是在兩漢師傳載記中句勒譜表，述明經學傳遞軌跡。萬斯同（1638-1702），字季野，學者稱石園先生，明末清初歷史學家，以布衣手定《明史稿》五百卷；焦袁熹（1661-1736），字廣期，松隱鄉人。康熙三十五年（1696年）舉人。師事平湖陸清獻，嘗襄助王鴻緒編纂《明史稿》。此二家皆不受清廷徵召。由是譜列研探經學授受傳記、圖譜、世系表，從朱睦㮮《授經圖》、朱彝尊《經義考・承師》再至洪亮吉（舊題畢沅，乃洪氏代撰）《傳經表》《通經表》等著作體例，可見迻用族譜之編撰，圖譜、圖表敘事方法皆有新意。洪亮吉撰《傳經表》（原署名畢沅撰）序言有謂：

> 六經權輿於孔子，六經之師亦權輿於孔子。《易》孔子十五傳至劉軼，《尚書》家學二十一傳至孔昱，《詩》魯十五傳至許晏，《毛》十六傳至賈逵，《春秋經》《左氏》十九傳至馬嚴，《公羊》十三傳至孫寶，《穀梁》十一傳至侯霸。他若今文《尚書》伏勝十七傳至王肅，《齊詩》轅固生七傳至伏恭，《韓詩》韓嬰六傳至張就，《禮》高堂生六傳至慶咸，上自春秋迄於三國，六百年中，父以傳子，師以授弟。其者門高義，開門授徒者，編牒不下萬人。多者至著錄萬六千人，少者亦數百人。盛矣！降自典午，則無聞焉，豈非孔氏之學專門授受，逮孫炎、王肅以後，始散絕乎。暇日采綴群書，第其本末校正譌漏，作《傳經表》一卷，其師承無可考者，復以《通經表》一卷綴之。而通二經以上，至十數經者，咸附錄焉，較明朱睦㮮《授經圖》、國朝朱彝尊《經義考》師承所錄，詳實倍之。蓋周秦漢魏經學授受之原，至此乃備也。乾隆四十六年歲在辛丑八月望日鎮洋畢沅敘。[29]

---

29 見舊題〔清〕畢沅撰：《傳經表》《通經表》，收入〔清〕章壽康輯《式訓堂叢書》一

上述一書實洪亮吉所撰。清人史善長《弇山畢公年譜》載畢沅（1730-1797）乾隆四十六年辛丑，五十二歲，七月，錢大昕為畢沅所輯《關中金石記》作序，錢坫、洪亮吉、孫星衍亦為之作〈書後〉、《弇山畢公年譜》一卷。同年，洪亮吉亦為畢沅撰《傳經表》、《通經表》，依序中所述，乃各一卷，收入清乾隆四十八年畢氏《經訓堂叢書》。時洪亮吉三十五歲，各家年譜俱未言及；同書收入洪亮吉曾孫洪用勤所纂編《授經堂遺集》與清光緒三至五年洪氏授經堂重刊本《洪北江全集》，中有《傳經表》、《通經表》各二卷，內容與舊題畢沅者同。[30]今各家持以為說者或未經意，年譜著錄亦皆未注意及此，各持畢沅、洪亮吉撰《傳經表》、《通經表》為說，[31]故在此明其係出自洪亮吉一手一書。

　　另近年又見於「四庫全書基本概念系列文庫」刊載《傳經表》名詞解釋（不著撰人）：

> 「《傳經表》一卷，附《通經表》一卷」。
>
> 清洪亮吉（詳見《毛詩天文考》）撰。書成於乾隆四十六年洪亮吉在陝西巡撫畢沅幕府之時，大約是畢沅囑其代撰，因此原敘即署畢沅的名字。章氏式訓堂叢書因之標作「畢沅撰」，不妥。現從其本集。
>
> 《傳經表》分為《易》、《書》、《詩》、《春秋》、《禮》五格。《易表》中列入主父偃，按《漢書・主父偃傳》，主父偃起初並未傳經，晚年

集，清光緒四年（1878）會稽章氏重刻本；光緒三十年孫谿槐盧家塾本。今以洪亮吉《洪北江全集》，中《傳經表・通經表》本集為據。

30　參見多種關於洪亮吉之著作：史善長：《弇山畢公年譜》，收入《中國古代史學家年譜》（北京：北京圖書館，據同治十一年鎮洋畢長慶刊本景印），2007年，第106冊123頁。並參相關年譜著作：林逸：《清洪北江先生亮吉年譜》，臺北：臺灣商務印書館，1981年。呂培：《洪北江先生年譜》，收入《北京圖書館藏珍本年譜叢刊》第116冊，2007年。李金松：《洪亮吉年譜》北京：人民出版社，2015年4月。以及片岡一忠：《洪亮吉　清朝知識人の生き方》，東京：研文出版，2013年11月。呂東超：〈《洪亮吉年譜》補正〉，《圖書館雜誌》，2018年11月。

31　例如王正一撰：〈略論清人研究兩漢經學傳承的基本成就〉，《成都教育學院學報》第21卷第6期（2007年），頁90-92。全篇皆以畢沅撰《傳經表・通經表》引述該書。

才學《易》、《春秋》及百家之言，因此只宜載入《通經表》中。

《魯詩表》中列入孔子、子夏、李克、孟仲子、根牟子、孫卿，這是陸德明《釋文序錄》毛詩一云之文，現在因為浮邱伯的緣故，移入魯詩，似乎不妥。《齊詩表》中列入樂恢，考之《後漢書》本傳，只是談到樂恢成年後嗜好經學，師事博士焦永，並未談及他學齊詩，而《儒林傳》稱任末「少習齊詩」，景鸞能理齊詩，卻偏偏遺漏了。

又《儒林傳》中載後漢學韓詩的，有召馴、楊仁，《韓詩表》也未載錄，可以說是疏略。《毛詩表》中鄭玄上邊為張恭祖，並注：「傳齊詩」，現考：照《鄭玄傳》：「從張恭祖受《周官》、《禮記》、《左氏春秋》、《韓詩》、《古文尚書》」，這說明張恭祖傳的是《韓詩》而非《毛詩》，至於說到傳《齊詩》，更是不知亮吉以什麼為憑據。

《春秋表》賈誼下注，援引《梁書》武帝答劉之遴詔：「張苞之傳左氏，賈誼之襲荀卿」，認為賈誼的《左傳》也淵源于荀卿，疑即張苞所授。卻不知《釋文序錄》本來早已說明是張苞傳賈誼。

又劉歆下邊田終術注稱翟方進授，也不對。《漢書‧翟方進傳》載，方進雖授《穀梁》，但酷好《左氏傳》、天文星曆，其《左傳》傳授國師劉歆，星曆則授之長安令田終術，那麼終術從方進學星曆，不學《春秋》就很明白了。凡此之類，因有關於經學授受的源流，特加辨明。有《洪北江全集本》。[32]

繼洪亮吉《傳經表‧通經表》之作而後，又有汪大鈞《傳經表補正》一書，其序謂：

---

32 「《傳經表》一卷，附《通經表》一卷」（不著撰人）刊於「四庫全書基本概念系列文庫」平臺 https：//www.docin.com/p-2338884883.html 2020-04-05上傳；檢索日期2021-04-05。另又見《儒藏精華‧史藏》第五種，冊二百四十三至二百四十四，署洪亮吉撰：《傳經表‧附通經表》，刊於「中國孔子網」平臺 http：//www.chinakongzi.org/zx/201801/t20180111_172216.htm 據「《儒藏》公眾號」2018-01-11上傳；檢索日期2021-04-05。

傳經表者，陽湖洪氏稚存所著，以考兩漢經師之授受，而證其家法之異同者也。夫秦火而後，斯文就絕，好古之士，壁藏孤本，口授遺經，漢道既昌，而大義微言，賴茲不墜。時當學官初建，傳習未廣，學者非從師受，莫覩經文。故其時往往墨守一經，篤信師說，非其人之陋，其勢然也。武、宣以降，經術日盛，博士弟子數以千計，學者但遊太學，即得諸家之書。故東京諸儒，往往人通數經，經通數家。非其人之博，亦其勢然也。降自熹平刻石太學，既便誦習，益忽師承。范《史》不志《藝文》；而儒林授受淵源復多闕略。固由體例不若前史，抑可見當時家法已替，故作史者不復深求，蓋不待永嘉喪亂，而學派之分、古義之亡，造端於此矣。朱氏竹垞譔《經義考》，詳載〈承師〉一門；為洪《表》所本。而洪氏詳核過之。今為小變，其例經自為表，以便省覽，而以通經諸儒，散坿各經之下。閒有補正，輒加案說，質諸洪氏。當不以入室操矛為病也。光緒十有九年，歲在癸巳，首夏六日，錢塘汪大鈞自敘。[33]

從以上相關著述的一貫承遞脈絡來看，洪亮吉以歐氏蘇氏的圖譜之法編排經學傳授脈絡，而汪大鈞《傳經表補正》亦相沿承，進行勘訂。再就清人洪亮吉書序中梳理諸經傳授譜系：「《易》由孔子十五傳至劉歆，《尚書》伏勝十七傳至王肅，齊《詩》轅固七傳至伏恭，魯《詩》十五傳至許晏，毛《詩》十六傳至賈逵，韓《詩》韓嬰六傳至張就，《左傳》十九傳至馬嚴，《公羊》十三傳至孫寶，《梁》十一傳至侯霸，《禮》高堂生六傳至慶咸。」[34]等脈絡，在《傳經表》之後的若干表譜著作如趙繼序《漢儒傳經記》（附《歷朝崇經記》）、周廷寀《西漢儒林傳經表》（據序成於乾隆五十六年夏七月，1791年）等，都是在參考《傳經表》的基礎上成書。[35]相同的是，以上諸書

---

33 見汪大鈞：《傳經表補正‧序》，《傳經表補正》北京：中國國家圖書館藏，1893年。

34 同上註。

35 見北京大學《儒藏》編纂與研究中心（編）：《儒藏（精華編）》第五種，史部編年類，冊243至244：洪亮吉撰《傳經表‧附通經表》北京：北京大學出版社，2020年。

自序中追溯的譜系和研究方法研究旨趣，都方向一致的指向朱睦㮮《授經圖》、朱彝尊《經義考》與洪亮吉《傳經表·通經表》的傳述方法，至於體式則各采歐陽式或蘇式族譜的形制。

2 以圖表志師法家法譜系與學術傳習

清代中葉以來，學者阮元推動學校教習與傳統經學，可謂匯聚各地的學者和書院投入漢學考辨與經學講議，在設立書院學堂教習、推搉經學著述經解、《十三經注疏》文獻覆刻重印出版，影響甚鉅，也從而延展了基於師授相傳與經學著述的學術風尚。這一學術風尚，在以圖表志譜系的脈絡下更相轉化為學風的宗派意識。阮元在〈江藩《漢學師承記》序〉中有謂：

> 兩漢經學所以當尊行者，為其去聖賢最近，而二氏之說，尚未起也。
> 老莊之說，盛於兩晉，然《道德》、《莊》、《列》，本書具在，其義止
> 於此而已。後人不能以己之文字，飾而改之，是以晉以後，鮮樂言之
> 者。浮屠之書，語言文字非譯不明；北朝淵博高明之學士、宋齊聰穎
> 特達之文人，以己之說，傅會其意，以致後之學者繹之彌悅，改而必
> 從，非釋之亂儒，乃儒之亂釋。魏收作釋老志後，蹤跡可見矣。吾固
> 曰兩漢之學，純粹以精者，在二氏未起之前也。我朝儒學篤實務，為
> 其難，務求其是，是以通儒碩學有束髮研經，白首而不能究者，豈如
> 朝立一旨，暮即成宗者哉。
> 甘泉江君子屏得師傳於紅豆惠氏，博聞強記，無所不通。心貫群經，
> 折衷兩漢，元幼與君同里同學，竊聞論說三十餘年。江君所纂《國朝
> 漢學師承記》八卷，嘉慶二十三年居元廣州節院時刻之。讀此可知漢
> 世儒林家法之承授，國朝學者經學之淵源；大義微言，不乖不絕。
> 而二氏之說，亦不攻自破矣。元又嘗思國朝諸儒說經之書甚多，以及
> 文集說部，皆有可採，竊欲析縷分條，加以翦裁，引繫於群經各章句
> 之下，譬如休寧戴氏解《尚書》「光被四表」為「橫被」；則繫之〈堯
> 典〉。寶應劉氏解《論語》「哀而不傷」即《詩》「惟以不永傷」之

> 「傷」；則繫之《論語‧八佾》篇而互見〈周南〉。……阮元序於桂林
> 行館。[36]

阮元謂讀《漢學師承記》此書可知漢世儒林家法之承授，國朝學者經學之淵
源；大義微言，不乖不絕。也繼述著前述相關傳經授經重視源流的旨趣方
向，此書又有三篇跋文，分別為江鈞、汪喜孫、伍崇曜所撰；江鈞撰〈江藩
《漢學師承記》跋一〉亦申明其列述要旨：

> 家大人既為《漢學師承記》之後，復以傳中所載諸家撰述，有不盡關
> 經傳者，有雖關經術而不醇者，乃取其專論經術而一本漢學之書，仿
> 〔唐〕陸元朗《經典釋文》傳注姓氏之例，作《經師經義目錄》一
> 卷，附於記後，俾治實學者得所取資，尋其宗旨，庶不致混莠於苗，
> 以砆為玉也。著錄之意，大凡有四：一，言不關乎經義小學，意不純
> 乎漢儒古訓者，固不著錄已。一，書雖存其名，而實未成者，不著
> 錄。一，書已行於世，而未及見者，不著錄。一，其人尚存，著述僅
> 附見於前人傳後者，不著錄。凡在此例，不欲濫登，固非以意為棄取
> 也。決列既承，命鈞繕錄，因不揣檮昧，著其義例於末。嘉慶辛未良
> 月既望男鈞謹識。[37]

汪喜孫〈江藩《漢學師承記》跋二〉轉向著重於清代治經學者學風的變化和
評議：

> 古者，國家有巡守、封禪、朝聘、燕饗、明堂、宗廟、辟雍之儀；天
> 子廣集眾儒，講議典禮，損益古今之宜，推所學以合於世用，根底六
> 經，憲章四代，先王制作之精義可考而知焉。自後儒以讀書為玩物喪
> 志，義理、典章區而為二，度數文為棄若弁髦；箋傳注疏，束之高

---

36 〔清〕阮元：〈江藩《漢學師承記》序〉，《續修四庫全書》，上海：上海古籍出版社。

37 〔清〕江鈞撰〈江藩《漢學師承記》跋一〉，《續修四庫全書》，上海：上海古籍出版
　　社。

閣。又其甚者，肆其創獲之見，著為一家之言，綴王肅之厄詞，棄鄭
君之奧論；末學膚受，後世滋惑，經學浸微，蓋七百年矣。國朝漢學
昌明，超軼前古，閻百詩駁偽孔、梅定九定歷算、胡朏明辨易圖、惠
定宇述漢易、戴東原集諸儒之大成，袞然著述，顯於當代顓門之學，
於斯為盛。至若經史、辭章、金石之學，貫穿勃穴，靡不通擅，則顧
寧人導之於前，錢曉徵及先君子繼之於後，可謂千古一時也。若夫矯
誣之學，震驚耳目舉世沿習，罔識其非。如汪鈍翁私造典故，其它古
文辭，支離抵牾，體例破壞；方靈皋以時文為古文、三禮之學等之。
自鄶以下，毛西河肆意譏彈，譬如秦楚之無道，王白田根據漢宋，比
諸春秋之調人，惡莠亂苗，似是而非，自非大儒，孰有能辨之者。吾
鄉江先生博覽群籍，通知作者之意，聞見日廣，義據斯嚴，匯論經生
授受之旨，輯為《漢學師承記》一書。異時採之柱下，傳之其人。先
生名山之業，固當附此不朽。或如司馬子長《史記》、班孟堅《漢
書》之例，撰次敘傳一篇，列於卷後，亦足屏後儒擬議規測之見，尤
可與顧寧人、錢曉徵及先君子後先輝映者也。……。嘉慶十有七年五
月七日後學汪喜孫識。[38]

伍崇曜〈江藩《漢學師承記》跋三〉則以《粵雅堂叢書》與書院講習推重漢
學的采擇和執據，申說斯乃「談漢學者決不可少之書」：

右《國朝漢學師承記》八卷，附錄《國朝經師經義目錄》一卷，國朝
江藩撰。洪惟昭代經學修明，定鼎之初，顧亭林、胡朏明、閻百詩諸
先生崛起，遠紹兩漢諸儒之墜緒，篤實淳懿，恪守師法，承先啟後，
私淑有人，實宋、元、明以來所未有。鄭堂特著此書，國朝經師學行
出處，著撰緒論，搜括靡遺，洵盛業也。阮文達《定香亭筆談》稱元
和惠徵君定宇經學冠天下，鄭堂於惠氏弟子余君仲林，盡得其傳。《洪
北江詩話》亦稱其學有師法，珠湖《草堂筆記》則稱是書極有史家體

38 〔清〕汪喜孫〈江藩《漢學師承記》跋二〉，《續修四庫全書》，上海：上海古籍出版社。

裁，鄭堂久在阮文達幕府，文達撰《國史・儒林傳稿》，第一次顧亭
林居首；第二次黃黎洲居首；而是書以兩先生編於卷末，以純宗漢學
也，亦可見其體例之嚴。……為上下二百年一大著作，談漢學者決不
可少之書。讀者略其小疵可耳。咸豐甲寅夏五朔日南海伍崇曜謹跋。[39]

伍崇曜在阮元推動廣東學術的時空背景下，進而將江藩《漢學師承記》收入
《粵雅堂叢書》的刊印，譚瑩作跋而署名伍氏，指出此書純宗漢學的旨趣也
於焉可見。尤其是同時代的洪亮吉也推崇此書，標舉其著重師法的特色。

　　近代學者周予同重視經學與經學史的探究，曾特為關注經學傳授議題的
延展。[40]而後桑兵也藉著周予同之論，申明從治史的立場看待經學史的研
究，桑兵說道：

> 以治史的方法治經？周予同的看法是，中國既往很少有經學史著作，
> 類似的有三種：一是以經師為中心，如胡秉虔的《漢西京博士考》、
> 張金吾的《兩漢五經博士考》、王國維的《漢魏博士考》、江藩的《國
> 朝漢學師承記》、洪亮吉的《傳經表》以及各史的《儒林傳》或《儒
> 學傳》。二是以書籍為中心，如朱彝尊的《經義考》、翁方綱的《經義
> 考補正》、鄭樵《通志》的《藝文略》、馬臨瑞《文獻通考》的《經籍
> 考》、《四庫全書總目提要》的經部以及各史的《藝文志》或《經籍
> 志》的經部。三是以典章制度為中心，如顧炎武的《石經考》、萬斯
> 同的《石經考》、杭世駿的《石經考異》、王國維的《五代兩宋監本
> 考》，另如《通典・選舉門》《通志・選舉略》以及《文獻通考》的
> 《選舉考》《學校考》。[41]

---

39 以上三序亦見江藩：《國朝漢學師承記》收入伍崇曜出資，譚瑩校勘編訂：《粵雅堂叢
　　書》第十八集，臺北：華聯出版社據咸豐三年廣州刊本景印，1965年。

40 見周予同撰：〈經、經學、經學史——中國經學史論之一〉、〈關于中國經學史中的學派
　　問題——中國經學史論之二〉、〈有關中國經學史的幾個問題〉收入朱維錚編校：《周予
　　同經學史論》（繁體版）上海：上海人民出版社，2010年。

41 見桑兵：〈經學與經學史的聯繫及分別〉《社會科學戰線》2019年第11期。

從桑兵的見解來看，以「經師」為中心、以「經學文獻」為中心、以「典章制度」為中心，這是三種不同的「經學史」傳述表達的基礎，而朱睦㮮、朱彝尊《經義考‧承師》、胡秉虔、洪亮吉、江藩、汪大鈞、王國維等的授經、傳經著作即屬於以經師為主的一類。這類的編纂，追溯古籍中所述，可考見在《經典釋文》卷一[42]「註解傳述人」中亦逐一述說經學師授的脈絡，並各別小結其所據各經作釋音的依據。「註解傳述人」的師傳脈絡和參稽正史《儒林傳》與《藝文志》等經籍典、史志的說明，沒有使經學史的敘述偏向經注內容本身，而是以「經師」為主。這類對於經學史著作傳述見解在陳壁生所撰〈程元敏先生《漢經學史》書評〉中亦有表示，民國以來的經學史著作述，係以學術史角度出發對經學史的表述，依據「正史儒林傳、大儒專傳及《藝文志》、《四庫》提要等」；非以「經學傳注」為依據。[43]繼而從以上所述及《傳經圖》《授經圖》《傳經表》類型著述來看，楊甲、吳繼仕、朱睦㮮等著作都歸屬於《四庫全書‧經部》；朱彝尊的《經義考》則歸於《史部‧目錄類》，分別各因其圖表論述的主從在全書的定位而然。從《授經圖》到《傳經表‧通經表》，明清以來環繞著《授經圖》而延伸的著述連串已經形成具有特定體裁和專題內容的研究對象，這一研究主題具備著不同於經世議論內容的方法、體制規範與論述標準。在跨居經、史兩部的界線同時，已然具備其明確的內容和基礎。

三　《傳經圖》、《經學授受源流表》、《授經圖》、《傳經表》、《傳經表》內容議題評價闡述與意蘊

重新看待歷代經籍典在史志、紀傳、學案等體裁中記錄的學者生平，譜表取資於是，圖繪壁畫也取資於是。後人依循《文翁禮殿圖》訂制譜表；而譜表形制則采用《史記‧漢興以來將相名臣年表》與《漢書‧百官人表》為

---

42 見《經典釋文》卷一〈序錄‧註解傳述人〉《四庫全書‧經部‧五經總義類‧經典釋文》，（臺北：臺灣商務印書館據《文淵閣四庫全書》景印），1986年。

43 見陳壁生：〈書評：《漢經學史》，程元敏著〉，《中國文哲研究集刊》第五十三期（2018年9月），頁161-196。

借鏡。「漢學」議題與系譜學的凝聚，分別在記傳的內容與傳授的銜接中，為簡約的表述做出了抉擇與揚推；著眼於各家授經圖表類著作中的經學傳授源流來看：形制的采用、列舉諸經的順序、體例與特徵，皆值得深究。茲先以表格列出七種授經圖表類著作加以對勘：

作者	書名	圖表名稱	內容順序＆體例特徵	備註
楊甲	《六經圖》（各部經籍之末附傳授圖）	《易》：古今易學傳授圖	由孔子以降，分列漢易（京房、施、孟、梁丘；費直）與宋易（陳摶）	
		《書》：漢儒傳授書學圖、尚書帝王世次圖	先列今文（伏生傳晁錯）；再列古文（孔安國傳馬融；古文張恭祖傳鄭玄）	
		《詩》：四詩傳授圖	先列今文魯、齊、韓詩；再列毛詩（毛公傳貫長卿至馬融，鄭玄）	
		《周禮》：周禮傳授圖	劉歆傳杜子春，再傳馬融鄭玄	鄭玄下傳至王肅
		《禮記》：禮記傳授圖	徐生傳公戶滿意至后蒼，再傳戴德；戴聖傳鄭玄	
		《春秋》：春秋三傳傳授圖	先公羊高傳胡母生董仲舒至漢明帝；再穀梁赤傳申公等至劉向並尹更始翟方進；再左氏傳張蒼賈誼等至翟方進尹更始至劉歆傳鄭興、鄭眾	尹更始、翟方進兼治春秋穀梁與左氏傳
吳繼仕	《七經圖》	《易》：古今易學傳授圖	先孔子，分列漢易、宋易（同楊甲）	

作者	書名	圖表名稱	內容順序＆體例特徵	備註
		《書》：漢儒傳授書學圖尚書帝王世次圖	黃帝、夏商周、秦晉魯世次圖 先伏生今文；後古文	采族譜寶塔世系圖式
		《詩》：毛詩正變指南圖四詩傳授圖	周衛鄭陳秦齊曹晉宋世次 先魯齊韓再毛詩	采族譜寶塔世系圖式
		《春秋》：春秋筆削發微圖、二十一國世次圖、春秋三傳傳授圖	先公羊，再穀梁、左氏	
		《禮記》：禮記制度示掌圖、禮記傳授圖	徐生傳公戶滿意至后蒼、大小戴，再傳至鄭玄（同楊甲）	
		《周禮》：周禮文物大全圖、周禮傳授圖	劉歆傳杜子春，傳鄭興鄭眾至馬融、至鄭玄，傳王肅與干寶	
		《儀禮》：儀禮傳授之圖	漢高堂生傳魯徐生至后蒼、大小戴，至孔安國，傳劉向至鄭興與鄭玄；並續晉至元人吳澄與明人汪克寬劉有年及貢汝成等	沿用楊復儀禮圖
朱睦㮮	《授經圖》	《易》：	商瞿傳至孫虞傳田何，費直，田何傳丁寬，田	各家經學傳授圖表列於各經師傳

作者	書名	圖表名稱	內容順序＆體例特徵	備註
			王孫至施、孟（傳京房）、梁丘；不列宋易	記與著作之前
		《書》：	先列杜林傳衛宏、徐巡，次列孔安國傳兒寬，司馬遷；再另列伏生傳晁錯張生歐陽生；末列林尊傳平當、陳翁生	
		《詩》：	先列卜商傳魯申至毛亨；再順序列浮丘伯、轅固、韓嬰等之傳	
		《春秋》：	先左丘明傳荀卿、賈誼至鄭興、鄭眾、鄭安世；再公羊高傳至何休；穀梁赤傳至尹更始、翟方進（尹、翟左穀兼治）	
		《禮》：	先儀禮高堂生傳蕭奮傳孟卿傳后蒼及大小戴至徐良；再列禮記徐生傳公戶滿意至大小戴；末列周禮劉歆傳杜子春，鄭眾鄭興至馬融與鄭玄	
黃虞稷改本	《授經圖義例》	《易》：	以復古為先，列子夏易傳，實為王弼本非古易	
		《書》：	以今文為首列朱子書古經，實為孔安國本，非今文	
		《詩》：	先列魯齊韓再列毛詩	

作者	書名	圖表名稱	內容順序＆體例特徵	備註
		《春秋》：	先列左傳再列伏生公羊次穀梁	
		《禮》：	合大小戴與儀禮，再列周禮	
朱彝尊	《經義考・承師》	《易》：	易先田何，傳施、孟、梁丘。	首列孔子，孔子弟子、孔子門人，再次以易……
		《書》：	書先伏生今文，次孔安國古文次蓋豫，杜林漆書古文，東漢治古文者，再次晉孔氏古文。	
		《詩》：	詩先魯、齊、韓，再毛詩；並朱子授詩弟子。	
		《禮》：	先周禮，次儀禮，再次禮記；並朱子授禮弟子。	
		《春秋》：	先左氏，次公羊，再次穀梁；	
		《論語》：	先魯論，次齊論，再次古論；	
		《孝經》：	先今文孝經，後古文孝經。	
洪亮吉	《傳經表》《通經表》	《易》：	始孔子	橫列經師世系，縱列諸經，分經排列，采歐氏族譜圖表型式體例而非寶塔式。最後另列表以示兼通諸經（兼七、八、九、十、十
		《書》：	依序先尚書古文，漆書古文，今文，壁中古文，偽尚書。	
		《詩》：	依次先魯，次齊，次韓，再次毛詩。	
		《春秋》：	先左氏，次公羊，再次穀梁	

作者	書名	圖表名稱	內容順序＆體例特徵	備註
		《禮》：	先禮（兼含儀禮及禮記），次周禮，附論語、孝經。	一經）各家
汪大鈞	《傳經表補正》	《易》：	先列易：施、孟、梁丘、焦氏；次家數無考，再次授受無考。	橫列經師世系，縱列家法，分經排列；後附家數無考、授受無考，采歐氏族譜圖表型式體例而非寶塔式。最後另列表以示兼通諸經各家（兼通二、三、四、五、六、七、八、九、十、十一經等）
		《書》：	先古文，今文，中文，偽尚書；次家數無考，再次授受無考。	
		《詩》：	先魯、齊、韓、毛；次家數無考；再次授受無考。	
		《春秋》：	先公羊、穀梁、左氏（並鄒氏、夾氏）；次家數無考，再次授受無考。	
		《禮》：	先禮（兼含儀禮及禮記），次周禮	
		《論語》：	先古論，再魯論、齊論，次家數無考，再次授受無考。	
		《孝經》：	先今文孝經，後古文孝經；次家數無考，再次授受無考。。	
		《爾雅》：		
		《孟子》：		
		兼通諸經		

楊甲譜表、吳繼仕譜表的比較在《四庫全書·存目·提要》中認為吳繼仕全
襲前人，意謂並不推重。但若比較楊甲《禮記傳授圖》和吳繼仕《禮記傳授
圖》，則吳繼仕實已重繪，且更新為附相關傳論於下欄的形式，對照譜表世
系，更便於讀者。

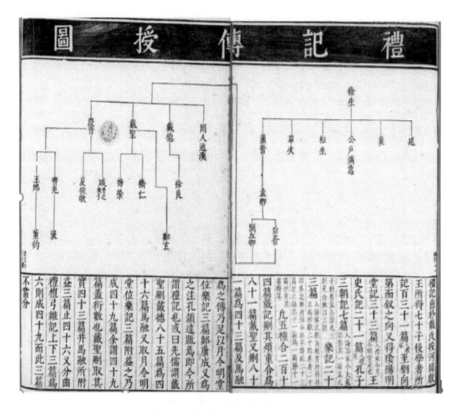

圖三　楊甲《禮記傳授圖》

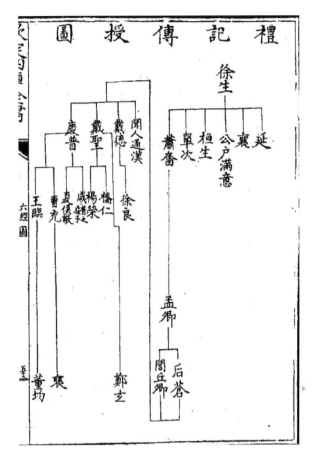

圖四　吳繼仕《漢代禮記傳授圖》

再看吳繼仕《儀禮傳授之圖》，便可知吳繼仕承襲楊復之儀禮傳授圖外，又更加上了楊復與黃幹之師承流衍，以至於元明之世。單從這一圖表並不足以徵知吳繼仕製圖背後的學術見解和依據，然若和《六經始末源流》、《四書引經節解圖考》合參，便可知其編制世系納入元人吳澄、明人汪克寬、劉有年、貢汝成等當代經學家，時代典範的抉擇依據，不免意謂著新譜系的形成。

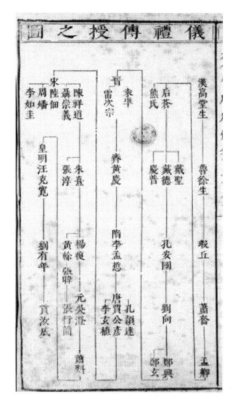

圖五　吳繼仕《儀禮傳授之圖》

　　再者，朱睦㮮《授經圖》圖表、洪亮吉《傳經表》譜表的比較，主要在
於今古文順序之異和禮是否區分《儀禮》、《禮記》。從楊譜、吳譜到朱譜、
洪譜間的變化和差異，則是在於時代變遷之餘，選錄經籍的對象由六經、七
經；到十一經、十二經、十三經之別，同時也加入了兼通二經至多部經籍的
傳授現象，另行制表，不混入在各經傳授世系表裡。後人追溯除了各地因應
科舉及習經學的需要，而有新的不同商業版本之外，出自學術校訂的訂補、
異議與差異，也紛紜不絕，例如清代海寧藏書家學者周廣業之子周勛懋編有
稿本《傳經系表》、晚清江竹虛亦撰《五經源流變遷考·孔子事跡考》[44]；

44　〔清〕江竹虛：《五經源流變遷考·孔子事跡考》，上海：上海古籍出版社，2008年。

〔清〕水嘉穀撰《水氏傳經世系表》一卷，采入「史部・傳記類・總傳」之屬。[45]對於清人追述、繼述的影響，由共同的學派傳授認知衍釋到自身家學、學術與家譜的記錄延續，傳經圖表在學術傳習與師法家法意識的延展力量可謂渲染無已。

四 經學史傳述範式的方法論建構、作用與意義

（一）從師承譜系到漢學系譜的歷程

黃虞稷訂改本《授經圖義例・序》云：「《易》則以復古為先，《書》則以今文為首，其他經傳之闕佚者，復取歷代《史・藝文志》及《通志》、《通考》所載，咸為補入。而近代傳註可傳者，亦間錄焉。」[46]已經明為《四庫全書・提要》所駁，《易》實為王弼注，並非古《易》；《書》則是《偽孔傳》，亦非伏生今文；對比《授經圖》朱睦㮮原著，可以說是完全違失了作者原〈序〉中自謂意旨所在的「立漢學之本」。因此，在此一著重經學傳授源流的師承譜系簡編中，各經之下所列順序與各經傳授師承脈絡，對應於世系、經師傳記與經傳注著述著錄，皆僅到漢末為止。展現出朱睦㮮《授經圖》在有明之世學者與學風中，重視漢人古注與師說的特色。

依循賈疏與孔疏的對勘探索古傳注非是依違的過程，可以發現以《三禮注》為本，已經有從師承的承襲，轉變而為依漢人學說的情形，例如：釋「薦鞠衣」，《禮記・月令》：「季春之月，天子乃薦鞠衣於先帝。」鄭玄《注》：「鞠衣，黃桑之服。」孔穎達《疏》曰：「菊者草名，花色黃，故季秋之月云菊有黃華，是衣黃，與桑同色。又當桑生之時，故云黃桑之服。」但此一說，取服之色澤為義卻有疑義。再檢出《周禮・天官・內司服》：「鞠

---

45 見〔清〕水嘉穀撰《水氏傳經世系表》，收入《四明水氏留碩稿》，清光緒十八年（1892）刊本。

46 〔清〕黃虞稷：〈朱睦㮮《授經圖》義例〉，《景印文淵閣四庫全書》第675冊，臺北：臺灣商務印書館，1986年。

衣」鄭玄《注》謂：鄭司農云：「黃衣」。玄謂：「黃桑服，色如鞠塵，象桑葉始生。」賈公彥《疏》曰：「云色如麴塵，不為麴字者，古通用。以其桑葉始生即養蠶，故服色象之。」近人陳漢章對比孔穎達與賈公彥注疏援據前人說法之不同，為梳理其來源與異說，撰有《孔賈經疏異同續評》評議曰：

> 孔《疏》「菊者艸名」，本蔡邕《月令章句》；「鞠衣黃，如鞠花色」，本劉熙《釋名・釋衣服》，並非鄭義。（菊，本字作䊒，日精也；麴，本字作䴷，酒母也）賈義是也。鄭注〈媒氏〉又云：「今齊人名麴麩曰媒。」《說文》無「麩」有「㸃」云：「䴷餅也。」《方言》：「麴，齊右河沛曰㸃。」《漢書・李陵傳》顏師古《注》：「齊人名麴餅曰媒。」麴餅所生之黃衣（《釋名》：「麴，朽也。鬱之使生衣。」），即麴塵也。[47]

將蠶之祭在時令、以求福祥的意旨和孔穎達《禮記・月令》疏引蔡邕、劉熙所言及季秋之月、黃花之色並不契合，疏重在釋注，但在此孔疏與鄭玄注義不侔；賈公彥疏引述鄭玄《周禮・天官・內司服》注中依據鄭司農的說解，在字義上實有確據，能更為貼切的形容其服色及取象來源。

（二）經籍典和《傳經圖》、《經學授受源流表》、《授經圖》、《傳經表》、《傳經表》的學術定位

經籍典的彙編和史志與傳記的不同歸屬，不僅在認知傳注與疏釋的脈絡下，可據以探究分析關於學術崇尚師承宗風，轉而為漢代古注與漢學的譜系；相對的，於文獻學、目錄學視閾下，也透露著各家所著《傳經圖》、《傳經表》、《授經圖》的學術史定位[48]。以《四庫全書》四部歸屬為例，書中包

---

47 見陳漢章《孔賈經疏異同續評》，《陳漢章全集》，杭州：浙江出版社，2014年。又陳漢章撰：《孔賈經疏異同評》一卷；並《續評》一卷，附錄一卷；叢書集成續編　二，上海：上海書店出版社，1994年。

48 黃聖修〈圖表中的學術史－以兩漢公羊學傳承爭論為中心的探討〉收入：《中國歷史學會史學集刊》第41期（2009年10月），頁425-464。

含有傳授源流的楊甲《六經圖》、吳繼仕《七經圖》歸屬於經部之諸經總義類；而朱睦㮮《授經圖》、朱彝尊《經義考》則歸於史部目錄類群經之屬。也明示著在四部的歸屬原則，《傳經圖》、《傳經表》和《授經圖》皆是需賴經籍典取材成為彙纂諸家、繪製世系成為其銘記標識，自朱睦㮮《授經圖》以降，從論列傳述的動機與問題意識到學術定位，都不會再和其原始來源居於同一層面。這也開啟了清人一連串由經傳異同、傳述文本異同與傳注疏異同為主要對比與蒐羅討源師法家法，追溯前漢師說與古誼的論述趨勢。例如：鉤稽遺文，對比許慎《五經異義》、鄭玄《駁五經異義》間所依師說的差異，諸如今尚可得見的「六宗說」、「三望說」、「九族說」與「天子不親迎」、「日月食」、「九州承天配九野」等各種會通諸經異義而形成的論述中，在在可見鄭玄相較於許慎跳脫今古文、超越家法師法樊籬的闡釋。在漢魏晉世以降，又再度可藉由鄭玄、王肅的異同評議，窺見更多王肅以前漢師說對駁鄭玄經注的說釋。

在清人陳喬樅的對應鉤稽傳注和《魯詩遺說考》中爬梳的實例，尚有數例：四家詩所作不同、四家之書字體因訛改而混、引證典籍說法以證詩、三家今文皆同等情況。茲臚列於下：

1 四家詩所作不同者

「盧令」「盧鏻鏻」

喬樅謹案：《毛詩》「盧令令」《傳》云：「令令，纓環聲。」《呂氏讀詩記》引董氏曰：「《韓詩》作『盧泠泠』文與毛異。」《說文‧犬部》「獜，健也。《詩》曰『盧獜獜』」按說文引詩訓獜為健，當本齊詩說。《玉篇‧犬部》「獜獜，聲也，亦作鏻。」作鏻者，魯詩之文也。鏻與鈴同。《毛詩》「令」即鈴之省文。韓詩泠又鈴之假借。又案：《玉篇‧金部》「鏻，健也。」疑「健也」之訓，當是「獜」字。注與《說文》義同。《玉篇》於詩采三家，必於鏻下注云「鏻鏻聲也」。引《詩》「盧鏻鏻」亦作「獜，健也」；獜下注云：「健也」，引《詩》

「盧猗猗」亦作「鏻聲也」。今本轉寫者訛脫，非顧氏之舊矣。[49]

《齊詩》作猗、《魯詩》作鏻、《韓詩》作泠、《毛詩》作令。並謂：顧野王之書多經散佚竄改，已非原貌，引注規例亦失。

〈東方〉東方未明，顛倒衣裳；顛之倒之，自公召之。

引《說苑‧奉使篇》：魏文侯遣倉唐賜太子衣一襲，勅以雞鳴時至。太子發篋，視衣盡顛倒。太子曰：趣早駕，君侯召擊也。倉唐曰：「臣來，不受命。」太子曰：「君子賜擊衣，不以為寒也。欲召擊，無誰與謀。故勒子以雞鳴時至。」《詩》云：「東方未明，顛倒衣裳，顛之倒之，自公召之。」遂西至，謁，文侯大喜。

喬樅謹案：《詩》卒章，「不能辰夜」。辰夜者，猶云時夜。莊子曰：「化予之臂以為雞，予因以時夜。」《釋文》引崔注云：「時夜，司夜。」《淮南‧說山訓》作「見卵而求晨夜」。晨與辰通，時夜即《周官》「雞人」之告時也。雞鳴者入朝之侯，故文侯勒倉唐以雞鳴時至，而太子即趣早駕也。

《荀子‧大略篇》：「諸侯召其臣，臣不俟駕，顛倒衣裳而走，禮也。詩曰：『顛之倒之，自公召之』。」

趙岐《孟子章句‧十》：「君以其官召之，豈得不顛倒，《詩》云：『顛之倒之，自公召之』。」

喬樅謹案：邠卿說此詩顛倒衣裳與荀子合，益足證魯詩之說多本於荀子矣。[50]

由以上的四家詩各自不同與「不能辰夜」「辰」通「時」，解為「司夜」例子，才能通曉依據荀子、孟子所引魯詩說的「顛倒衣裳」之說。

---

49 〔清〕陳壽祺、陳喬樅撰：《三家詩遺說考》，收入《續修四庫全書‧經部‧詩類》第76冊，上海：上海古籍出版社（據華東師範大學圖書館藏清刻《左海續集》本影印），1995年。

50 參陳喬樅撰：《三家詩遺說攷》、《詩經四家異文攷》收入《續修四庫全書》，上海：上海古籍出版社，2002年。

2 三家今文皆同、古字通同不一的源流梳理：

《詩經》三家今文字或有相同、或有古字通同相混不一的情形，陳喬樅亦一一對比梳理，分析其文字所據及改竄之由，推溯其正字與流別：

「敝笱」「其魚魴鯤」

〔補〕《爾雅・釋魚》「鯤，魚子」李巡曰：「凡魚之子，總名鯤也。」（《毛詩正義》）

喬樅謹案：《毛詩》作「魴鰥」傳云：「鰥，大魚。」箋云：「鰥，魚子。」《正義》曰：「鰥、鯤字異。」蓋古字通用或鄭本作鯤也。《魯語》「夏禁鯤鮞」，亦以鯤為魚子。喬樅謂鄭箋之義，即據魯詩攻毛。《太平御覽》九百四十，引《詩》正作魴鯤。蓋三家今文同。馬瑞辰曰：「《說文》云鰥魚也，从魚眔聲。」李陽冰曰：「當从𦋻省，𦋻即古昆字。故古昆字作𦋻，隸省作鰥。」《說文》有鰥無鯤，正以鰥即鯤字也。[51]

以「載驅」「魯道有蕩，齊子豈弟」證各本傳述《詩經》古字通用混淆，以正魯詩傳抄淵源：

〔補〕高誘《呂覽・貴公篇》注：「《詩》云：魯道有蕩。」

〔補〕《爾雅・釋言》：「愷悌，發也。」舍人曰：「闓明發行也。」（《毛詩正義》）郭璞曰：「《詩》云：齊子愷悌。」

喬樅謹案：《毛詩》「齊子豈弟」箋云：「此豈弟猶云發夕也。豈當讀為闓。弟，《古文尚書》以弟圛。圛，明也。」《正義》曰「《釋言》，愷悌，發也，舍人李巡、郭璞皆云圛明發行。」郭璞又引此詩云：「齊子愷悌」。喬樅謂：據《正義》云云，則《釋言》文本不作愷悌。故注皆以闓明訓之。今《爾雅》本作「愷悌，發也」注：「發，發行

---

51 參陳喬樅撰：《三家詩遺說攷》、《詩經四家異文攷・魯詩遺說考》收入《續修四庫全書》，上海：上海古籍出版社，2002年。

也。」《詩》曰「齊子愷悌」，此乃後人所改，非景純舊本。又徑奪闓
明之訓，僅存發行之義。遂與沖遠所引迥殊。且注之引詩乃證明釋言
之文，更不宜用愷悌。疑魯詩文當為齊子愷圛，故鄭據以改毛，又引
《古文尚書》弟為圛者，以證《毛詩》豈弟即《魯詩·闓圛》。《史
記·宋世家》圛作涕者，亦聲之假借。《釋言》文當為「闓圛，發
也。」故注引魯詩以證之。考《史記》、司馬相如〈封禪文〉「昆蟲凱
澤」，漢書作「闓圛」，《文選》作「闓澤」。此即用魯詩「闓圛」之
文。鄭注《尚書》曰：「圛，云圛者色光明。」是圛與澤同。闓，凱澤
懌聲並相近。〈封禪文〉承上闇昧昭晰而言極之。昆蟲亦皆開明回首
向內也，又班固《典引》云：「紹天闡繹」，「闡釋」即闡繹之誤文。
承上太古同於草昧，至太昊乃繼天而啟文明，故下云亞斯之代，函光
而未明也。圛繹懌澤古皆通用。[52]

魯詩「闓圛」因各家不同傳本引用各為後人所竄改，以致造成了原義不彰的
情況，經由陳喬樅的考辨，則一貫析解了各家所引「圛、繹、懌、澤」古皆
通用以致說解混淆的訂正和釐清。

以「圛桃」「心之憂矣，我歌且謠」區別齊詩家派之異用：

〔補〕《列女傳·四》：「《詩》云：心之憂矣，我歌且謠。」（陶嬰傳）
〔補〕《爾雅·釋樂》：「徒歌謂之謠。」孫炎曰：「聲消搖也。」（《毛詩
正義》）郭璞曰：「《詩》云：我歌且謠。」
喬樅謹案：《毛傳》曰：「曲合樂曰歌，徒歌曰謠」《初學記》引韓詩
章句曰：「有章曲曰歌，無章曲曰謠。考謠古字作䚻，《說文·言部》
䚻，徒歌，從言肉聲，䚻又通作䌓。」《廣韻》「䌓，喜也」引《詩》
曰：「我歌且䌓。」作䌓者，齊詩之異文。據《漢書·李尋傳》曰：
「人民䌓俗」䌓俗即謠俗。李尋用齊詩，此其證也。[53]

---

52 陳喬樅撰：《詩經四家異文攷·魯詩遺說考》。
53 陳喬樅撰：《詩經四家異文攷·魯詩遺說考》。

劉向說《詩》係宗《魯詩》用「謠」，《毛詩》《韓詩》同，故依〈李尋傳〉中引「絲俗」字來看，李尋用傳《齊詩》。

以「陟岵」「陟彼岵兮」說明三家詩所傳相同，與毛詩則異：

〔補〕《爾雅·釋山》多草木岵。〔郭璞曰〕見《詩》。

喬樅謹案：《毛傳》云，山無草曰岵，義與《爾雅》相反。考《說文·山部》「岵，山有草木也。从山古聲，《詩》曰：陟彼岵兮。」「屺，山無草木也。从山己聲。《詩》曰：陟彼屺兮。」《釋名·釋山》：「山有草木曰岵，岵，怙也，人所怙取以為事用也。山無草木曰屺。屺，圮也，無所出生也。」義並與《爾雅》同。毛與三家師傳各別訓義或殊，許、劉所據，皆宗魯說也。[54]

「陟岵」「陟彼岵兮」之例來看，學者向以比較《毛傳》、《爾雅》釋字說義為古學依據，然而在此一則中，可見《爾雅》、《說文·山部》、《釋名·釋山》一脈相同，皆與《毛傳》違異，由此可見東漢許慎、劉熙經訓仍依魯詩說。

3 引各經與《詩經》各家用字考辨傳授之源流依據：

不僅會通《詩經》各家解經釋字和注釋內容加以比較，陳喬樅在前述洪亮吉《通經表》原理為基礎上，亦會通《周易》、《毛詩·魏風·碩鼠》「碩鼠」與三家詩文字傳授之別，引述《周易·晉卦》引《詩》說解：

《毛詩·魏風·碩鼠》「碩鼠」

《周易集解》（唐）李鼎祚卷七之晉卦

䷢（坤下離上）。晉：康侯用錫馬蕃庶，晝日三接。

九四：晉如碩鼠，貞厲。

《九家易》曰：碩鼠，喻貪，謂四也。體離欲升，體坎欲降。遊不度

---

54 陳喬樅撰：《詩經四家異文攷·魯詩遺說考》。

潰，不出坎也。飛不上屋，不至上也。緣不極木，不了離也。穴不掩身，五坤薄也。走不先足，外震在下也。五伎皆劣，四爻當之。故曰「晉如碩鼠」也。

《象》曰：碩鼠貞厲，位不當也。

翟元曰：碩鼠晝伏夜行，貪猥無已。謂雖進承五，然潛據下陰，久居不正之地，故有危厲也。[55]

以清人陳壽祺與陳喬樅父子治經之法與相關著述諸如陳壽祺《五經異義疏證》、陳喬樅《齊魯韓三家詩遺說考》來看，當代學者認為具有從輯佚與目錄學治學術史的重要方法理據。房瑞麗更據陳喬樅的考證加以梳理其建立追溯漢代四家詩學學術脈絡，有謂：

陳氏父子所述源流，基本上把現有史籍所載的三家詩傳授者網羅殆盡。陳氏父子先列史籍記載與三家詩傳授有關的事跡，對於需要說明處以「謹案」示之。如對於《齊詩》傳授有「孫氏」，《漢書・藝文志》《齊孫氏故》二十七卷；《齊孫氏傳》二十八卷，但由於載籍有缺，「喬樅謹案」：「孫氏著《齊詩故傳》卷帙至五十五卷之多。可謂博而詳矣。惜《儒林傳》不載其人名字，遂佚不可考。又志載《齊雜記》十八卷，惜不著撰人姓名」陳喬樅這種互為考證的方法，使得源流考證精到求真。

陳氏父子不僅在卷首詳述源流，並在此基礎上，對具體詩句的考證條目也貫穿師法、家法的源流宗旨，並在必要處予以案說。如《魯詩遺說考》卷三：〈鶴鳴〉「鶴鳴于九皋，聲聞於野」〔補〕「後漢書」楊震上疏曰：「野無〈鶴鳴〉之士，朝無〈小明〉之悔，〈大東〉不興於今，〈勞止〉不怨於下」。又，楊賜對書曰：「速徵〈鶴鳴〉之士，內親張仲，外任山甫」。〔喬樅謹案〕：賜為楊震之孫，楊秉之子，賜治

---

55 以上引據參陳喬樅撰：《三家詩遺說攷》、《詩經四家異文攷》收入《續修四庫全書》，上海：上海古籍出版社，2002年。

《魯詩》，則知震及秉亦皆治《魯詩》也。[56]

漢代今文詩經學在經學傳授的宗旨上，不僅世代以師法家法遞承，著重經世義理並且訴諸實用，更是其學風所在。陳喬樅以經學目錄學與輯佚學為基礎，旁搜抉羅、分析經義傳授源流的開拓了推溯家法淵源的原理和實證，為後人所推重。[57]注釋學文本脈絡的意義，在時代推移之下，更加凌駕超越於經義與師法家數之上。可謂是汲汲於回溯傳授世代系譜的學者，仍然不能不得回歸於傳注的本質內容之道。

五　結語

本論文分別就四個不同的面向論究《授經圖》、《傳經表》與經學史傳述範式的建構，以呈現圖像、譜牒、世系三個看似各自獨立卻又緊密相關的學術史傳述體式，在經學史論述中被抉擇為表述形式後，內涵蘊藏的學術意旨。

首先，在前言部份分別引用歷來繪圖與族譜世系著作，申說其一、圖像的形成、複擬與再現；其二、映像的兩重呈現：圖象的學術史、圖表的學術史與其三、研究對象與文獻回顧：譜牒與世系貫串於圖表敘事。

再者，在世系與學術宗風的移借涵義下，論究第貳部份：即方法即體例：師法家法譜系與圖表的傳述法則，申說其一、從圖像到圖表：譜牒世系的形塑；其二、意義的傳述——師法家法譜系與圖表敘說，再透過圖表世系不能展現的敘事和經師傳記與經書傳注形態，由書序分別揭示「1.以「序」敘說學術脈絡的涵義」和「2.以圖表志師法家法譜系與學術傳習」的延展。

接著，第參部份則就「《傳經圖》、《經學授受源流表》、《授經圖》、《傳經表》、《傳經表》內容議題評價闡述與意蘊」比較各家明確有所述相承相因

---

56 房瑞麗：〈陳壽祺陳喬樅父子《三家詩遺說考》考論〉，《廣西社會科學學報》（人文社會科學版）2008年5期（總第155期）（2008年5月），頁147-150。

57 這一方向的對勘與驗證，見周黻：〈清儒陳壽祺陳喬樅父子研究現況概說〉，《古籍研究》（總57-58），2013年，頁33-41。

的著作，列表分析各家的特色和後出轉精，內容倍豐的增益之處。

　　最後第肆部份，則就「經學史傳述範式的方法論建構、作用與意義」回顧授經、傳經、通經圖表到世系，延伸而來的學派宗主和經書內容訓釋、依經隨文詮解、徵引式考辨等的方法論，在經注與經學師傳家法間的探究意義。

同事異評：黃仲炎、黃震與呂大圭解《春秋》方法研究與反省

——以對文姜諸事的解說為核心

劉德明

中央大學中文系

一　前言

　　五經是儒家傳統的核心經典，而《春秋》更是傳說中為經過孔子手定的典籍，自孟子提出「孔子成《春秋》，而亂臣賊子懼。」、「其事則齊桓晉文，其文則史。孔子曰：其義則丘竊取之矣。」[1]之說後，如何解讀出《春秋》透過文辭與所記之事，而探知《春秋》之「義」便成為《春秋》學中最重要的工作。但是因為《春秋》僅以一萬六千餘言記二百四十二年之事，其文字嚴簡不易解知。所以三傳隨之而起，成為理解《春秋》的重要依據。西漢時，《公羊傳》主宰了對《春秋》的理解，東漢後《左傳》之說勢力日漸興盛，對於《春秋》的解釋也越益繁多。唐代啖助等人不拘於三傳學統，以纂例等方式，兼取三傳之說並加己意解經，開創新的解經方式，這也啟發了宋代的孫復、孫覺、劉敞等人，紛紛對於《春秋》撰寫新的注解，因而《春秋》也成了宋代經學中的重要焦點。

　　在宋代諸多詮解《春秋》的儒者中，多是將目光放在說解《春秋》中的「大義」，所以說《春秋》者眾多。但也有儒者注意到如何詮說《春秋》的

---

[1] 分見〔清〕焦循註：《孟子正義》（臺北：文津出版社，1988年），卷13，頁459、卷16，頁575。

「方法」問題，如由啖助以下諸人的著作中即可發現，其普遍使用了「書法義例」的方式來說解《春秋》，也就是透過歸納《春秋》中對某些字詞的固定用法，來說解《春秋》大義。這種方式在三傳中已常使用，而啖助等人至宋儒則更將之普遍化。對於這種方式，程頤有一基於實際解釋《春秋》中的觀察：

> 《春秋》大率所書事同則辭同，後人因謂之例，然有事同而辭異者，蓋各有義，非可例拘也。[2]

其並提出：

> 於一事一義而欲窺聖人之用心，非上智不能也。故學《春秋》者，必優游涵泳，默織心通，然後能造其微也。[3]

綜合以上兩之說，程頤認為《春秋》中「事同則辭同」與「非可例拘」是同時存在的，所以要「優游涵泳，默織心通」才能得知《春秋》幽微難知之義。這兩種不同的說法，落實在實際解經中，仍是以「事同則辭同」的方式較易操作而且具有客觀的說服力，所以在程頤學脈中的說《春秋》者，如謝湜、高閌以至於胡安國等人的《春秋》注解中，都能大量的看到以義例說解《春秋》。

在這樣的傳統中，朱熹的主張則是十分特別。朱熹雖認為《春秋》為孔子所作，且認為其中含有「大義」，其提出其解讀《春秋》的方法有兩個要點：一是反對前人所謂《春秋》中有可以據以判定褒貶的「例」，二則是主張《春秋》「只如看史樣看」、「看《春秋》，且須看《左氏》首尾意思通貫，方能略見聖人筆削，與當時事之大義」[4]。也就是要透過前後史事的對比，才能大約知道孔子之意。朱熹的主張在理論上至少會產生以下兩個問題：一、若僅以史書的方式讀《春秋》，會使《春秋》的價值地位由經下降為

---

2 〔宋〕程顥、程頤：《二程集·河南程氏經說》（北京：中華書局，1981年），頁1092。

3 〔宋〕程顥、程頤：《二程集·河南程氏經說·春秋傳序》，頁1124。

4 均見〔宋〕黎靖德編：《朱子語類》（北京：中華書局，1986年），卷83，頁2148。

史，其甚至於比不上《左傳》。因專就春秋時代的史事而論，《春秋》所載史事的豐富度不及《左傳》甚遠。二、由於《春秋》對史事的記錄簡少，加上文字又不具有褒貶之意，所以無法將《春秋》之「文」與《春秋》之「義」兩者緊密相連，正如張立恩所言：「完全摒棄文辭褒貶觀念，也就意味著否定了孔子通過文辭表達意志。」[5]也因為朱熹對《春秋》解經方法的主張，強烈反對以凡例解經，所以朱熹只能對《春秋》的大方向有一概略式的說明，其言：「《春秋》大旨，其可見者：誅亂臣，討賊子，內中國，外夷狄，貴王賤伯而已。」[6]無法凸顯出《春秋》本身的獨特價值。此外，朱熹在現實上也沒能展現以其觀點通貫《春秋》全書的注解，而僅能說：「然今精力已不逮矣，姑存與後人。」[7]期勉之後有學者有能順承他的觀點，寫出《春秋》完整的注解。

在南宋末年時，分別有黃仲炎、黃震及呂大圭三位儒者，自覺的承襲了朱熹的《春秋》解經方法主張而進行對《春秋》的詮解。黃仲炎，字若晦，永嘉人，生卒生不詳，約活動於南宋寧宗（趙擴，1168-1224，1194-1224在位）、理宗（趙昀，1205-1264，1224-1264在位）時期。著有《春秋通說》一書，其自言是依朱熹所主張解經方法來詮解《春秋》，黃仲炎在此書的〈序〉中言：

> 《春秋》者，聖人教戒天下之書，非褒貶之書也。……彼三傳者，不知其紀事皆以為戒也，而曰有褒貶焉。凡《春秋》書人、書名，或去氏、或去族者，貶惡也。其書爵、書字，或稱族、或稱氏者，褒善也。甚者如日月地名之或書、或不書，則皆指曰是褒貶所繫也。質諸此而彼礙，證諸前而後違，或事同而名爵異書，或罪大而族氏不削，於是褒貶之例窮矣。例窮而無以通之，則曲為之解焉。專門師授，襲

---

5 分見劉德明：〈吳澄《春秋纂言》中的「屬辭比事」探析〉，《國文學報》第61期（2017年6月），頁118。張立恩：〈《春秋》是實錄嗎？——朱子以史視《春秋》說之理論困境及元儒之解決方案〉，《北京社會科學》2018年第2期，頁118。

6 〔宋〕黎靖德編：《朱子語類》，卷83，頁2144。

7 〔宋〕黎靖德編：《朱子語類》，卷83，頁2176。

陋仍訛，由漢以來，見謂明經者不勝眾多，然大抵爭辨於褒貶之異，
究詰於類例之疑，滓重煙深，莫之澄掃，而《春秋》之大義隱矣。[8]

黃仲炎明確反對歷來解《春秋》者以義例書法定褒貶的方法，因為從以書
人、名、爵、族、日、月等等義例來說褒貶，由於這些義例並無法自圓其
說，所以常常要創造出更多的「變例」來曲為之解，於是類例無窮而失《春
秋》大義。黃仲炎認為唯有拋棄以這些義例定褒貶的解經的方法來詮解《春
秋》，方才能還《春秋》本為教戒之聖典的面目。[9]

　　黃震（1213-1281），字東發，浙江餘姚人，著有《黃氏日抄》，於《宋
史》中有傳。[10]在《黃氏日抄》中有七卷是用以注解《春秋》經文，此外尚
有專論《春秋左傳》一卷，故其與《春秋》直接相關的論述共有八卷。在本
書第七卷卷首有「褒貶」、「凡例」二論，其中即引朱熹論《春秋》的兩段文
字，表明其遵從朱熹之說，他引朱熹言：「《春秋》大旨，誅亂臣，討賊子，
內中國、外夷狄，貴王賤霸而已。」之說來釋《春秋》之褒貶，[11]又言：

> 自褒貶、凡例之說興，讀《春秋》者往往穿鑿聖經，以求合其所謂凡
> 例，又變移凡例以遷就其所謂褒貶。……及有不合，則又為之遁其
> 辭。是則非以義理求聖經，反以聖經釋凡例也。聖人豈先有凡例而後
> 作經乎？何乃一一以經而求合凡例耶？……以例求《春秋》，動皆逆
> 詐億不信之心。愚故私摭先儒凡外褒貶、凡例而說《春秋》者，集錄
> 之使子孫考焉，非敢為他人發也。[12]

8　〔宋〕黃仲炎：《春秋通說·春秋通說原序》，（臺北：臺灣商務印書館，影印《文淵閣
　　四庫全書》本，1983年），頁1。

9　關於黃仲炎對「例」與「褒貶」之間的關係，可參看筆者在〈黃仲炎《春秋通說》初
　　論──以「教戒」說與其對《左傳》的引述與運用為核心〉一文，初稿發表於「第二
　　屆《群書治要》國際學術研討會──《左傳》學之多元詮釋」，臺南：國立成功大學，
　　2020年9月11-12日。

10　〔元〕脫脫等撰：《宋史》（北京：中華書局，1977年），卷438，頁12991-12994。

11　〔宋〕黃震著，張偉、何忠禮主編：《黃氏日抄》，收入《黃震全集》第1冊（杭州：浙
　　江大學出版社，2013年），卷7，頁158。

12　〔宋〕黃震著，張偉、何忠禮主編：《黃氏日抄》，卷7，頁157-158。

黃震認為歷來以凡例說《春秋》者，並不貫串全書，常以穿鑿方式說經，致使對於《春秋》中的大義無法有清楚的判定，最後只能如優戲猜隱語般的去解讀《春秋》。黃震反對以凡例、褒貶說《春秋》，他認為應以「義理求聖經」，而不應以「聖經釋凡例」。認為《春秋》中因時不同，所以據以判定的方式亦應不同。黃震自言這些說法都是承朱熹而來，[13]而且其中有不少核心主張與黃仲炎相類。

　　至於呂大圭（1227-1275），字圭叔，號朴鄉。南宋泉州南安人。在《宋元學案》第六十八卷〈北溪學案〉中著錄呂大圭師從楊昭復，楊昭復則為陳淳弟子，所以呂大圭可謂朱熹的三傳弟子，其著有《易經集解》、《學易管見》等書。[14]呂大圭有三部與《春秋》學相關的著作：《春秋或問》、《春秋五論》及《春秋集傳》，其中《春秋集傳》已不傳於世。《春秋五論》則是呂大圭用以宣明其解釋《春秋》的基本立場，尤其是關於日月褒貶之例等問題。呂大圭言：「其大端不過有二：一曰以日月為褒貶之說，二曰以名稱爵號為褒貶之說。」[15]又言：「《春秋》據事直書而善惡自見，名稱爵號從其名稱爵號，而是非善惡則係乎其文。」[16]由此來看，其解經方法的立場確是直承朱熹而來。何夢申亦說：「先生又出《集傳》、《或問》二書，蓋本文公之說而發明之」[17]可見呂大圭十分自覺的以朱熹之說為目標，並用此方法來詮解《春秋》全文。

　　綜觀黃仲炎、黃震及呂大圭三人的立場，其均自言承自朱熹，就大方向而言，三人均批評以書法字例定褒貶的解經方法，主張應從《春秋》所記的

---

13 關於黃震有關凡例與褒貶的相關討論，可參見筆者〈黃震《春秋》學探微——以凡例與褒貶為核心〉一文，初稿發表於「2020年宋明清儒學的類型與發展Ⅶ」學術研討會」，中壢：國立中央大學，2020年10月22-23日。

14 〔清〕黃宗羲原著，全祖望補修，陳金生、梁運華點校：《宋元學案》（北京：中華書局，1982年），卷68，頁2240。

15 〔宋〕呂大圭著，趙宗乙點校：《呂氏春秋或問·附春秋五論》（北京：商務印書館，2017年），頁7。

16 〔宋〕呂大圭：《呂氏春秋或問·附春秋五論》，頁10。

17 〔宋〕何夢申：〈呂氏春秋或問跋〉，收入〔宋〕呂大圭：《呂氏春秋或問·跋》，頁1。

前後事跡來解釋《春秋》。三人對於《春秋》的注解雖然詳略不同,其呈現方式亦各自有其特點,但均大致通解了《春秋》全書各條經文。所以若想探知不以書法條例而是以前後事之連結的方法詮解《春秋》是否可行,以及這種方法所呈現的特點,用三人之說與大量使用書法條例之法的三傳、胡安國相互對比,或能呈顯出朱熹及其後學所主張的特質與優缺點。本文即以《春秋》經文所記的文姜諸事為核心,對比三傳、胡安國以及黃仲炎、黃震、呂大圭等人之說,以期能了解其中的問題與特點。

二 各家對文姜諸事的評價(上)

《春秋》雖記事簡要,但自魯桓公三年記「公子翬如齊逆女」起,至魯莊公二十二年「癸丑,葬我小君文姜」止,對於文姜之事的直接記載約有十四條之多,[18] 應是《春秋》經中記錄條目最多的女性。文姜之所以在《春秋》中有如此多的記錄,實與其一生的經歷豐富並與魯國桓公、莊公兩君主政時期的諸多重要事件密切相關,故本文亦集中於文姜之相關經文的解釋進行對比分析。

在《春秋》中對於文姜之記載大略可分為四大階段:一是桓公三年至桓公十八年,文姜由齊嫁至魯、桓公六年生子同(即魯莊公)、十八年陪同桓公與齊襄公會盟,齊襄公因與文姜通姦而殺了魯桓公。二是在莊公元年,不書莊公即位與文姜在此年三月「孫于齊」兩事。三是從莊公二年至莊公二十

---

18 《春秋》經中對文姜的記錄有:桓公三年,七月,公子翬如齊逆女;三年,九月,齊侯送姜氏于讙,公會齊侯于讙。夫人姜氏至自齊;十有八年,春,王正月,公會齊侯于濼,公與夫人姜氏遂如齊;莊公元年,三月,夫人孫于齊;(二年)冬,十有二月,夫人姜氏會齊侯于禚;四年,春,王二月,夫人姜氏享齊侯于祝丘;五年,夏,夫人姜氏如齊師;七年,春,夫人姜氏會齊侯于防;冬,夫人姜氏會齊侯于穀;(十有五年)夏,夫人姜氏如齊;(十有九年,秋)夫人姜氏如莒;二十年,春,王二月,夫人姜氏如莒;(二十有一年)秋,七月,戊戌,夫人姜氏薨;(二十有二年,春)癸丑,葬我小君文姜。共有十四條。除此之外,桓公六年「九月,丁卯,子同生」一條也與文姜之事密切相關。

年，文姜頻繁的至齊、莒兩國。四則是在莊公二十一年「夫人姜氏薨」與二十二年「葬我小君文姜」的記錄。對於這四個重點，由三傳起至黃仲炎、黃震與呂大圭等人都有許多論說，透過對比這些對於《春秋》經文的說解，可以使我們更了解前儒所理解的「《春秋》大義」為何，並反省他們差異的由來。

（一）魯桓公被殺的解說

歷來儒者對於文姜因與其兄通姦而致使桓公被殺一事，雖然在大方向上均一致嚴責文姜與齊襄公毀壞人倫，但若細究各個儒者的說法，其間仍稍有不同。其不同處主要在於：一、對於齊桓公被殺一事，文姜所扮演的角色看法不同：依《左傳》所述，桓公十八年魯桓公與齊襄公會於濼，文姜要求與桓公一同前往，申繻以「女有家，男有室，無相瀆也」的理由勸止不成，於是桓公與文姜一同「會齊侯于濼」。在此會中，文姜因與齊襄公私通而被桓公責備，於是向襄公訴苦，齊襄公則「使公子彭生乘公，公薨于車」。[19]《左傳》並沒有明言文姜事先參與計畫殺桓公之事。而《公羊傳》與《左傳》最大的不同在於，襄公之所以要殺桓公，並不是因為被發現與文姜通姦，而是「夫人譖公於齊侯」，文姜主動告訴齊襄公說桓公曾說：「同非吾子，齊侯之子也。」捏造桓公疑心子同的身世，因而齊襄公才會令彭生殺了魯桓公。在《公羊傳》這樣的敘說中，魯桓公被殺，文姜幾乎是主要的發動者，因為她「虛構」了桓公對她的懷疑，直接導致齊襄公決定動手。[20]《左傳》與《公羊傳》對於桓公被殺的主因，一是歸究於齊襄公，一則是歸因於文姜。至於《穀梁傳》對於此事詳情沒有記載，但范甯則說：「夫人與齊謀

---

19 〔周〕左丘明，〔晉〕杜預注，〔唐〕孔穎達正義：《春秋左傳正義》（北京：北京大學出版社，2000年），卷7，頁243-244。

20 依《春秋》經文，桓公三年九月文姜嫁至魯國，桓公六年九月「子同生」，其間沒有文姜至齊的任何記載，故而子同不可能是「齊侯之子」。

殺之，不書，諱也。」[21]認為是襄公與文姜合謀，不分主從，約應是折衷兩傳的說法。至於在評價的方面，《左傳》僅述本事前後，沒有針對魯桓公、文姜與齊襄公三人有何褒貶論說，只有孔穎達說：「杜無明解。《傳》載申繻之言，譏公男女相瀆，蓋以相襄瀆之故，果致大禍。」[22]因杜預也並沒有對三人有何評說，故孔穎達只能從申繻的勸戒之語中引申出：《左傳》之意在於譏諷桓公違禮同意文姜同行，而招致殺身之禍。《公羊傳》則由經文「公與夫人姜氏遂如齊」用了「與」字而不用「及」字發論：「公何以不言及夫人？夫人外也。」何休也說：「時夫人淫於齊侯而譖公，故云爾。」[23]認為《春秋》用「與」字不用「及」字，是在表達文姜因與襄公通姦並設計桓公，是自外於桓公，由此可見《春秋》深責文姜之意，[24]《公羊傳》這種說法同時符應文姜刻意設計使齊襄公殺魯桓公的「事實」。

雖三傳對於文姜在桓公之死一事上的事實與評判並不一致，但從宋代胡安國、黃震、呂大圭及黃仲炎四人之說來看，他們的某些說法無疑是受了三傳的啟發而生。如胡安國即言：

> 與者，許可之詞。曰「與」者，罪在公也。按〈齊詩〉，惡魯桓微弱，不能防閑文姜，使至淫亂，為二國患……為亂者文姜，而《春秋》罪桓公，治其本也。……夫不夫，則婦不婦矣。乾者，夫道也，以乘御為才；坤者金婦道也，以順承為事。《易》著於乾坤述其理，《春秋》施於桓公見其用。[25]

---

21 〔晉〕范寧集解，〔唐〕楊士勛疏：《春秋穀梁傳注疏》（北京：北京大學出版社，2000年），卷4，頁69。

22 〔周〕左丘明，〔晉〕杜預注，〔唐〕孔穎達正義：《春秋左傳正義》，卷7，頁243。

23 〔漢〕何休解詁，〔唐〕徐彥疏：《春秋公羊傳注疏》（北京：北京大學出版社，2000年），卷5，頁128。

24 《穀梁傳》亦言：「濼之會，不言及夫人何也？以夫人之伉，弗稱數也。」與《公羊傳》之義相近，傅隸樸言：「《穀梁》完全襲取《公羊》之義。」見傅隸樸：《春秋三傳比義》（北京：中國友誼出版公司，1984年），頁188。

25 〔宋〕胡安國著，錢偉彊點校：《春秋胡氏傳》（杭州：浙江古籍出版社，2010年），卷6，頁80。

對比胡安國與三傳之說，可以有三個觀察點：一、胡安國在解說桓公被殺的責任時，其解義的方法是承續《公羊傳》及《穀梁傳》的方式，將重點放在說明《春秋》用「與」而不用「及」字的原因。二、雖然胡安國認為「桓公之弒，姜氏與焉」，[26]其說近於《公羊傳》或《穀梁傳》，認為文姜直接參與殺桓公之事。但其對「與」字「大義」的說解則與二傳不同，胡安國認為《春秋》用「與」字是表明此事主要的責任在魯桓公，因為魯桓公為夫，實應有制婦的責任與能力，桓公因沒有能力控制文姜以至被殺，所以其應負最大的責任，這又近於孔穎達申述申繻之意。三是胡安國之所以有這種主張，是因其援引了《詩·齊風·敝笱》的〈序〉：

> 〈敝笱〉，刺文姜也。齊人惡魯桓公微弱，不能防閑文姜，使至淫亂，為二國患焉。[27]

要特別說明的是：雖然胡安國引的是〈敝笱·序〉的原文，但胡安國之意與〈序〉還是稍有不同。觀〈序〉之意雖說「魯桓微弱」是文姜淫亂的助因，但其主要仍認為〈敝笱〉是以「刺文姜」為主，因此孔穎達言：「箋以作詩者主刺文姜之惡」，[28]而不似胡安國將桓公視為《春秋》所欲貶斥的的主要對象。

至於黃震、呂大圭及黃仲炎三人對於此則的說解則可歸納成以下幾個重點：一、他們完全不提《春秋》為何用「與」而不用「及」字，這當然是因為他們三人都反對以書法義例解釋《春秋》的方法。二、對文姜參與桓公被殺一事的程度，黃震說：「姜氏蓋預弒」[29]、黃仲炎則言：「夫人前乎如齊與

---

26 〔宋〕胡安國著，錢偉彊點校：《春秋胡氏傳》，卷7，頁83。

27 〔漢〕毛亨傳，〔漢〕鄭玄箋，〔唐〕孔穎達正義：《毛詩正義》（北京：北京大學出版社，2000年），卷5，頁409。

28 〔漢〕毛亨傳，〔漢〕鄭玄箋，〔唐〕孔穎達正義：《毛詩正義》，卷5，頁410。對於此詩的細部理解，毛傳、鄭玄與孔穎達之說稍有不同，如其對「鰥」應解為大魚或魚子即有不同考量。但他們對本詩所刺的對象主要是文姜則沒有疑義。

29 〔宋〕黃震著，張偉、何忠禮主編：《黃氏日抄》，卷7，頁201。

聞殺夫之事」，[30]兩人都認為文姜參與並計畫殺桓文之事，與《公羊傳》相近，而與《左傳》、杜預有異。三、呂大圭認為由魯桓被殺，可見：

> 其所以至此者，則夫不夫、婦不婦也。古人制禮，尺寸不敢踰，毫髮不敢越者……經國家、定禍亂，而杜未然者也。……《春秋》書魯桓之葬，其亦深著其非禮也哉。[31]

呂氏此說是上承《左傳》中所記申繻之言，強調禮制的重要，這並沒有超出前人之說。但除此之外，呂大圭又說：「魯桓弒兄而自立，隱有孫桓之志，而桓忍弒隱之心，偃然居位者十有八年而見弒於姜氏，天理亦不僭矣。」[32]呂大圭帶入了「天理」的概念，認為桓公弒其兄隱公而竊位十八年，此時死於文姜之手，正是天理實存的明證。黃仲炎對此事亦有類似的看法，其言：「不知桓公身為篡弒之賊，天理絕矣，尚何責以夫夫婦婦之道耶？制於孽婦，禍至殺身，殆天奪之魄也。」[33]認為桓公本不在乎「天理」，所以也不會遵守夫婦之禮，因此最後陷於殺身之禍，亦是事理之必然。此亦即《春秋》書記這些事所呈顯之義。我們必須注意的是，這一方面雖是呂大圭與黃仲炎的獨特看法，但另一方面，呂、黃二位在大方向上仍依胡安國之說，將桓公被殺的主因聚焦於魯桓公失德，而不是文姜的不守婦道。可以說是結合了《公羊傳》與胡安國之說，又堆疊了宋代理學家慣用的「天理」概念而成。

（二）莊公不書即位與夫人姜氏遂如齊的解說

魯桓公被殺後，齊襄公殺了彭生算是給魯國一個交待。其後魯國子同即位，是為魯莊公。在《春秋》中，莊公元年的第一條經文是「元年，春，王

---

30 〔宋〕黃仲炎：《春秋通說》，卷3，頁1。

31 〔宋〕呂大圭著，趙宗乙點校：《春秋或問》（北京：商務印書館，2017年），卷6，頁68。

32 〔宋〕呂大圭著，趙宗乙點校：《春秋或問》，卷6，頁68。

33 〔宋〕黃仲炎：《春秋通說》，卷2，頁30-31。

正月。」第二條則就是「三月，夫人孫于齊。」這是歷來對文姜相關評價問題的第二個焦點。

依照《左傳》的說法是：「元年春，不稱即位，文姜出故也。」「不稱姜氏，絕不為親，禮也。」杜預的解釋則為：「莊公父弒母出，故不忍行即位之禮。據文姜未還，故《傳》稱文姜出也。姜於是感公意而還，不書，不告廟。」、「姜氏，齊姓。於文姜之義，宜與齊絕，而復奔齊，故於其奔，去姜氏以示義。」[34]綜合而言，《左傳》學家對於這兩段經文相關史實的理解為：魯莊公之所以沒有行即位之禮，是因為桓公被弒而母親文姜尚在齊國。之後，文姜因「感公意」而回到了魯國，史官之所以沒有書記文姜返魯，是因為文姜至魯不告祖廟。之後在三月時，文姜又離魯至齊，史官除了因內諱書「孫」而不書「奔」外，還將說解放在另一個重點：《春秋》為何只書「夫人」而不是書「夫人姜氏」？因在《春秋》諸多書記文姜的經文中，絕大部分都是記為「夫人姜氏」，只有此次書只書為「夫人」，而不書「姜氏」。《左傳》認為這是因「絕不為親」，但正如傅隸樸所言，《左傳》在此「是絕齊之親，還是絕母子的親呢？語意欠明白。」[35]對此，《左傳》學者有兩種不同的解釋：孔穎達認為「左氏先儒」的解釋是：「去姜氏者，若言夫人不是齊女，不姓姜氏，以示應絕之義。應絕不絕，所以刺文姜也。《傳》言《禮》者，為夫絕兄禮之意也。……謂莊公絕母，不復以之為親。」[36]孔穎達認為文姜本應與齊絕，但文姜在實際上並未如此，反而離魯至齊，所以不書「姜氏」以貶斥文姜。也就是說「絕不為親」一句，同時具有文姜應與齊絕與莊公應與文姜絕母子之親的兩層意思。但杜預則說：

　　夫子以為姜氏罪不與弒，於莊公之義，當以母淫於齊而絕其齊親，內全母子之道，故經不稱姜氏。《傳》曰：「絕，不為親，禮也。」明絕

---

34 〔周〕左丘明，〔晉〕杜預注，〔唐〕孔穎達正義：《春秋左傳正義》，卷8，頁249。

35 傅隸樸：《春秋三傳比義》，頁194。

36 〔周〕左丘明，〔晉〕杜預注，〔唐〕孔穎達正義：《春秋左傳正義》，卷8，頁250。

之於齊也。文姜稱夫人,明母義存也。[37]

由於杜預認為《左傳》中並沒有明言文姜參與殺桓公之事,所以對莊公而言,有殺父之仇的是齊侯而不是其母。《春秋》對文姜去「姜氏」而仍稱之為「夫人」,即表示莊公應只要絕齊之親。至於文姜,雖與齊襄公私通,但莊公仍應與文姜維持「母子之道」。總的來說,雖然《左傳》學者對於「絕不為親」有兩種看法,但其均是由解釋《春秋》書「夫人」的書法而發。

　　《公羊傳》則認為《春秋》雖是記「夫人孫于齊」,但事實上是:「夫人固在齊,其言孫于齊何?念母也。」也就是說文姜在事實上自桓公被殺後即一直留在齊國,並不曾回到魯國。而《春秋》之所以書「孫于齊」是因為莊公思念母親而想迎回文姜,這也就是何休所謂:「念母而迎之,當書迎,反書孫者,明不宜也。」[38]認為文姜是桓公被殺的主謀,莊公不應念母,因為「念母則忘父背本之道也,故絕文姜不為不孝。」[39]認為莊公在其父、母之間,應該站在桓公那邊,不但不應思念文姜,更應對文姜「推逐去之」,絕其母子親情。[40]至於《穀梁傳》之意大致與《公羊傳》相類,其亦認為《春秋》「不言氏姓」是貶文姜,而之所以貶文姜則因其殺夫的緣故,認為文姜不順天道,所以「天絕之也」。故而臣子亦可以貶退文姜,莊公亦應絕其母。[41]

---

37 〔周〕左丘明,〔晉〕杜預注,〔唐〕孔穎達正義:《春秋左傳正義》,卷8,頁250。又見於《春秋釋例》,卷3,頁77。

38 〔漢〕何休解詁,〔唐〕徐彥疏:《春秋公羊傳注疏》,卷6,頁131。

39 〔漢〕何休解詁,〔唐〕徐彥疏:《春秋公羊傳注疏》,卷6,頁132。

40 順帶一說,何休雖然贊成莊公應與文姜割絕母子之情,但反對魯國臣子誅殺文姜,因為有「誅不加上之義」,即徐彥所謂:「言又欲以孫為內見義者,正言道魯臣子不合誅夫人之意。」見〔漢〕何休解詁,〔唐〕徐彥疏:《春秋公羊傳注疏》,卷6,頁132-133。

41 范甯言:「文姜有殺夫之罪,重,故去『姜氏』以貶之。」楊士勛亦說:「以妻殺夫,罪同至逆,不可不貶,故又以人道絕之。」「謂文姜殺夫,是不順於道,故天當絕之。」都是申說這樣的意思。見〔晉〕范甯集解,〔唐〕楊士勛疏:《春秋穀梁傳注疏》,卷5,頁71-72。

綜合而言，雖然三傳學者對於「夫人孫于齊」的事事與解釋有所不同，但是他們在方法上都是從《春秋》的書例上著手。三傳學者均聚焦於如何解釋《春秋》為何在此特別去掉「姜氏」而僅書「夫人」。除杜預外，大部分的釋經者都認為之所以不書「姜氏」，表示莊公應與文姜「絕，不為親」，這樣並非不孝而是合禮的行動。杜預則緊守《左傳》的敘事內容，認為文姜並沒有直接參與殺桓公之事，又從《春秋》仍書「夫人」立論，認為縱使在這樣的情境下，母子之道仍應保存，僅與齊國「絕，不為親」即可。由此可見，基於不同的事實認定，縱使同樣使用書例解經的方法及對書例的理解相同，但其最終的釋經亦會有所差異。

胡安國的解釋方法與三傳相類，也是從《春秋》書「夫人」著手，但其在論說時特重於論述莊公應如何在公義與私恩之間的取捨：

> 桓公之弒，姜氏與焉，為魯臣子者，義不共戴天矣。嗣君，夫人所出也，恩如之何？徇私情則害天下之大義，舉王法則傷母子之至恩，此國論之難斷者也，經書「夫人孫于齊」，而恩義之輕重審矣。……故通於《春秋》，然後能權天下之事矣。孫者，順讓之詞。使若不為人子所逐，以全恩也。哀姜去而弗返，文姜即歸于魯，例以「孫」書，何也？與聞弒桓之罪已極，有如去而弗返，深絕之也，然則恩輕而義重矣。[42]

由於胡安國認為文姜參與了殺桓公一事，故魯國臣子自然應以義為重，去「姜氏」而書「孫」，是重義全恩的方式。胡氏主張莊公對於文姜的態度，可謂介於《公羊傳》與杜預之間，認為莊公應以公義絕文姜，但又不可以子驅母、趕盡殺絕，故書「孫」為文姜離魯至齊留些顏面。此外，胡安國在文中又引《孔叢子》所記季彥對梁人後妻殺夫，其子殺繼母一事做為例證，說明《春秋》如何在複雜的現實情境中，能恰如其分的權衡其間的輕重。[43]

---

42 〔宋〕胡安國：《春秋胡氏傳》，卷7，頁83-84。

43 胡安國言：「梁人有繼母殺其父者，而其子殺之，有司欲當以大逆。孔季彥曰：『文姜

至於黃震、呂大圭與黃仲炎三人對於這兩條經文的解釋則與前人大有不同。首先，三人一致認為《春秋》不書「姜氏」並不是想透過這個不同書法在表達什麼特殊的「大義」，也不是「闕文」，而應只是單純的「省文」而已。黃震說：「左氏謂不稱姜氏，絕之也。然明年仍書「姜氏」，此恐承上文省之耳。」[44]黃仲炎說：「《春秋》書其事即見其罪焉爾，不必去氏姓以為貶也。」[45]呂大圭是三人中論述最為完整的，其言：

> 竊意此年「夫人孫于齊」不書「姜氏」者，蓋前年書「公與夫人姜氏遂如齊」，則今年「孫于齊」者即如齊之姜氏也；閔元年「夫人氏之喪至自齊」，蓋前年書「夫人姜氏薨于夷」，則其所謂「夫人氏之喪至」者即薨于夷之姜氏也，此蓋蒙上文而書之。若夫「夫人孫于邾」，則上無所見，故不得不以「姜氏」稱也。《春秋》書法固有先目而後凡者，則其書「夫人」、書「夫人氏」者，亦此例耳。[46]

因為三人反對以義例解釋《春秋》的方法，所以他們不約而同的主張莊公元年不書「姜氏」並沒有「大義」，而是因為在前一年《春秋》已記「公與夫人姜氏遂如齊」，所以這裡「夫人孫于齊」的「夫人」自然是承前文而省，不必明言是姜氏。呂大圭在文中順帶說明了《春秋》為何有「夫人姜氏」、「夫人」及「夫人氏」三種不同的書記形式，都純粹是因為要配合前後條目的關係，並不是有什麼特殊的含意。若是如此，值得追問的是：從三傳以至於胡安國，都從不書「姜氏」的書例入手立義。黃震等三人若不採用這種方式，他們又是如何解讀出《春秋》此則的「大義」？其所解讀出的「大義」

與弒魯桓，《春秋》去其姜氏，《傳》謂「絕不為親，禮也。」夫絕不為親，即凡人耳。方諸古義，宜以非司寇而擅殺當之，不得以逆論也。』人為允。」胡氏之意為梁人已先絕了與繼母的母子之親，而後殺了繼母，所以不應以逆倫罪來責罰梁人。見〔宋〕胡安國：《春秋胡氏傳》，卷7，頁83-84。

44 〔宋〕黃震著，張偉、何忠禮主編：《黃氏日抄》，卷8，頁202。

45 〔宋〕黃仲炎：《春秋通說》，卷3，頁1。

46 〔宋〕呂大圭著，趙宗乙點校：《春秋或問》，卷7，頁70。

是否與前人有所差異？對此，三人中說明最為詳盡的為呂大圭，我們即以其說為代表。

呂大圭雖不認為《春秋》有書法義例用以表示褒貶，[47]但他們仍然認為《春秋》對於文姜此事是有所貶斥的，其言：

> 前書「公與夫人姜氏如齊」，繼書「公薨于齊」，繼書「夫人孫于齊」，則文姜之罪著矣。……夫苟有以著文姜之罪，則夫婦之義絕矣；苟有以著哀姜之罪，則母子之義絕矣。夫婦之義絕，子母之義絕，則凡人爾，此不待貶絕而自見也。……桓雖見弒，而莊公之於母也，一以夫人之禮事之……彼且以為夫人也，我可不謂之夫人乎？彼且以為小君也，我可不謂之小君乎？聖人書法亦紀其實而已矣。至于事之得失是非，則世必有能辨之者，而孔子所書則實錄也。然胡氏之說，則學者不可不知。[48]

文中同時談到了文姜與哀姜，[49]但其主要認為由《春秋》前後的三條經文，即可判知文姜與桓公之死密切相關，故言「夫婦之義絕矣」。[50]其間的是非對錯，則可由前後之事得知，其後即全引胡安國之說做結。透過呂大圭的論述，我們可以有兩點觀察：一、呂氏等人認為可以由《春秋》的前後經文即可知「文姜之罪」，這是基於《春秋》對此一連串事件的紀錄而來。二、呂大圭由相關經文，最多僅能闡發文姜與桓公「夫婦之義絕矣」的道理。其後

---

47 呂大圭等人也同意《春秋》用「孫」字有特殊的意義，其言：「孫，遯也。言孫，則有孫順之意。使若不為臣子之所逐，所以全恩也。」認為用「孫」而不用「逐」字，是顧全上位者面子的一種說法。但在呂大圭等人的眼中，這並不算是一種「義例」。見〔宋〕呂大圭著，趙宗乙點校：《春秋或問》，卷7，頁70。

48 〔宋〕呂大圭著，趙宗乙點校：《春秋或問》，卷7，頁70-71

49 哀姜為魯莊公的夫人，相傳其與莊公兄弟慶父通姦，又致使莊公之子子般及魯閔公被殺。但與本文所欲討論的問題關係較淺，故在此不加深論。

50 中文呂大圭認為因為《春秋》是「紀其實」，而莊公是以母之禮對待文姜，故稱文姜為「夫人」、「小君」，所以《春秋》自然也要記其為「夫人」、「小君」。此與莊公二十一年、二十二年經文的解釋有關，詳見後文說明。

他引胡安國之說作為補充，並強調「學者不可不知」。但正如前所述，胡氏
對於經文的闡發，是結合《春秋》不書「姜氏」與書「孫」的書例，做為其
敘說的基礎。但是黃震、呂大圭與黃仲炎不願承認不書「姜氏」為義例，並
認為其中不含「大義」。那麼胡安國論恩義之說，與這段經文的關係便無立
根處。呂大圭縱使認為胡氏之說深合儒家義理，但卻很難說這是《春秋》這
段經文所含蘊的內容。更不用說杜預由《春秋》去「姜氏」而稱「夫人」，
表示孔子主張莊公應絕齊之親而存母之義的主張有文獻上的根據。

三　各家對文姜諸事的評價（下）

（三）文姜多次至齊、如莒的解說

　　自莊公二年開始，至莊公二十年，文姜多次的離開魯國至齊或至莒。
《春秋》中記文姜五次與齊襄公相會，分別是：二年「夫人姜氏會齊侯于
禚」、四年「夫人姜氏享齊侯于祝丘」、五年「夫人姜氏如齊師」與七年
「春，夫人姜氏會齊侯于防。」「冬，夫人姜氏會齊侯于穀。」莊公八年，
齊襄公被無知所殺。莊公九年，齊桓公即位。莊公十五年，「夫人姜氏如
齊」，這是文姜最後一次至齊。莊公十九年及二十年，文姜兩次「如莒」。對
於《春秋》記文姜多次會齊侯、至齊、如莒，三傳學者的解釋較為單純，大
多直接說這是「書，姦」或表示文姜違禮之意。如對莊公二年，「夫人姜氏
會齊侯于禚」之事，《左傳》說：「書，姦也。」杜預言：「《傳》曰「書，
姦」，姦在夫人。文姜比年出會，其義皆同。」[51]《左傳》在莊公七年時則
言「文姜會齊侯于防，齊志也。」杜預說：「文姜數與齊侯會。至齊地，則
姦發夫人；至魯地，則齊侯之志，故《傳》略舉二端以言之。」[52]都認為
《春秋》書記文姜與齊襄公相會，都是在表記他們的姦情，只是補充所會地

51　〔周〕左丘明，〔晉〕杜預注，〔唐〕孔穎達正義：《春秋左傳正義》，卷8，頁252。
52　〔周〕左丘明，〔晉〕杜預注，〔唐〕孔穎達正義：《春秋左傳正義》，卷8，頁264。

點在魯則主要歸咎於文姜，若在齊則主要歸咎於齊襄公。而《穀梁傳》則不從文姜與齊襄公的姦情入手，而是說：「婦人既嫁，不踰竟，踰竟，非正也。婦人不言會，言會，非正也。饗，甚矣。」依范甯的解釋：「饗，食也。兩君相見之禮。」其主要在批評文姜不應出境也不應與他國之君相會，認為文姜這是違禮之行，而不專從文姜通姦的角度加以批評。[53]三傳中最為特別的應是《公羊傳》，因為《公羊傳》對於《春秋》中書記文姜的這些條目完全沒有任何說解，何休對莊公二年的經文做出解釋：「書者，婦人無外事，外則近淫。」[54]認為《春秋》書記此事，是因為文姜與齊襄公相會是「近淫」，其意接近《左傳》。除此年外，何休僅有在四年的經文中說：「書者，與會郜同義」，便對其他條目沒有任何說解。[55]綜合三傳學者對此條的說解，其主要有兩個特點：一、《左傳》、《穀梁傳》及何休，認為《春秋》記此都是在傳達對文姜負面的批評。二、他們在解釋時，均沒有使用書法義例的方式，而是直接沿續前文以文姜的行為判斷或是用傳統禮節的相關規定來說解經文之意。

至於胡安國對於《春秋》記文姜多次外出的用意，他除承續三傳之說外，更加了一些不同的說解，如其對莊公二年「夫人文姜會齊侯于禚」的說解是：

> 婦人無外事，送迎不出門，見兄弟不踰閾，在家從父，既嫁從夫，夫死從子。今會齊侯于禚，是莊公不能防閑其母，失子道也。故趙匡曰：「姜氏、齊侯之惡著矣，亦所以病公也。曰：『子可以制母乎？』夫死從子，通乎其下，況於國君？君者，人神之主，風教之本也。不

---

[53] 〔晉〕范寧集解，〔唐〕楊士勛疏：《春秋穀梁傳注疏》，卷5，頁76、頁79。《穀梁傳》又分別在五年、七年、十五年、十九年及二十年的經文下，批評文姜「會」與「越竟」。只有在四年「夫人姜氏享齊侯于祝丘」條中，因祝丘為魯地，所以做出：「饗齊侯，所以病其齊侯。」與其他條目稍有不同的說解。

[54] 〔漢〕何休解詁，〔唐〕徐彥疏：《春秋公羊傳注疏》，卷6，頁138。又，《公羊傳》本條經文作「夫人姜氏會齊侯于郜」，與《左傳》、《穀梁傳》之經文稍異。

[55] 〔漢〕何休解詁，〔唐〕徐彥疏：《春秋公羊傳注疏》，卷6，頁141。

能正家，如正國何？若莊公者，哀痛以思父，誠敬以事母，威刑以督下。車馬僕從莫不俟命，夫人徒往乎？夫人之往也，則公威命之不行，哀戚之不至爾。」[56]

「婦人無外事」之說，明顯是承《穀梁傳》批評文姜踰境及往會之說而來。但胡安國以絕大部分的篇幅引用了趙匡的說法，其主要在論說文姜之所以會有這些踰矩的行為，主要是因為「莊公不能防閑其母，失子道也。」也就是說認為魯莊公才是《春秋》經文所要深責的主要對象，在三傳中均沒有這層意思。胡安國很重視趙匡這樣的發揮，所以他對莊公二十年，文姜最後一次「如莒」經文的說解為：

十有五年，夫人姜氏如齊，至是再如莒，而《春秋》書者，禮義天下之大防也，其禁亂之所由生，猶坊止水之所自來也。……以訓後世使知男女之別，自遠於禽獸也。今夫人如齊以寧其父母，而父母已終，以寧其兄弟，又義不得。宗國猶爾，而況如莒乎？婦人，從夫者也，夫死從子，而莊公失子之道，不能防閑其母，禁亂之所由生。故初會于祏，次享于祝丘，又次如齊師，又次會于防、于穀，又次如齊，又再如莒，此以舊坊為無所用而廢之者也，是以至此極。觀《春秋》所書之法，則知防閑之道矣。[57]

胡安國在文中列數文姜頻頻與齊襄公相會、如齊、如莒等事，除了強調「禮義」是重要的，認為這不但是人與禽獸的不同，而且若跨越了禮制，也許一

---

56 〔宋〕胡安國：《春秋胡氏傳》，卷7，頁87。胡安國所引趙匡之語，原為：「姜氏、齊侯之惡著矣，亦所以病公也。曰：『子可得制母乎？』夫死從子，通乎其下，況國君乎？君者，人神之主也，風教之本也，不能正家，如正國何？若莊公者，哀痛以思父，誠敬以事母，威刑以篤下，車馬僕御莫不俟命。夫人徒往乎？夫人之往也，則公威命之不行，而哀戚不至爾。」僅有數字稍有不同。見〔唐〕陸淳：《春秋集傳微旨》（臺北：臺灣商務印書館，影印《文淵閣四庫全書》本，1983年），卷上，頁21。

57 〔宋〕胡安國：《春秋胡氏傳》，卷7，頁116。

時看不到有什麼問題，但最後一定會產生難以收拾的禍患。[58]其後則論述「婦人，從夫者也，夫死從子」的道理，認為文姜之所以在桓公死後，仍可來去自如，是因為「莊公失子之道，不能防閑其母」。也就是說文姜之所以逾禮，其主要是因為做為君主的莊公本身沒有盡到應有的責任。胡氏這個說法，與前文對文姜通姦而卻主責桓公的說法可相互貫通。

　　趙匡、胡安國對《春秋》有關文姜之行的說解角度，對呂大圭與黃仲炎兩人有決定性的影響力。[59]如呂大圭在對莊公二年的經文解釋中，詳列了文姜多次外出，認為《春秋》之所以列此是因為：

> 此所以發夫人羞惡之心，以為後人之鑒戒也。……如齊師則無羞恥於眾矣。又一歲而再會焉，其為惡益遠矣。〈載馳〉之詩曰：「汶水滔滔，行人儦儦。魯道有蕩，齊子遊遨。」序〈詩〉者以為「刺襄公之無禮義也」。〈敝笱〉之詩曰：「敝笱在梁，其魚唯唯。齊子歸止，其從如水。」序〈詩〉者以為「惡桓公不能防閑文姜也」。〈猗嗟〉之詩曰：「猗嗟名兮，美目清兮。儀既成兮，終日射侯。不出正兮，展我甥兮。」序〈詩〉者以為「刺莊公有威儀技藝，而不能防閑其母也。」夫齊襄之惡，人皆知惡之矣，而其原則在桓之不能防閑其妻。桓之失人亦皆知之矣，而莊公之不能以禮防閑其母，則世或未之察也。善乎！[60]

在上文後，呂大圭如同胡安國一般，也引述了趙匡所提出「子可以制其母乎？」的一大段論述。呂大圭之意在內容上雖實與趙匡、胡安國沒有什麼差別，但在說解上，又特別強調一般人僅能見文姜、齊襄公之非，而看不出

---

58 如其對七年「冬，夫人姜氏會齊侯于穀。」的經文的解釋為：「初會于祥，次享于祝丘，又次如齊師，又一歲而再會焉，其為惡益遠矣。明年無知弒諸兒，其禍淫之明驗也。〔宋〕胡安國：《春秋胡氏傳》，卷7，頁94。

59 黃震對於《春秋》中文姜這部份的經文，多是引述前人之說，自身的說解不多，故以下的論述以呂大圭與黃仲炎之說為主。若黃震之說有特殊處，再加以補充申述。

60 〔宋〕呂大圭著，趙宗乙點校：《春秋或問》，卷7，頁74。

《春秋》責斥桓公、莊公之意。呂大圭為了支持這種說法，他文獻的引用上
特別引述了〈敝笱〉、〈猗嗟〉的〈序〉做為支持。呂大圭的這種做法，可以
說是由胡安國之說的進一步發展。前文已提及胡安國引〈敝笱〉的〈序〉來
支持其批評桓公之說。呂大圭則加引了〈猗嗟〉的〈序〉做為其批評莊公文
獻證據。黃仲炎也有與此類似的看法：

> 姜氏、齊侯之醜行著矣，然魯莊獨無罪乎？人子雖無制母之理，而婦
> 人猶有從子之義。誠莊公痛其父之死，視齊為不共戴天之讎，絕不與
> 交。則姜氏亦豈得無所感動而抑制其非哉？主婚一事，變仇讎為愛
> 密，易痛感為懽慶，其後與之同討伐共、田狩相與狎昵，使姜氏安於
> 故非而益甚焉者，莊公之罪也。序〈猗嗟〉之詩者，謂莊公不能防閑
> 其母，為二國患殆未知姜氏北轅，而莊公為之闢燕路也，何止不能防
> 閑也哉！[61]

黃仲炎這段文字暢曉易明，不需多做解釋。與呂大圭之說相對比，即可知黃
仲炎是順著呂大圭之說更往前一步，除了同樣引〈猗嗟〉之詩為證外，更多
了批評莊公即位後仍與齊襄公保持友好，有共同的行動。認為文姜之所以會
如此肆無忌憚，實與莊公不將父仇放在心上，有很大的關係。從趙匡、胡安
國、呂大圭到黃仲炎，可以觀察到，他們逐漸將《春秋》責人的視角，由文
姜轉至桓公與莊公。值得注意的是，這樣的看法並不是直接由《春秋》經文
的內容而得，實是結合轉借了〈詩序〉的內容而發。

此外，若我們較仔細觀察《春秋》莊公二年至十五年間與文姜有關的經
文，則可發現莊公十五年文姜至齊的經文，實與齊襄公沒有關係，因襄公已
在莊公八年時為無知所弒。三傳之中只有《穀梁傳》仍以文姜為非禮之行來
說解此條經文。黃震則除了沿傳統說法外，還另引張洽之言：「文姜播惡於
齊襄之時，齊威圖霸，絕之義也。以欲求魯定霸，而不之拒。」[62]認為文姜

此行目的顯然與之前不同。其重點在於說明齊桓公雖亦不認同文姜，但因在莊公十五年春時，齊桓公與宋、陳、衛、鄭等國于鄄會盟時，魯國並沒有參與。齊桓公也希望能與魯交好，以期能早日稱霸，所以讓文姜至齊。在這樣的解釋下，文姜此行便隱約帶有某些政治的意味，而不純粹只是「姦」了。呂大圭也有從類似的角度來論說：

> 今襄公既沒，又如齊焉，夫人之失禮甚矣。蓋自襄公既弒，不復如齊。魯、齊之盟于柯，甫及二歲，不恤前非，復有如齊之舉。然齊桓五霸之賢君，必能鑒襄之失而正之以大義焉。故夫人至是不復如齊，而如莒矣。[63]

呂大圭在此雖然秉持對文姜批評的角度，認為齊桓公應會嚴拒文姜，所以文姜自此年後就不再到齊而是轉至往莒國。其中值得注意的是，呂大圭將文姜此次至齊與莊公十三年魯、齊「盟于柯」之事相連，明顯認為文姜此次之行是具有政治的意義。

　　總體來看，自三傳至黃仲炎等人對於文姜會齊侯、至齊、如莒的說解可歸為以下幾個特點：一、三傳與胡安國，在解釋《春秋》這部份經文時並沒有使用以特殊用字來定褒貶的書法義例之法，不論是「書，姦也」或透過書記夫人「逾境」、「會」以進而批評文姜非禮，看似都是以「實書其事而善惡自見」的方式來解釋這些經文。在這同時，他們也因《春秋》這些條目的書記形式相近，因此給出了相近的解釋。二、三傳學者只將焦點放在批評文姜通姦、違禮。自趙匡起，則多加了責備莊公無法防範文姜之意，之後胡安國、呂大圭、黃仲炎等人都是順著這個思路加以發揮，而此說主要來自〈詩序〉而非《春秋》經文。三、自胡安國引用〈敝笱〉的〈序〉做發揮《春秋》經義的做法後，呂大圭、黃仲炎又進一步引用了〈猗嗟〉的〈序〉，用

齊八年矣。至是復如齊者，蓋鄄之會，魯莊不與。此行殆出于文姜之意，齊侯欲求魯好以定霸業而不之拒也。」《張氏春秋集注》（臺北：臺灣商務印書館，影印《文淵閣四庫全書》本，1983年），卷3，頁15。

63 〔宋〕呂大圭著，趙宗乙點校：《春秋或問》，卷8，頁89。

以支持其說的文獻證據。四、黃震與呂大圭因基於齊襄公已於莊公八年被殺而後齊桓公當政，故對莊公十五年文姜至齊的經文解釋，增加了一點政治相關意味內容的解釋，雖然就比例而言並不高，但卻是一個頗有興味的方向，這是前人所未及之處。

（四）文姜之死相關的解說

在《春秋》中有兩條與文姜之死有關的經文，分別是莊公二十一年「秋，七月，戊戌，夫人姜氏薨」與莊公二十二年春「癸丑，葬我小君文姜」。對於這兩條經文，三傳的解釋很少，對「夫人姜氏薨」僅有《穀梁傳》做出：「婦人弗目也」的說明，認為依《春秋》書例，夫人死例不書其地。[64]三傳並沒有對於文姜薨的經文本身做出任何褒貶評價的解釋，而胡安國也同樣沒有對此經文有任何著墨引申處。至於對「葬我小君文姜」的經文，《公羊傳》說：「文姜者何？莊公之母也。」[65]《穀梁傳》則言：「小君，非君也。其曰君，何也？以其為公配，可以言小君也。」[66]都只在解釋文姜的身分及「小君」的名稱由來，對於褒貶大義也沒有任何發揮之處。這相對於之前對於文姜有關的經文處處有譏貶之說，確實十分不同。對此胡安國說：

> 文姜之行甚矣，而用小君之禮，其無譏乎？以書「夫人孫于齊」，不
> 稱「姜氏」。及書「哀姜薨于夷」、「齊人以歸」考之，則議小君典
> 禮，當謹之於始，而後可正也。文姜已歸為國君母，臣子致送終之
> 禮，雖欲貶之，不可得矣。[67]

---

64 〔晉〕范寧集解，〔唐〕楊士勛疏：《春秋穀梁傳注疏》，卷6，頁98。對於《穀梁傳》的「弗目」，學者解釋並不一致，鄭嗣說：「弗目謂不目言其地也。」而江熙則認為：「文姜有弒公之逆，而弗目其罪。」這兩者雖然解釋有異，但都沒有就經文本身的褒貶有所說明。同見頁98。

65 〔漢〕何休解詁，〔唐〕徐彥疏：《春秋公羊傳注疏》，卷8，頁189。

66 〔晉〕范寧集解，〔唐〕楊士勛疏：《春秋穀梁傳注疏》，卷6，99。

67 〔宋〕胡安國：《春秋胡氏傳》，卷9，頁118。

胡安國將此條與僖公元年「夫人姜氏薨于夷，齊人以歸」經文相互對比，認為文姜之行雖然甚為違背倫常，但因一來文姜早已回至魯國，莊公與魯臣子亦以國母喪之禮待之，二則是相較於之後的哀姜已不記其為「小君」，所以在此仍只能記其為「小君」而無譏貶之文。胡氏的說法明顯是試圖在說明，何以這條經文中的稱謂與前面對文姜嚴厲批評的說法並不一致。但正如其所提出對比的哀姜來看，《春秋》經文確實沒有變化書例以呈現對文姜的批評。而這也成了呂大圭等人反對以書法解《春秋》很重要的例證。

黃震認為由《春秋》書「夫人姜氏薨」之文即可知：「文姜之惡極矣！《春秋》終始以夫人之禮書之，然則孰謂《春秋》奪人之爵或至貶及天王哉？亦實書其事而善惡自見耳。」[68]其一貫認為《春秋》亦素厭文姜之惡，但《春秋》不以變換稱謂等書法來呈顯這樣的態度，所以在此仍書「夫人姜氏」。同樣的，在對「葬我小君文姜」的解釋時亦言：「書文姜之葬如此，然則孰謂不書葬者為貶哉！」[69]呂大圭在解釋這條經文時也說：

> 莊公以小君葬之，聖人安得不書？書桓公「薨于齊」、「夫人孫于齊」，以著其罪。書夫人「如齊」、「如莒」，以著其惡。書「薨」、書「葬」，以著其實。並書于冊，而是非褒貶自見矣。[70]

總的來看，黃震等人的論點主要在於批評前人以書例解《春秋》的方法在這兩條中無法自圓其說，故透過相關史事而能使善惡褒貶自見的做法，反而更能呈顯出《春秋》真正的大義。至於對於文姜的批評，承續前文已有充分的發揮，不必為「夫人」、「小君」或「葬」等書例而左支右絀，憑空造出各種說法。[71]

---

68 〔宋〕黃震著，張偉、何忠禮主編：《黃氏日抄》，卷8，頁221。
69 〔宋〕黃震著，張偉、何忠禮主編：《黃氏日抄》，卷8，頁222。
70 〔宋〕呂大圭著，趙宗乙點校：《春秋或問》，卷9，頁94。
71 至於黃仲炎說：「書文姜，明夫人不當諡也。晉胡訥云：『禮，婦人生以夫爵，死以夫諡。』夫人有諡，不復依禮爾。此說得之。」此說重點在於《春秋》不依禮書記為「桓姜」，其近於以義例說《春秋》。可見黃仲炎亦非完全捨棄以義例說《春秋》的方法。〔宋〕黃仲炎：《春秋通說》，卷3，頁28

四 小結：黃震等人對文姜評價的再反省——以現代視角為參照

前文不憚繁複的說明三傳、胡安國與黃震、呂大圭與黃仲炎等人對於文姜有關經文的解說，其主要的目的在於期望能從細緻的對比中呈現出黃震等人所主張的方法，是否與其所主張的一致，抑或可能面對到那些他們都無法察覺到的問題及限制。

黃震等人自覺承朱熹由了解事之首尾，而後即能知《春秋》大義的方法，並用之於實際解經。但這方法上有兩個難關，一是對於「事」的認定，因為黃氏等人判斷「義」的唯一依據在於《春秋》所記之「事」，故而「事」是否能提供「足夠」的訊息，即成為這個方法是可否行的決定性因素。第二則是從《春秋》所提供之「事」，到底能解讀出什麼「義」？這解讀出的「義」又如何判定是「合理」的？

關於第一個問題，以魯桓公被殺一事為例，黃震等人一致認為《春秋》旨在呈現文姜與桓公失德，並由此帶出「天理」的概念。印諸《左傳》與《公羊傳》的內容，文姜與齊襄公通姦雖確有其事，但文姜是否有參與殺桓公之事，則二傳的記載有異，雖大部分解經者持文姜預知的看法，但杜預則緊守《左傳》之文認為沒有。前文言及黃震及黃仲炎兩人均認為文姜參與並計畫殺桓文之事，但事實上，莫說《春秋》經文本身並沒有提供這樣的訊息，《左傳》同樣也沒有明言文姜事先參與了殺桓公一事。黃震等人主要是依《公羊傳》的敘述而來，但《公羊傳》之說甚為可疑。也就是說黃震所謂「辭雖婉而跡自著」、黃仲炎所謂「婉其文而未嘗不沒其實」之說，並不是在面對經文解釋時的全部狀況。從相關文獻來看，此事在關鍵資訊上有不少的「空白」。在這種情況下，呂大圭所謂「並書于冊，而是非褒貶自見」，只能是個過度樂觀的假設。但在這種設定下，若無法得確知「事」的真偽及重要關節處，怎麼可能辨清這其中的事非對錯？

從現實上來看，任何史籍都不可能提供無窮盡的細節記錄給後世，更何況《春秋》記事簡要，其所能提供「事」的相關訊息都極其有限。如僅以本

文所討論的主題為例，《春秋》經文只能大致提供桓公攜文姜如齊會盟為非禮、文姜與齊襄公會於禚為非禮通姦，這兩個判斷應大致沒有問題。但要由此要說《春秋》責桓公與莊公不能防閑文姜，或借此來凸顯天理以展現夫乾婦坤之道，則其申義不免太過遼遠而無掛搭處。此外，某些經文因《春秋》及三傳的相關內容實在過於簡少，以致連要做出簡單的義說都不那麼容易，如文姜多次至莒，《公羊傳》沒有任何義說，《穀梁傳》則僅能籠統的以「非禮」視之。呂大圭、黃仲炎則沿續文姜至齊之事的義說，同時批評莊公與文姜。黃震曾指出：「姜氏至是亦老矣，連年如莒何甚也！」[72]認為莊公二十年時，文姜應已超過五十歲，其不解為何還要連續多次至莒國！黃震應是敏銳感到「姦也」的義說實有不可解的難處，但又因沒有更多文獻以支持其他說法，所以才會有這樣的感嘆。總之，在《春秋》提供的十分有限的資訊中，如何能夠「正確」的判讀出《春秋》中的「大義」，並不如黃氏三人所預想的順利。就其實際解經內容來看，其中仍是多承續前人以義例解經的說法而來。

　　二則是關於對有關事實的理解與評價問題：傳統上由於文姜與齊襄公通姦，所以對於《春秋》中記文姜諸事幾乎都從這一側面加以詮說，所不同者只在於是否有罪及桓公與莊公而已。但是在時代改換文化氛圍銳變後，我們可以看到對於同樣的史料記錄，可以有完全不同的解釋視角。當代學者因不再那麼受限於傳統的說法，所以對《春秋》中文姜的相關記載，有了與以往相當不同的解釋。就筆者所見，較早提出並說明最為完整的當屬楊朝明，他說：

> 由於文姜與齊襄私通，故歷來人們都以文姜至齊，乃為齊襄而往，……實際上這是一種誤解。……她與齊侯相會，也不排除有縱其淫欲的因素在內，但絕不可將前引記載均作這種理解。清人于鬯獨具慧眼，是他發現了此處《春秋》經、傳記載的本意。他在《香草校書》卷三十七中認為，《春秋》莊公二年「夫人會齊侯於禚」，《左

---

72 〔宋〕黃震著，張偉、何忠禮主編：《黃氏日抄》，卷8，頁220。

傳》說:「書,姦也。」這裡的「姦」,其意應為「干」,即「干預」之意,而不是「姦淫」。……莊公二年與齊侯相會,本應魯莊會之。而莊公暗弱,沒能參與此會。而夫人與之,是文姜干國之政,故《春秋》書之,而《傳》明之曰「姦」。謂文姜干預此會,正得經、傳本意。對《春秋》經、傳本意的誤解實始于杜預。……此後,《左傳》家更無不持夫人姦淫齊侯之一說。……此後,莊公十五年文姜又如齊,十九、二十年又兩次至莒,《春秋》仍記之,左氏雖然無傳,但這些顯然與淫亂無關。杜預昧於《春秋》本意,又解十九年「夫人姜氏如莒」為「書姦」,仍以文姜淫亂目之。楊伯峻先生也覺得此處這樣解說於理難通,說「文姜於桓公三年嫁至魯國,至此已三十五年,則其年齡已五十餘矣」,杜注「恐未必然」。(《春秋左傳注》)于鬯也說:文姜淫于齊襄,「信不可諱」,又謂其淫他人、淫莒,實在難以講通。……《穀梁傳》就說:「婦人既嫁不逾境。逾境,非正也;婦人不言會,會非正也」,……此處亦無淫說。所以于鬯總結說:「桓公薨,莊公立,而夫人遂以國母之尊,乘其子之愚弱,無所顧忌。」到莊公二十一年文姜去世,他一再干國,「故《春秋》歷歷表之」。……文姜通于齊襄,致使魯桓喪命,當然責所難逃。但此事魯桓也不無其咎,他欲結齊援,放縱文姜,終至命喪異國。莊公即位時年少,文姜參與齊交,莊公長大以後注重修德,敬重其母,文姜以國母之尊偶干國政,亦為常理中事。更何況文姜為齊女,魯國宗法禮樂傳統對她束縛較少,而齊女在家庭中地位較高的社會風俗又在她身上體現得較為明顯。[73]

這段文字頗長,但表述清晰,綜合起來楊朝明主要意思有四:一、引用于鬯的說法,認為《左傳》所謂的「姦」,應解為「干預」的意思,所以《左傳》以至於《春秋》記文姜多次會襄公、至齊至於至莒,都是指文姜干預魯

---

[73] 楊朝明:〈「文姜之亂」異議〉,《管子學刊》1994年第1期,頁60-62。于鬯的原文則見〔清〕于鬯:《香草校書》(北京:中華書局,1984年),卷73,頁752-754。

國國政。二、杜預首將「姦」解為「姦淫」之意，以致於歷代儒者多沿用這種解釋。但這種解釋也很難說通莊公十五年至齊及十九、二十年至莒的經文。三、《春秋》與《左傳》之所以詳記文姜對外的諸事，主要在表達對文姜介入朝政甚深的厭惡。四、文姜之所以能夠如此，與桓公欲與齊國結交、莊公即位時年紀較小（約13歲）、齊國女子地位較高的傳統等當時歷史情境有關。楊朝明的說法，與《穀梁傳》之說較為接近，因為《穀梁傳》並沒有將文姜對外之事都解為「姦淫」，而是從「非禮」的角度來述評。但楊朝明之說開始給予文姜較為正面的評價，給了後來學者很大的啟示，在他之後，許多文章都是順著這個思路加以補充論說。[74]如童教英即言：

> 就春秋初而論，齊魯還處於爭強之時，鹿死誰手尚有一個逐漸分明的過程。齊魯膠滯、消長最激烈之時期為魯桓公與魯莊公時，魯桓公是文姜之夫，魯莊公是文姜之子，在齊魯爭強最激烈時，一旦魯國處境險惡，文姜即以其為齊僖公之女的身份來往于齊魯之間，為協調齊魯關係，保持魯國地位可謂竭盡全力。……齊魯爭強之第一階段，魯國仍為強國，當魯強于齊時，未見文姜活動，當魯處境危險時，文姜文以國君之禮頻頻穿梭于齊魯間。文姜的活動雖被杜預、孔穎達注疏為與齊侯私通，但文姜活動之一弛一張，恐非私通所能解釋，《春秋經》與《左傳》亦未如桓公十八年那樣明言為私通。齊魯的關係由極度緊而趨向緩和卻是不替之事實。[75]

---

74 以筆者之見，較重要的如陳華：〈重評文姜氏〉，《益陽師專學報》第12卷第2期（1991年4月），頁78-83。童教英：〈文姜小議〉，《寧波大學學報（人文科學版）》第11卷第3期（1998年9月）。劉金榮：〈「文姜之亂」獻疑〉，《浙江社會科學》2009年第5期，頁76-80。高方：〈「《左傳》麗人譜」之文姜論〉，《徐州工程學院學報（社會科學版）》第27卷第4期（2012年7月），頁71-79。高娜：〈文姜形象考辨〉，《吉林廣播電視大學學報》2019年第12期（總第216期），頁123-126。晁福林：〈孔子何以贊美〈齊風・猗嗟〉——從上博簡〈詩論〉看春秋前期齊魯關係的一樁公案〉，收入是氏所著：《上博簡《詩論》研究》（北京：商務印書館，2013年），頁865-880。其中陳華之說雖較楊朝明為早，但完整度不及楊氏。

75 童教英：〈文姜小議〉，頁63-64。

高方亦說：

> 文姜起到了一個國君未亡人的全部作用，而她與齊襄公的交往也已從
> 男女之情的層面滲透到了政治層面。……：魯莊公執政三十三年間，
> 魯為齊主婚2次，齊魯合力與他國作戰3次，同盟2次，齊侯甚至非禮
> 「獻戎捷」1次，而魯與齊發生戰爭僅2次，且均在送公子糾回國與小
> 白發生衝突的前後，齊魯各勝1次，其餘時間大體可視為相安無事。
> 而齊魯三十餘年間的基本平靜又怎麼可能與文姜在兩位齊侯兄長間的
> 斡旋沒有關係呢？[76]

童教英與高方之說雖是順著楊朝明之說而興，但細繹兩人之說，與楊氏仍有
些許的不同。童、高兩人對於文姜的評價更加從其對於魯國的貢獻著手，甚
至將文姜與齊襄公的醜事，反而視為文姜在齊、魯之間得以插手兩國政治的
資產。

　　楊朝明、童教英與高方三人對於文姜的評價不但與三傳、胡安國不同，
更與黃震、呂大圭及黃仲炎等人絕然有異，其中雖與對「姦」字解釋有關。
但是真正具有決定性影響的是，楊朝明等人跳脫了從文姜私德及「婦人無外
事，外則近淫」出發的評價角度，而是從國際關係的方向，重新思考及想像
何以文姜不受限於年齡而頻繁至齊、莒等國。楊朝明等人所使用的史料，與
三傳、黃震等人相比並無二致，但其對文姜做出的評價卻有如此大的不同。
那麼那一種解釋才是《春秋》數記文姜之事所欲呈顯的「大義」呢？在這樣
的對比下，呂大圭等人主張只要透過諸事的排比與勾連前後，則「事之得失
是非，則世必有能辨之者」的主張，並非理所當然，而應該要有更多的思考
與反省。

　　當然，這不是說黃震等人的主張就一無是處，他們的說法仍有些值得我
們參考之處，如其批評凡例褒貶之說即較為可信，因為從文姜之死的兩條中
即可看出拋棄凡例褒貶方法的優勢。但是凡例褒貶之法有缺點，不代表就可

---

76 高方：〈「《左傳》麗人譜」之文姜論〉，頁74。

以直接承認直書其事，善惡自見之說是正確的。由事到褒貶的過程中，我們還必須考慮是以何種角度或價值體系來說解《春秋》才是較為合理的切入點，而這又基於我們對於《春秋》一書性質的界定及對儒學義理的整體理解。

《論語》中的「仲尼」

劉文強
中山大學中國文學系

一　前言

　　長久以來，研究經典，已有毛傳鄭箋、杜註孔疏、兩宋元明、乾嘉民國等傳箋疏論；今日中文學門，不論是專書著作，還是博碩單篇，率皆通過對上述傳箋疏解的認識，以為取捨，以為依據。雖然，上述各種研究經典的著作，不論作者為誰，不論成就多高，都無法迴避其內在本質性的問題：在使用材料方面，除了最早出現少數的傳箋之外，其餘者，一旦面對經典原始文獻，皆不免為二手材料。尤有甚者：在方法方面，除了極少數仍有其重要及實用性，如二重證據法，[1] 絕大多數，皆陳舊過時。昔日或為芳草，今日已成蕭艾，猶如獸力曾經重要，而今終為機械取代，此人類發展趨勢，無從逆之也。

　　如今，在科技之下，數位人文（Digital Humanity）帶來的數位新法，諸如巨量文本法（Quantity Text）、精準判斷法（Precision Ascertain）等等。[2]

1　二重證據法起源甚早，至少可上溯至西漢，時張敞已利用出土銅器與傳世文獻（《詩經》）相互比對，見《漢書・郊祀志下》；（《漢書》〔臺北：宏業出書局，1974年12月再版〕，頁320）北宋趙明誠，為中繼之著名者；清末民國，則王國維最為今世稱道。二重證據法所用出土及傳世，皆一手材料；歷經長期使用經驗，累積大量寶貴資料，已具有大數據（Big Data）之精神。雖然歷久，絕未中衰，焉得捨棄？

2　巨量文本法自大數據而來，與目前其他學門所常用的數位方法，無本質上的不同，例如：卡方檢定（Chi-Squared Test）（卡方檢定是一種以卡方統計量為基礎之檢定方法。這種方法可以應用在許多不同類型的檢定中，尤其是用以檢定不同機率模型的合適性。一般而言，卡方檢定經常用於適合度（goodness of fit）、獨立性（independence）

或同質性（homogeneity）等方面的檢定，所涉及的統計變項通常是間斷變項。理論上，卡方檢定經由實際發生次數與理論發生次數的差異程度，藉以推論上述各方面的檢定結果是否拒絕虛無假設。)、齊夫定律（Zipf'sLaw）(主要應用於統計標引法，確定有效詞的頻值，從而可通過電腦確定有效詞。) 等。在方法方面，例如：文本情感分析（Sentiment Analysis）(文本情感分析的一個基本步驟是對文本中的某段已知文字的兩極性進行分類，這個分類可能是在句子級、功能級。分類的作用就是判斷出此文字中表述的觀點是積極的、消極的、還是中性的情緒。更高級的「超出兩極性」的情感分析還會尋找更複雜的情緒狀態，比如「生氣」、「悲傷」、「快樂」等等。)、語意分析（(Semantic Analysis）技術，是指將一長串的文字或內容，從其中分析出該個段落的摘要以及大意，甚至更進一步，將整篇文章的文意整理出來。此項技術可以應用在解讀影片、音訊等檔案，使得搜尋引擎能夠搜尋到文字以外的物件，方便使用者省去大量時間觀看影片、聆聽音訊，同時也可以幫助使用者提前了解影片與音訊的內容。)、價值分析法（(Value Analysis Method）價值分析主要在區分兩個概念：價值標準（value criterion）與價值原則（value principle）：前者將價值賦予某一類情境，給予事實一個價碼（valence）決定某一事實是否有正或負評價，評價者必須權衡諸事實再作決定，所以評價者的判斷可能隱含某些原則，這些複雜原則在做決定過程中浮現出來，反映價值分析的結果，而非其決斷的歷程。所以真正進入價值判斷之脈絡中者，是價值標準而非價值原則，每一價值標準提供了價值對象之一方面的評價基礎，給予正或負的價碼。價值原則則用於價值對象的整體，原則權衡各個衝突標準之指訴，但只有在作了價值決定且已給予理由之後，才意識到價值原則。價值分析具有六個基本程序：（1）確認並澄清價值問題；（2）蒐集有關的事實；（3）評估事實的真實性；（4）澄清事實的關聯性；（5）達成初步的價值決定；（6）考驗所作決策所隱含的價值原則。)（以上皆引自國家教育研究院《教育大辭書》2000年12月。上引之外，其它方法猶多，為省篇幅，暫不贅舉）。上述工具及方法，旨在處理大量數據，所利在於現象呈現，用於其他學門，已大顯身手；惟針對人文學門經典文獻之精微探究，則限於專業，尚顯粗疏，須改良適配。至於人文學門，在標註文本，設定參數方面，也應加快腳步，搭配數位方法，創作適用程式，必可相輔相成，有功學術。另外，目前新出的深度神經網絡學習（Deep Neural Network），此種深度學習方法，同樣適用於人文學門，且效果更佳，期能跨域合作，以開展未來。綜合上述，目前本篇所用方法暫命為：精準判斷法（Precision Ascertain），設定多項參數，以為判斷之基，面相多元，整合全面，結構清晰，結果精準，與上述所引，內在精神完全相符；與目前醫學界所使用的精準醫療（Precision Medicine），有異曲同工之妙（本校應用數學系郭美惠教授云）。當然，數位方法並非萬無一失，有所長者，必有所短，例如極少（或單一）案例，在數位方法之下，往往不受重視，甚者直皆排除，不予討論。但是在人文學門，單一（或極少）案例，往往意味最為特殊事件，必有可觀，必須深究。所以有此差異者，則以追尋方向正好相反：數位方法著重致致廣大，人文傳統著重盡精微。雖然，

數位新法帶來方便與效率，重視創新，更重視資料的存量有無與多少，所謂：資料為王（Data is king）。除資料存量之外，資料之原始性，即一手或二手，亦為關鍵因素。在此方面，二重證據法及數位新法都特別重視一手材料，尤其是原始經典文獻；至於相關之傳箋疏論，則皆視為二手材料，[3] 僅依需要而引用，不再是立論依據，甚至成為被檢驗的對象。這個堪稱殘酷的現實，使得多數人在初次面對時，難以立即接受，多方排斥，抗拒；其甚者，乃至誓死不從。但是面對數位新法所展現的優勢：資料客觀，數據完整，分析精細，推論合理，傳箋疏論顯得毫無招架之力，其仍有價值者，尚可做為補充說明的資料；無法自立者，只能被捨棄，直到以傳箋疏論為研究主體時，才得以重見天日。

當然，新、舊方法之差別，不止上述，茲條列如下，以為整體之比對：

1. 在觀念方面：舊法著重承襲，不重更新，難以開創新說；新法者重發現，重視更新，據以開創新說。

2. 在視野方面：舊法視野侷限，自我設限，難逃窠臼；新法視野開放，自由拓展，海闊天空。

互用所長，以補所短，當可兩得其利也。總之，此方法於本學門新用，不敢遽言完美，尚祈方家指正；尤其集思可以廣益，眾志必能成城，是所至盼者。

3 傳箋疏論等二手材料，若針對其本身進行研究，則轉為一手材料，有資料庫之性質，自另當別論；若不然，則不宜遽引以為論述之據。惟若謂本人輕視傳箋疏論，以為無所用處，則未免誤解過深，必須澄清。首先，本人絕非視傳箋疏論為無物，而是在使用順序上，有所先後；且縱為一手材料，仍須有所分辨抉擇，不可貿然盡信；否則，孟子就不必感慨：「盡信《書》，不如無《書》」。（《孟子・盡心下》（《孟子注疏》〔臺北：藝文出版社，2007年〕，頁249）其次，傳箋疏解等著述，既有時代限制，又難免個人主觀，審慎用之，可；焉得即以之為依據？反倒視經典本身為無物？此舉何異乎買櫝還珠？且前人已有：「寧道孔聖誤，諱言服、鄭非」之歎（《新唐書・儒學列傳・下》元澹（行沖）引王邵語，引自《中國哲學電子書計畫》），輕者迷信權威，甚者個人崇拜，全失學術客觀之義，今日何需重蹈覆轍？所有傳箋疏論之著述皆有其功能，惟在使用時，要注意適用範圍，要瞭解時空背景，要掌握語境情況，要析解異同之故，勿視為權威，勿迷信崇拜。若不能做到上述，則難免有以偏概全，任意發揮之虞，輕者誤導後人，曲解經義；甚且喧賓奪主，乃至「六經皆我注腳」，則全失客觀論學之義矣。

3. 在方法方面：舊法因循以往，墨守先人法古無過；新法前瞻開創，隨時前進日新又新。

4. 在目的方面：舊法預設問題，以追求「正確」答案為職志；[4]新法呈現現象，以建構多元面相為依歸。

5. 在問題方面，舊法根據主觀設定，提出特定問題；新法根據客觀現象，發掘可能問題。[5]

6. 在步驟方面：舊法為：1.預設問題→2.文獻溯源→3.分析異同→4.證成己見→5.提出結論。新法為：1.設關鍵詞，蒐集資料→2.列表分析，呈現現象→3.依據現象，提出問題→4.設定指標，討論問題→5.形成架構，識其流變。

7. 在分析方面：舊法引用成說，無所分析，比對成說異同；新法引用資料，分析數據，說明所以異同。

8. 在判斷方面：舊法不重情境背景，不識整合研究，未立參考指標，無從精準判斷；新法重視情境背景，強調整合研究，設立參考指標，如：關係（遠、近，好、壞）、位階（高、低，平行）、位置（前、後，淺、深）、形勢（強、弱，先、後）、情緒（正、負，強、弱）、價值（正、

4　研究目的，或許更值得關切的問題。傳統上研究經典的目的，往往是為了找到「唯一、正確」的答案；至於何謂「唯一、正確」，又每多牽涉利益問題，致使學者之間往往各執一辭，互不相讓。於是個人意氣既興，門戶之見遂起，最終造成互不相讓，乃至敵對的學派；最不幸的結果，還造成壟斷性的學閥。自西漢以來，今古文之爭、鄭王之爭、南學北學、宋學清學、舊新儒家，何時不陷於紛擾？或許就學術史研究而言，這些紛擾有其意義；惟就經典文獻研究而言，卻是治絲益棼，徒增不必要的困擾。總而言之，學者非不用力，惟所提出之「唯一、正確」答案，因不夠客觀，故禁不起重複的驗證。究其所以，觀念的侷限，方法的缺失，門戶的意氣，利祿的作祟。種種原因，都使得這些著述成果受到不必要的限制，未能盡如人意。

5　依據本人的經驗，所有首次面對有關數位方法問題者，其回答皆是：「這個問題，我以前（從來）沒想過。」初聞此語，或以為問題過深；及次數既多，且絕無例外，方意識到此為普遍現象。這並非對任何人有所輕視，事實上，本人最初的反應亦是如此。可見面對新的方法，因而出現的新問題，驟視之下，皆無經驗可據，因而「以前（從來）沒想過」，此人之常情也。反過來看，數位方法所提出的問題，既為學者所初聞，自然無答案可應對，有待全新探索也。

負，是、非）、效果（正、負，長、短）、過程（先、後，繁、簡）等等，進行精準判斷（Precision Ascertain）。

9. 在效率方面：舊法仰賴個人智能，受限於人力，研究效率低下；新法借重電腦科技，受惠於工具，處理效率陡升。

10.在效果方面：舊法經論述之後，證成唯一、正確答案；新法在析辨過程中，呈現問題多元現象，及流變過程。

11.在整合方面：舊法資料有限，適合個人操作，無從整合研究；新法資料巨量，適合群體操作，重視整合研究。

12.在跨域方面：舊法問題單一，著重專業單一，不重跨域研究；新法問題多元，需要專業多元，重視跨域研究。

13.在潛力方面：舊法受限於資料量少，囿於個人能力，困於單一專業，發揮有限；新法受惠於資料豐沛，強調群體整合，重視跨域研究，潛力無窮。

14.在規範方面：舊法據學者成說，因以立論；縱有一、二精到之處，亦不能改變其為二手材料之本質；新法據文獻一手材料，分析以立論，與現行學術規範不謀而合。

簡而言之，數位新法排除主觀好惡，但據客觀資料，分析相應問題，進行精準判斷，展現多元架構。對於人文學門的學術研究而言，雖是全新的模式，卻禁得起最嚴格的檢驗。十餘年來，在實踐的過程中，所得的經驗是：學術背景越堅實的學者，越能發揮數位方法的功效；豈祇相得益彰，甚且如虎添翼。這是最令人欣慰之處，也是最值得我們奔赴的原因。

基於上述，本篇設《論語》中「仲尼」為關鍵詞，進行討論；使用材料：電子資料庫《中國哲學書電子計畫》（以下簡稱《電子書》），標點符號經本人修訂，文字校訂以《論語正義》；[6]使用方法：數位新法、「二重證據

---

6 〔清〕劉寶楠：《論語正義》，臺北：文史哲出版社，1990年）。為省篇幅，引用《論語》原文載於列表，頁碼隨附，不再加註。另外，文中引用其他文獻時，亦以《電子書》檢索，校訂以相關典籍文獻。又，出土文獻雖有與《論語》相關者，如敦煌本《論語鄭氏注》、居延漢簡《論語》、定州本《論語》、海昏侯墓《論語・知道》等等，

法」；研究目的：不追求「唯一、正確」的答案，而是盡可能呈現《論語》中「仲尼」全方位的現象，解釋現象之背景因素，所謂大數據（Big Data）；更重視暗數據（Dark Data），從反面、負面、為人所視而不見等角度，對比已知的現象，探討整體的面相。期望在論述的過程中，析其所以，論其所由；提出可重複驗的證據，發現因而衍生的問題。最後，根據所得的成果，建構多維觀點的立體架構，追尋通古今之變的學術真諦。

二 列表

編號　出處	內容	子貢語	備註
1 《論語·子張·22》	衛公孫朝問於子貢，曰：「仲尼焉學？」子貢曰：「文、武之道，未墜於地，在人。賢者，識其大者；不賢者，識其小者，莫不有文、武之道焉。夫子焉不學？而亦何常師之有？」（頁749）	仲尼焉學 夫子焉不學 何常師之有	衛公孫朝問於子貢
2 《論語·子張·23》	叔孫武叔語大夫於朝，曰：「子貢賢於仲尼。」子服景伯以告子貢，子貢曰：「譬之宮牆，賜之牆也及肩，窺見室家之好；夫子之牆數仞，不得其門而入，不見宗廟之美，百官之富。得其門者，或寡矣！夫子之云，不亦宜乎！」（頁750-752）	子貢賢於仲尼 夫子之牆數仞，不得其門而入，不見宗廟之美，百官之富	叔孫武叔稱子貢賢於仲尼
3 《論語·子張·24》	叔孫武叔毀仲尼，子貢曰：「無以為也！仲尼，不可毀也！他人之賢者，丘陵也！猶可踰也；仲尼，	仲尼，不可毀也 仲尼，日、月也	叔孫武叔毀仲尼

惟與本篇所述部分無直接關聯，故未引用。

編號　出處	內容	子貢語	備註
	日、月也！無得而踰焉。人雖欲自絕，其何傷於日、月乎？多見其不知量也！」（頁752-753）		
4 《論語・子張・25》	陳子禽謂子貢，曰：「子為恭也！仲尼豈賢於子乎？」子貢曰：「君子：一言，以為知；一言，以為不知。言，不可不慎也！夫子之不可及也，猶天之不可階，而升也。夫子之得邦家者，所謂：『立之，斯立；道之，斯行；綏之，斯來；動之，斯和。』其生也，榮；其死也，哀，如之何其可及也？」（頁753）	仲尼豈賢於子乎 夫子之不可及也，猶天之不可階，而升也 其生也，榮；其死也，哀，如之何其可及也	陳子禽謂子貢

三　析論

根據上表，可得如下析論：

1. 《論語》中「仲尼」一詞皆出現於〈子張篇〉。

2. 各章所載人物不同，顯非一時之事；據第4條（其死也，哀），孔子或已即世。

3. 上述各條之事，皆與其他弟子無關，叔孫武叔、衛公孫朝自不必言；即如陳子禽之問，亦有可說，見下文。[7]

4. 上述各條之事，子貢實為主角，則書之者，當為子貢本人。

7　陳地人士見於《論語》者，陳司敗曾使孔子自承有過（〈述而〉），陳亢疑伯魚有異聞（〈季氏〉），上引陳子禽謂子貢賢於仲尼（〈子張〉）；即如子張，亦多提問，而致疑。陳地人士之言行風氣，竟如何也？孔子在陳，絕糧（〈衛靈公〉），發歸與之歎（〈公冶長〉）。陳，蓋非孔子所樂之地也。

5. 與「仲尼」有關之數章，皆載於〈子張篇〉，且順序相連（22、23、24、25），當非偶然。

6. 各章所載人物不同，惟與之對應者皆為子貢。

7. 《論語》中提及「仲尼」一詞者有衛公孫朝（1次）、魯叔孫武叔（2次）、陳子禽（1次）、子貢（2次）；前三者皆為行文時提及，難以斷定其是否出自其口；子貢則為親口提及，且先後連提2次。

8. 凡提及「仲尼」時，孔子皆不在現場，與稱「夫子」之例相同；惟孔子若仍在世，則對談者及子貢宜以「夫子」稱之。⁸

9. 第4條子貢回答陳子禽，曰：「其生也，榮；其死也，哀」，可明確判斷孔子已去世；其他3條，以稱「仲尼」例觀之，亦當在孔子去世之後。

10.不論是疑「仲尼」者（1衛公孫朝、4陳子禽），貶「仲尼」者（2魯叔孫武叔），毀「仲尼」者（3魯叔孫武叔），皆可見當時對「仲尼」（孔子）持懷疑，或貶之、毀之者，實有其人。持懷疑者，既有外人（1衛公孫朝），亦有孔子弟子（4陳子禽）；貶之、毀之者，則為魯國當權貴族（2、3叔孫武叔）。

11.衛公孫朝既疑孔子所學，又以尊稱之「仲尼」稱孔子，實有違常情。

12.叔孫武叔既「貶仲尼」，又「毀仲尼」，乃以尊稱之「仲尼」稱孔子，實有違常情。

13.陳子禽為孔子弟子，而疑「仲尼賢於子貢」，頗有可議；且既有此疑，而以尊稱之「仲尼」稱孔子，亦有違常情。

14.他人疑、毀孔子，子貢之對，或以「夫子」稱（衛公孫朝、陳子禽），或以「仲尼」為稱（魯叔孫武叔），而概不以「孔子」為稱也。

15.凡上述疑、貶、毀之者，子貢皆強力為「仲尼」辯解說明。

16.子貢不但強力為「仲尼」辯解說明，更推崇尊敬「仲尼」。

8　《論語》中，孔子不在現場之例尚有「孔丘」、「夫子」，惟「夫子」亦有數例為弟子當面尊稱孔子，與稱孔子為「子」之例相同，凡此現象，當另為文討論。另外，若以《論語》為基準，比對其他文獻，如《左傳》中的「仲尼」；若《左傳》中的「仲尼」為生稱，當有另一翻景象。

17. 子貢對「仲尼」的推崇，其較保留者，則曰：「如宮牆數仞」；其至高者，則曰：「如日月不可踰」、「如天之不可階而升」。推尊之情，可謂無以復加矣。

18. 子貢對「仲尼」之尊稱景仰，可謂至極。《論語》中其他弟子對「孔子」皆無稱之曰「仲尼」者，對孔子之景仰，亦無如子貢之至極者。[9]

四 綜論

經由以上的析論，可有如下綜論：

（一）孔子的稱謂

若就上引資料來看，既有衛公孫朝問子貢「仲尼焉學」，又有叔孫武叔稱「子貢賢於仲尼」、陳子禽稱「仲尼豈賢於子」、叔孫武叔毀「仲尼」。然則「仲尼」之稱，亦出自上述三人，如是總計人數得四，何得必以為皆出自子貢也？

針對這個問題，必須回到當時情境，以見孔子相關稱謂之背景。為省篇幅，仍以《論語》一書為準，以為說明。今蒐檢《論語》，其中與孔子有關的稱謂甚多，其自稱，則為「丘」；[10] 其被稱，無尊，亦無貶，可中性視之者，則為「孔丘」；[11] 其被稱，為尊稱，而最常見者，則有「子」；[12] 凡稱

---

9 即使最受孔子稱道之顏淵，亦不過喟然歎，曰：「仰之，彌高；鑽之，彌堅。瞻之，在前；忽焉，在後」，（頁338）雖然也是推尊孔子之語，卻未必能與子貢所說：「如日、月不可踰」、「如天之不可階而升」相提並論也。

10 12次：〈公冶長篇〉4次、〈述而篇〉3次、〈鄉黨篇〉1次、〈先進篇〉1次、〈憲問篇〉1次、〈季氏篇〉1次、〈微子篇〉1次。

11 3次，皆在〈微子篇〉。稱孔子而不敬者，則如《論語·八佾》：「鄹人之子」。「孔丘」既非尊稱，亦難謂有不敬之意，可視為偏中性稱呼。《論語·微子》：長沮、桀溺耦，而耕，孔子過之，使子路問津焉，長沮曰：「夫執輿者為誰？」子路曰：「為孔丘。」曰：「是魯孔丘與？」曰：「是也。」（頁721）雖不必為貶，亦無尊敬之意。惟《左傳·

「子」者,皆為首代弟子與孔子問答時,對孔子之尊稱;有「夫子」,[13] 此有數種情形:或孔子不在現場,弟子之間言及孔子之尊稱,與稱「仲尼」之情形相同;或第三者記載弟子與孔子之事,[14] 或弟子當面對孔子之尊稱;[15] 有「孔子」,(68次)為再傳以下,未親見孔子者之稱謂。以上數種稱謂,俱見《論語》各篇,乃弟子或再傳以下弟子所通用,為學者所熟知。最為特殊者,則為「仲尼」,(6次),皆在〈子張篇〉中;雖或間出他人之口,而皆有子貢與之對話,故概與子貢有關。除子貢之外,《論語》中絕不見其他弟子或他人稱孔子為「仲尼」者,如此現象,應非偶然,必有可說之處。或以上引4條,衛公孫朝、叔孫武叔、陳子禽皆稱孔子為「仲尼」,以為反駁。按:此乃記事者所載,有修飾之處,非此三人皆樂稱孔子為「仲尼」也,說詳見下。

　　綜而言之,上述《論語》中與孔子有關的稱謂,其有「子」之例者,概為尊稱,又分三種:單稱「子」者,為弟子與孔子當面對答,為數最多;稱

定公十年〉:「魯孔丘知禮,而無勇。」(《左傳注疏》臺北:藝文出版社,2007年8月,頁976)則輾轉帶有貶意,以齊人稱孔子為「無勇」也。

12 「子」為當時慣用敬稱,為數最多,限於篇幅,不贅。

13 《論語》中「夫子」41次,唯〈述而篇〉:子謂顏淵,曰:「用之,則行;舍之,則藏,唯我與爾有是夫!」子路曰:「子行三軍,則誰與?」《電子書》以程式之故,將「有是夫」與「子行三軍」亦歸總於「夫子」,故共計41次。實則此條與本篇所論述之「夫子」無關,故本篇統計為共計40次。此《電子書》之收錄問題,可另為文討論。稱其他貴族人士為「夫子」者7次,(〈憲問篇〉稱「公叔文子」(2次),〈憲問篇〉稱「蘧伯玉」(2次),〈憲問篇〉稱「季孫(康子)」(1次),〈季氏篇〉稱「季氏(康子)」(2次),其餘皆為稱孔子者,共計33次,為省篇幅,不詳具篇名。

14 如〈陽貨篇〉:子之武城,聞弦歌之聲,夫子莞爾,而笑,曰:「割雞,焉用牛刀?」(頁679)

15 行文中,弟子稱孔子為「夫子」者5次:〈先進篇〉(曾晳)曰:「夫子何哂由也?」(頁482)〈憲問篇〉:子曰:「君子道者,三,我無能焉:『仁者,不憂;知者,不惑;勇者,不懼。』」子貢曰:「夫子自道也。」(頁588)〈陽貨篇〉:子之武城,聞弦歌之聲,夫子莞爾而笑,曰:「割雞,焉用牛刀?」子游對,曰:「昔者,偃也聞諸夫子,曰:『君子學道,則愛人;小人學道,則易使也。』」(頁679-680)〈陽貨篇〉:佛肸召,子欲往,子路曰:「昔者,由也聞諸夫子,曰:『親於其身,為不善者,君子不入也。』佛肸以中牟畔,子之往也,如之何!」(頁684)

「夫子」者，為弟子與他人對答時提及孔子，或弟子當面尊稱孔子；[16]稱「孔子」者，為再傳以下之後學，既非當面，自不得稱孔子為「子」，或「夫子」，惟以「孔子」為稱矣。因此，上述三種稱謂，皆條理清晰，易於探明者。惟有第四種稱「仲尼」者，亦為弟子之間，或弟子與他人問答時，對孔子的稱謂，惟特為殊絕。蓋「子」、「夫子」、「孔子」皆為對孔子之尊稱，其與孔子同時而互為答問，稱「子」、「夫子」可也；為再傳以下弟子，稱「孔子」之可也；「仲尼」之稱，概為孔子不在現場，與「夫子」情形相同。如是，稱「夫子」，亦足矣，何必稱之曰「仲尼」？「仲尼」之稱，果有其必要否？若有必要，何以其他弟子不稱；若無必要，何以上述與子貢相關記載皆以「仲尼」為稱？此雖看似枝節，實甚緊要，以其與經學流變之關係匪淺，值得深入探究者也。

（二）「仲尼」

從上引《論語》資料而言，「仲尼」出現雖有6次，而其中卻有三分之二，也就是4次，出於他人提及，另外2次才是子貢所稱。因此，就表面上來看，實不可認定稱「仲尼」者，皆出自子貢，如何必以子貢為說？說關於這個問題，我們必須注意上述資料中，子貢對孔子的相關論述，判斷子貢對孔子持何種態度；而後檢視其他相關文獻資料，做為比較的依據，或許可以找到蛛絲馬跡，進而釐清其中的真相。

首先，我們列出子貢面對他人對孔子疑、貶時的回應，做為判斷的標準。第1條衛公孫朝問子貢「仲尼焉學」，[17]子貢之回應為：

---

16 亦有時人於互為答問時，尊稱不在場之第三者為「夫子」，如〈憲問篇〉：公伯寮愬子路於季孫，子服景伯以告，曰：「夫子固有惑志於公伯寮，吾力猶能肆諸市朝。」子曰：「道之將行也與？命也；道之將廢也與？命也！公伯寮其如命何！」此條「夫子」則非孔子，而為季孫。

17 「仲尼焉學」條，在《論語》，為衛公孫朝問子貢；在《史記》，則為陳子禽問子貢。《史記‧仲尼弟子列傳》：陳子禽問子貢，曰：「仲尼焉學？」子貢曰：「文、武之道，

子貢曰：「文、武之道，未墜於地，在人。賢者，識其大者；不賢者，識其小者，莫不有文、武之道焉。夫子焉不學？而亦何常師之有？」

第2條「叔孫武叔毀仲尼」，其回應為：

子貢曰：「譬之宮牆，賜之牆也及肩，窺見室家之好；夫子之牆數仞，不得其門而入，不見宗廟之美，百官之富。得其門者，或寡矣！夫子之云，不亦宜乎！」

第3條叔孫武叔語大夫於朝，曰「子貢賢於仲尼」，其回應為：

未墜於地，在人。賢者，識其大者；不賢者，識其小者，莫不有文、武之道。夫子焉不學？而亦何常師之有？」又問，曰：「孔子適是國，必聞其政。求之與？抑與之與？」子貢曰：「夫子：『溫、良、恭、儉、讓』，以得之。夫子之『求之』也，其諸異乎人之『求之』也。」（〔日〕瀧川龜太郎《史記會注考證》〔臺北：洪氏出版社1977年〕，頁881）《史記》以二事皆陳子禽問孔子，或得情理；惟《論語》作「衛公孫朝問」，又僅載二事之一，其中曲折是非，亦難驟定。今既據《論語》以立論，故暫不從《史記》。《論語》以問者為公孫朝，雖非孔子弟子，宜可稱孔子為「夫子」。惟公孫朝既有此問，或為其不知孔子所學，因而致疑；或雖知之，而仍有所疑。子貢之回答又如此激烈，反映公孫朝之問實為不敬，豈公孫朝雖知，而終有所疑？公孫朝既不敬孔子，自不必使用「仲尼」尊敬之稱；猶有甚者，或竟稱孔子為「孔丘」？故子貢回答亦如是激烈也？公孫朝與子貢俱衛人，若彼稱孔子為「孔丘」，既不敬孔子，亦不敬子貢矣；子貢敬孔子，必不載公孫朝不敬孔子之稱，如「孔丘」，故於事後修訂為「仲尼」，所以彰顯孔子，亦斥公孫朝之不敬也。反之，若據《史記》，此條為陳子禽問子貢，則陳子禽同諸弟子之例，稱孔子為「夫子」，仍為尊敬，異於衛公孫朝也；《史記》載其稱「仲尼」，知與子貢修潤有關。至於《史記》「孔子適是國」條，當出自《論語‧學而》：子禽問於子貢，曰：「夫子至於是邦也，必聞其政，求之與？抑與之與？」子貢曰：「夫子：『溫、良、恭、儉、讓』，以得之。夫子之『求之』也，其諸異乎人之『求之』與？」（頁24-25）陳子禽以「夫子」稱孔子，蓋當時慣例；惟既有此問，又疑仲尼賢於子貢，顯示其對於孔子乃持懷疑的態度，與公孫朝無異，惟在稱謂上用「夫子」，較合當時慣例耳。此以詞例為判斷之據，既客觀，且可信度高。再舉上引文獻為例，《論語》為當時弟子所記，故曰「夫子」；《史記》為後世之作，故曰「孔子」；《論語》時代較早，故曰「邦」，《史記》時代較晚，故曰「國」，皆據經典原始文獻之詞例，以辨異同，有助釐清學術源流，呈現典籍傳播之跡也。

子貢曰：「無以為也！仲尼，不可毀也！他人之賢者，丘陵也！猶可踰也；仲尼，日、月也！無得而踰焉。人雖欲自絕，其何傷於日、月乎？多見其不知量也！」

第4條陳子禽謂子貢「仲尼豈賢於子」，其回應為：

子貢曰：「君子一言，以為知；一言，以為不知。言，不可不慎也！夫子之不可及也，猶天之不可階而升也。夫子之得邦家者，所謂：『立之，斯立；道之，斯行；綏之，斯來；動之，斯和。』其生也，榮；其死也，哀，如之何其可及也？」

　　就上引4條之中，子貢對「仲尼」之回應的說明或稱述，可以看出最為低調保守的，應為第1條，以公孫朝所問為「仲尼焉學」，其範圍明確而有限，故子貢之回應亦受問題所限，答曰「文、武之道，未墜於地，在人。賢者，識其大者；不賢者，識其小者，莫不有文、武之道焉。」就子貢所答而言，看似對孔子尊敬未為極至，惟受限於問題本身，故其尊敬亦相對受限也。不過，以「莫不有文、武之道焉」為答，亦可謂尊之矣；最後又結以「仲尼焉不學」，以示尊崇。惟其回答亦限於此，未見更多文字敘述，難以確定其尊崇之高度如何也。

　　其次，則為第2條，子貢的回應中，對孔子的推尊有了明確地高度。由於是魯國大貴族叔孫武叔「毀仲尼」，[18]子貢難以面責其過，只能委婉地要求武叔停止毀謗孔子，並自稱其與孔子的差距為「賜之牆也及肩——夫子之牆數仞」。以宮牆為譬，不論是及肩，還是數仞，總有其固定高度。因此此條所述雖為尊崇，畢竟有其限制，未見特別尊敬，乃至極度尊敬也。

---

18 叔孫武叔的人格特色，有其他文獻可為佐證，《孔子家語・顏回》：叔孫武叔見未仕於顏回，回曰：「賓之。」武叔多稱人之過，而己評論之，顏回曰：「固之來辱也，宜有得於回焉。吾聞諸孔子，曰：『言人之惡，非所以美己；言人之枉，非所以正己。』故君子攻其惡，無攻人惡。」（楊朝明《孔子家語通解》〔臺北：萬卷樓圖書公司，2005年〕，頁237-238）此條載「武叔多稱人之過，而己評論之」，則其「毀仲尼」，亦祗見其惡之一端而已。至於其所以特別針對孔子，墮郈一事當然是最主要原因。

　　子貢對孔子的推尊高度陡然提升者，則為第3條，此條當事者仍然是叔孫武叔與子貢，只是這次武叔不再直接毀仲尼，而是譽子貢之賢以抑孔子，子貢則極力推崇自己的老師，以杜叔孫之口，曰：「仲尼，日、月也！無得而踰焉」。此條以日、月為譬，其高度自然非前二條可比，蓋較前二條所云，相去已隔天壤矣。就子貢回應的內容，呈現對孔子異常地尊敬，於弟子中絕無僅有；[19]即使顏淵，亦僅喟然有歎，[20]未能如子貢之推尊也。

　　第4條陳子禽所問，與第3條叔孫武叔所語，竟然同指一事，二者皆以子貢賢於孔子，反映子貢在時人心目中的地位。對子貢而言，或許是一種讚美；但是對子貢所尊崇的孔子而言，無疑是一種貶斥，甚且直接挑撥子貢與孔子的關係。不論二者是偏袒或討好子貢，都引起子貢即時的強烈反應。面對叔孫武叔，以其為魯國重臣，在回答時，並未使用強制性語氣的「不

19　《孟子・公孫丑上・2》：（孟子）曰：「昔者子貢問於孔子，曰：『夫子聖矣乎？』孔子曰：『聖，則吾不能。我學不厭，而教不倦也。』子貢曰：『學不厭，智也；教不倦，仁也。仁，且智，夫子既聖矣！』夫聖，孔子不居，是何言也？」（同註3，頁213-214）同樣是《孟子・公孫丑上・2》：（孟子曰：）「宰我、子貢、有若，智，足以知聖人；汙，不至阿其所好。宰我曰：『以予觀於夫子，賢於堯、舜遠矣。』子貢曰：『見其禮，而知其政；聞其樂，而知其德。由百世之後，等百世之王，莫之能違也。自生民以來，未有夫子也。』有若曰：『豈惟民哉？麒麟之於走獸，鳳凰之於飛鳥；太山之於丘垤，河海之於行潦，類也。聖人之於民，亦類也。出於其類，拔乎其萃，自生民以來，未有盛於孔子也。』」（同上，頁217-218）據孟子上述之語，其他弟子也有推尊孔子之辭，惟孟子此語為其自出，未見《論語》（東漢王充《論衡》節引宰我、有若之語，而無子貢），其可信程度暫時難以確定（孟子引宰我、子貢皆曰「夫子」，合乎《論語》慣例；引有若，則曰「孔子」，與《論語》不符，難免令人起疑）。雖然，孟子引子貢曰：「夫子既聖矣」、「自生民以來，未有夫子也」，其推尊之崇，仍與《論語》中子貢之說法相同。

20　顏淵在孔子及同門弟子的心目中，皆有其無可比擬的崇高性，〈公冶長篇〉：子謂子貢，曰：「女與回也，孰愈？」對，曰：「賜也，何敢望回？回也，聞一，以知十；賜也，聞一，以知二。」子曰：「弗如也！吾與女，弗如也！」（頁177）連孔子都自歎弗如，何況其他弟子？子貢雖機敏好學，亦自言「何敢望回」；雖曰善於言辭，亦不離事實也。劉寶楠引其叔劉台拱語，曰：「顏淵以下，穎悟莫若子貢。」（同註6，頁34）子貢不敢「望回」，孔子自述顏淵之美，知劉台拱所言可信；惟在尊崇孔子方面，則顏淵難匹敵以「言語」著稱之子貢矣。

可」，而是使用較為和緩的「無以為也」，而後謂「仲尼，日、月也」云云，推崇之甚，已如上述；面對陳子禽，以其同門，子貢的回答更是明確而無所保留：「夫子之不可及也，猶天之不可階而升也。」比較子貢對叔孫武叔與陳子禽的回答，則由「仲尼，日、月也！無得而踰焉」，更上一層，提升到「夫子之不可及也，猶天之不可階而升也——如之何其可及也」。日、月在上，猶未峻極；以天為喻，可謂無以復加矣，[21] 故結以：「如之何其可及也」。[22]

21　《論語·泰伯》：子曰：「大哉！堯之為君也！巍巍乎！唯天為大，唯堯則之。」（頁308）孔子稱堯之語，其崇高也不過就是「唯天為大，唯堯則之」而已，猶不若子貢稱孔子為「天之不可階而升」也。

22　孔子弟子之中，屬貴族者，如孟懿子、南宮敬叔；屬國人者，如冉求、仲弓；屬低層出身者，則有子路、子貢，《韓詩外傳·卷八》：（魯哀公問冉有，冉有對，曰：）夫子路，卞之野人也；子貢，衛之賈人也，皆學問於孔子，遂為天下顯士。諸侯聞之，莫不尊敬；卿大夫聞之，莫不親愛，學之故也。（許維遹《韓詩外傳集釋》北京：中華書局1980年6月1版，2017年4月五刷，頁295）不論是野人，還是賈人，在當時都是地位低下，無由仕進之輩；若非受人提拔，就必須獲有軍功，才有出人頭地的機會，個別的事例，如《左傳·襄公二十三年》：初，斐豹，隸也，著於〈丹書〉。欒氏之力臣，曰：「督戎」，國人懼之，斐豹謂宣子，曰，：「苟焚〈丹書〉，我殺督戎。」宣子喜，曰：「而殺之，所不：『請於君：『焚〈丹書〉』』者，有如日。」乃出豹，而閉之。督戎從之，踰隱，而待之；督戎踰，入，豹自後，擊，而殺之。（同註11，頁603）集體的事例，如《左傳·哀公二年》載趙鞅在鐵之戰前發布誓命：克敵者：「上大夫，受縣；下大夫，受郡；庶人、工、商，遂；人臣、圉、隸，免。」（同註11，頁994-995）可見在當時若無特殊機運，商、賈無由仕進。野人與人臣、圉、隸無甚差別，都需要特殊機運。因此，子路與子貢若無孔子或他人提攜，絕無出仕可能，此所以二人對孔子特別尊敬，遠超乎其他弟子。惟子路出身下層，好勇尚武，質樸無文，故言語、文辭無可多述者，是以雖敬孔子，而無文字記錄；子貢出身賈人，精明幹練，重文辭，以言語稱，故事蹟所傳，多以言語、文辭為著，是以其敬孔子之記載，亦較子路為多也。且《論語》之外，子貢對孔子的尊崇，亦見諸其他典籍，今略舉一、二以為佐證，如《韓詩外傳·卷八》：齊景公問子貢，曰：「先生何師？」對，曰：「魯仲尼。」曰：「仲尼賢乎？」曰：「聖人也！豈直賢哉？」景公嘻然而笑，曰：「其聖何如？」子貢曰：「不知也。」景公悖然作色，曰：「始言：『聖人』，今言：『不知』何也？」子貢曰：「臣終身戴天，不知天之高也；終身踐地，不知地之厚也。若臣之事仲尼，譬猶渴操壺杓，就江海，而飲之；腹滿，而去，又安知江海之深乎？」景公曰：「先生之譽，得

　　從以上條的內容來看，皆為他人與子貢論及孔子之事，有疑之者，有毀之者，惟凡稱「仲尼」，皆孔子為不在場之第三者。惟不論對方持何種態度，子貢回答的內容皆為說明及尊崇；更可注意的是，從第1條到第4條的順序，正好也就是子貢應對的變化過程，更是子貢對孔子尊敬程度提升的過程。[23]以子貢對孔子的尊崇，稱之曰「夫子」，自無可疑；又稱之「仲尼」，是「仲尼」之稱，其尊敬過於「夫子」。惟持懷疑甚至毀之者，對孔子既已不能尊敬，又何必使用尊敬之稱謂「仲尼」，以顯示其不敬甚且毀謗呢？此實自相矛盾，而究其原委，又安在哉？

（三）「稱仲尼」者

　　經由上述討論，可知子貢一再地崇敬孔子，稱之曰「仲尼」，比之為「日、月」、為「天之不可階而升」，其尊崇之情無以復加矣。反過來看，既然上述諸例中人皆疑、貶孔子，為何不以不敬之稱，如「孔丘」，稱孔子？

無太甚乎！」子貢曰：「臣賜何敢甚言？尚慮不及耳！臣譽仲尼，譬猶兩手捧土，而附泰山，其無益亦明矣；使臣不譽仲尼，譬猶兩手把泰山，無損亦明矣。」景公曰：「善豈其然！善豈其然！」《詩》曰：「綿綿翼翼，不測不克。」（同上，頁286）又如《韓詩外傳·卷九》：《傳》曰：堂衣若扣孔子之門，曰：「丘在乎？丘在乎？」子貢應之，曰：「君子尊賢，而容眾；嘉善，而矜不能。親內，及外；己所不欲，勿施於人。子何言吾師之名焉？」堂衣若曰：「子何年少，言之絞？」子貢曰：「大車不絞，則不成其任；琴瑟不絞，則不成其音。子之言，『絞』，是以『絞之』也。」堂衣若曰：「吾始以鴻之力，今徒翼耳！」子貢曰：「非鴻之力，安能舉其翼！」（同上，頁314）凡此類對孔子不敬之事，子貢必竭力維護孔子，推崇孔子，於弟子中亦僅見矣。《孟子·滕文公上》、《史記·孔子世家》皆載子貢為孔子守喪六年，則子貢對孔子之推崇景仰，固非其他弟子所能及也。

23 就《論語》中弟子出現次數而言，子路48次、季路4次、（仲）由25次；子貢44次，賜13次；顏淵16次、回17次；子夏23次、商4次；子張23次；曾子17次、參2次；冉有11次、冉求3次；子游8次、偃3次；有若3次、有子4次，宰我6次、宰予1次，孟武伯2次、孟孫1次，等等。今只以出現次數而言，子路最多，其次即為子貢，亦可見子貢與子路在《論語》中的重要性，非其他弟子所能及；而子貢對孔子的尊崇之語，亦非其他弟子所能及也。

為何要以被子貢尊之如「日、月」、如「天之不可階而升」之「仲尼」稱孔子？討論這個問題，須先明瞭上述三人與孔子為何種關係，所提問題基於何種心態，以及子貢如何相對回應。

先前我們已討論過孔子的各種稱謂，及其相對應的情形。因此，若公孫朝為孔子弟子，其與子貢問答時，孔子為不在場之第三者，則宜以「夫子」為稱；若其非孔子弟子，敬之者，亦宜以「夫子」為稱；不敬者，則逕曰「孔丘」矣，[24] 何必曰「仲尼」？由是可知，雖《論語》載公孫朝曰「仲尼焉學」，其中必有可疑者。據本條所載，既曰「衛公孫朝」，其非孔子弟子可知；若敬稱孔子，而曰「夫子」可也，惟孔子非其師；退而求其次，若以當時慣例稱孔子為「夫子」，亦無所不宜，惟其與子貢之間需有共識，否則汗漫無端，無以知此「夫子」必謂孔子也。[25] 反之，公孫朝若不敬孔子，則將以「孔丘」為稱矣，斯又子貢所不能容。因此，若公孫朝以當時通用之「夫

---

24 〈微子篇〉：長沮、桀溺耦，而耕，孔子過之，使子路問：「津」焉，長沮曰：「夫執輿者為誰？」子路曰：「為孔丘。」曰：「是魯孔丘與？」曰：「是也！」曰：「是知津矣！」問於桀溺，桀溺曰：「子為誰？」曰：「為仲由。」曰：「是魯孔丘之徒與？」對，曰：「然。」曰：「滔滔者，天下皆是也！而誰以易之？且而與其從辟人之士也，豈若從辟世之士哉？」耰，而不輟。子路行，以告，夫子憮然，曰：「鳥、獸不可與同群，吾非斯人之徒與，而誰與？天下有道，丘不與易也。」（頁720-721）子路被問，稱己師曰「孔丘」；長沮、桀溺以「孔丘」於諸國或各有其人，為確定，故以「魯孔丘」為問。凡此稱「孔丘」者，雖無貶意，至少無敬意，持平而已。子路質樸無文，故稱孔子為「孔丘」；若此事為子貢應對，則縱不曰「仲尼」，至少以「夫子」為稱也。反之，若能敬孔子者，必不直呼其名「孔丘」；縱不曰「仲尼」、「夫子」，至少以其它稱呼相代，如〈微子篇〉：楚狂接輿歌，而過孔子，曰：「鳳兮！鳳兮！何德之衰？往者，不可諫；來者，猶可追。已而，已而！今之從政者殆而！」孔子下，欲與之言；趨，而辟之，不得與之言。（頁718）楚狂接輿以「鳳兮」比擬孔子，雖比不上「仲尼」、「夫子」；比起「孔丘」，還是令人舒坦些。

25 「孔丘」已如上述，「夫子」亦復如此，〈微子篇〉：子路從，而後，遇丈人，以杖荷蓧，子路問，曰：「子見夫子乎？」丈人曰：「四體不勤，五穀不分，孰為夫子？」（頁724）從此條可以得知，就子路而言，孔子熟悉至無以復加，稱孔子「為夫子」，不過是從其慣例；惟就荷蓧丈人而言，天下之「夫子」多矣，故問「孰為夫子」？可見若欲稱孔子為「夫子」，雙方一定要有交集，都知對方所稱「夫子」為誰；苟非如此，則難免有所誤解。

子」稱孔子，無所不宜；乃舍之，而用更為尊敬，卻非通用之「仲尼」稱孔子，令人費解。

客觀而言，公孫朝有此疑問，見其對孔子認識有限，不知孔子所學與從學，可知其非能尊崇孔子者。今雖無法確定公孫朝稱孔子為何，惟其必不得稱孔子曰「子」，以其非與孔子相問答；若曰「夫子」，以其在提問之始，又非孔子弟子，其稱「夫子」，難確定所指何人，有違文例；[26]若公孫朝不敬孔子，亦必不尊稱以「夫子」，將以「孔丘」為稱也。至於敬稱之「仲尼」，若公孫朝稱孔子時，連「夫子」都不得，何況更尊敬之「仲尼」？由是推論，公孫朝此處所稱，以「孔丘」的機率最高，「夫子」或有些微可能；「子」，則排除在外矣。至於「仲尼」，就上引子貢推崇之言觀之，必為子貢對孔子所獨有之稱謂。衛公孫朝或不敬孔子，子貢則最敬孔子，絕不能忍受他人當面對孔子不敬之稱。因此凡有對孔子不敬之稱謂，必經子貢修訂，而後則以尊敬之稱謂「仲尼」為文。因此才會出現不敬孔子者，竟以尊敬之稱謂「仲尼」稱孔子的矛盾現象。

接著以「叔孫武叔毀仲尼」條，及叔孫武叔稱「子貢賢於仲尼」條合併而言，以見其所以稱「仲尼」之故。叔孫武叔既「毀仲尼」，故以「子貢為賢」為襯托，以貶孔子也。[27]叔孫武叔「毀仲尼」、「賢子貢」，實有所由，蓋叔孫武叔非但有怨於孔子，且所怨非輕也，《左傳‧定公十二年》：

> 仲由為季氏宰，將墮三都，於是叔孫氏墮郈。季氏將墮費，公山不狃、叔孫輒帥費人以襲魯，公與三子入于季氏之宮，登武子之臺。費人攻之，弗克，入及公側。仲尼命申句須、樂頎：「下，伐之。」費人北，國人追之；敗諸姑蔑，二子奔齊，遂墮費。將墮成，公斂處父謂

---

26 上引〈微子篇〉荷蓧丈人曰：「四體不勤，五穀不分，孰為夫子？」是其明證；反之，若為孔門師徒之間，則無此疑，如上引〈陽貨篇〉：子之武城，聞弦歌之聲，夫子莞爾而笑，曰：「割雞，焉用牛刀？」子游對，曰：「昔者，偃也聞諸夫子，曰：『君子學道，則愛人；小人學道，則易使也。』」（頁679-680）

27 子貢家道殷實，雖不受命，而億則屢中；累積財富，經商列國，乃至與國君分庭抗禮，宜武叔以之為賢也。

孟孫:「墮成,齊人必至于北門。且成,孟氏之保障也;無成,是無孟氏也!子偽不知,我將不墮。」冬十二月,公圍成,弗克。[28]

墮三都為當時魯國大事,一旦完成,三家封邑便無高城厚墻以自保。[29]一旦魯君有所征討,便無由固城自守,只能任憑國君處置。這是孔子的理想,化為實際的政策,交由其最親信的弟子子路執行,於是叔孫氏之郈最先被墮,季孫氏之費在打敗公山不狃、叔孫輒之後,也順利墮之;惟孟孫氏之郕,在公斂處父的堅持之下,依然完整無缺。叔孫氏遭此嚴重打擊,其對孔子懷恨之心可知矣。[30]以此觀之,欲叔孫武叔以尊稱之「仲尼」稱孔子,可謂與虎

---

28 同註11,頁980。相關典記對此事記載亦多,如《孔子家語·相魯》:孔子言於定公,曰:「『家,不臧甲;邑,無百雉之城』,古之制也。今三家過制,請皆損之。」乃使季氏宰仲由墮三都。叔孫不得意於季氏,因費宰公山弗擾,率費人以襲魯。孔子以公與季孫、仲孫、叔孫入於費氏之宮,登武子之臺。費人攻之,及臺側,孔子命申句須、樂頎:「勒士眾,下,伐之。」費人北,遂墮三都之城。強公室,弱私家;尊君,卑臣,政化大行。(同註18,頁16-17)《史記·孔子世家》:定公十三年夏,孔子言於定公,曰:「臣,無藏甲;大夫,毋百雉之城。」使仲由為季氏宰,將墮三都。於是叔孫氏先墮郈,季氏將墮費,公山不狃、叔孫輒率費人襲魯。公與三子入于季氏之宮,登武子之臺。費人攻之,弗克;入,及公側。孔子命申句須、樂頎:「下,伐之。」費人北,國人追之,敗諸姑蔑,二子奔齊,遂墮費。將墮成,公斂處父謂孟孫,曰:「墮成,齊人必至于北門。且成,孟氏之保郭;無成,是無孟氏也。我將弗墮。」十二月,公圍成,弗克。(同註11,頁749-750)《公羊傳·定公十二年》:季孫斯、仲孫何忌帥師墮郈。曷為:「帥師墮郈?帥師墮費?」孔子行乎季孫,三月不違,曰:「家,不藏甲;邑,無百雉之城。」於是帥師墮郈,帥師墮費。(《公羊傳注疏》臺北:藝文出版社,2007年8月,頁331-332)

29 大都耦國,在春秋時代,始終為國君大患,《左傳·隱公元年》:祭仲曰:「都,城過百雉,國之害也!先王之制:『大都,不過參國之一;中,五之一;小,九之一。』今京不度,非制也!君將不堪。」(同註11,頁35-36)自此以下,史不絕書;至春秋晚期,為害益甚也。

30 不止叔孫武叔深怨孔子,即使是提拔孔子最力的孟孫氏,經過公斂處父一番利害分析,證明墮成對孟孫氏為大不利,因而不墮。可以推知,孟孫氏對孔子的態度有所改變,不再如以往那麼支持。至於季孫氏,墮費實為不得不之舉;惟亂平之後,費地重回季氏掌控,墮費反而造成季氏不利,無力抗拒國君矣。於是形移勢變,季、孟二家皆不再支持孔子的政策,致使孔子黯然去職,不得不週遊列國矣。然則叔孫武叔所以乃毀仲尼,乃至公然譽子貢以貶仲尼,豈無由哉?

謀皮，絕無可能也。乃此條忽然見叔孫以尊稱之「仲尼」稱孔子，推其所以，必以子貢之故。任何人對孔子有不敬之稱謂，子貢必不能容忍，於傳述過程中，必將之修訂為尊敬之稱，以維持子貢對孔子的尊崇。因此才會出現叔孫武叔雖毀孔子，卻以「仲尼」為稱的矛盾現象。且叔孫武叔既欲毀孔子，用「鄹人之子」或猶嫌尊敬，何必用尊稱之「仲尼」？故知此處「仲尼」必非叔孫武叔之原文，而是一如上述，乃經子貢傳述後修潤之詞，故有此矛盾現象也。

　　最後，以「陳子禽謂子貢仲尼豈賢於子」條而言，準以上述例證，其與子貢言，自不得稱孔子為「子」；若陳子禽為孔子弟子，其稱「夫子」可也；若其非孔子弟子，稱「孔丘」可也，何必曰「仲尼」？惟子禽之問不止於是，尚見其他篇章，〈學而篇〉：

> 子禽問於子貢，曰：「夫子至於是邦也，必聞其政；求之與？抑與之與？」子貢曰：「夫子溫、良、恭、儉、讓以得之。夫子之『求之』也，其諸異乎人之『求之』與！」（頁24）

《注》：

> 鄭曰：「子禽，弟子陳亢也。」（頁24）

劉寶楠《正義》無疏解，顯然接受何《注》所引鄭玄之說，是至清人止，歷來無異議也。《孔子家語・七十二弟子解》：

> 陳亢，陳人，字子元，一字子禽，少孔子四十歲。[31]

---

31 同註18，頁448。按：《史記・仲尼弟子列傳》無陳亢，無子元，而有陳子禽。於〈傳〉末，太史公曰：「余以弟子名姓文字，悉取《論語》弟子問并次為篇，疑者闕焉。」（同註17，頁890）是史公雖悉心蒐羅，所載弟子、名字，終與《家語》有所異同也。然據鄭玄注：「子禽，弟子陳亢也」之語，不見《史記・仲尼弟子列傳》，乃見《孔子家語・七十二弟子解》，且歷來無疑之者，則鄭玄所據豈自《家語》而來？若然，《孔子家語》真王肅所偽？王肅既反鄭玄，俗又云《家語》為王肅所偽；而鄭玄既能引《孔子家語》之說為注，必已先王肅見《孔子家語》，則《孔子家語》尚需待王肅偽造否？

陳亢既為孔子弟子，乃不知孔子「至其邦，聞其政」之故，顯然對於孔子之賢能所知有限，乃至有疑。[32]陳亢問諸子貢，當知子貢最為親近孔子，能為之釋疑；子貢以肯定的語氣，明確的內容，為之說明，顯示孔貢對孔子有深刻的瞭解與尊敬。再對比陳子禽疑仲尼豈賢於子貢，若非陳子禽對孔子不夠瞭解，則是其有意阿諛子貢。其疑孔子賢不如子貢，實為無敬，則宜以為「孔丘」稱矣；若敬稱孔子，曰「夫子」足矣，且符合當時敬稱的慣例。舍「夫子」，而稱孔子為「仲尼」，於陳子禽實無必要；無必要，而以之為稱，故可推知此亦經子貢有所修潤，一如叔孫武叔之例也。

總結上述，可知《論語》中的「仲尼」皆與子貢有關；除子貢親口稱者之外，縱出他人者，亦經子貢修潤，故可一併視為子貢所稱。以此為準，一旦其他典籍，如《左傳》，出現「仲尼」一詞，當可推知亦必與子貢有關，宜審慎視之。[33]相關論述，已於論《左傳》「仲尼」篇中有所說明。[34]

五　結論

綜合以上論述，可得如下結論：

1. 觀念說明：（1）毛傳鄭箋、杜註孔疏、兩宋元明、乾嘉民國等傳箋疏論等等，與經典文獻相較，皆為二手材料。

---

[32] 陳亢有疑於孔子者，不止上述，《論語·季氏》：陳亢問於伯魚，曰：「子亦有異聞乎？」對，曰：「未也！嘗獨立，鯉趨，而過庭，曰：『學《詩》乎？』對，曰：『未也。』『不學《詩》，無以言。』鯉退，而學《詩》；他日，又獨立，鯉趨，而過庭，曰：『學《禮》乎？』對，曰：『未也。』『不學《禮》，無以立。』鯉退，而學《禮》。聞：『斯二』者。」陳亢退，而喜，曰：「問一，得三：聞：《詩》，聞：《禮》，又聞：『君子之「遠其子」』也。」（頁668）此條結局雖然完美，但依然反應陳亢對孔子實不能堅信，須他人為之明釋，而後方能從之者也。

[33] 《左傳》中「仲尼」出現共計34次，較《論語》尤多；其中「仲尼曰」18次，準以《論語》之例，《左傳》之「仲尼曰」不止代表孔子的意見，更代表子貢系統之下孔子的意見。

[34] 〈《左傳》成書新論（一）「仲尼」（1）〉「第二屆《群書治要》國際學術研討會——《左傳》學之多元詮釋」——2020年9月10日（台南：國立成功大學），先就《左傳》之「仲尼曰」之部分相關問題提出論述，尚祈參考。

2. （2）毛傳鄭箋、杜註孔疏、兩宋元明、乾嘉民國等傳箋疏論等等，在以往或為絕對立論權威，甚且造成個人崇拜；在數位新法之下，非但失去以往據以立論的權威，反而淪落為被檢驗的對象。

3. （3）數位新法完全依據客觀資料以論證，可重複驗證，具科學之精神，絕不迷信權威，絕無個人崇拜，就事論事，客觀可信。

4. 《論語》中「仲尼」一詞共計出現4條6次。

5. 「仲尼」一詞皆出現於〈子張篇〉，且為連續出現。

6. 「仲尼」一詞皆與子貢有關，皆在子貢與他人對話之記載中，不論是出自他人，如衛公孫朝、魯叔孫武叔、陳子禽，還是出自子貢親口。

7. 「仲尼」與「夫子」、「孔丘」同為孔子不在現場之稱謂。

8. 據第4條，可判斷陳子禽、子貢對答之時，孔子已去世；其他3條，機率亦大。以此為準，再與其他經典，如《左傳》、《國語》，相互比對，必有更多發現。

9. 由《論語》之例，知「仲尼」為子貢所專用以敬稱孔子；其他典籍，包括《左傳》、《國語》，一旦出現「仲尼」一詞，必須慎重考慮其與子貢之關係。

10.七十二弟子中唯子貢最為推尊孔子，比之為「日、月」、為「天之不可階而升」，又特稱之曰「仲尼」，而其他弟子皆無稱孔子為「仲尼」之記載，知「仲尼」為子貢對孔子之專屬敬稱。

11.衛公孫朝、魯叔孫武叔、（陳子禽）等實非能敬孔子者，而皆以「仲尼」為稱，實有可疑。

12.衛公孫朝（、陳子禽）既疑孔子，稱孔子最多不過為「夫子」；魯叔孫武叔既懷恨而毀孔子，最多能稱之曰「孔丘」，乃至更為不敬之稱，如「鄹人之子」。

13.由是可知，凡出自上述三人口中之「仲尼」，其原來對孔子之稱，必非「仲尼」；《論語》所以書「仲尼」者，皆子貢於事後修潤之辭。

14.意外的收穫：鄭玄既能引《孔子家語》之說為注，則《孔子家語》是否尚待王肅偽造，可再思考矣。

以上各點，除了觀念說明及鄭玄等數條之外，皆係根據《論語》中「仲尼」一詞所有資料，所分析出之客觀結論。在過程中，展現《論語》中「仲尼」一詞各個面相，尤其是子貢的因素，以為討論《論語》的判斷基準之一；爾後討論其他典籍文獻時，同樣可做為參考標的。《論語》部分之外，鄭玄條更能提醒我們，傳箋疏論的說法，未可執為定論，仍有待驗證，此其一例也。

《論語》中「仲尼」一詞的相關論點，已如上述；其中最重要者，便是子貢在其中所扮演的角色。雖然在《論語》中，子貢並非冷門人物，但是在經學歷史上，卻也從未曾被認真對待，更不曾細檢他與孔子的關係。通過本篇上述的論證，子貢所扮演的角色躍然而出，相信所有的讀者，都有全新的感受。在此必須強調：上述結果非刻意而為，乃是經由文獻資料的分析、理解、判斷，最後得出的成果。以其具備科學的精神，故可重複驗證；若有新的發現，本人叩首企盼。

猶有說焉，本篇非為推翻前賢，否定舊說而作；而是希望建立客觀、可信的依據，以為判斷的基準。經由「仲尼」詞例的討論，確定其與子貢的密不可分的關係；從而在討論《論語》、孔子思想、儒家學說等學術問題時，不至於各說各話，漫無標準，而是至少有一項可信的根據，以做為判斷的客觀標準。

當然，概念初生，方法新用，必然面臨許多陌生的狀況，也會發生從不曾出現的問題。因此，如何使用數位科技的新方法，熟悉狀況，解決問題，有效地展現人文研究的新氣象，這是必須面對的現況，也是突破與創新的契機。此外，「不薄今人愛古人」，我們既應精熟傳統的學術訓練，更要善用今日的科技方法，融會貫通，兼取其長，使學術研究既能深入，又能高遠，必可發揮最大的研究潛力。

最後，論述必有得失，可以客觀討論；至於精準判斷、神經網絡、深度學習，目前或處萌芽階段，未來必為發展趨勢。本篇念茲在茲，目前雖未能遽至，將來或得附驥尾。願學界同好不吝賜教，得聞高見，俾有所精進云。

衛湜及其《禮記集說》在明朝士人
著作內的身影考述[*]

楊晋龍

中央研究院中國文哲研究所
臺北大學、東吳大學、成功大學

一　前言

　　中國傳統經學史的研究內，有兩部書名完全相同，但在十七世紀的明末清初以後，卻受到幾乎完全相反評價的《禮記》學專著：一部是在南宋寶慶二年（1226）呈獻給朝廷，並受到官方重視，但元朝以後則流傳不廣，進入清朝後卻備受讚美肯定的南宋衛湜（約1165-1250）《禮記集說》；[1]一部是在元朝名聲不顯，明朝洪武年間選為官學教科書，[2]永樂年間成為胡廣（1369-1418）等編纂《五經大全》之際，做為《禮記大全》的底本，[3]同時也是明朝與清朝官學的教科書，卻備受挑剔批判的元朝陳澔（1260-1341）《禮記集說》。[4]這兩部同名的《禮記》學專著，對比之下，具有許多令人意外的情

---

[*]　本文為科技部專題研究計畫〈衛湜及其《禮記集說》在宋元明三朝的流傳研究〉（MOST 108-2410-H-001-055-）研究成果之一。感謝科技部的經費支援，使研究計畫得以順利執行。

[1]　稱美衛湜《禮記集說》，以朱彝尊《經義考》及《四庫全書總目》的評價最具代表性，針對此書的正面評價，大致多不出朱彝尊《經義考》及《四庫全書總目》之外。

[2]　劉柏宏：〈永樂朝之前陳澔《禮記集說》的傳播及其相關問題探論〉，《中國文哲研究集刊》第53期（2018年9月），頁73-111。

[3]　陳恆嵩：〈《禮記集說大全》修纂取材來源探究〉，《東吳中文研究集刊》第4期（1997年5月），頁1-24。

[4]　批判陳澔《禮記集說》的負評，可參閱楊晋龍：〈陳澔《禮記集說》的負評及其與《欽定禮記義疏》關係述論〉，《中國典籍與文化論叢》第22輯（2020年12月），頁60-85。

況：陳澔《禮記集說》是明清正式學制內學子必讀的教科書，卻飽受甚多負面的批評；衛湜《禮記集說》（下稱衛湜《集說》）未能納入官方學制，卻深受明末以來學界的推崇歡迎，直至今日大致依然。

明朝以來官學系統內的陳澔《禮記集說》，受到關注挑剔自是理所當然，這是所謂「樹大招風」最明顯的例證。至於元朝以後雖未被官方納入學制，卻大受清朝官方與民間同樣關注讚賞的衛湜《集說》，到底在宋元明三朝受到關注的整體情況如何？這對於衛湜學術、經學史，尤其《禮記》學史的了解，當然具有實際研究了解的學術價值，然此一重要的學術議題，卻從未受到研究者的關注，[5]筆者因而設計「衛湜及其《禮記集說》在宋元明三朝的流傳研究」的研究計畫，進行探討了解，其中衛湜《集說》在宋、元兩朝受關注的實況，已經透過「外部研究」實證性的探討說明，取得大致可信的成果。[6]於是延續前述研究的思路，探討衛湜《集說》在明朝受到關注的情況。將明朝獨立列出而另論，主要是明朝以陳澔《禮記集說》為官學教科

---

5 現代學者2018年6月之前研究衛湜《禮記集說》的表現及其探討的內容，可參閱楊晉龍：〈衛湜《禮記集說》在宋元時期的影響與流布〉，《中華文化論壇》2021年第2期，頁31-44+頁156的回顧性探討。此外，2017年4月劉柏宏在韓國首爾漢陽大學舉辦的「2017年度韓國中語中文學會春季國際學術大會」發表有〈《禮記大全》對衛湜《禮記集說》的擇取與意義——以〈曲禮〉〈檀弓〉為觀察對象〉一文，主要是延續陳恆嵩〈《禮記集說大全》修纂取材來源探究〉，更進一步討論《禮記集說大全》徵引衛湜《禮記集說》的作用。魏濤則有〈衛湜《禮記集說》與宋代思想史研究〉之講稿，見 https://www.cna.com.tw/postwrite/Detail/243273.aspx#.YIATcegzZPY（2021年4月21日搜尋），這是魏濤於2018年10月17日在宜蘭佛光大學的演講，內容乃透過衛湜《禮記集說》以探討宋代學術。還有王璐：《衛湜《禮記集說》研究》（長春：吉林大學中國史博士論文，2020），僅論及衛湜《集說》對清代鄭元慶《芷畦禮記集說》和杭世駿《續禮記集說》等兩部《禮記》學專著的影響。文中有云：「陳澔以此書（衛湜《禮記集說》）為底本、以朱子學術為取捨標準，編纂了一部同名書籍。」（頁2）又說：「關於陳澔與衛湜《禮記集說》的關係，本節還需略費筆墨，加以申說。」接著徵引姜兆錫毫無根據之言，以及陳澔徵引之學者與衛湜徵引者有部分重複，因而就下結論說「《陳氏禮記集說》是衛湜《集說》的『縮編本』。」（頁147-148）未免過於大膽。觀察魏濤的演講稿與王璐學位論文均未涉衛湜《禮記集說》在宋、元、明等三朝流傳的問題，劉柏宏之文則可以和陳恆嵩之文同觀。

6 見楊晉龍：〈衛湜《禮記集說》在宋元時期的影響與流布〉一文所論。

書，衛湜《集說》的地位，自是大大不如陳澔《禮記集說》，然則在明朝官方重視陳澔《禮記集說》的前提下，衛湜《集說》受到關注的情況如何？這在衛湜學術研究與《禮記》學史的研究，自然也具有相當值得探究的學術價值，可惜也一直未受到相關學者的青睞，使得實情至今依然毫無頭緒，設計本文進行實質性的研究探討，就是要了解實際的情況，提供關心衛湜與《禮記》學的研究者參考，此即設計寫作本文的基本動機。

本文係科技部專題研究計畫「衛湜及其《禮記集說》在宋元明三朝的流傳研究」的另一個研究成果，主要是接續〈衛湜《禮記集說》在宋元時期的影響與流布〉之文而作，探討臺灣所見明朝士人著作內，衛湜《集說》受到關注的實況。除研究使用的文獻、方法及搜尋的關鍵詞，皆與〈衛湜《禮記集說》在宋元時期的影響與流布〉相同外，同時還更進一步關注某些最早出現在衛湜《集說》之論，在明代著作內出現的情況。換言之，本文同時關注直接具名稱引和不具名徵引兩方面的實際表現。由於本文探討的實際內容，包括：實際運用的「徵引」、實際評價的「論及」，以及直接抄錄的「提及」等三類，是以論文標題用「身影」一詞以總括之。再者，本文指稱的「明朝士人」，不以政治立場或身分為基準，轉而以受教育的情況為主，本文的設定以二十歲為「成學」標準，是以一六二四年之前出生者，均納入討論分析的對象。論文進行的程序，除「前言」外，將首先透過實際閱讀搜尋的實證方式，取得「徵引」、「論及」和「提及」等的資料，接著針對取得的資料進行學術意義的分析，最終評價本文研究成果的學術意義與價值。如此獲得的成果，或當有助於《禮記》學史，以及衛湜學術成就與地位更進一步的認知理解。

二　明朝士人著作中的衛湜及其《禮記集說》考實

歷史的來看，大約二十世紀八〇年代以來，無論臺灣或大陸，均出版有為數甚多的傳統中國典籍，例如：《叢書集成新編》、文淵閣和文津閣《四庫全書》、《四庫全書薈要》、《續修四庫全書》、《四庫全書存目叢書》、《四庫禁

燼書叢刊》、《四庫禁書》、《四庫未收書輯刊》、《聚珍版叢書》……等等。同時還因電腦網路等新工具的出現，建構許多便於檢索的網路版大型文獻資料庫。如附有檢索功能的《漢籍電子文獻》、《正統道藏》、《寒泉》、《文淵閣四庫全書》、《愛如生四庫系列叢書》、《中國基本古籍庫》、《永樂大典》、《古今圖書集成》、《雕龍中日古籍》、《雕龍續修四庫全書增補版》、《中國方志庫》、《歷代別集庫》、《明代日用類書》、《中國譜牒庫》、《全清經解》、《四部叢刊》、《儒學經典庫》、《中國歷代石刻史料彙編》、《臺灣文獻叢刊》、《中國哲學書電子化計畫》等；以及無檢索功能的《維基文庫》，還有日本、美國等某些圖書館，將館藏善本影印公諸於網路等等。這些文獻與資料庫的出現，極大性的方便了研究者對研究文獻的掌握，更由於檢索工具的出現，使得許多以往無法研究的議題項目，因而也就有了探討研究的可能，本文之所以能夠有效進行，正是受惠於前述資料庫與檢索功能的結果。以下即根據閱讀與檢索所得結果，分成具名稱引與未稱名徵引等兩類陳述之。

（一）具名稱引者考實

明朝自洪武年間開始，即以陳澔《禮記集說》為官學教科書，除永樂十三年（1415）頒發以陳澔《禮記集說》為底本的《禮記集說大全》外，正統十二年（1447）朝廷更刊刻頒行陳澔《禮記集說》，且由於胡廣（1370-1418）等已將衛湜《集說》的相關解說，選擇性的抄入《禮記集說大全》之中，使得明朝一般學子士人，幾乎都只專注在陳澔《禮記集說》上，久而久之，《禮記集說大全》抄錄有衛湜《集說》內容的事實，逐漸被淡忘而消失，明朝士人因此很難像南宋或元朝的士人那樣，特別注意到衛湜《集說》的存在。雖然如此，卻依然有部分的著作，在有意無意之間，提到或徵引了衛湜及其《禮記集說》。以下即按照編著者或士人生存年代先後，依次述其涉及的相關訊息。

（1）解縉（1369-1415）、姚廣孝（1335-1418）等編輯完成於永樂五年（1407）的《永樂大典》，即明確徵引有衛湜《集說》，經由檢索殘存的《永

樂大典》，其中有二十卷徵引了衛湜《集說》共249筆，[7]主要以「衛湜《集說》」和「《禮記集說》」之名稱引，由於多數以「衛湜《集說》」徵引，且在同一部書內，不難判別，因此歸入「具名稱引」類。

（2）楊士奇（1365-1444）等在正統六年（1441）編輯在永樂十九年（1421）自南京取回北京的諸書而成的《文淵閣書目》內，收錄有「《禮記》衛湜《集說》」六部及「《禮記》衛湜《圖說》」一部，[8]唯單獨成書的衛湜《禮記圖說》，則後世未見。

（3）莫旦（1429-？）《大明一統賦》「若經天兮緯地，文莫踰乎書籍」下，《自注》曰：「衛湜《集說》。」[9]明確說明係針對衛湜《集說》發言。

（4）嚴嵩（1480-1567）等編輯的《（正德）袁州府志》的〈名宦〉內，明確提到「衛湜，字正叔，蘇州人。好古博學，嘗集《禮記》諸家傳註為一百六十卷，名曰《禮記集說》，寶慶二年上之。仕終朝散大夫直寶謨閣知袁州，學者稱為櫟齋先生。」[10]這是簡略介紹衛湜的傳記。

（5）方鵬（1490-1550前後）《崑山人物志》所寫的傳記曰：「衛湜，字正叔，涇之弟。好古博學，除大府寺丞，將作少監，皆不赴。嘗集《禮記》諸家傳註為一百六十卷，名曰《禮記集說》。終朝散大夫直寶謨閣知袁州，學者稱櫟齋先生。」[11]所述內容大致與《袁州府志》的記載相同，但特別指

7　據《愛如生數據庫》的《永樂大典》檢索獲得的實況是：卷551（1筆）、卷552（3筆）、卷553（1筆）、卷554（2筆）、卷555（2筆）、卷556（1筆）。卷2258（20筆）。卷6558（《禮記集說》1筆）。卷7449（19筆）、卷7450（25筆）、卷7453（18筆）、卷7454（8筆）、卷7455（34筆）、卷7456（27筆）、卷7457（24筆）、卷7458（30筆）、卷7459（19筆）、卷7460（4筆）、卷7461（8筆）、卷7462（2筆）等。

8　〔明〕楊士奇等編：《文淵閣書目・地字號第四廚書目・禮記》（臺北：臺灣商務印書館，1983年《景印文淵閣四庫全書》本），卷1，頁28-29。

9　〔明〕莫旦：《大明一統賦》（〔明〕嘉靖鄭普刻本），《中國基本古籍庫》，卷中，總頁70。

10　〔明〕嚴嵩等編：《袁州府志・名宦》（〔明〕正德刻本），《中國基本古籍庫》，卷6，總頁68。

11　〔明〕方鵬：《崑山人物志・文學・衛湜》（〔明〕嘉靖刻本），《中國基本古籍庫》，卷3，總頁16。

出係衛涇（1159-1226）之弟的關聯。

（6）張昶（1490-1580前後）《吳中人物志》的傳記作：「衛湜，字正叔，狀元涇之弟；伯兄沂，慶元進士；兄洽、洙，皆嘉定進士；湜亦屢中鎖廳，除太府寺丞、將作少監，皆不赴。嘗為《禮記集說》百六十卷，寶慶二年上之。終朝散大夫直寶謨閣知袁州。」[12]較關注衛湜家世，不強調衛湜個人「好古博學」的為學態度。

（7）趙文華（？-1557）《嘉興府圖記》在〈衛涇〉傳記內，附載有「弟湜，字正叔，好古博學，集《禮記》諸家傳註為《集說》，凡一百六十卷，上之朝。官至寶謨閣知袁州，學者稱為櫟齋先生」之文。[13]這是因衛涇而附帶提及。

（8）柯維騏（1497-1574）《宋史新編》述及宋人著作，有「衛湜《禮記集說》一百六十卷」之記載。[14]

（9）李開先（1502-1568）因刊刻元人傳奇而感慨當時的學風說：「經學止知尊朱子便舉業，勿論漢疏，雖宋儒之說，悉置之不問，問之不知。每經止舉一家，如楊慈湖之《易》、林之奇之《書》，《詩》則王氏《總聞》，《春秋》則未訥《經筌》及魏湜之《禮記集說》，多有高出朱《註》之上者。此外能發明經旨者，抑又不止四五十家，宋刻已古，抄冊漸訛，再過百年，俱失傳矣。必須題請之後，有京板，以及各書坊有鏤板，始可遍行天下。不然則以拘拘背朱為嫌，而經術不幸不滅秦火矣。天朝興文崇本，將兼漢文、唐詩、宋理學、元詞曲而悉有之，一長不得名吾明矣。敬因序刻傳奇，有所感而為是說云。」[15]其中「未訥《經筌》及魏湜之《禮記集說》」

12　〔明〕張昶：《吳中人物志‧儒林》（〔明〕隆慶張鳳翼張燕翼刻本），《中國基本古籍庫》，卷6，總頁42。

13　〔明〕趙文華：《嘉興府圖記‧人文（鄉賢）‧衛涇》（〔明〕嘉靖刻本），《中國基本古籍庫》，卷15，總頁193。

14　〔明〕柯維騏：《宋史新編‧藝文志》（〔明〕嘉靖四十三年[1564]杜晴江刻本），《中國基本古籍庫》，卷47，總頁568。

15　〔明〕李開先：《李中麓閑居集‧文集‧改定元賢傳奇序》（〔明〕刻本），《中國基本古籍庫》，卷5，總頁206。

當作「木訥（趙鵬飛）《經筌》及衛湜之《禮記集說》」。

（10）楊樞（1502-1556）《淞故述》述及前人的著作有：「《禮記集說》，直寶謨閣衛湜著」之記載。[16]

（11）范欽（1506-1585）建造的「天一閣」典藏的書籍中，包括有衛湜《禮記集說》。[17]

（12）朱睦㮮（1518-1587）在《萬卷堂書目》內，列有「《衛氏禮記集說》一百六十卷，衛湜。」[18]在《授經圖義例》內，同樣有「《禮記集說》一百六十卷，衛湜」之記載。[19]

（13）焦竑（1540-1620）《國史經籍志》內，有「《禮記集說》一百六十卷，宋衛湜」之著錄。[20]

（14）陳第（1541-1617）《世善堂藏書目錄》內，列有「《禮記集說》一百六十卷，衛湜。」[21]

（15）李貫之（1556-1630）愛書成癖，「嘗從事《三禮》，借錢謙益衛湜《禮記集說》，焚香肅拜而後啟視。」[22]

（16）孫能傳（1560-1620前後）《內閣藏書目錄》云：「《櫟齋禮記集說》四十二冊，全。宋寶慶間武進令衛正叔湜譔，進取鄭《注》、孔《義》、

16　〔明〕楊樞：《淞故述・藝文籍》（〔清〕《藝海珠塵》本），《中國基本古籍庫》，總頁9。

17　駱兆平：《新編天一閣書目》（北京：中華書局，1996），頁8。感謝成功大學侯美珍教授的糾謬。

18　〔明〕朱睦㮮：《萬卷堂書目・禮》（〔清〕光緒至民國間《觀古堂書目叢刊》本），《中國基本古籍庫》，卷1，總頁5。

19　〔明〕朱睦㮮：《授經圖義例・諸儒著述附歷代三禮傳注・集注》（《景印文淵閣四庫全書》本），卷20，頁4。

20　〔明〕焦竑：《國史經籍志・經類・禮類・二戴禮》（〔明〕徐象橒刻本），《中國基本古籍庫》，卷2，總頁25。

21　〔明〕陳第：《世善堂藏書目錄・經部・禮記》（〔清〕《知不足齋叢書》本），《中國基本古籍庫》，卷上，總頁5。

22　〔清〕陸心源：《儀顧堂題跋・草莽私乘跋》，《續修四庫全書・史部》（上海：上海古籍出版社，1997年影印〔清〕刻《潛園總集》本），第930冊，卷4，頁93。

陸《釋》，以及百家講者，粹為一書，凡一百六十卷。各記論說姓名，以聽學者自擇，魏了翁有〈序〉。」[23]

（17）祁承㸁（1563-1628）編成於萬曆48年（1620）的《澹生堂藏書目》內，記載有「《衛氏禮記集說》百六十卷，四十二冊。」[24]

（18）錢謙益（1582-1664）《絳雲樓書目》錄有「宋板衛湜《禮記集說》。」以及「衛湜《禮記集說》」等兩書。[25]

（19）朱鶴齡（1606-1683）有「《戴記》陋陳氏，東發鈔頗覈；衛湜羅群義，蕞殘須討索」之論；[26]以及「以《禮記》注，從無善本，徐魯庵《集注》稍勝陳澔澤《集說》，惜撥遺《注疏》，終非古學，又中間考訂多疏。欲主黃東發《日鈔》體，更取衛湜《集解》諸書，以及《大全》諸說，廣為編緝，非數年不成，而群書未具，又兩目昏眵，不能執簡，姑俟之後賢而已」之言。[27]唯將衛湜《集說》改稱作「衛湜《集解》」。

自十五世紀初永樂年間編纂的《永樂大典》徵引始，到明朝滅亡的十七世紀中葉二百三十多年間，就臺灣現存可見的明朝士人及著作內，或明白稱引、或論及、或提及「衛湜《禮記集說》」者，有前述共十九位士人（編輯之書以1人計）的二十一部書。

---

23 〔明〕孫能傳：《內閣藏書目錄・經部》（〔清〕遲雲樓鈔本），《中國基本古籍庫》，卷2，總頁22。

24 〔明〕祁承㸁：《澹生堂藏書目・經部》（〔清〕宋氏漫堂鈔本），《中國基本古籍庫》，總頁17。

25 〔清〕錢謙益：《絳雲樓書目・禮類》，《續修四庫全書・史部》（上海：上海古籍出版社，1997年影印〔清〕嘉慶二十五年〔1820〕劉氏味經書屋抄本），第920冊，卷1，頁11及〈補遺〉卷5，頁205。不過這個「宋版」與「非宋版」的區分，顯然有誤，因為衛湜《集說》僅有宋版，元、明兩朝，均未有新刻本，至清朝方有新刻本。

26 〔清〕朱鶴齡：《愚菴小集・答贈吳慎思七十韻》（《景印文淵閣四庫全書》本），卷2，頁22。

27 〔清〕朱鶴齡：《傳家質言》（《景印文淵閣四庫全書》本），附錄，頁6。

（二）未稱名徵引相同內容者考實

明朝士人著作中，除具名稱引、或論及、或提及衛湜及其《禮記集說》一類外，由於衛湜《集說》乃是透過「海量」抄錄宋朝及其前諸家涉及《禮記》內容解讀的彙編，雖然其中更有不少是最先或僅出現在衛湜《集說》的解讀，但既然徵引者未曾稱述衛湜《集說》之名，雖也可以大致推定是來自衛湜《集說》的內容，但卻無法絕對排除來自其他書籍的可能。明朝著作出現與衛湜《集說》相同內容，卻未說明是否來自衛湜《集說》的案例，謹依徵引著作完成的年代，以及作者生存的年代等條件依序說明之。

（1）胡廣（1370-1418）等於永樂十三年（1415）編輯完成的《禮記集說大全》，係以陳澔《禮記集說》為底本，再增補衛湜《集說》和吳澄（吳澂，1249-1333）《禮記纂言》而成。就該書的形式而論，正文大字係陳澔《禮記集說》原文，增補的小字則是衛湜《集說》和吳澄《禮記纂言》之文，《禮記集說大全》中出現的「臨川吳氏曰」，即是來自吳澄《禮記纂言》。然衛湜《集說》由於僅是選錄前賢諸說的彙集本，衛湜固然曾對徵引之文有所調整，卻並未明白發表自己的見解，因此《禮記集說大全》僅直接徵引衛湜《集說》抄錄之文，並未另出衛湜的名諱，這也就導致許多讀書粗疏者的誤讀，以及承襲者的誤傳，經過陳恆嵩較為詳密的比對分析，終於可以排除傳統的這些謬說，證明《禮記集說大全》與衛湜《集說》確實存在密切關聯的實況，徵引的數量甚至高達2050筆。[28]除《禮記集說大全》不稱名

---

28 陳恆嵩〈《禮記集說大全》修纂取材來源探究〉的研究，謂《禮記集說大全》引文有2007筆與衛湜《集說》引文完全相同。筆者以《景印文淵閣四庫全書》抄錄的《禮記集說大全》和衛湜《集說》為對象，重新閱讀搜尋比對，下文涉及兩書的比對，亦皆用此兩本。若排除〈總論〉與《禮記集說大全・凡例》所謂「舊引書籍」後的徵引實際表現，則《禮記集說大全》徵引的條文與衛湜《集說》抄錄的諸儒之說相同或相近者，總共有2050筆。實情如下：（一）嚴陵方氏：726筆（卷5，頁69、頁70等二處誤作「嚴林方氏」；卷9，頁56缺「嚴陵方氏」之標示）。（二）馬氏：207筆。（三）長樂陳氏：195筆（卷12，頁4、頁5，因誤斷文句，故另出「鄭氏」2筆）。（四）山陰陸氏：126筆。（五）藍田呂氏：106筆（卷26，頁21缺「藍田」二字）。（六）延平周氏：89

徵引與衞湜《集說》相同的文獻外，同樣屬於《四書五經大全》系列的《四書大全》，其中《大學章句大全》同樣也有不稱名徵引與衞湜《集說》內相似的文句段落，總共有2筆。[29]

（2）丘濬（1421-1495）在成化二十三年（1487）進呈的《大學衍義補》中，至少有14筆文獻亦見於衞湜《集說》內。[30]

筆。（七）慶源輔氏：81筆。（八）臨川吳氏：75筆。（九）石林葉氏：67筆。（十）金華應氏：47筆。（十一）朱子：46筆。（十二）長樂劉氏：39筆（卷9，頁34同一注解重出）。（十三）張子（橫渠張氏）：38筆（卷11，頁12；卷11，頁38；卷18，頁26等三筆，誤作「張氏日」）。（十四）廣安游氏：17筆。（十五）廬陵胡氏：16筆（卷29，頁24誤作「廬林胡氏」）。（十六）永嘉戴氏：15筆。（十七）蔣氏：14筆。（十八）金華邵氏：14筆。（十九）西山真氏：14筆（衞湜《集說》原作「建安真氏」）。（二十）李氏：12筆。（二一）新安王氏：10筆（卷9，頁57誤作「新安上氏」）。（二二）程子：9筆。（二三）東萊呂氏：7筆。（二四）毗陵慕容氏：7筆。（二五）永樂徐氏：6筆。（二六）延平黃氏：5筆。（二七）王氏（王禹朝）：5筆。（二八）清江劉氏：4筆。（二九）晏氏：4筆（卷29，頁19誤作「晏子」）。（三十）吳郡范氏：3筆。（三一）王氏子墨：3筆。（三二）龍泉葉氏：3筆。（三三）江陵項氏：2筆。（三四）丘氏：2筆。（三五）北溪陳氏：2筆（卷9，頁34誤作「比溪陳氏」）。（三六）永嘉周氏：2筆。（三七）慮氏：2筆。（三八）許氏：2筆。（三九）慈湖楊氏：2筆。（四十）新定顧氏：2筆。（四一）劉氏孟治：2筆。（四二）長樂黃氏：2筆。（四三）五峯胡氏：1筆。（四四）王氏蘋：1筆。（四五）永嘉徐氏：1筆。（四六）何氏：1筆。（四七）何氏平叔：1筆。（四八）吳氏莘：1筆。（四九）吳興沈氏：1筆。（五十）周子（濂溪周氏）：1筆。（五一）盱江李氏：1筆。（五二）眉山孫氏：1筆。（五三）張氏（非「張子」：卷18，頁73）：1筆。（五四）莊氏：1筆。（五五）游氏：1筆。（五六）黃氏：1筆。（五七）新定邵氏（實為「新安邵氏」之誤）：1筆。（五八）賈氏：1筆。（五九）鄱陽胡氏：1筆。（六十）盧氏：1筆。（六一）錢塘于氏：1筆。（六二）臨川王氏：1筆。

29 〔明〕胡廣等：《大學章句大全》（《景印文淵閣四庫全書》本）：頁1徵引的「龜山楊氏曰：『〈大學〉一篇，聖學之門戶，其取道至徑，故二程多命初學者讀之。』」亦見衞湜《集說》，卷149，頁2「延平楊氏曰」。還有「新安邵氏曰：『他書言平天下本於治國……六籍之中，惟此篇而已。」亦見衞湜《集說》，卷150，頁24。

30 〔明〕丘濬：《大學衍義補》（《景印文淵閣四庫全書》本）：（1）卷38，頁13徵引的「呂大臨曰：『為祖父母齊衰期……此所以明是非也。』」亦見衞湜《集說》，卷1，頁37。（2）卷38，頁13-14徵引的「呂大臨曰：『禮者，敬而已矣。……所以明禮之用也。』」亦見衞湜《集說》，卷2，頁18。（3）卷38，頁14：「呂大臨曰：『人之血氣嗜慾……是果於自棄而不欲齒於人類者乎。』」亦見衞湜《集說》，卷2，頁20-21。（4）卷

　　（3）黃佐（1490-1566）完成於正德六年（1511）《小學古訓》內有一段曰：「赦不可長者，欲消而絕之也；欲不可從者，欲克而止之也。志滿則溢，必損而抑之使不滿也；樂極則反，必約而歸於禮，使不極也。」這一段話，亦可在衛湜《集說》內見到。[31]

　　（4）周祈（1552舉人）成書於萬曆十一年（1584）前後的《名義考》內，在〈袓綩〉下徵引一條曰「《集解》：『呂氏曰：「綩以布卷，幘以收四垂，短髮而露其髻於冠，禮謂之闕項，冠者先著此，後加冠。」』」此條的內容，亦見於衛湜《集說》。[32]

　　（5）王鳴鶴（1586武進士）輯成於萬曆二十七年（1599）的《登壇必究》內，徵引有：「方氏曰：『才足以將物而勝之謂之將，智足以帥人而先之謂之帥。』」此文亦見於衛湜《集說》。[33]

38，頁16：「戴溪曰：『禮以卑為主……其為失禮一也。』」亦見衛湜《集說》，卷2，頁28。（5）卷49，頁8：「戴溪曰：『粒粟縷絲以上，皆親之物，豈敢私有。』」亦見衛湜《集說》，卷3，頁38。（6）卷49，頁15：「邵淵曰：『年倍於我……愛敬之道盡矣。』」亦見衛湜《集說》，卷3，頁29。（7）卷49，頁15：「方慤曰：『愛親者不敢惡於人……則一出言不敢忘親可知。』」亦見衛湜《集說》，卷3，頁21。（8）卷49，頁19：「劉彝曰：『家人內政不嚴……故不入其門也。』」亦見衛湜《集說》，卷5，頁13。（9）卷50，頁3-4：「劉彝曰：『幼子之性……無不出於誠而適於道也。故曰：『幼子常視毋誑』。』」亦見衛湜《集說》，卷4，頁3。（10）卷50，頁4：「戴溪曰：『常視毋誑，所以養其心也。不衣裘裳，所以養其體也。』」亦見衛湜《集說》，卷4，頁5。（11）卷50，頁4：「馬睎孟曰：『就而攜之，則捧其手，近而詔之，則掩其口而對。』」亦見衛湜《集說》，卷4，頁8。（12）卷53，頁9：「戴溪曰：『盛哉先王之禮，其端則起於辭遜之心而已。』」亦見衛湜《集說》，卷4，頁20。（13）卷77，頁1：「邵申曰：『他書言平天下本於治國……六籍之中，惟此篇而已。』」亦見衛湜《集說》，卷150，頁24。（14）卷128，頁14：「方慤曰：『才足以將物而勝之謂之將，智足以帥人而先之謂之帥。』」亦見衛湜《集說》，卷43，頁20。

31　〔明〕黃佐：《小學古訓‧謹行第十三》（〔清〕《嶺南遺書》本），《中國基本古籍庫》，總頁13。此段話亦見衛湜《集說》，卷1，頁5「馬氏曰」。

32　〔明〕周祈：《名義考‧物部‧袓綩》（《景印文淵閣四庫全書》本），卷11，頁15。此條亦見於衛湜《集說》，卷81，頁5。

33　〔明〕王鳴鶴輯：《登壇必究》（〔清〕刻本），《中國基本古籍庫》，卷11，總頁450。此段文字亦見於衛湜《集說》，卷43，頁20。

（6）趙僎（1615舉人）出版於天啟七年（1627）的《禮記思》內，徵引有一段說：「每見心術不正，行止不端之人，或潛聲以升堂，或直前而入室，一到人家，或遠瞻迴顧，流盼邪視，為旰睢窺伺之態，則其人之輕薄無涵養可知。大抵禮以制形為用，以制心為本，一念不正，發于方寸者甚微，而形于舉動者不可掩，自即于放僻邪侈而不知，故君子于上堂入戶之際，事事恭謹，其矜持雖小，實為正心誠意之功。」這段話亦見於衛湜《集說》。[34]

（7）何楷（約1594-1645）完成刊刻於崇禎十四年（1641）的《詩經世本古義》內，徵引有一段話說：「《禮記集解》：『方氏云：「央以適當言之，惟中乃可言央。」』」這段話亦見於衛湜《集說》。[35]唯其僅標出《禮記集解》而非《禮記集說》，即使標註《禮記集說》也會因為並沒有標出衛湜名諱，很容易與同書名的陳澔《禮記集說》混淆，故未列入「具名稱引者」一節討論。

自十五世紀胡廣等奉命編輯《禮記集說大全》和《大學章句大全》等，開始出現徵引與衛湜《集說》內文獻相同的解說文字，此後丘濬、黃佐、周祈、王鳴鶴、趙僎、何楷等的著作內，亦出現徵引有與衛湜《集說》內文獻相同內容的條目，但這些著作徵引之際，均未曾標明諸說的來源，因此僅能先認定這些書徵引了與衛湜《集說》相同內容的解說文字，並不能馬上就斷定該解說內容必然來自衛湜《集說》。總之，就閱讀搜尋臺灣現存可見的明朝士人專著，自十五世紀初期至十七世紀中期，在將近二百三十年的時間裡，包括官方編輯的二部專書，總共有八部書籍，在其正文內確實出現有徵引與衛湜《集說》抄錄的文獻相同內容的條目，但卻未提及衛湜及其《禮記集說》，出現此種情況，自然有必要更進一步的探索，以便確認其實情。

---

34 〔明〕趙僎：《禮記思・將上堂聲》（〔明〕天啟七年刻本），《中國基本古籍庫》，卷1，總頁3。此段文字亦見於衛湜《集說》，卷4，頁15-16。
35 〔明〕何楷：《詩經世本古義・蒹葭》（《景印文淵閣四庫全書》本），卷19之上，頁74。此段文字亦見於衛湜《集說》，卷36，頁5。

三　明朝士人涉及衛湜及其《禮記集說》情況分析

衛湜《集說》進入明朝以後，統合臺灣地區所見文獻，實際徵引或涉及衛湜《集說》、或徵引與衛湜《集說》相同內容者，除朝廷編輯的《永樂大典》、《禮記集說大全》、《大學章句大全》、《文淵閣書目》等四部書外，另有丘濬《大學衍義補》等二十五部書，然則透過觀察這二十九部書呈現的內涵，具備了何種實際的學術意義呢？以下即嘗試較為詳細的分析之。

若就諸書涉及衛湜及其《禮記集說》的表現而論。大致可以區分為下述幾種情況：一是介紹性陳述（提及）：這是在書寫衛湜傳記時，附帶提及其著作。如：方鵬《崑山人物志》、張昶《吳中人物志》、趙文華《嘉興府圖記》等。二是紀錄性陳述（提及）：這是收集某地或某朝曾經出現的著作目錄，因而將衛湜《禮記集說》列入記錄，如：柯維騏《宋史新編》、楊樞《淞故述》、朱睦㮮《授經圖義例》、焦竑《國史經籍志》等。三是收藏性陳述（提及）：這是藏書家或朝廷收藏的紀錄，如：楊士奇等《文淵閣書目》、范欽「天一閣」、朱睦㮮《萬卷堂書目》、陳第《世善堂藏書目錄》、孫能傳《內閣藏書目錄》、祁承㸁《澹生堂藏書目》、錢謙益《絳雲樓書目》等。四是價值性陳述（論及）：這是讚美衛湜《集說》學術價值的發言或記錄，如：莫旦、李開先、李貫之、朱鶴齡等。五是據實稱名的徵引（徵引）：這是直接稱名引入衛湜《集說》者，如：《永樂大典》。六是徵引相同內容的條文（徵引）：這是沒有提到衛湜的名諱，卻出現與衛湜《集說》內抄錄文獻相同或相近之內容者，如：《禮記集說大全》、《大學章句大全》、丘濬《大學衍義補》、黃佐《小學古訓》、周祈《名義考》、王鳴鶴《登壇必究》、趙僎《禮記思》、何楷《詩經世本古義》等。這是諸書涉及與衛湜《集說》相關資訊形式表現統合的結果。

再就諸書涉及衛湜及其《禮記集說》的學術功能而論。首先，「介紹性陳述」和「紀錄性陳述」，僅具有目錄學或文獻學的意義，不涉及衛湜《集說》本書的價值，但可以提供衛湜編著有《禮記集說》的史實訊息。其次，「收藏性陳述」可以提供衛湜《集說》存世的訊息，以及衛湜《集說》實際

流傳的情況,有助於衛湜《集說》傳播的了解。如:可以明確確認北京朝廷典藏的衛湜《集說》,係來自南京的官方典藏,甚至還可以推測孫能傳《內閣藏書目錄》紀錄的衛湜《集說》,應該就是《文淵閣書目》紀錄的藏本。另外,還可以確認朝廷之外,范欽、朱睦㮮、陳第、祁承爜、錢謙益等五人,確實典藏有衛湜《集說》的事實。不過無法確認這些藏書,到底是同一部書的轉手流傳,還是個別的不同書籍。其三,「價值性陳述」,可以了解明朝士人對衛湜《集說》學術價值重視的實況。依據前文探討的結果,可以發現除朝廷編纂的《永樂大典》外,明朝實際重視衛湜《集說》價值的士人,大致僅有十五世紀的莫旦、十六世紀的李開先、十六到十七世紀的李貫之和十七世紀的朱鶴齡等四人,其中莫旦、李貫之等二人,可以推斷確實讀過衛湜《集說》,但李開先和朱鶴齡等二人,並無法確定。總體而論,明朝士人直接針對衛湜《集說》發言的人數,確實零星且稀少,這當然可以證明衛湜《集說》處在明朝的學術地位相當低微,幾乎沒有學術影響力,但卻也同樣可以反過來證明,即使在陳澔《禮記集說》佔據官方地位,成為《禮記》學主流的明朝,衛湜《集說》固然無法像南宋或清朝時期般的受到重視,卻也並沒有完全退出士人的視野,依然受到部分士人的重視與讚揚,這股隱藏而不絕的細細潛流,有如一條河流源頭般的越來越壯大,終至於在進入清朝之後,發展成為《禮記》學界的洪流,這當然是透過歷史實際「反推」的結果。其四「據實稱名的徵引」,這當然也是肯定衛湜《集說》的表述,同時也證明徵引者確實看過或擁有該書,所得成果還可藉以了解衛湜《集說》在明朝學術的影響情況。不過就明朝經學界的實際表現而言,除明初編輯性的《永樂大典》之外,並未在明朝其他經學專著,尤其是《禮記》學的相關專著內,見到明確具名徵引衛湜《集說》者,這是明朝經學界相對於南宋、元朝和清朝較為特別之處。其五「徵引相同內容的條文」,這類未稱名的徵引,因為無法立即確認引文的來源,同時衛湜《集說》又是匯聚諸家涉及《禮記》之說而成,書中並無衛湜個人的直接發言,自然無法確實斷定這類徵引必然是來自衛湜《集說》,因此需要更進一步地分析探討。若能確認引文確實來自衛湜《集說》,自可歸入肯定衛湜《集說》價值者,同時也可用

來證明衛湜《集說》的學術影響。這是分析諸書涉及衛湜《集說》形式資訊隱含的學術意義與價值的結果。

關於「徵引相同內容的條文」一類，是否直接來自衛湜《集說》，或者另有來源？就《禮記集說大全》徵引的條文而論，經過陳恆嵩仔細的閱讀比對，以及同時段同樣是朝廷編輯的《永樂大典》內，存在有稱名徵引衛湜《集說》的實例，還有朝廷確實典藏有十四部衛湜《集說》的事實，是以應該可以確認《禮記集說大全》徵引與衛湜《集說》相同或相近內容的條文，當是直接抄自衛湜《集說》；另外，《大學章句大全》的徵引，應該也可以類推而作如是觀。至於其他徵引的來源情況及其學術意義：（一）丘濬《大學衍義補》徵引的十四條同於衛湜《集說》的引文，自然也可能是直接徵引自衛湜《集說》，但經由仔細地閱讀對比，卻發現這十四條引文都出現在《禮記集說大全》和《大學章句大全》內，[36]同時發現其中有二處的文字，同於《禮記集說大全》和《大學章句大全》而有別於衛湜《集說》，[37]從而可以

36　〔明〕丘濬：《大學衍義補》（《景印文淵閣四庫全書》本）；胡廣等《禮記集說大全》、《大學章句大全》（《景印文淵閣四庫全書》本）：（1）卷38，頁13：「呂大臨曰」；見《禮記集說大全》（下稱《大全》），卷1，頁5-6。（2）卷38，頁13-14：「呂大臨曰」；見《大全》，卷1，頁10。（3）卷38，頁14：「呂大臨曰」；見《大全》，卷1，頁10。（4）卷38，頁16：「戴溪曰」；見《大全》，卷1，頁12。（5）卷49，頁8：「戴溪曰」；見《大全》，卷1，頁21。（6）卷49，頁15：「邵淵曰」；見《大全》，卷1，頁19。（7）卷49，頁15：「方愨曰」；見《大全》，卷1，頁17。（8）卷49，頁19：「劉彝曰」；見《大全》，卷1，頁38。（9）卷50，頁3-4：「劉彝曰」；見《大全》，卷1，頁21-22。（10）卷50，頁4：「戴溪曰」；見《大全》，卷1，頁22。（11）卷50，頁4：「馬晞孟曰」；見《大全》，卷1，頁22-23。（12）卷53，頁9：「戴溪曰」；見《大全》，卷1，頁26。（13）卷77，頁1：「邵申曰」；見《大學章句大全》，頁1。（14）卷128，頁14：「方愨曰」；見《大全》，卷6，頁52。

37　二例為：（一）衛湜《集說》，卷4，頁5：「常示毋誑，所以養其心也。」《大全》，卷1，頁22作「常視毋誑，所以養其心也。」丘濬《大學衍義補》，卷50，頁4亦作「常視毋誑，所以養其心也。」衛湜《集說》作「常示」而《大全》與《大學衍義補》均作「常視」。（二）衛湜《集說》卷150，頁24：「六籍之中，唯此章而已。」《大學章句大全》，頁1作「六籍之中，惟此篇而已。」丘濬《大學衍義補》，卷77，頁1亦作「六籍之中，惟此篇而已。」衛湜《集說》作「唯此章」而《大學章句大全》與《大學衍義補》均作「惟此篇」。

合理推斷，丘濬《大學衍義補》徵引的十四條案例，係抄自《禮記集說大全》和《大學章句大全》而非直接抄錄衛湜《集說》。（二）黃佐《小學古訓》徵引之文，也出現在《禮記集說大全》內，[38]考慮當時衛湜《集說》流傳上的稀缺性，以及《禮記集說大全》的廣泛流傳與科考的必讀要求，故而推定黃佐此段當是徵引自《禮記集說大全》，並非直接徵引衛湜《集說》。（三）周祈《名義考》一段引文，未見於《禮記集說大全》，但卻與元朝熊忠（約1297-1335前後）《古今韻會舉要》相同篇目下，徵引的剪裁過的衛湜《集說》引文，內容與字句多寡完全一致，[39]因而亦可大致斷定周祈此段與衛湜《集說》相近的引文，係抄錄《古今韻會舉要》而非來自衛湜《集說》。（四）王鳴鶴《登壇必究》徵引之文，亦見於《禮記集說大全》，但也見於丘濬《大學衍義補》，[40]並且從《登壇必究》的卷十一到卷二十三，大量稱引來自丘濬《大學衍義補》的「邱文莊曰」之文，故而可以推定王鳴鶴此段文字，既不是來自衛湜《集說》，也不是來自《禮記集說大全》，而是抄錄丘濬《大學衍義補》而成。（五）趙僎《禮記思》徵引之文，亦見於《禮記集說大全》，[41]因此可推斷此段引文來自《禮記集說大全》而非衛湜《集說》。（六）何楷《詩經世本古義》徵引之文，不見於《禮記集說大全》，卻與熊忠《古今韻會舉要》徵引的衛湜《集說》剪裁過的文字內容、長短完全一致。[42]因而可以推定何楷此段引文，或者來自周祈《名義考》，或者來自熊忠《古今韻會舉要》，但無論如何則可斷定並非抄錄衛湜《集說》之文。

　　統整前述分析探討之結果，可見衛湜《集說》的作者與書名，在明朝受到的關注並不多，但衛湜《集說》的內容，卻由於官學必讀的《禮記集說大全》和《大學章句大全》的徵引而帶來「無名」的影響，從而可知衛湜《集說》在明朝的實質影響功能，遠遠大於衛湜《集說》的「有名」影響，明朝

---

38 黃佐：《小學古訓‧謹行第十三》，總頁13；見《大全》，卷1，頁2：「馬氏曰」。

39 〔元〕熊忠：《古今韻會舉要‧去聲十三‧統》（《景印文淵閣四庫全書》本），卷21，頁4。

40 此段文字見《禮記集說大全》，卷6，頁52；丘濬：《大學衍義補》，卷128，頁14。

41 此段文字見《禮記集說大全》，卷1，頁25：「吳郡范氏曰」。

42 此段文字見〔元〕熊忠：《古今韻會舉要‧平聲下七‧央》，卷8，頁19。

許多士子透過《禮記集說大全》選擇性的接受衛湜《集說》的某些內容，但卻不知道該內容實際來自衛湜《集說》，衛湜《集說》之名在明朝士子間流傳應該不會太廣，這也可以從私人典藏者與發言推重者人數不多的情況了解，雖則衛湜《集說》的名聲固然不響亮，但在「無名」的隱藏之下卻也有實際影響的功能。

　　總之，正由於衛湜《集說》在明朝實際的流傳不廣，知者不多，導致閱讀《禮記集說大全》的士子，並不知道《禮記集說大全》置放於陳澔《禮記集說》正文下的「小字」引文，除具名徵引的「臨川吳氏曰」之文，係來自吳澂《禮記纂言》之外，其他徵引之文，都是抄錄衛湜《集說》的事實；還有《大學章句大全》內朱熹（1130-1200）《大學章句》下的「小字」引文，也有部分抄自衛湜《集說》，此種無知導致如顧炎武（1613-1682）在痛罵《四書五經大全》敗壞學術的罪過之際，針對《禮記集說大全》僅能支支吾吾的說出「後人皆不見舊書，亦未必不因前人也」的臆測，[43] 並無法說明《禮記集說大全》係統合衛湜《禮記集說》、吳澂《禮記纂言》和陳澔《禮記集說》等三書而成的事實。考察顧炎武對《四書五經大全》的批判性發言，至少傳達了三點實際的訊息：一是對官方編輯書籍本質的缺乏了解；再則藐視《禮記集說大全》學術價值的態度；三則對自己臆測性類推私見的信任。顧炎武這個藐視《禮記集說大全》學術價值的態度，以及未曾讀過《禮記集說大全》而敢說出「想當然耳」猜測性私見的表現，其後也出現在陸元輔（1617-1691）、朱彝尊（1629-1709）、方苞（1668-1749）、全祖望（1705-1755）等名儒、大儒身上。此類不負責任的似是而非之臆見，最終為編纂《四庫全書總目》的清朝四庫館臣接受吸收而寫入「提要」內，此後更由於《四庫全書總目》的官方地位與權威性，於是這類猜測性的不可靠臆見，就一直流傳數百年而無人認真的探索改正。[44]

---

43 〔清〕顧炎武：《日知錄‧四書五經大全》（臺北：文史哲出版社，1979年），卷20，頁525。

44 此類針對《禮記集說大全》而發的「似是而非」評論的建構史，請參閱陳恆嵩：〈《禮記集說大全》修纂取材來源探究〉，頁5-8的討論。

　　觀察形成此種一誤再誤相互承襲錯誤臆見的原因，就顧炎武、陸元輔等這類學成於明朝的士人而論，或者是因為藐視《禮記集說大全》的學術價值而未曾閱讀；或者是因為衛湜《集說》在明朝流傳不廣，導致沒有機會閱讀，所以無法辨識《禮記集說大全》抄錄衛湜《集說》的事實。然而像朱彝尊或四庫館臣等，甚至明朝典藏有衛湜《集說》的藏書家們，既然已擁有衛湜《集說》，何以依然無法看出《禮記集說大全》徵引有衛湜《集說》內容之實，最有可能的推測是這些人或者和顧炎武等一樣，基於藐視之心而未曾認真閱讀《禮記集說大全》，即使曾經閱讀也會因為開卷之前，就已經存在有一種極度藐視的態度，因而導致抱持有一種「先厭」的心理，在此種心理影響下，自然不可能聯想到這些徵引的條文，竟然是來自衛湜《集說》，即使是書寫《禮記集說大全》「提要」的四庫館臣，姑且先排除刻意「抹黑」明朝學術表現的政治性考慮，應該也沒有認真閱讀過《禮記集說大全》，更可能的是藏書家們和書寫提要的館臣，並沒有閱讀過衛湜《集說》，自然更不具備辨識的學術條件，因此也就只能以訛傳訛的延續前人並不正確的猜測性評論意見了。

四　結論

　　衛湜《集說》進入明朝之後，二百多年內，除了永樂朝編輯《永樂大典》及《四書五經大全》的官員們及地方極少數的士人之外，一般士人應該沒有接觸衛湜《集說》的機會，當然也就不可能加以關注，這自然與同書名的陳澔《禮記集說》在洪武年間即已成為官學體制的標準教科書，以及正統年間朝廷刊刻陳澔《禮記集說》並頒發各地的傳播相關，因此明朝絕大多數士人的視野內或心目中的《禮記集說》，正常的情況下來說，應該只會是陳澔《禮記集說》，不可能會聯想到衛湜《集說》。不過衛湜及其《禮記集說》的聲名，固然在大多數明朝士人的認知裡幾乎不存在，但由於《禮記集說大全》內，存在有大量不具名徵引的衛湜《集說》的內容，徵引少量衛湜《集說》內容的《大學章句大全》更是所有參與科舉考試者必需閱讀參考的書

籍;《禮記集說大全》又是一般選考《禮記》經義者,正常情況下必讀的書籍。除此之外,同時還可以合理的推測,這兩部書應該也是注解《禮記》者參考的重要書籍。所以衛湜及其《集說》在明朝學界,雖然名聲上未受關注,但在實質的影響層面上,卻遠遠大於有名的影響。

衛湜《集說》在明朝實際的傳播與影響情況,經由實際的閱讀與蒐尋,以及對比、分析後,初步獲得的相關結果如下:

首先,明朝時期具名徵引衛湜《集說》者,經由實際的蒐尋考知共有:《永樂大典》、《文淵閣書目》、《大明一統賦》、《袁州府志》、《崑山人物志》、《吳中人物志》、《嘉興府圖記》、《宋史新編》、《李中麓閑居集》、《淞故述》、天一閣、《萬卷堂書目》、《授經圖義例》、《國史經籍志》、《世善堂藏書目錄》、《內閣藏書目錄》、《澹生堂藏書目》、《絳雲樓書目》、《愚菴小集》等,均有具名稱述衛湜《集說》的事實,李貫之則借閱了錢謙益「絳雲樓」典藏的衛湜《集說》。此中《袁州府志》、《崑山人物志》、《吳中人物志》、《嘉興府圖記》、《宋史新編》、《淞故述》、《授經圖義例》、《國史經籍志》等,僅是抄錄陳述既有舊聞而已,但同樣具有傳播衛湜及其《禮記集說》的功能。《文淵閣書目》、天一閣、《萬卷堂書目》、《世善堂藏書目錄》、《內閣藏書目錄》、《澹生堂藏書目》、《絳雲樓書目》等,明確表明典藏有衛湜《集說》的事實。《永樂大典》、《大明一統賦》等,顯示直接具名徵引衛湜《集說》的情況。《李中麓閑居集》、《愚菴小集》等,表現李開先和朱鶴齡對衛湜《集說》的推崇,李貫之也應該歸入推崇衛湜《集說》的行列。

其次,明朝部分著作徵引的內容,經由比對確認有部分與衛湜《集說》內容相同的文句,這類徵引與衛湜《集說》相同內容的書籍,有:《禮記集說大全》、《大學章句大全》、《大學衍義補》、《小學古訓》、《名義考》、《登壇必究》、《禮記思》、《詩經世本古義》等八部書,這些書內均徵引有與衛湜《集說》收錄諸說內容相同的條目,然由於衛湜《集說》原是抄錄南宋之前諸家解說之文成書,其中並無衛湜直接性的發言,因此無法確定是否來自衛湜《集說》,因此寧可謹慎一點的看待,不必馬上斷定這些相同的解說文字,必然是來自衛湜《集說》,因為也有可能是來自其他書籍。

其三，明朝諸涉及衛湜《集說》書籍的實際表現，以形式方面的情況觀之，主要表現為：介紹性陳述、紀錄性陳述、收藏性陳述、價值性陳述、據實稱名的徵引、徵引相同內容的條文等等。再就諸形式呈現的學術功能而言，「介紹性」和「紀錄性」的陳述，具有目錄學或文獻學的意義，以及提供衛湜編著《禮記集說》的史實訊息。「收藏性陳述」提供衛湜《集說》存世及實際流傳等的傳播訊息。「價值性陳述」有助於了解明朝士人對衛湜《集說》學術價值高下的判斷。「據實稱名的徵引」除可證明徵引者確實閱看過該書外，還可了解衛湜《集說》在明朝的影響情況。至於「徵引相同內容的條文」則需要更進一步的分析，以確定其來源。

其四，考察明朝某些書籍徵引與衛湜《集說》內容相同條文的來源問題，經由比較詳細的比對，可以確定《禮記集說大全》和《大學章句大全》二書的相同引文，確實是直接抄錄自衛湜《集說》；丘濬《大學衍義補》則是抄自《禮記集說大全》和《大學章句大全》；黃佐《小學古訓》與趙僎《禮記思》當是抄自《禮記集說大全》；周祈《名義考》抄自元朝熊忠《古今韻會舉要》；何楷《詩經世本古義》可能抄自周祈《名義考》，也可能抄自元朝熊忠《古今韻會舉要》；王鳴鶴《登壇必究》抄自丘濬《大學衍義補》。可見衛湜《集說》對明朝學術的影響，主要是以「無名」的方式進行，並非直接「稱名」的呈現。這種「無名」呈現的影響實況，同時也是導致顧炎武到《四庫全書總目》等一系列過度負面批判《禮記集說大全》學術價值的主要原因，從而也可以更進一步的合理推論，這些發言批判者或者沒有認真看過《禮記集說大全》，或者沒有認真閱讀衛湜《集說》，因而無法進行有效的認知比對，是以才敢發出那類似是而非的過度批判，這同時也可藉以證明衛湜《集說》在明朝的流傳，數量稀少且範圍狹隘的實情。

其五，本文探討衛湜《集說》在明朝傳播流衍的情況，進而了解永樂朝以後的明朝一般士人，基本上對衛湜《集說》非常陌生，因而無法了解《禮記集說大全》徵引大量衛湜《集說》內容的事實。研究成果對了解衛湜《集說》在明朝的傳播流衍及學術地位與學術影響的了解，提供了許多具體可信的有效答案；同時也比較有效的證明《禮記集說大全》對明朝學術的影響，

大有助於衛湜《集說》、《禮記集說大全》、《禮記》學和經學史等的研究者。
這也就是寫作本文的意義與價值所在。

附錄

明朝徵引或提及衛湜《禮記集說》實況表

姓名	籍貫	生存時段	著作名稱	徵引來源或情況
解縉等	江西	1369-1415	永樂大典	衛湜《禮記集說》
胡廣等	江西	1370-1418	禮記集說大全	衛湜《禮記集說》
胡廣等	江西	1370-1418	大學章句大全	衛湜《禮記集說》
楊士奇等	江西	1365-1444	文淵閣書目	典藏
丘濬	海南島	1421-1495	大學衍義補	胡廣等《禮記集說大全》
莫旦	江蘇	1429-？	大明一統賦	衛湜《禮記集說》
嚴嵩等	江西	1480-1567	袁州府志	提及
方鵬	江蘇	1490-1550前後	崑山人物志	提及
張昶	江蘇	1490-1580前後	吳中人物志	提及
黃佐	廣東	1490-1566	小學古訓	胡廣等《禮記集說大全》
柯維騏	福建	1497-1574	宋史新編	提及
楊樞	江蘇	1502-1556	淞故述	提及
范欽	浙江	1506-1585	駱兆平《新編天一閣書目》	典藏
李開先	山東	1502-1568	李中麓閑居集	論及
趙文華	浙江	？-1557	嘉興府圖記	提及
朱睦㮮	河南	1518-1587	授經圖義例	提及
朱睦㮮	河南	1518-1587	萬卷堂書目	典藏
周祈	湖北	1552舉人	名義考	熊忠《古今韻會舉要》

姓名	籍貫	生存時段	著作名稱	徵引來源或情況
焦竑	江蘇	1540-1620	國史經籍志	提及
陳第	福建	1541-1617	世善堂藏書目錄	典藏
李貫之	江蘇	1556-1630	陸心源《儀顧堂題跋》	閱讀
王鳴鶴	江蘇	1586武進士	登壇必究	丘濬《大學衍義補》
祁承爜	浙江	1563-1628	澹生堂藏書目	典藏
孫能傳	浙江	1560-1620前後	內閣藏書目錄	典藏
趙僎	山東	1615舉人	禮記思	胡廣等《禮記集說大全》
錢謙益	江蘇	1582-1664	絳雲樓書目	典藏
何楷	福建	約1594-1645	詩經世本古義	熊忠《古今韻會舉要》
呂毖	江蘇	?-1664	明宮史	典藏
張自烈	江西	1597-1673	正字通	熊忠《古今韻會舉要》
朱鶴齡	江蘇	1606-1683	愚菴小集	論及

第十二屆中國經學國際學術研討會議程表

第一天會議議程表					
日　期：民國110年11月20日（星期六）			地　點：政治大學百年樓三樓		
報　到　08：30－09：00					
開　幕　式　09：00－09：15			中國經學研究會理事長　　李威熊 政治大學中文系主任　　　張堂錡		致詞、合影
場次	時間	主持人	發表人	論文題目	特約討論人
一	09：15 ⏐ 10：35	李威熊教授	宋惠如 （國立金門大學華語 文學系副教授）	論江戶時期古學派《春秋》學與相關論題：伊藤仁齋、伊藤東涯與荻生徂徠	楊濟襄教授
			陳惠美 （中國文化大學中文 系文學組副教授）	黃奭《爾雅古義》輯佚方法探論	王國良教授
			黃忠天 （國立清華大學中文 系兼任教授）	嚴靈峰經學成就初探	孫劍秋教授
休　息　10：35－10：45					
二	10：45 ⏐ 12：25	蔣秋華教授	范麗梅 （中央研究院中國文 哲研究所副研究	試說清華簡〈成人〉「刑之無赦」的觀念背景——兼談《尚書大傳》的「五刑」說	林素英教授
			李友廣 （西北大學中國思想 文化研究所） （海外學者視訊）	消解與建構：《韓非子》文本中的孔子形象	蔣秋華教授
			李德山 （東北師範大學古籍 整理研究所教授）	西晉至十六國時期漢文化東傳高句麗研究	葉泉宏教授

			古育安 （國立政治大學中國 文學系助理教授）	披言以求道——寫本視野下 的經學研究	許文獻教授
		午　餐　12：25－13：20			
三	13：15 15：15	賴貴三教授	孔令宜 （淡江大學中國文學 系兼任助理教授）	孔子的《易》學	賀廣如教授
			林素英 （國立臺灣師範大學 國文系退休教授）	論《周禮》「以為民極」開 展的民本思想	林素娟教授
			齊婉先 （國立暨南國際大學 華語文教學碩士學位 學程副教授兼主任）	程頤「深求有得」讀書方法 與《論語解》的創造性詮釋	許朝陽教授
			楊自平 （國立中央大學中國 文學系教授兼文學院 儒學研究中心主任）	明代馬理《周易贊義》治 《易》特色論析	賴貴三教授
			馬瑞彬Ribbing G.Magnus （中研院文哲所博士 後研究）	Han Learning Elitism: Chen Li on" Gentry Education" and his compilation for Beginners	曹美秀教授
		茶　敍　15：20－15：40			
四	15：35 17：35	兩岸三地學 報期刊學術 平台分享論 壇 楊明璋教授	彭彥華	《孔子研究》	
			盧鳴東	《人文中國學報》	
			涂艷秋	《政大中文學報》	
			蔣秋華	《中國文哲研究通訊》	
			趙中偉	《孔孟學報》	
		晚　宴　17：40－20：00			

場次	時間	主持人	發表人	論文題目	特約討論人

第二天會議議程表

日　期：民國110年11月21日（星期日）	地　點：政治大學

報　到：08：30－09：00

場次	時間	主持人	發表人	論文題目	特約討論人
四	09：00 10：40	蔡信發教授	陳亦伶 （香港浸會大學中國傳統文化研究中心副研究員）	韓儒柳僖《尚書》學研究	許華峰教授
			吳智雄 （國立臺灣海洋大學共同教育中心特聘教授）	論《公羊》「大一統」與《穀梁》「不以亂治亂」之義——《公》、《穀》思想比較研究之一	張曉生教授
			史甄陶 （國立臺灣大學中國文學系副教授）	論輔廣《詩童子問》的「言外之意」	陳志峰教授
			陳逢源 （國立政治大學中國文學系特聘教授）	「道統」與「心體」——明代蔡清《四書蒙引》朱學深化與衍異考察	馮曉庭教授
休　息　10：40－10：50					
五	10：50 12：30	金培懿教授	李昤昊 （韓國成均館大學東亞學術院漢文學科首席研究員）	朝鮮朱子學派經世學的新樣貌	張崑將教授
			藤井倫明 （日本九州大學人文科學研究院副教授）	朱子《孟子》詮釋及其心性論之建構	陳逢源教授
			盧鳴東 （香港浸會大學中國語言文學系教授兼系主任）	居處與治心——朝鮮時代嶺南家訓中的讀書空間	金培懿教授

			邱惠芬 （長庚科技大學通識 教育中心副教授）	數位人文視野下的詩經研究——以朝鮮正祖為例	楊晉龍教授
午　餐　12：30－13：20						
六	13：20 15：00	董金裕教授	李蕙如 （淡江大學中國文學系副教授）	理學與經學的交融：陳淳蒙學著作探析	王俊彥教授
			侯美珍 （國立成功大學中國文學系教授）	南宋段昌武《詩義指南》研究	教授
			田富美 （國立臺北教育大學語文與創作學系教授）	清初心學家視域下的朱陸異同論爭——論李紱《朱子晚年全論》	趙中偉教授
			程克雅 （國立東華大學中國語文學系副教授）	圖像、譜牒、世系——論《傳經圖》、《授經圖》	陳恆嵩教授
茶　敘　15：00－15：20						
七	15：20 17：00	陳逢源教授	劉德明 （國立中央大學中國文學系教授）	同事異評：黃仲炎、黃震與呂大圭解《春秋》方法研究與反省—以對文姜諸事的解說為核心	張素卿教授
			劉文強 （國立中山大學中國文學系教授）	《論語》中的「仲尼」	賴明德教授
			楊晉龍 （中央研究院中國文哲研究所退休研究員）	衛湜及其《禮記集說》在明朝士人著作內的身影考述	侯美珍教授
			劉柏宏 （中央研究院中國文哲研究所助理研究員）	陳澔「自注己意」對《禮記》的詮解探析	程克雅教授

閉幕式及經學會會員大會	17：05 18：00	政治大學中文系　　　　張堂錡主任 中國經學研究會理事長　李威熊教授 中國經學研究會祕書長　陳逢源教授
晚　　宴　18：00－20：00		

■ 說明

1. 每場次主持人5分鐘，發表人各10分鐘，特約討論人各8分鐘，發表人回應各3分鐘，其餘為綜合討論時間。

2. 綜合討論時間於該場次發表人回應完後進行之，每人每次發言以2分鐘為限。

經學研究叢書‧臺灣高等經學研討論集叢刊　0502011

第十二屆中國經學國際學術研討會論文選集

主　　編　李威熊

編　　輯　陳逢源

責任編輯　呂玉姍

發 行 人　林慶彰

總 經 理　梁錦興

總 編 輯　張晏瑞

編 輯 所　萬卷樓圖書股份有限公司

發　　行　萬卷樓圖書股份有限公司

臺北市羅斯福路二段 41 號 6 樓之 3

電話 (02)23216565

傳真 (02)23218698

電郵 SERVICE@WANJUAN.COM.TW

香港經銷　香港聯合書刊物流有限公司

電話 (852)21502100

傳真 (852)23560735

ISBN 978-986-478-815-6

2023 年 3 月初版

定價：新臺幣 800 元

如何購買本書：

1. 劃撥購書，請透過以下郵政劃撥帳號：

帳號：15624015

戶名：萬卷樓圖書股份有限公司

2. 轉帳購書，請透過以下帳戶

合作金庫銀行　古亭分行

戶名：萬卷樓圖書股份有限公司

帳號：0877717092596

3. 網路購書，請透過萬卷樓網站

網址　WWW.WANJUAN.COM.TW

大量購書，請直接聯繫我們，將有專人為您服務。客服：(02)23216565　分機 610

如有缺頁、破損或裝訂錯誤，請寄回更換

國家圖書館出版品預行編目資料

中國經學國際學術研討會論文選集. 第十二屆/李威熊主編. -- 初版. -- 臺北市：萬卷樓圖書股份有限公司, 2023.03

面；　公分. -- (經學研究叢書. 臺灣高等經學研討論集叢刊；502011)

ISBN 978-986-478-815-6(平裝)

1.CST: 經學　2.CST: 文集

090.7　　　　　　　　　　　112000424